策划编辑：方国根

编辑主持：方国根　夏　青

责任编辑：段海宝

封面设计：石笑梦

版式设计：顾杰珍

国家社科基金重点项目(11AZD052)

朱志荣／主编

中国审美意识通史

ZHONGGUO SHENMEI YISHI TONGSHI

·宋 元 卷·

宋 巍 董惠芳／著

人民出版社

目 录

绪　论

后周显德七年(960年),后周殿前都点检赵匡胤受后周恭帝柴宗训禅位登基称帝,改元建隆,国号"宋",史称"宋朝"、"北宋",波澜壮阔的宋元之世由此拉开序幕。如果按历史习惯,将辽、金、夏三朝列入宋元,这一时代则开始于后梁贞明二年(916年),这一年,契丹各部群臣及诸属国上尊号于契丹首领耶律阿保机曰大圣大明天皇帝,契丹政权建立,建元神册,国号"契丹"。自辽宋开始,大江南北、长城内外,先后崛起了契丹人建立的辽政权、汉人建立的宋政权、大理段氏建立的大理政权、党项人建立的夏政权、女真人建立的金政权、蒙古人建立的元政权,其中还包括北宋建立时残留的五代十国时期的西蜀、南唐诸政权等。各朝多方,逐鹿争雄于天下,自白山黑水至百越大海之间,九州时分时合,由南北对峙终走向天下一统。元至正二十八年(1368年),朱元璋于应天府登基称帝,国号大明,建元洪武,结束了蒙元在中原近百年的统治,宋元一世画上了历史的句号。

从916年算起,到1368年,辽、宋、金、元历452个春秋,其间经历了中国封建文化的鼎盛之世,所谓"华夏民族之文化,历数千载之演进,造极于赵宋之世"①。至元代时统治者又开辟出华夏文明史上最广阔之疆域,大江南北混一,欧亚东西交流,如《元史·地理志》所载:"自封建变为郡县,有天下者,汉、隋、唐、宋为盛,然幅员之广,咸不逮元。汉梗于北狄,隋不能服东夷,唐患在西戎,宋患常在西北。若元,则起朔漠,并西域,平西夏,灭女真,臣高丽,定南诏,遂下江南,而天下为一,故其地北逾阴山,

---

① 陈寅格:《金明馆丛稿二编》,上海古籍出版社1980年版,第245页。

西极流沙,东尽辽左,南越海表。盖汉东西九千三百二里,南北一万三千三百六十八里,唐东西九千五百一十一里,南北一万六千九百一十八里,元东南所至不下汉、唐,而西北则过之,有难以里数限者矣。"①经济上,商品经济、城市经济渐趋主流,与农并称;政治上,集权和开明并存,封建制度日趋严密稳定;军事上,中原汉人与北方民族南北交战,终元人南下成功,以北统南;思想上,性理之学独树一帜,不但风行天下,且成自上而下的全社会之贯彻,由朝到野,自国而家而身,无不靡及,对文艺多有浸润;文学上,雅俗各自主张,各领风骚,诗词文赋在汉唐后别开生面,小说戏曲在市井中另辟蹊径;艺术上,书法、绘画代有雄才,意法并重,体派各家异彩纷呈。总而言之,宋元时期的社会各方面、各领域的旧传统和新力量在碰撞中摸索建立了稳定的关系结构,社会文化及孕育这文化的社会形态正处于完善成熟的状态之中,审美意识处身其中,在承传前人的基础上表现出明显的时代风貌。因此,想要把握发达且复杂的宋元审美意识史,脱离孕育它的具体时代和社会无疑是不可行的。如钱穆言"治史必以国家民族当前事变为出发点"②。因此,研究宋元审美意识的流变,首先需要理出一个稳定、科学的探讨语境。

一、复杂的政权态势与南北审美问题

宋元四百年,在中国数千年的历史中,是一个政权更迭较为频繁的历史时期。这种复杂的政治形势对宋元审美意识的影响是非常直接的。人们一般将北宋立国视为是接续汉唐的又一个一统政权的开始,但实际上宋王朝从未实现真正的南北"大一统"。北宋百余年间,赵宋政权虽先后平定荆南、湖南、后蜀、南汉、南唐等多个割据政权,一统中原,但在宋统治区域以外的北方,先后崛起了契丹建立的辽政权和女真建立的金政权,宋统治区内又有党项人分裂建立的夏政权,南方有段氏建立的大理政权,这些政权都与北宋分庭抗礼各统一方。南宋时,赵宋偏居江南,宋金南北对

---

① （元）脱脱等:《辽史》,中华书局 1974 年版,第 1345 页。
② 钱穆:《中国史学发微》,见《钱宾四先生全集》第 32 册,台北联经出版社 1998 年版,第 70 页。

峙,女真人建立的金政权统治了黄淮以北直至大漠的广大北方土地,与地处西北的西夏时战时和,不计小国大理的话,天下处于宋、辽、夏三个政权南北分治、三足鼎立的状态。这种局面,直至 13 世纪时,蒙古崛起,短短数十年席卷欧亚数十国,先后灭金与西夏,此后,以忽必烈一系为代表的蒙古贵族承金统定都大都,建大元朝,南下灭大理南宋,政治上隔绝百余年的大江南北才复归一统。但蒙元因民族偏见,划天下良民为四等,其中列为三等的汉人为原金与西夏统治区的民众(包括北方汉人和契丹、女真等少数民族),四等为南人,包括南宋统治区的南方各族百姓。所以,南北方虽然在政治上统一了,但在文化上因蒙元政权的民族歧视政策导致南北分离的状态一直没有发生质的改变。民族政权与汉族政权的对峙与战和,始终在这一时期以这样一种极端的方式影响着各民族的审美意识。

由于辽、金、元都属于北方民族政权,其与两宋政权的对抗与斗争,一直涉及不同民族在南北地域之间的审美意识的交流问题。因此,宋元时期的审美意识研究首先应在南北审美意识差异的语境内展开来,对其中的异同变化、互相影响、具体过程、特例共性、现象规律作系统深入的研究。钟仕伦在《论南北文化区系的生存》一文中认为:"南北文化中心各具特色,因而使南方和北方在特定历史时期中形成了不同的审美意识和审美情趣。由于战争的爆发、经济的变革、自然灾害的发生和生态环境的破坏,华夏文化中心曾由西至东,由北至南,再由南至北,由西至东以循环往复的形式不断迁移。每一次文化中心的迁移都使华夏文化融汇进新的文化因素,而文化中心的迁移必然带来艺术创造的繁荣,这是隋之前文学艺术发展的一个基本规律。"①我们认为,这种南北不同的审美意识的交流碰撞,对华夏美学的促进不仅发生在隋前,且是隋后中国古代美学的一个基本规律,宋元审美意识也不例外。在宋元时期,南北方的审美意识始终处于既分流发展,又不断地相互碰撞与交流的局面。

---

① 钟仕伦:《论南北文化区系的生存》,《西南民族学院学报》(哲学社会科学版) 1995年第 4 期。

辽、宋、金元时期尽管各个政权所统辖的范围时有变化,但因政治原因,在南北地域隔离状态中,各领域出现了十分明显的南北审美意识分流发展的现象。由于政权分立,在较长时间的南北地域隔离状态中,南北文化交流减缓,地域文化在比较封闭的状态下自我发展,由此培育了带有较强地域特征的地方文化。当然,在地域文化影响下,如饮食服饰、民居建筑、民情风俗等也表现出南北的不同,但更能反映南北审美意识差异的是文艺活动。原因一方面在于,文学艺术是在自觉意识中进行的,因而,其中的南北差异,更能反映出审美意识的南北不同。另一方面,文艺的审美属性是其主要属性,所以文艺上的南北差异对审美差异的表现更为鲜明,更易辨识。在南北方各自地域文化的环境中,一些形式相近的文艺各自发展,形成了很有趣的文艺上的"南北差异现象",如文学上的南北词、南北曲,书画上的南北宗、南北派等。从宋元时期大量的南北各异的审美现象可以看出,基于地域的南北审美差异意识,深深地影响着宋元时期的审美活动的各个方面。如宋人庄绰所言:"大抵人性类其土风。西北多山,故其人重厚朴鲁。荆扬多水,其人亦明慧文巧,而患在轻浅。"①

然而,当南北方的审美意识在各自地域文化的涵育中逐渐壮大、特性增强的同时,又往往受政治因素的影响而产生了相互交流的可能性。而且,无论是南方还是北方,都不甘自我封闭,都有对外交流的内部需要。因此,当南北方处于战争或对峙的政治隔绝时,南北审美交流就相对薄弱;当南北统一时,这样的交流就非常繁荣。在相互交流中,南北方的审美意识相互影响、促进,在碰撞中走向融合,形成审美上的新变。在宋元审美意识的流变上,南北民族间的交流及互相影响作用一直是华夏审美意识形成演变的根本动力之一,尤其在多民族政权并存时期,民族审美交流的影响较大一统政权时代更加明显强烈。宋元时期,契丹、女真、党项、蒙古、吐蕃等少数民族先后崛起;同时,两宋汉人政权虽军事孱弱,但文化发达,国力强盛。崛起之少数民族与发达之汉民族之间的审美交流或冲

---

① （宋）庄绰:《鸡肋编》,见上海古籍出版社编:《宋元笔记小说大观》（四）,上海古籍出版社 2001 年版,第 3983 页。

突,共同构成了自春秋、南北朝以来的第三次民族审美大交流与大融合,
对华夏审美意识的形成与发展产生了巨大影响。

　　宋元时期审美意识的相互交流与影响是伴随北人南下的历程逐渐深
化的。契丹天显十一年(936年),辽太宗耶律德光率军协助后唐河东节
度使石敬瑭灭后唐获得燕云十六州,自此开始了契丹、女真、蒙古各族南
下迁居汉地的历史。韩光辉《辽代中国北方人口的迁移及其社会影响》
一文根据《辽史·营卫志》推测:"辽末天祚帝初年(1101年),设在南京
(今北京市)、西京(今山西大同市)、平州(治今河北县卢龙县)和奉圣州
(治今河北涿鹿县)的宫卫提辖司共37个。宫卫提辖司是既领宫卫兵
丁,又领户口的军事行政组织,每提辖司约管宫卫户1500户,37个提辖
司共管5.5万余户,如以每户5口计算约27.5万人;其中,契丹户大约
2.2万户,11万人;包括汉人和其他少数民族在内的蕃汉转户3.3万户,
16.5万人。由于在辽国占领以前,生活在燕云地区的非汉族人民数量有
限,上述契丹户和蕃汉转户中的非汉族人民绝大多数是外来移民。"①女
真建立金以后,继续北方民族迁居南移的做法。《大金国志·太宗文烈
皇帝六》载:"尽起本国之土人,棋布星列,散居四方。令下之日,比屋连
村,屯结而起。"宋人史著《建炎以来系年要录》卷六八记录北方民族南移
情况时,写道:"悉起女真土人散居汉地,惟金主及将相亲属卫兵之家得
留。"而且,南下的女真各族并非民族聚居,而是与北方汉人杂居,习俗渐
混。《大金国志·屯田》记录了女真南下后在北方放弃渔猎传统改易农
耕的情况。从熙宗天眷年间到皇统初年(1138—1141年),女真人"自本
部族徙居中土,与百姓杂处","非止女真,契丹、奚家亦有之","计其户口
给以官田,使自播种,以充口食"。随着宋金战争中金人的南侵,女真南
下的范围进一步扩大,《大金国志》云:"自燕山之南,淮陇之北,皆有之,
多至六万人,皆筑垒于村落间。"

　　到蒙元时期,北方民族南下的人口迁徙仍在继续。蒙古习俗,战士出
征,家人跟随作战,从事后勤保障。《蒙鞑备录》记载:"其俗出师,不以贵

───────────

　　①　韩光辉:《辽代中国北方人口的迁移及其社会影响》,《北方文物》1989年第2期。

贱,多带妻孥而行,自云用以管行李、衣服、钱物之类。其妇女专管张立毡帐,收卸鞍马、辎重、车驮等物事。"①蒙元统一南北后,将蒙古军队分驻各地,蒙古军队家眷因此定居汉地。以河北永平路(治今卢龙县)为例,元英宗至治二年于此置营,一次收养被卖到各地的蒙古人子女就有 3000 户之多。上述史实说明,宋、辽、金、元时期北方民族的大量南下定居现象是十分突出的。

　　各族人民杂居一处,共同生产生活,于是,他们在生活方式、民族文化和风物习俗上互相影响,审美意识的互相渗透也水到渠成。以服饰论,契丹、女真、蒙古的平民逐渐沾染汉人习俗。据《大金国志》卷三十九《男女冠服》载:"自灭辽侵宋,渐有文饰。妇人或裹逍遥巾,或裹头巾,随其所好。"与此同时,汉人服饰也在胡化。南宋文人范成大出使金国,记录北方见闻时谈及北方汉人胡化时写道:"东京……民亦久习胡服,态度嗜好与之俱化……最甚者衣装之类,其制尽为胡矣。自过淮以北皆然,而京师尤甚。"②不仅服饰胡化,礼乐文治也多染胡风。范成大写道:"裔乐悉变中华,惟真定有京师旧乐工,尚舞高平曲破。"③辽金北方汉人在衣冠礼乐方面的胡化让陆游颇为感慨,真是"舞女不记宣和妆,庐儿尽能女真语"④。

　　与民间审美意识嬗变心理的单纯自然不同,统治阶层的情况则要复杂得多。因为审美意识与政治、社会文化总是有着不可分割的联系,所以,两宋政权的态度与辽、金、元的态度完全不同。两宋政权秉持着传统的夷夏观,坚决抵制辽、金、蒙元各民族的审美意识。在华夏文明史上,在表述不同民族关系时,汉字文献中常用"夷夏"一词。"夷",《说文》解为:"平也。从大从弓。东方之人也。"后来,"夷"多引申指汉文化区以外的边疆少数民族,"四夷者,东夷、西戎、南蛮、北狄之总号也","夷为四方总号"。"夏",《说文》释为"中国之人也",扬雄在《方言》云:"夏,大也。

①　(宋)赵珙:《蒙鞑备录》,见《王国维遗书》第十三册《蒙鞑备录笺证》。
②　(宋)范成大:《范成大笔记六种》,孔凡礼点校,中华书局 2002 年版,第 12 页。
③　(宋)范成大:《范成大诗选》,周汝昌选,人民文学出版社 1959 年版,第 133 页。
④　(宋)陆游:《剑南诗稿校注》,钱仲联校注,上海古籍出版社 1985 年版,第 371 页。

自关而西秦晋之间凡之壮大而爱伟之,谓之夏。"从汉文化角度看,"夷夏"有文化疆域内外之别,即汉文化区(一般指中原农耕地区)为内,夏也,多行礼义;汉文化区以外的四方(包括夷、狄、蛮、戎等诸多少数民族生活区)统称为夷,不行礼义。因此,在儒家看来,夏为文明昌盛之区,而夷为野蛮落后之荒野。孔子在《论语·八佾》中写道:"夷狄之有君,不如诸夏之亡也。"这一观点后来成为汉文化区人们处理与少数民族关系的一个基本出发点。

但儒家的民族文化观并不是纯粹的民族不可融合论。在讲究扬夏抑夷的同时,儒家民族观也认为夷夏共存互补,"夷夏"之间可互融互化。同样在《论语》中,子夏提出"(君子)四海之内皆兄弟"的观点,《尔雅·释地》云:"九夷八狄七戎六蛮,谓之四海。"由此可见,儒家以兄弟关系比拟民族关系并不完全主张民族之间的割裂对立。《公羊传·成公十五年》亦云:"《春秋》内其国而外诸夏,内诸夏而外夷狄,王者欲一乎天下,曷为外内之辞言之?言自近者始也。"按这种观点看,夷夏之间的民族区别并不是归属华夏文化与否,而是同属华夏文化但距离文化中心远近的区别。由此,"独尊儒术"的汉民族在看待和处理与少数民族之间的关系时,常常在"夷夏有别"和"夷夏共存互补"这两种民族观中游移摇摆。在汉民族强盛时,中原汉民族多持认可边疆少数民族的"夏夷兄弟"民族观,其力图建构的是《国语·周语上》所言的服事朝贡体系:"夫先王之制,邦内甸服,邦外侯服,侯卫宾服,夷蛮要服,戎狄荒服。甸服者祭,侯服者祀,宾服者享,要服者贡,荒服者王……先王之训也,有不祭则修意,有不祀则修言,有不享则修文,有不贡则修名,有不王则修德,序成而有不至则修刑。"[①]在中原政权衰落时,汉民族更倾向于封闭内外的"夷夏有别"的消极民族观,谋求的是自身的稳定,如《左传·定公十年》孔子所言那样"裔不谋夏。夷不乱华"。

宋初,中原在晚唐五代播乱荼毒百余年,军力衰弱,在与北方民族的争锋中频落下风。此后,因宋代统治者坚持扬文抑武的统治策略,两宋在

---

① 徐元浩:《国语集解》,王树民、沈长云点校,中华书局 2002 年版,第 6—7 页。

与北方契丹、女真等北方民族政权交锋中始终处在战略的弱势上。王夫之《宋论》认为："（宋太祖）权不重，故不敢以兵威劫远人；望不隆，故不敢以诛夷待勋旧；学不夙，故不敢以智慧轻儒素；恩不洽，故不敢以苛法督吏民。惧以生慎，慎以生俭，俭以生慈，慈以生和，和以生文。"①因此，宋元时期中原政权和汉民族的儒家士人对待契丹、党项、女真、蒙古、吐蕃等强势少数民族时，多坚持"夷夏大防"的观点。如宋初石介认为"中国四夷"可"各人其人，各俗其俗，各教其教，各礼其礼，各衣服其衣服，各居庐其居庐，四夷处四夷，中国处中国，各不相乱，如斯而已矣。则中国，中国也；四夷，四夷也"。邢昺注孔子"夷狄之有君，不如诸夏之亡也"句云："此章言中国礼之盛，而夷狄无也。举夷狄，则戎蛮可知。诸夏，中国也。亡，无也。言夷狄虽有君长而无礼义，中国虽偶无君，若周、召共和之年，而礼义不废，故曰：'夷狄之有君，不如诸夏之亡也。'"②对于孔子这句话的理解，两宋儒士大类邢昺，如程颢、程颐解释为："夷狄且有君长，不如诸夏之僭乱，反无上下之分也。"朱熹引程门尹氏语云："孔子伤时之乱而叹也。亡，非实亡也，虽有之，不能尽其道尔。"③南宋时，南北局势严峻，张栻作《经世纪年序》干脆放弃孔子以文化区别夷夏的观点，论"夷夏"以南北论，且自尊南宋为正统。他说："由魏以降，南北分裂，如元魏、北齐、后周，皆夷狄也，故统独系于江南。"④

这种在民族文化上的强烈自尊，实际上是两宋政权与辽、金、元等北方民族政权长期对抗渐趋孱弱后的产物。两宋政权国势衰颓，由北宋到南宋，面对辽、金、元等越来越强势的北方民族，汉民族不仅面临亡国的危机，且有可能要面对灭种亡天下的威胁。在文治武功无法解决危机的时候，坚持文化上的自我认同无疑可以团结人心，抬振民气，即有亡国之日，亦可凭此民族文化自信坚持斗争。杨念群《"感觉主义"的谱系：新史学

① （清）王夫之：《宋论》，中华书局1964年版，第3页。
② （魏）何晏注，（宋）邢昺疏：《论语注疏》，朱汉民整理，张岂之审定，北京大学出版社2000年版，第33页。
③ （宋）朱熹撰：《四书章句集注》，中华书局1983年版，第62页。
④ （宋）马端临：《文献通考》（卷一九三·经籍考二十），中华书局2011年版，第5608页。

十年的反思之旅》中对此阐发得明白,他说:"在版图紧缩夷狄进逼的巨大压力下,南宋士人必须要扎紧'种族'界分的藩篱才能维持一种文化认同上的生存信念,故'夷夏之辨'上升为某种具有生死攸关意义的意识形态表达。北人是'虏'如禽兽,南人是'优雅礼仪之士',是文明的象征。只有不断强化这样的意识,培养自身文化优越的身份感,才能自保疆土抵抗北方'禽兽'之族的入侵,儒生由此才有'得君行道'的机会。"①基于这种信念,我们看到两宋政权对于北方少数民族的审美意识是竭力抵制,多加贬斥的。

与之相反,辽、金、元政权为了统治的需要,从政治到审美都比较能认同中原汉民族的审美意识。因此,当汉民族在夷夏关系中以儒家文化自守的时候,契丹、女真、党项、蒙古等民族也同样在提倡儒家文化,但他们的目的与两宋汉人政权却背道而驰。这些自北方草原南下据有中原的游牧民族,试图运用儒家提出的"夷夏共存互补"、"夷夏同源同化"、"天下一家"的理论,来获得统治上的正统性和合理性,以此辅助甚至支撑他们统治庞大的淮河以北汉文化地域,乃至以儒家文化整合本民族文化,以此建构自身的统治体系。

对进入中原的契丹、女真、蒙古各族的统治者来说,进入中原统治北方以后,他们所面对的统治对象和政治环境完全改变,主要治民由游牧民族变为农耕民族,社会经济和生活形态也发生了根本性改变。因此,辽、金、元的统治者从巩固统治地位的目的出发,就不得不入乡随俗,"变服以其俗以长之"。他们要解决如何治理持续千年的北方汉文化区的问题,但契丹、女真、蒙古等北方民族自己原本基于游牧部落制的简单政治制度,不足以帮助辽、金、元统治者完成统御万民、宇内澄清的统治目标。因此,选择完善成熟的汉文化来解决治政难题是必然的选择。此外,不像两宋背负着沉重政治传统因此难以根据实际情况进行改革,北方各族的民族文化原本就不够成熟,无严格的制度传统需要承继发展,他们随时可

① 杨念群:《"感觉主义"的谱系:新史学十年的反思之旅》,北京大学出版社 2012 年版,第 24—25 页。

以根据本民族特性吸收外来营养,完善民族文化。疏散的结构、后进的现实,为辽、金、元接受外来文化提供了广阔的空间。这样,辽、金、元统治者大力改革民族文化不但必行,而且是可行的。

通观辽、金、元史,北方民族汉化的现象触目皆是。辽代统治者为获得统御北地汉人的合法性自称华夏苗裔。《辽史·世表》是这样记录契丹历史的:"庖羲氏降,炎帝氏、黄帝氏子孙众多,王畿之封建有限,王政之布濩无穷,故君四方者,多二帝子孙,而自服土中者本同出也……盖炎帝之裔曰'葛乌菟'者,世雄朔陲,后为冒顿可汗所袭,保鲜卑山以居,号'鲜卑氏'。既而慕容燕破之,析其部曰'宇文',曰'库莫奚',曰'契丹'。"①《金史·礼志八》"诸前代帝王"条记载,金将华夏诸先祖伏羲、神农、轩辕、少昊、颛顼、帝喾、高辛、陶唐、虞舜、夏禹、成汤、周文王、武王、汉祖等都立为祭祀对象。元代蒙古贵族统一南北,在外交文书上常常自称"中国"、"中华"。②《辽史》、《金史》中将契丹女真的民族起源整合到炎黄祖先体系中反映了辽金时契丹女真汉化的具体情况。同时,《辽史》、《金史》为元人脱脱等修撰,认可契丹女真的炎黄文化血脉,也反映出蒙元时期的民族文化的大融合态势。按元世祖忽必烈《中统建元诏》云:"稽列圣之洪规,讲前代之定制。建元表岁,示人君万世之传;纪时书王,见天下一家之义。法《春秋》之正始,体大《易》之乾元。"建元立国号为事关国体,忽必烈明言"稽列圣之洪规,讲前代之定制",可见元代治政文化的总体方针已经在汉而不在蒙古。辽、金、元时期北方民族在夷夏民族观层面上总体汉化的情况,可用元代大儒郝经的一句话来概括:"能用士,能行中国之道,则为中国之主"。③ 换言之,在统治需要下,北方民族在文化上与汉文化区已经没有太大区别了。

国家政治制度上模仿唐宋,立国文化上全面尊儒,皇帝贵族以身作则

---

① (元)脱脱等:《辽史》,中华书局 1977 年版,第 949 页。

② 如忽必烈在遣使通好日本时曾说过:"朕惟日本自昔通好中国,实相密迩,故尝诏卿导达去使。"

③ (元)郝经:《与宋国两淮制置使书》,见李修生主编:《全元文》第四册,江苏古籍出版社 1999 年版,第 103—104 页。

极力倡导,上层建筑的种种汉化都为当时北方政权下的各族人民的汉化树立了榜样,民族差异和隔阂不再是辽、金、元政权统治下的各族人民在审美上、在文艺上接受汉统的文化障碍了。一时间,宗唐宗宋,学苏学黄,吟诗作赋,弈棋作画,在北方兴盛起来。辽圣宗性喜汉人诗词,尤重白居易,自云"乐天诗集是吾师"。王辟之《渑水燕谈录》载宋人使金见闻,"张芸叟奉使大辽,宿幽州馆中,有题子瞻老人行于壁者,闻范阳书肆亦刻子瞻诗数十篇,谓大苏小集。子瞻才名重当代,外至夷虏,亦爱服如此"。金朝虽为女真人建立的民族政权,但其接受中原文化的态度非常积极,他们实行"借才异代"的文化政策,以原北宋文人为基础建立了"国朝文派"。在这样的政策指导下,金朝统辖地域的各族汉化程度较深,"南渡后,诸女真世袭猛安、谋克往往好文学,喜与士大夫游"。具体看,金人宗苏学,诗文创作以苏黄为师。"宋南渡后,北宋人著述,有流播在金源者,苏东坡、黄山谷最盛。"①元初南方书法家赵孟頫赴大都,"海内书法,为之一变,后进咸宗师之"②。

　　表现在审美意识上,他们比较欣赏和愿意借鉴文学中偏重苍凉刚劲风格的作家作品,比如苏轼在金元朝多为当时文人景慕宗法。元代袁桷《乐侍郎诗集序》论辽金文学云:"方南北分裂,两帝所尚,唯眉山苏氏学。"因北方文人偏爱慷慨悲凉,元代文学初创,诗文各家往往尊崇金代遗民作家元好问。刘因在《跋遗山墨迹》中说:"晚生恨不识遗山,每诵诗歌必慨然。"郝经曾做《遗山先生墓铭》,详细说明了元人喜爱元好问的原因。他说:"当德陵之末,独以诗上薄风雅,中规李、杜,粹然一出于正,直配苏、黄氏。天才清赡,邃婉高古,沉郁太和,力出意外,巧缛而不见斧凿,新丽而绝去浮靡,造微而神采灿发,杂弄金碧,糅饰丹素,奇芬异秀,洞荡心魄,看花把酒,歌谣跌宕,挟幽并之气,高视一世。"③从郝经对元好问的评价称道,我们可以确定,金元审美趣味是一脉相承的。两朝文人共同认

---

　　① (清)赵翼:《瓯北诗话》,霍松林、胡主佑点校,人民文学出版社1987年版,第180页。

　　② (元)卢熊:《题赵孟頫帖》,见李修生主编:《全元文》第56册,江苏古籍出版社1999年版,第182页。

　　③ (元)郝经:《郝文忠公陵川文集》,山西人民出版社2006年版,第478页。

可那种风雅比兴、寄托深远的作品,欣赏带有"幽并之气"的北方审美风格,追求天然真淳的审美体验,排斥浮靡斧凿、过度雕饰的文学。清人赵翼在《廿二史札记》中认为"金源一代文物,上掩辽而下轶元"。谭宗浚《金文最序》云:"世多以金偏安一隅,又国柞稍促,遂谓其文不及宋元,不知有元一代文章皆自金源启之。"①由此观之,元人所评价之元好问之文风可视作辽、金、元三朝审美之典范,以其人论北人朝代变迁后的审美意识,可称允当。元氏论"国朝文人"曰:"及翰林蔡公正甫,出于大学大丞相之世业,接见宇文济阳、吴深州之风流,唐宋文派,乃得正传。然后诸儒得而和之。盖自宋以后百年,辽以来三百年,若党承旨世杰、王内翰子端、周三司德卿……不可不谓之豪杰之士。"②金源文物势掩三朝,元好问上追风雅李杜,兼取北宋苏黄,下开元之百年诗文。纵观元氏,其人诗文宗法无不是前代豪雄之士。由此我们可以梳理出如下的文学史脉络:风雅——乐府——李杜——苏黄——元好问(及金代豪杰之士)——元代诗文。这一脉络反映的是北方民族在审美上的偏好,而其中涉及的作家作品,无不是以劲健、质实、豪迈、简古为号召的。而当时以南宋为代表的南方汉人诗文,基本偏于华丽、柔媚、清空、淳雅。故张金吾在《金文最自序》中指出:"金有天下之半,五岳居其四,四渎有其三,川岳炳灵,文学之士先后相望,惟时士大夫察雄深浑厚之气,习峻厉严肃之俗,风教固殊,气象亦异,故发为文章,类皆华实相扶,骨力遒上……后人读其遗文,考其体裁,而知北地之坚强绝胜江南之柔弱。"③

综上所述,两宋以文化自守,强调夷夏大防;辽、金、元各民族政权尊儒习汉,主张夷夏一家,其根本都在治国辅政。这种关系国运的夷夏民族观成为南北各政权建设统治文化的核心内容,这就对当时社会的审美意识的形成和演变形成一种带有政治强力的自上而下的影响。通过北方各族在审美和文艺上的汉化,原本"少慕中原"的辽、金、元文化区成为华夏

---

① (清)谭宗浚:《金文最序》,见(清)张金吾:《金文最》(上),中华书局 1990 年版,第 7 页。

② (金)元好问:《元好问全集》,山西古籍出版社 1990 年版,第 477 页。

③ (清)张金吾:《金文最》(上),中华书局 1990 年版,第 10 页。

审美意识的覆盖范围,北方民族文化成为华夏审美意识的有机组成和有效补充,为华夏美学的持续发展提供了强劲动力。

纵观宋元四百年的南北分离,华夏审美文化中的南北不同传统、审美意识变迁与王朝统治的不同步现象,审美意识与民族传统、地域观念的交错混杂等诸多复杂问题综合作用,由此导致宋元审美意识上的南北差异现象常见且难解。无论是在明确的思想意识上还是在模糊的行为活动上,宋元时期发生在不同民族文化间和不同政权间的南北审美交流数不胜数,由南入北、北人南下、南北合流或南北各自主张的情况虽结果不一,但都极大地影响了华夏审美意识的形成。

二、经济形态的变化与通俗审美意识

尽管辽、宋、金元的政权斗争非常激烈,对经济的整体持续发展确有影响,但这一时期的经济繁荣也是无法否定的,特别是两宋社会经济的发展,当时在全世界范围内都处于领先地位。宋代统治者为了巩固统治基础,对于农业生产的方方面面都分外重视,制定了各种政策和措施来保障农业经济的发展和粮食产量的增收。宋太祖、宋太宗、宋真宗、宋仁宗和宋神宗都曾几次下诏鼓励百姓开荒种田,并常常伴有减免赋税、配发种子等优惠政策,这使得宋代民间的垦荒积极性一直比较高。为了保证各种重农政策的真正落实,宋代政府还会对地方官吏进行经济政绩的考核,从北宋到南宋,"田土之荒辟"一直是地方官员考核的主要内容之一。元世祖忽必烈也深知农业生产对于稳固统治的重要意义,执行了一系列的重农措施,如设立司农司和劝农使,大力提倡垦荒,禁止毁农田为牧场等,这些措施对于元初农业生产的恢复和发展起到了非常重要的作用。"户口增,田野辟"是元初地方官考核的重要指标。上述政策与措施极大地保证了宋元时期农业生产的恢复与发展。

宋元时期,还是中国古代农具发展史上的鼎盛时期。元人王祯《农书》中记载的农具有一百余种,反映了农业生产工具的重要进步,从播种、翻耕、灌溉到脱粒、收割各种工具均有一定程度的改进。当各个环节的工具的总体有效性都转化为一种合力的时候,这对粮食总产量的提高所发生的作用是可想而知的。为了提高产出,宋朝时对于良种的引进与推广已很重视,民间也有较为活跃的自发的良种交流。除了使农民因地制宜地选择到合适的种子种植之外,施肥来增强地力也是促进产量提高的有效手段,因此也很受宋朝人重视。他们对土壤与肥料之间的关系的认识已很深入,比如通过施肥来改变土壤、保持土壤的肥力,增加肥料的来源,甚至对施肥的时间与次数,南方的宋人已形成普遍认识。

宋元政府都深知水利对于农业生产的重大意义,因此,对直接或间接为农业生产服务的水利工程的修复和维护也都相当投入。尤其是宋代王安石变法颁行了农田水利法后,"全国共兴建一万多处水利工程,形成一次规模空前、历史罕见的农田水利建设高潮"①。如果遇到灾荒年,宋元政府也会积极减灾赈贷。宋元时期南方的水利事业极为发达,因而南方的农业整体发展呈现前所未有的局面。在各种耕种技术的推动下,江南地区的稻麦复种制在两宋时期已成为比较成熟的、稳定的精耕细作的典范,所谓"苏湖熟,天下足"。

在传统的农业经济之外,宋元时期的中国经济形态已发生巨大的变化,主要表现为商品经济和城市经济的兴盛。商业繁盛,商品流通给人们带来直接的生活便利,促进工农业发展,适宜商业发展必须的流通中心型城市开始出现。据《宋史·王安石传》,宋神宗熙宁年间,东京汴梁府户二十万。据漆侠《宋代经济史》估算,宋神宗元丰年间,宋代的城镇户口约在200万户以上,占全国总户口的比例为12%。这些大型城市的商品经济极为繁荣,《都城纪胜》记载南宋杭州城,"自大内和宁门外,新路南北,早间珠玉珍异及花果、时新、海鲜、野味、奇器、天下所无者,悉集于此;以至朝天门、清河坊、中瓦前、灞头、官巷口、棚心、众安桥,食物店铺,人烟浩穰。其夜市除大内前外,诸处亦然,唯中瓦前最胜,扑卖奇巧器皿百色物件,与日间无异。其余坊巷市井,买卖关扑,酒楼歌馆,直至四鼓后方

---

① 参见漆侠主编:《辽宋西夏金代通史·社会经济卷》(上),人民出版社 2010 年版,第 216 页。

静;而五鼓朝马将动,其有趁买早市者,复起开门。无论四时皆然"①。元代城市的繁荣状况,我们也可通过马可·波罗的描述得以领略。

经济领域发生的结构性变化很快影响到统治政策和思想领域,宽商和重商主义开始出现。《宋会要·职官》载高宗论商云:"市舶之利最厚。若措置合宜,所得动以百万计,岂不胜取之于民。朕所以留意于此,庶几可以少宽民力尔。"②北宋人苏辙也强调:"州县赖之以为强,国家恃之以为固,非所当扰,亦非所当去也。"③南宋大儒朱熹虽反对商人重利,但论及商业也不得不称赞说古时"只立得一市在那里,要买物事,便入那市中去。不似而今,要买物事只于门首,自有人担来卖,更是一日三次会合,亦通人情"④。到了元代,统治阶级积极推行重商政策,不仅鼓励通商,维护商贾资财安全,还不断降低商税来刺激商业的发展,对于肯到民族地区做生意的内地商人甚至免税。可见,宋元时期对于农、商关系的认识已经突破前代的局限,重农抑商的传统政策得到了合理的调整。新的生产关系开始形成,社会经济生活形态及阶级阶层结构与汉唐时亦大不相同。

伴随商品经济和城市经济的兴盛,商贾阶层和市民阶层壮大起来。宋代以前,士族门阀是社会权力和财富的主要掌握者。李唐建立,皇室虽极力打击南北豪族,但门阀制度依然主宰着社会的运行,所谓五姓七望仍处在社会权力金字塔的最上端。晚唐五代,军阀混战,士族门阀因自身的财富招来祸患,豪门尽丧,"朱门甲第无一半","天街踏尽公卿骨",权力伴随着战争由门阀向军阀转移。《新五代史·安重荣传》:"尝谓人曰:'天子宁有种耶?兵强马壮者为之尔。'"北宋建立,太祖赵匡胤没有选择重新扶植门阀,而是选择建立职业文官队伍来辅政治国,门阀的政治权力

① (宋)灌圃耐得翁:《都城纪胜》,见(宋)孟元老等:《东京梦华录》(外四种),古典文学出版社1957年版,第91页。

② (清)徐松辑:《宋会要辑稿》,中华书局1957年版,第3373页。

③ (宋)苏辙:《苏辙集》,陈宏天、高秀芳点校,中华书局1990年版,第1230页。

④ (宋)黎靖德编:《朱子语类》第三卷,杨绳其、周娴君校点,岳麓书社1997年版,第1984页。

由职业文官继承。门阀制度的衰亡带来的不止是政治权力的变化,社会财富分配也随之发生变化。一部分平民在社会商业经济活动中积累了较多物质财富,成为新出现的"富而不贵之人"。以北宋首都东京汴梁为例,孟元老《东京梦华录》载:"南通一巷谓之界身,并是金钱彩帛交易之所,屋宇雄壮,门面广阔。望之森然,每一交易,动至千万,骇人闻见。"①这些新兴富人多数通过商业来积累财富,因商业贸易本身需要经济集聚和商品交换方可进行,因此,以商品交换为主要形式的城市经济已然培育出了为此前社会所难容的新兴阶层——工商市民阶层,包括大地主、大商人、地主兼商人、富有的房地产权主等富人,同时也包括了大量的小地产所有者、手工业者、小商贩、仆役走卒、闲汉食客、倡优浪子以及落魄文人等。

商业经济的不断繁荣推动工商市民阶层在更宽容的社会文化背景中走向主流社会。新兴阶层(包含一部分新富者)随着财富的积累,开始通过商业和经济的形式,将自己的意愿施加到审美领域,他们有自己的趣味、喜好和审美意识,希望在审美领域发出自己的声音,渴望更多地符合他们口味的文艺。他们希望看到、听到、感受到能与自己内心相通的精神产品。如果说秦汉隋唐,限于自身阶层的不成熟和力量薄弱,这些"工商之民"只能与农民一起去追随或适应贵族文人的审美趣味,那么,在宋元时,他们不自觉地开始了自己的审美建设,也就是我们常说的宋元时期通俗审美潮流的兴起。这些人的精神需求与欣赏趣味就是宋元通俗审美意识得以发展的源头。

确实,我们看到当时城市经济繁荣所催生的大众化娱乐心理需求,极大地推动了宋元时期通俗审美意识的充分发展。宋元时期随着市民阶层的迅速壮大,休闲娱乐的需求大量增长且日益强烈,在整个社会文化氛围中,渴求精神上的满足成为社会各阶层当时非常突出的愿望。由此全社会自上而下地弥漫着都市休闲与大众娱乐的热潮,风靡的瓦子勾栏和林立的酒楼茶肆布满了消遣娱乐、流连忘返的人们。根据孟元老《东京梦

---

① （宋）孟元老撰,伊永文笺注:《东京梦华录笺注》,中华书局 2006 年版,第 144 页。

华录》的记载,北宋汴京城里的瓦子有新门瓦子、桑家瓦子、朱家瓦子、中瓦、里瓦、州西瓦子、保康瓦子、州北瓦子共八座。据同书卷二《东角楼街巷》条载:"街南桑家瓦子,近北则中瓦,次里瓦,其中大小勾栏五十余座。内中瓦子莲花棚、牡丹棚,里瓦子夜叉棚、象棚最大,可容数千人。"①可见,桑家瓦子、中瓦和里瓦距离较近,形成了类似今日商业中心的格局。内中勾栏有 50 多座,最大的演出棚可容纳数千人,规模浩大,声势可观。沈括《梦溪笔谈》记载此时的市井娱乐盛况云:"大抵诸酒肆瓦市,不以风雨寒暑,白昼通夜,骈阗如此。"②充分表明宋元时期市民文化的发达与流行。宋朝南迁后,杭州的瓦子勾栏发展特别快,比原国都汴京有过之而无不及。据《西湖老人繁胜录》"瓦舍"、《梦粱录》卷十九"舍"、《武林旧事》卷六"瓦子勾栏"等记载,临安有南瓦、中瓦、大瓦、北瓦、蒲桥瓦、便门瓦、候潮门瓦、小堰门瓦、新门瓦、荐桥瓦、菜市瓦、钱塘门瓦、北关门瓦、艮山门瓦、羊坊桥瓦、王家瓦、龙山瓦等大小瓦子 23 座。其中,北瓦的规模最大,内中有勾栏 13 座。作为综合性的娱乐场所,瓦子勾栏吸引着社会各阶层的人们,受大众接受和传播规律所限,通俗性的演出越来越得到更多阶层的喜欢。

宋元时期通俗审美意识的发展,绝不仅仅局限在某一种艺术形式中,实际上,以经济的繁荣为后盾,这种通俗审美的趋势在各种文艺活动中共同呈现出来,各种文艺本身用自己的方式记录和反映这个时代商贾市民阶层的审美喜好,在自己时代的审美意识史上刻下了商人和市民的痕迹。这种痕迹十分明显的文艺活动是很多的,如南戏、杂剧、说话、话本的产生和发展,城市勾栏商业演出的兴盛,城市题材诗词的出现,以及市井风俗题材艺术(如绘画、陶瓷、建筑、雕塑、器物等)的流行等。这些文艺活动无不说明,宋元时期的一部分文艺完全服务于新兴的商贾市民阶层,满足他们的审美期待和需要,反映他们的精神世界,代替他们发出他们的声音。其中,部分文艺甚至走上了取悦商贾市民的道路,如戏曲中的插科打

---

① (宋)孟元老撰,伊永文笺注:《东京梦华录笺注》,中华书局 2006 年版,第 144 页。
② (宋)沈括撰,胡道静校注:《梦溪笔谈校正》,上海古籍出版社 1987 年版,第 176 页。

诨,散曲中的俗艳文字,这些作品流露出的俚俗气息完全不同于此前华夏审美传统的任何一方面,就其民间性而言,与《诗经》、乐府也大相径庭。如果不是新兴商贾市民的追捧喜爱,这些通俗文艺及其表现出的审美意识是绝不可能兴盛繁荣的。

当然,宋元时期通俗审美意识的兴盛并非仅与城市经济的发达有关,它与民间力量本身的积蓄和壮大有关,也与具体文艺的呈现形式有关,或者还有更为复杂的因素。比如,辽、金、元时期,诞生于社会下层的话本、杂剧、散曲、诸宫调等文艺形式,充分彰显了当时的通俗审美取向。以杂剧、散曲来看,杂剧、散曲等北曲起于北方民间,当时北方经辽、金、元三朝人口迁徙,城乡主要居民已由单纯的汉人转为各民族杂居的人口结构。北曲等通俗文艺从接受角度考虑,要适应这种受众群体的民族成分的变化。契丹、女真、蒙古各族来自草原,民族天性喜爱歌舞、谐谑戏笑。据《契丹国志》卷七载:辽国圣宗"与番汉臣下饮会,皆连昼夕,复尽去巾帻,促席造膝而坐。或自歌舞,或命后妃以下弹琵琶送酒"①。又据《大金国志》卷十载:金初"君臣宴乐,携手握臂,咬颈扭耳,至于同歌共舞,无复尊卑"②。故北方各族中喜爱歌舞表演的文艺偏好与宋元兴起的通俗文艺如小说、戏曲格外契合。辽金元南下中原后,北方民族这种对歌舞表演的喜好直接促进了杂剧、散曲等文艺的产生发展。这些文艺形式带有明显的北方民族通俗审美趣味的烙印。

三、科举的兴废与雅俗的分化

在北宋基本平定五代割据政权后,作为汉唐以来的又一个中央政权,北宋成为发达的华夏文化遗产的主要继承者,就文化水平而言,北宋是当时东亚大陆当之无愧的文化先进者。以今人的眼光来审视辽、宋、金、元等政权更迭的社会影响,宋政权虽未能完成统一大业,但北宋政权建立后所实施的一系列优待文人的政治举措所产生的文化意义却是重大的。宋

---

① （宋）叶隆礼撰:《契丹国志》(二十五别史本),李西宁点校,齐鲁书社 2000 年版,第 57—58 页。

② （金）宇文懋昭撰:《大金国志校证》,崔文印校证,中华书局 1986 年版,第 151 页。

元时期,除元代较长时间停止科举取士外,宋、辽、金的大部分统治期内、元代的一部分,科举取士都是充实官员队伍的主要方式。这不仅使有宋一代造就了大批的文人士大夫,更重要的是文人风范从此在社会上发挥起了重要的引领作用。通过这种引领,文人在诸多方面的主张和审美意识或得以在全社会推广,或渗透到了人们的日常生活与行为之中,无论如何,文人的审美意识得到了全社会的广泛重视,绝非无足轻重,这是两宋与各朝的一个重要差异。

两宋科举处于科举文化的兴盛期,科举取士的社会影响力也是巨大的。由于辽、金、元等民族政权的科举多模仿宋,所以,两宋科举可视为这时期科举文化的典型案例。与隋唐时期相比,两宋科举变化很大,具体表现为以下几个方面:

首先,科举取士的规模扩大。唐代每次进士录取人数不过二三十人,宋代一般二三百人,规模扩大十余倍,太宗太平兴国二年取进士 190 人,诸科 207 人,"特奏名"184 人,共 581 人之多;真宗咸平三年取士多达1800 余人,《宋史·选举一》称"较艺之详,推恩之广,近代所未有也"①。金代取士人数亦多,天会四年首次取士即录 72 人,号"七十二贤榜",金熙宗定南北选后,辞赋、经义两科取士 350 人。元代科举虽时兴,取士亦有 1139 人。科举规模的扩大,不但直接扩大了文官队伍的规模,而且引发了全社会读书习经、赋诗作文的热潮,南北各地学校增多,各阶层崇文的热情高涨,宋元时期文人阶层在保持稳定的基础上,迅速成为对社会有巨大影响力的文化集团,这对宋元时期诗文等雅文学的繁盛起到了直接推动的作用。

其次,宋元科举与唐代科举不同,可以直接授官,且授官层级较高,科举入职者仕途较常人顺畅,得高官者多。《宋史·宰辅表》载,宋代 133名宰相中科举出身者达 123 名。科举人群与高官人群高度重合,科举与治政、科举文化与政治文化之间密切互动互渗,直接导致统治阶层的审美意识通过科举向全社会蔓延。

---

① （元）脱脱等:《宋史》,中华书局 1977 年版,第 3609 页。

再次,宋元科举虽科目众多,但总体不出两大类,即辞赋与经义。《宋史·选举志序》载:"神宗始罢诸科,而分经义、诗赋以取士,其后遵行,未之有改。"①此二者导源于文艺中的诗词、散文,其中的内涵阐发又多出于儒家思想主张,其文雅,其义仁,故求中举者和中举得官者多雅而少俗。

最后,宋元科举多讲究"唯贤是举",在科举考试中采取了锁院、糊名、誊录等方法,防止"上官延誉后进"的现象发生。取士不分士庶,寒门子弟进身者多有。考《宋史》之北宋部分,有传的 1533 人中,布衣入仕者占 55%;一品至三品中,布衣出身者占 64%;宋代宰辅中,布衣出身者达 53%。因此,科举直接瓦解了汉唐以来的贵族文化,士庶分疆不复存在。

综合上述特征来看,宋元科举取士规模远超前朝,中举者直接授官,由此形成庞大的联系密切的科举官僚集团。同时,宋元时期的各政权多实行崇文抑武的统治政策,权力和待遇向文官阶层倾斜。种种因素共同作用下,宋元时期出现了前代从未存在过的具有较高文化素养的、就在儒家文化中浸润过的、执掌较多政治权力的庶族地主文人集团。

这些庶族地主文人不同于秦汉隋唐以来执掌政权的士族地主文人,他们多出身于社会中下层,与豪门世家的联系甚远。他们也不同于商贾市井之人,徒有财富而不知礼义。这些庶族文人出身不高,对社会问题的感受更直接强烈,儒家的"仁政"理想、"铁肩担道义"和"先天下之忧而忧"的社会责任感,促使他们更愿意改造社会。十年寒窗的自我教化以及身居高位掌握权力的现实,也让这些庶族文人们相信自己具有改造社会的能力和机会。他们自己愿意身行儒道,诗文传家,也希望全社会可以"贫而乐,富而好礼"。所以,按照"士不可不弘毅"的想法,壮大且掌握话语权的庶族文人自觉地建设着他们自己的文化,且极力主动地向其他各阶层推广,以此来改造社会,达到其"齐家、治国、平天下"的功业理想。北宋张载提出的"为天地立心,为生民立命,为往圣继绝学,为万世开太

---

① （元）脱脱等:《宋史》,中华书局 1977 年版,第 3604 页。

平"，可集中反映这类文人自立救世的主张。

儒家是重视文艺审美的社会教化作用的，所谓"上以风化下"，所以，科举出身的庶族文人自觉地身体力行着以儒家为标准的雅正审美意识。只有儒家的雅正审美意识强化成为社会中最先进文化的代表，且能感染其他的审美意识，成为可辨识的且独树一帜、自然高蹈的审美理想，方可实现其庶族文人"立心立命救亡图存"的文化理想。张养浩《送元复初序》云："士所贵夫学者，安于内不摇乎外而已。用则经纶天下不以为夸，否则著述山林不以为歉。盖经纶所以行道，著述所以传道，其升沉显晦，虽若不同，揆诸事业则埒也。故士之处世，进不欣，退不戚，一意义命。"①在此宏大使命下，以儒家文化为根底的，以五经六艺为血脉的，以雅致充实为风格的各种审美活动和文艺创作开始繁荣，同时在审美趣味上表现出更向自身内部集聚的趋势，文人的审美理念自证、自足、自在。诗文书画等艺术更多地按文人的心意践行，而不是向生活本身取法。面对中下阶层的俗，这时期的高雅或雅正的审美观念主要表现为引领诱导，而不是吸收改造。如散文方面的古文主张，书画上的文人花鸟山水的崛起，金石文玩的考证训诂类审美的出现，艳词的词体豪放、清空转向等，无不体现出文人们高雅的审美意识。应该说，宋元时期传统文艺的整体雅化是文人地位上升、其审美意识占据主导地位后的必然结果。

正因帝王的重视，并且出于对帝王的尊崇和对权力的追求，宋元时期科举文化的引导效应非常突出。宋神宗诏曰："化民成俗，必自庠序；进贤兴能，抑由贡举。而四方执经艺者专于诵数，趋乡举者狃于文辞。"②在帝王有意培育的科举文化的引导下，全社会对以诗文为形式、以儒家经义为内核的雅正文化，都表现出尊重和追从的态势。宋代举国上下重视文化大办教育，与前代相比，宋代私学的发展尤其突出。宋代讲学风气盛行，在全国享有盛誉的书院如湖南的岳麓书院、江西的白鹿洞书院、河南的嵩阳书院和应天府书院等。为满足士人读书科考的需要，宋代的私学

---

① （元）张养浩：《送元复初序》，见薛祥生、孔繁信选注：《张养浩诗文选》，济南出版社 2009 年版，第 172 页。

② （元）脱脱等：《宋史》，中华书局 1977 年版，第 3616 页。

主要以讲授儒家经典为主,也会进行文章诗赋的写作训练。针对科举应考的教学目的还是十分明确的。

与此同时,宋元高官待遇优厚,且多经科举入仕,故他们在治政以外的消闲中发展出符合儒家理念的雅致生活文化,如填词、书画、置园、集会、斗茶、把玩金石,等等。这些独特的文人文化亦通过科举的引导效应向中下阶层扩展,形成社会日常生活雅致审美的高企。凌郁之在《论文学雅俗观——以宋代文学为中心》一文中说:"出身低层而成为文人学士,必然要淘洗其俗气与土气,而取向于精英与主流社会的雅文化;而由俗层蜕变而来的雅士,又将其雅文化向下层辐射扩张。如此上下互动,改变着整个社会的文化面貌和风习,并根本上颠覆了宋前的社会结构和文明,引导着平民化时代的雅俗方向。"①

元时科举不盛,时兴时废,大量原本准备科举进身的文人受此影响,个人命运沉浮,但却对中国通俗文艺的发展作出了重要贡献。这些文人在科举理想破灭后,生存状态与生命体验已与传统士人迥然相异,他们被迫沉沦下僚,或躬践排场,偶倡优不辞,或寄情山水,效渊明园田,"于学问之余,事务之暇,心机灵变,世法通疏,移宫换羽,搜奇索怪,而以文章为戏玩者"②。他们本身多在长期的诗书文化浸润中练就了扎实的文学功底,诗文傲世。在勾栏或田园生涯中,他们又深深地被市井真情感动,自愿投身于杂剧、散曲、话本等通俗文艺创作。这些非科举文人所着力的小说、戏曲艺术,作为这一时期最有影响的市井文艺,成为宋元通俗审美意识的代表,从而完成了中国文学的一次重要转型。

四、活跃的哲学思想与三教融合的新局面

宋元时期的哲学思想格外活跃,再次形成百家争鸣之势,从宏观抽象的角度谈性说理的风气日渐风行,在南宋达到最高峰,在元代更被官方纳

---

① 凌郁之:《论文学雅俗观——以宋代文学为中心》,《苏州科技学院学报》(社会科学版)2012 年第 3 期。

② 中国戏曲研究院编:《中国古典戏曲论著集成》(二),中国戏剧出版社 1959 年版,第 131 页。

入科举考试的内容,从而成为统治阶级的意识形态。此外,宋元时期的佛教与道教也十分繁荣,佛教与道教向世俗生活的渗透力更强,儒家思想与佛教和道教的关系也复杂化了,三者之间的融汇共处对宋元文人的处世态度和思维方式产生了非常深刻的影响。

冯友兰在《中国哲学史》中说:"宋明道学之基础及轮廓,在唐代已由韩愈李翱确定矣。"①此说深中肯綮。北宋立国以来所面临的思想与信仰的重建困境,实际上从中唐以来就已出现,晚唐五代以来尤其严重。汉武帝罢黜百家,表彰六经,奠定了儒家不可撼动的地位,然而,在唐代,儒家经典已渐渐失去权威。唐王朝的缔造者李氏,其先祖原是西北的少数民族,他们对儒家经典的重视是有限的,尤其是李唐一氏对佛教的迷信态度极大地刺激了佛教的兴盛,也有力地冲击了儒家经典的地位。

宋代的建国者因为自身"马上得天下"的经历,以及周边始终存在的难以消除的虎视眈眈的异邦政权,对于他们而言,从思想文化上来支持自己政权的合法性变得非常紧迫。在这样的情况下,儒家思想的重要性被凸显出来。正如葛兆光所说:"因为士人相信,中唐以来国家权威的失坠,是由于社会的道德沦丧、伦理崩坏,人们对国家合法性与秩序合理性的漠视,正是这种观念约束的松懈和自觉意识的消失,使历史出现了这样的危机,长达两个世纪的变动,曾经给士人留下相当痛苦的回忆和相当深刻的印象,也刺激了重建国家与思想秩序的想法。"②重建儒家正统文化,以此为底基和发轫确立赵宋政统成为宋代思想界贯穿一代的任务。因此,儒家思想的大繁荣与大讨论,终于在有宋一代得以实现。在这场浩大的儒家思想浪潮中,以司马光为首的温公学派,以王安石为核心的新学,以张载、二程为代表的关学、洛学,和以苏轼父子为核心的蜀学等在北宋都赢得各自的拥护者,成为卓有成就的儒学新流。其中,荆公新学得到了宋神宗的鼎力支持,以变法为契机,王安石主持撰写的《三经新义》被列

———————————

① 冯友兰:《中国哲学史》(下),华东师范大学出版社 2000 年版,第 204 页。
② 葛兆光:《中国思想史》第二卷,复旦大学出版社 2005 年版,第 179 页。

为贡举、官学的指定教材,从而一举成为正统的官方意识形态,统治北宋的学术思想界长达六十余年,可谓是盛极一时。所谓新学之"新",是相对于汉唐经学的"旧"而言的,它强调以整体的核心要旨义理哲思代替汉唐经学的零碎章句注疏。这一重要变化也构成了宋学的整体特色。王安石的新学以追求道德性命之理为核心,张立文认为:"以哲学逻辑结构论观照王安石哲学,可以体认出其逻辑结构是太极、道、天→阴、阳、冲气→五行→人物的模式。"①在这一层层推衍的逻辑结构中,王安石主张在顺从天道的原则下安顿人的秩序。他把人性论的建构置于天人之道的整体构架之中,修身养性是上至君主下至每个普通人都应该重视的事情。王安石还认为,修身养性不能依靠佛老,而必须与礼乐相结合。他说:"先王知其然,是故体天下之性而为之礼,和天下之性而为之乐。礼者,天下之中经;乐者,天下之中和;礼乐者,先王所以养人之神,正人气而归正性也。"②在他看来,先王创建礼乐的真正用意实则在教诲世人,所以,恢复先王的礼乐之道是至关重要的。王安石的新学表面上似乎仅仅在追究道德性命之理,实则这一学说本于天道而指向人世,它同时也是王安石变法的重要理论基础。

王安石的新学尽管在当时影响极大,但依然有很多反对的声音。二程及其后学对于新学的批评尤其突出。程颐言:"介甫自不识道字。道未始有天人之别,但在天则为天道,在地则为地道,在人则为人道。"③这是理学与新学的重要分歧。程颐的批评奠定了后世对新学批评的基调,经过几代弟子的持续攻击,新学的地位终被动摇,在南宋初,其官学地位也被剥夺。与之相反的是,理学恰恰是在批判新学的过程中逐渐获得了官方认可,理学在南宋得到了极大的发展,中兴时期达到鼎盛。理学流派众多,有朱熹的闽学学派,陆九渊的象山学派,吕祖谦的婺学学派,陈亮的永康学派,薛季宣、陈傅良、叶适开创的永嘉学派等。尤其是朱学

---

① 张立文:《王安石新学哲学的创立》,《南昌大学学报》(人文社会科学版)2012年第1期。
② (宋)王安石撰,李之亮笺注:《王荆公文集笺注》,巴蜀书社2005年版,第1032页。
③ (宋)程颢、程颐撰:《二程集》第三册,王孝鱼点校,中华书局1981年版,第282页。

自宋理宗时得到朝廷的表彰,元延祐科举,又用其法,几于一统宋元儒学各派。

　　理学的完善和繁荣与这一学派名家辈出不无关系。北宋百余年,周敦颐、邵雍、张载、程颢、程颐等相继承传,各主一说,有论亦有争,性理之学遂大兴于斯世。周敦颐借鉴道家的太极图为始基,以"无极而太极"的命题重新开启宇宙观的探索。他以太极为世界之本体推测宇宙生生之理,由太极而言阴阳,由阴阳而五行,由五行而化生万物。其"无极而太极"的说法,曾引起朱陆之间的往复辩驳。实际上,太极仅是一种假设的最高存在而已。周敦颐由宇宙而及人生,他视诚为万物本源,以诚为圣人之德,仁义中正为圣人之道,并认为"圣人以主静立人极"①,因此注重于思。周敦颐的思想尽管带有明显的道家痕迹,但他援道建儒的思路以及主静向思的方法对理学之格物穷理具有极大的启发。

　　邵雍的学说也本源于道家,他以《易》为根据,以《卦位图》来说明宇宙之原理。《八卦次序图》以太极为最下一层,其上为阴仪与阳仪,两仪之上为四象,再其上为八卦。邵雍学说的特色在于他本着阴阳刚柔的变化,用数推测万物之数。他以四为宇宙组成的基数,由此,宇宙依数理递进发生,时间、空间,一切现象均由四构成。对于宇宙之原理,邵雍以为是道。道是天地万物之本,但"天地万物之道尽之于人"。邵雍认为人与物本为一,因而人能通万物之理。而"能以一心观万心,一身观万身,一物观万物,一世观万世"②的则为圣人。不同于周敦颐、张载、程颢、程颐等人,邵雍的哲学理路以数术为指引,故其虽独树一帜,但无论当时还是后世常被疑于穿凿。

　　对于宇宙万物的本原,张载认为一切都出于气的变化,气为天地万物之原质。气升降运行,不曾止息。然"太虚无形,气之本体。其聚其散,变化之客形耳","太虚不能无气,气不能不聚而为万物,万物不能不散而

---

① （宋）周敦颐：《周濂溪集》,商务印书馆 1936 年版,第 2 页。
② （宋）邵雍著,（明）黄畿注：《皇极经世书》,中州古籍出版社 1993 年版,第 251 页。

为太虚"。① 太虚发为一气,以屈伸消长而生阴阳,循环交感而有物质界之各种现象。根据张载的意思,气与太虚的关系是"气之聚散于太虚,犹冰之凝释于水"。因而,天地万物亦同出于太虚。张载合天地万物为一体,故人与天地万物也为一体。他认为天地万物本体至善,但人不能尽善。人之所以不免于恶者,是因为人总是为形体所限,其不能无碍。因气质而生出的欲望,张载总称之为人欲,人主要受困于人欲,因而不能尽善。然而,人可以通过去除气质之累复达至善。怎么才能去除气质之累呢?张载认为关键是要去心之欲。心之欲既除,所为自无不善。通常,世人之心为耳目等形体的闻见所限,只有尽心尽性才能不被耳目闻见所遮蔽。天理与人欲相对,因此,人之所为应该全与天理相合,此谓之诚。《中庸》曰:"诚者,天之道也。思诚者,人之道也。"张载曰:"天人异用,不足以言诚。天人异知,不足以尽明。所谓诚明者,性与天道,不见乎大小之别也。"②尽性即我之性与天道合,我之性即天地万物之性,因而人能成己成物,以至于与天地万物参化。此为人道之极致,亦须终生修为。因此,张载学说非常重礼。他说:"生有先后,所以为天序。小大高下,相并而相形焉,是为天秩。天之生物也有序,物之既形也有秩。知序然后经正,知秩然后礼行。"③可知,重礼实则是为了强调秩序。由此出发,张载对于人的日常立身行事规范多有规定,这也是理学的一个特色。在理学的发展过程中,张载的气说,以及他对天理、人欲的阐述,都已触及理学思想的核心,然而他年 58 而逝,关学也自此零落。

　　稍晚于张载的二程对于理学的成立具有决定性意义。二程所论问题大致相同,但具体见解或有差异。对于宇宙之构成,二程亦认为世间万物都是气化而成,但根源却在于"道":"道则自然生万物"。在二程的思想

---

① (宋)张载:《正蒙·太和篇第一》,见章锡琛点校:《张载集》,中华书局 1978 年版,第 7 页。

② (宋)张载:《正蒙·诚明篇第六》,见章锡琛点校:《张载集》,中华书局 1978 年版,第 20 页。

③ (宋)张载:《正蒙·动物篇第五》,见章锡琛点校:《张载集》,中华书局 1978 年版,第 19 页。

体系中,"道"即是"理"。"或问:何谓诚,何谓道乎? 子曰:自性言之为诚,自理言之为道,其实一也",①不仅如此,性、命、仁义也都是理。万物只有一个天理,理统摄万物,但一物自有一理,所谓"理一分殊"。二人的不同在于,程颢把理看作一种自然的趋势,不能脱离具体事物存在,程颐却认为理可以脱离具体事物单独存在。二程都承认善恶的客观存在,但二人所主张的修为方法不同。程颢强调要尽心知性,求诸内心中的良知良能,因而非常重视首先要"识仁","识仁"的目的在于恢复人心中固有的良知良能,以正心或道心克制人欲。具体做法是:"学者不必远求,近取诸身,只明人理,敬而已矣,便是约处。"②程颐的方法集中体现为"涵养须用敬,进学则在致知"。二程都主敬,但程颐更为突出。"敬"与"诚"关联在一起,"诚然后能敬,未及诚时,却须敬而后能诚"③,立诚是第一步。而"敬"在二程自我修养中的地位与作用却是至关重要的。"学者先务,固在心志。有谓欲屏去闻见知思,则是'绝圣弃智'。有欲屏去思虑,患其纷乱,则是须坐禅入定。如明鉴在此,万物毕照,是鉴之常,难为使之不照。人心不能不交感万物,亦难为使之不思虑。若欲免此,唯是心有主。如何为主? 敬而已矣……大凡人心不可二用,用于一事,则他事更不能入者,事为之主也。事为之主,尚无思虑纷扰之患。若主于敬,又焉有此患乎? 所谓敬者,主一之谓敬。所谓一者,无适之谓一。且欲涵泳主一之义,一则无二三矣。言敬,无如圣人之言。《易》所谓'敬以直内,义以方外',须是直内,乃是主一之义。至于不敢欺、不敢慢、尚不愧于屋漏,皆是敬之事也。但存此涵养,久之自然天理明。"④二程认为理无大小,故"敬"也寓于洒扫应对等细节之处,因而程颐对弟子为人处世、尊师重道等方面非常重视。

苏轼蜀学曾与程颐的洛学形成对立抗争之势。二程把"敬"运用到

---

① (宋)程颢、程颐撰:《二程集》第四册,王孝鱼点校,中华书局1981年版,第1182页。
② (宋)程颢、程颐撰:《二程集》第三册,王孝鱼点校,中华书局1981年版,第20页。
③ (宋)程颢、程颐撰:《二程集》第三册,王孝鱼点校,中华书局1981年版,第92页。
④ (宋)程颢、程颐撰:《二程集》第三册,王孝鱼点校,中华书局1981年版,168—169页。

伦理哲学中去,渗透到立身行事的规范中去,苏轼对这一点非常不满,尤其对程颐及其弟子贯彻着"敬"的那一套刻板的修养方式十分嫌厌。程门弟子"朱公掞为御史,端笏正立,严毅不可犯,班列肃然。苏子瞻语人曰:'何时打破这敬字?'"①这反映出苏轼对洛学讲究内心反省的自我修养方式的不屑,这与他对《中庸》的理解紧密相连。他说:"自子思作《中庸》,儒者皆祖之,以为性命之说。嗟夫!子思者,岂亦斯人之徒欤?"②苏轼认为孔子之道经子思后神秘化了,而且,中庸之道极其难以达到,总是存在过与不及之处。"君子之欲从事乎此,无循其迹,而求其味,则几矣!"③苏轼认为中庸更多的是要领会其精神,所以朱熹评论苏轼"都不曾自身上做工夫",这正是苏轼主张打破洛学之"敬"的原因。

二程理学在南宋初四十年突然兴发,以朱熹为核心的理学一派在南宋占据主导地位,从此也奠定了程朱理学在中国哲学史上的地位。冯友兰评价朱熹的哲学思想说:"朱子之形上学,系以周濂溪之《太极图说》为骨干,而以康节所讲之数,横渠所说之气,及程氏兄弟所说形上形下及理气之分融合之。故朱子之学,可谓集其以前道学家之大成也。"④朱熹对于理学前辈所提出的问题基本都予以圆满解决,并在周敦颐等人的基础上更为充实、圆满,思虑更为周到,从而建立了一个更成熟的、更全面的哲学思想体系,因而对后世产生了深远的影响。

朱熹对宇宙万物的解释也是从太极开始的,"太极,形而上之道也;阴阳,形而下之器也"⑤,这是基本的次序与定位:太极是天地万物之理,它以形而上的方式存在,并通过形而下的具体存在物显现出来。"天地之间,有理有气。理也者,形而上之道也,生物之本也;气也者,形而下之器也,生物之具也。是以人物之生,必秉此理,然后有性,必秉此气,然后

①　(宋)程颢、程颐撰:《二程集》,王孝鱼点校,中华书局1981年版,第414页。

②　(宋)苏轼撰:《苏轼文集》,孔凡礼点校,中华书局1986年版,第60页。

③　(宋)苏轼:《苏轼文集》,孔凡礼点校,中华书局1986年版,第60页

④　冯友兰:《中国哲学史》(下册),华东师范大学出版社2000年版,第254页。

⑤　(宋)朱熹撰:《朱子全书》,朱杰人,严佐之,刘永翔主编,上海古籍出版社;安徽教育出版社2002年版,第十三册,第77页。

有形。"①这是世界万物的生成,每种生物先"气化"而后"形生"。"气化,是当初一个人无种后,自生出来底。形生,却是有此一个人后,乃生生不穷底。"②尽管理是完全至善的,然而当其气化时,会为气所累,秉气清明者为圣人,秉气昏浊者为愚人。由于气之清浊不同,因而人有各种差异。

朱熹对于心性论的阐释也更为完备。张载提出心统性情,朱熹则给予了更详尽的说明:"性,情,心惟孟子横渠说得好。仁是性,恻隐是情,须从心上发出来。心统性情者也。性只是合如此底,只是理,非有个物事。若是有底物事,则既有善,亦必有恶。惟其无此物,只有理,故无不善。"③朱熹以心作为统摄人的精神世界的主宰,他区分了道心与人心,但并不是说人有二心,而是"觉于理者道心也,其觉于欲者人心也","人心自是不容去除,但要道心为主,即人心自不能夺,而亦莫非道心之所为矣。然此处极难照管,须臾间断,即人欲便行矣"。④ 天理与人欲是互相排斥的,不容并立,因此,人生修养的功夫格外重要。朱熹极为赞赏推崇程颐居敬的主张,"程先生所以有功于后学者,最是敬之一字有力。人之心性,敬则长存,不敬则不存"。"敬字工夫,乃圣门第一义,澈头澈尾,不可顷刻间断。"⑤具体形式以整齐严肃为敬。默坐澄观也是朱熹晚年非常认可的方式。静坐可以收敛此心,扫除杂虑,使心思澄明精一。静坐也是理会道理,于静中有物始得。所以,陈钟凡在《两宋思想述评》中说:"折衷濂溪、伊川之说,以敬为贯通动静,而必以静为本也。"⑥至此,朱熹的哲学思想体系以其集大成的性质最终几欲一统天下。

儒学之外,宋、辽、金元时期的佛教与道教亦十分繁荣。宋朝统治者对佛教的态度一方面是扶植利用,如宋朝的皇帝在位期间几乎都有提倡佛教的举动;另一方面是严格限制佛教势力的膨胀,这主要是通过控制寺

---

① (宋)朱熹:《答黄道夫》,见(宋)朱熹:《朱熹集》,郭齐、尹波点校,四川教育出版社 1996 年版,第 2947 页。
② 黎靖德编:《朱子语类》,王星贤点校,中华书局 1986 年版,第 2380 页。
③ 黎靖德编:《朱子语类》,王星贤点校,中华书局 1986 年版,第 93 页。
④ (朱)朱熹:《朱熹集》,郭齐、尹波点校,四川教育出版社 1996 年版,第 2859 页。
⑤ (宋)黎靖德编:《朱子语类》,王星贤点校,中华书局 1986 年版,第 210 页。
⑥ 陈钟凡:《两宋思想述评》,东方出版社 1996 年版,第 239 页。

庙数量与僧人数量来实现的。尽管宋朝的统治者不愿意看到佛教势力的过分扩张,但宋朝的佛教依然发展显著。佛教成为民间最重要的宗教信仰,其对社会生活的影响更为明显。宋朝佛教宗派林立,以禅宗中的临济宗最为活跃,它也是当时最具影响力的禅宗派别。与唐朝禅宗"直指人心"、"不立文字"的主张不同,宋代最盛行的是"文字禅"。"文字禅"开创了禅学的新路径,它证明"禅"是可以通过文字得到解悟的。善昭、慧洪、克勤等人对于"文字禅"的兴盛,贡献尤大。此外,禅宗中的云门宗和曹洞宗在北宋也影响很大,由正觉倡导并完善的默照禅曾经风靡一时。禅宗之外,宋朝的佛教还出现了白莲宗、白云宗等新教派;原来的天台宗、华严宗、慈恩宗、净土教和律宗都有各自的承传法统,信徒众多,教义教旨严密细致,颇可一观。

因为佛教影响的扩大,宋元佛教文化随之繁荣起来。首先,佛教史学的发展出现了新局面。宋朝僧人仿效世俗史籍体例,创造了纪传体的佛教史书,如南宋宗鉴的《释门正统》和志磐的《佛祖统纪》。前者是现存最早的纪传体佛教史籍,后者是中国纪传体佛教史籍的集大成著作。另外值得一提的是灯录体的完善,佛教史上著名的"五灯录"和《五灯会元》就出现在这个时候。其次,佛经刊刻取得了重大成果。宋太祖下令完成了中国历史上第一部《大藏经》的雕刻与印刷。宋朝印刷业的发达也使佛经的刊刻更为便利,宋朝还出现了多种私刻的《大藏经》。此外,单刻本佛经的流传也相当风行。再次,佛教典籍受到士大夫阶层的普遍重视。两宋有名的文人士大夫都对佛家典籍颇有研究。而且,宋朝的士大夫都喜欢与僧人交往,如苏轼兄弟与佛印禅师了元交往甚为密切。

辽、金、元的统治者也同样信奉佛教。辽代的佛教信仰十分盛行,辽圣宗时达到鼎盛。辽代的皇帝中最崇奉佛教的是辽道宗,他精通佛学,经常与僧人讨论佛教宗旨。他还礼遇僧人,委以高官。统治者的有意扶植使辽朝的佛教获得了惊人的发展。辽朝佛教学说的研究已比较发达,代表性的著作如《龙龛手鉴》和《续一切经音义》等。辽朝还刊刻了《契丹藏》。金朝统治者对佛教的态度与宋朝非常相似,即一方面适当鼓励,另一方面又加以压制。金朝的几位皇帝往往比较矛盾,在优待僧人的同时,又会适当打击佛教的发展,比如严禁创建寺庙和禁止私度僧尼。金朝也完成了《大藏经》的刊刻。金刻本《大藏经》收录了一部分未传世的佛教经典,具有很高的文献价值。元代的统治者奉藏传佛教——喇嘛教为国教,忽必烈尊奉名僧八思巴为帝师,而且规定每个帝王必须先从帝师受戒,然后才能登基。元代统治者对佛教的支持,极大地推动了喇嘛教在藏、蒙和北方汉人间的传播。元代的统治者对喇嘛教之外的宗派也不排斥,禅宗在当时仍是汉地佛教的主流,华严宗、天台宗、慈恩宗、律宗也依然拥有自己的信徒。

与佛教的繁荣不同,道教影响力主要体现在宋元统治者的推广上。承唐余绪,宋朝自上而下尊崇道教,尤其以真宗和徽宗两朝为最盛。宋真宗甚至亲自导演了一出出天书下降的故事,后来还有天尊下降,追认神仙祖宗并为祖宗上尊号的环节。宋徽宗更是以神仙下凡自居,他所宠幸的道士林灵素还根据他的心意编造了一套神仙下凡的故事,如说宋徽宗是天帝的大儿子,宋徽宗的宠妃以及权臣蔡京都是神仙下凡,连林灵素本人也是下凡来帮助皇帝来治理国家的。辽、金、元各朝的统治者也比较信奉道教。辽兴宗崇信道教,宠幸道士。女真统治者更是为了缓解民族矛盾有意扶植道教的发展,他们主要通过招抚道教上层人物来控制其信徒。蒙元统治者也同样崇奉道教,特别是全真道。几朝统治者的赐号封官、兴修宫观、整理道书等扶持行为,使道教的发展呈现出兴盛的局面。宋、辽、金、元时期的道教教义有了重大发展,并出现了一批新的教派,其中不乏具有重要影响力的教派。北宋兴起的教派如正一天师道、内丹派南宗,都对后世道家影响极大。正一天师道一直与宋皇室关系密切,地位逐渐超过上清派和灵宝派。忠孝净明道在南宋时的江南影响颇大,净明派是儒道合流的产物,十分重视忠孝立本等儒家伦理纲常,在元代有较大发展。此外,宋朝新起的新教派还有神霄派、天心派、东华派和清微派等。金初也兴起了三大教派:太一教、大道教和全真教。太一教特别注重封建伦理关系,第四代掌门人受到忽必烈的赏识,在元初达到鼎盛。大道教提倡慈俭与自力,以祈祷代替方术,曾受到蒙古宪宗和忽必烈的赏识。全真教主张儒、道、释三教合一、三教平等,以全精、全气、全神为最高境界,以苦己利人为实践原则。三个教派中,全真道与元朝统治者的关系更为密切,规模与势力也最为强大,后来更成为与正一教分统天下道教的两大教派之一。

　　总体来看,宋、辽、金、元时期的哲学思想,儒学、佛教与道教在这一时期都有很大的发展,儒、释、道三家思想之间的互相渗透成为不可忽视的现象。在赵宋王朝的统治期内,传统的儒学重新焕发了生机,儒、佛、道之间的争夺与斗争,以儒学的极大繁荣而有力地遏制了佛道的过分兴盛。宋朝的很多知名人士都有鲜明的排佛老倾向,如北宋前期的石介、孙复、欧阳修等人,很多理学家也是如此,如张载、二程、朱熹等人。但与此同时,佛教与道教某些思想的流行,又迫使这些浸润儒家思想的饱学之士不得不对之进行持续地批判,因而阅读佛教典籍在宋朝的士大夫中很是普遍。这使得宋儒一面排斥佛老,一面却又积极吸纳佛老思想来重新阐发儒学思想,这也是赵宋时期理学家们的通常做法。根据程颐的说法,"先生(指程颢)为学,自十五六时,闻汝南周茂叔(即周敦颐)论道,遂厌科举之业,慨然有求道之志。未知其要,泛滥于诸家,出入于老释者几十年,返求诸六经而后得之"①。程颐本在强调程颢尽管"出入于老释者几十年",但其思想是从六经中得来,不过这也恰恰表明程颢对释老思想是非常熟悉的。朱熹的情况与之相似。朱熹少喜佛,兼明佛老,年四十后开始形成自己的学说。宋代理学吸收儒道思想的特点,吕思勉在《理学纲要》中说:"理学者,佛学之反动,而亦兼采佛学之长,以调和中国之旧哲学与佛学者也。"②佛学之于理学的意义由此可知。而实际上,理学也从道家思想中受益。陈钟凡在《两宋思想述评》中评价周敦颐的思想时说:"敦颐能挽回唐、五代道士之谬说,而返诣周秦之道家,更援道家成说以释《中庸》、《易传》诸词,不可不认为近代学术界之一大转机,宋学启蒙思潮中之先导也。质言之,由道教而返于道家,终形成道家化之儒学也。"③

　　有关儒释两家思想的相通性,不仅得到了部分宋儒的承认与实际论

①　(宋)程颢、程颐撰:《二程集》第三册,王孝鱼点校,中华书局1981年版,第638页。
②　吕思勉:《理学纲要》,东方出版社1996年版,第3页。
③　陈钟凡:《两宋思想述评》,东方出版社1996年版,第45页。

证,而且也同样获得了来自佛教高僧的认可。北宋初的释智圆认为,释儒两家虽然有根本区别,但儒学与佛学"言异而理贯",二者可"共为表里"。他还认为儒家的中庸之道亦即佛家的"中道义"。与释智圆一样承认儒释两家思想具有相通性的还有云门宗的明教大师契嵩。契嵩以"心"沟通儒释两家思想,通过重新阐释儒家的"性"、"道"等基本思想,贯通了儒释两家的心性义理之说。契嵩调和儒释两家思想的意愿十分鲜明,他甚至提出"孝在戒先",因为儒家常常批评佛教违背伦理道德。他还将儒家的仁义礼智信与佛教的五戒十善联系起来解读,儒释思想被巧妙地融合在一起。

全真教圆融三教的宗旨更是把儒、释、道三家紧密地结合在一起。全真教的教义明确宣扬三教归一。全真教的创立者王重阳把儒、释、道三教比作一棵树上的三枝,还作诗说"儒门释户道相通,三教从来一祖风"①。在《金关玉锁诀》中则说:"太上为祖,释迦为宗,夫子为科牌。"②对于三教之关系与地位,王重阳提倡尊重儒释,三教平等。在具体的教义、教规方面,他也坚持三教融合的原则。全真道主张出家苦修,如在家修道须履行儒家的伦理道德,"与六亲和睦,朋友圆方,宗祖灵祠祭飨频,行孝以序思量"③,修炼内丹,"忠君王,孝顺父母师资"④要放在首位。王重阳的内丹思想中先性后命的学说,则源出于禅宗。钟吕派内丹南宗张伯端也主张融通内丹与禅宗,王重阳继承并发展了这一思想。

儒、释、道三教不断融合的趋势对宋、辽、金、元时期的文人心态多有影响。一方面赵宋王朝优待文人,这就导致宋代的文人士大夫自视甚高,但宋代党争激烈加之民族矛盾格外突出,政治上的风云变幻以及个人命运的升降沉浮都使士大夫文人需要儒、释、道思想的互补;另一方面,金元时期,尤其是宋元易代及之后,儒家文化受到巨大冲击,文人儒士的地位急剧下降,国破家亡的惨痛经历,忍辱偷生的难堪与不甘,再加上传统的

① 《道藏》第 25 册,文物出版社、上海书店、天津古籍出版社 1988 年版,第 693 页。
② 《道藏》第 25 册,文物出版社、上海书店、天津古籍出版社 1988 年版,第 780 页。
③ 《道藏》第 25 册,文物出版社、上海书店、天津古籍出版社 1988 年版,第 713 页。
④ 《道藏》第 25 册,文物出版社、上海书店、天津古籍出版社 1988 年版,第 798 页。

文人仕进之路也被堵死,大批的文人沉沦民间,或者干脆隐逸和入道。

　　总之,在中国审美意识史上,宋元审美意识处于中古的总结和近古的开山这样的关键节点上。在宋元审美意识形成发展的过程中,中国的政治局势、经济形态、民族关系、哲学思维等影响审美的诸多根本因素都发生了历史性的质变,宋元审美意识随之发生适应性变化。同样,在审美意识的作用下,宋元审美的具体活动等也出现了各自不同的内外改变。对这些具体变化作更深入细致的阐述,将是本书各相关章节撰述的任务了。

第一章
宋词审美意识

　　就中国文学而言,诗既是正宗,又是大宗。自《诗三百》以来,两汉有乐府五言,魏晋咏山水田园,六朝尚音韵使事,至唐,歌诗大盛,诸体兼备,目为巅峰可也。在唐诗完备的同时,唐代诗歌的母体中渐渐孕生出"词"这一"诗之变体"。晚唐五代,西蜀南唐词人用词书写他们的闲情艳趣,一时号为"花间"。赵宋建基,词渐渐摆脱一味浮艳,先有柳三变另创新声,后有苏东坡开拓词境,周邦彦、李清照、辛弃疾等踵武前人,或以情致,或正词体,或为怨刺。以此,宋之"一代文学"史赞于词。从此,中国抒情格律韵文由诗之独胜转为诗词并驱。

　　在诗词优长方面,中国文人对诗词又有些细致微妙的区别,一般意义上看,基本是赋诗言志,填词抒情,这与诗词审美意识的不同密切相关,所谓"诗庄词媚"也。宋代词人词体雅正,词境开阔,于词寄托之情感各有不同,其间所含蕴的审美意识亦随之而变。为便于论述,我们大体上将宋词划分为"婉约词"和"豪放词"两大类展开研究。凡注重形式技巧,强调声韵格律,词风偏于阴柔的词,皆可归入"婉约词";凡注重反映社会,强调抒怀言志,词风偏于阳刚的词,皆可归入"豪放词"。之所以不用"婉约派"、"豪放派",主要是考虑到很多词家的创作并非固守一种风格,像李清照的《渔家傲》(天接云涛连晓雾)、姜夔"次韵稼轩"的《永遇乐》与《汉宫春》、吴文英的《八声甘州·灵岩陪庾幕诸公游》、张炎的《壶中天》(杨舟令万里)等都是非常豪放的作品。而苏轼的《江城子》(十年生死两茫茫)与《水龙吟·次韵章质夫杨花词》、辛弃疾的《摸鱼儿》(更能消、几番风雨)与《青玉案·元夕》、张孝祥的《雨中花慢》(一叶凌波)与《转调二郎神》(闷来无那)、陈亮的《水龙吟·春恨》与《清平乐》(银屏绣阁)等都是非常婉约的作品。故所谓"婉约"与"豪放",皆就词而论,而不把词家固化为婉约派或豪放派。

如果对宋词从审美意识角度作一次全面的巡礼,我们可以发现处在封建文化巅峰的华夏审美的时代风貌。宋人对待起于里巷的词不是如晚唐五代那样一味地狎弄,看似亲近,实则不以为意,亦不似后世明清面对通俗的小说戏曲那样一味禁毁打压,如对洪水猛兽。他们随意地创作,将自己的真实情感付诸词泣诉吟啸。因为真诚,他们以审美的严谨面对词体,合则流而成江海,不合则弃之如敝屣,在无声的浸润中改变了词的审美。这正反映了宋人在审美上的独特一面,兼容婉约豪放,统以文雅趣味,显出自省自信。

第一节　从宋词的发展看文人审美意识的变迁

词本来自民间,至宋代,其审美风格发生了巨大的变化。宋词审美风格的变化与宋词作者身份的变化密切相关,具体说来,宋词的创作主体由宫廷贵族变为文人雅士,词由宫廷艳词走向文学雅词。尽管也有词人视词为文字游戏,如欧阳修云"词为艳科",但在柳永、苏轼等人的努力下,越来越多的文人积极努力地投身于词的创作。他们用词来记录自己的生活点滴,也用词抒发内心的喜怒哀乐。随着时间的流逝,文人词渐多,其中的趣味也渐渐与晚唐五代不同了。

尽管审美趣味的变迁总是缓慢而逐渐进行的,但当我们以历时性的向度观照宋词的历史发展脉络时,宋词所体现出来的文人审美意识又是清晰的。宋词体现出来的文人审美意识既与前代文人有所相通,又因历史条件的局限而有其独特性。总体上,宋代文人一方面保有儒家的道统,一方面又兼具文化的自由,其审美意识也随着文人对词的参与逐渐贯彻到词作的各个方面。从宋词的发展这个动态角度对文人审美意识进行研究,有助于从宋词的发展趋势中看到其内在的主导意识,打破对宋词审美风格作静态分析的现状。

一、崇尚文雅,反对尘下

宋词经历了由艳词到雅词的发展过程。可以说,宋词不断雅化的过程,是宋代文人尚雅意识不断发展的结果。宋词在宋朝当时即存在雅俗之辨,如李清照曾在《词论》中批评柳永:"虽协音律,而词语尘下。"陈师道《后山诗话》则认为"柳词骫骳从俗。"进入南宋,文人尚雅意识更为强烈,柳词依旧是大家批判的对象。王灼说:"浅近卑俗,自成一体,不知书者尤好之。余尝以比都下富儿,虽脱村野,而声态可憎。"①徐度在《苕溪渔隐丛话后集》卷三十九引《艺苑雌黄》说:"其词虽极工致,然多杂以鄙语,故流俗人尤喜道之。"②严有翼说:"其所以传名者,直以言多近俗,俗子易悦故也。"批评者们一致而鲜明地指出了柳词的世俗趣味,并流露出明显的嫌厌倾向。概而言之,文人们鄙视柳词主要是两个方面:一是其放肆地大写艳情,格调低下;二是其用语俗,尤多俚俗鄙语。两宋词人对柳词之"俗"的批评正确与否不论,我们需要重点考虑的是两宋词人对柳永这位大词人"抛弃"的原因及其中透露出的宋代词人的审美倾向。宋词源于民间曲子词,本身的通俗是先天的。同时有民间走向大众的其他文艺形式:宋杂剧、说经、说话都有这一特性,但宋代文人着力改革的却仅仅是词。究其原因,在于词的"鄙俗"是相对诗歌而言的,它被晚唐五代文人改造了近百年,市民气息已基本褪去,文人气息较浓。同时,曲子词与诗歌在体裁形式上有共同之处,文人能够接受,且中国成熟的诗歌美学可直接植入曲词。实际上,我们看到,宋人"抛弃"柳词的本质是在词体发展中诗歌审美对大众通俗审美的整合。通过整合,诗歌审美(如含蓄、雅致、取象等)被词顺畅地继承。词成为宋代文人新的文学归依,而文人也借词抒发着宋代文人独特的文雅情趣。

为了达到改造词体和审美整合的目的,宋代文人针对词展开了有意识的由外而内的雅化。弃绝鄙俗,讲究文采,是宋代文人有意识地针对词

---

① (宋)王灼:《碧鸡漫志》,见唐圭璋编:《词话丛编》,中华书局 1986 年版,第 84 页。
② (宋)徐度:《却扫编》,见张惠民编:《宋代词学资料汇编》,汕头大学出版社 1993年版,第 145 页。

的语言的雅化。宋代文人承续了晚唐五代重视文采的文风,在词作中十分注重语言的精美。缪钺在《诗词散论》中曾指出:

> 词中所用,尤必取其轻灵细巧者。是以言天象,则"微雨""断云"、"疏星"、"淡月";言地理,则"远峰""曲岸"、"烟渚"、"渔汀";言鸟兽,则"海燕""流莺"、"凉蝉"、"新雁";言草木,则"残红""飞絮"、"芳草"、"垂杨"……即形况之辞,亦取精美细巧者。譬如亭榭,恒物也,而曰"风亭月榭"(柳永词),则有一种清美之境界矣;花柳,恒物也,而曰"柳昏花暝"(史达祖词),则有一种幽约之景象矣。①

这表明,一方面,宋代文人们对于词中物象之选择是极细致的,另一方面,他们又极其注重语汇的丰富与精致。事实上,晚唐以来的文人词也是讲究"以文采为美"的。韩偓在《香奁集序》中提出"咀五色之灵芝,香生九窍;咽三危之瑞露,美动七情",韦縠在《才调集序》中提出"韵高而桂魄争光,词丽而春色斗美",韦庄在《又玄集序》中提出"清词丽句",这都表明文人词向来是看重文采的。柳永个人生活的特殊性,使他更愿意考虑接受对象的现实而多用俚俗语,但这并不能视为柳词的用语倾向。同是柳永所作,《雨霖铃》和《鹤冲天》(假使重相见)在用词和语言特色上完全不同,取象和造境也是有雅俗之别的。所以,即使创作甚多俗词的柳永,其作为文人,内心也是尚雅的。

不限闺阁,题材拓宽,是宋代文人从内容上对词的提升。词自产生,多描摹闺阁之事,抒发闲婉之情,因此是一种"狭深"的"心绪"文学。两宋四百年,词几无不可写。遍观宋词,相思、离别、恋家、思乡、悼亡、失国、爱国、伤春、悲秋、隐逸、游赏、享乐、贬谪、怀旧、惜时、宴饮、泛舟、欢爱、悔恨、忧愤、节序,等等,写尽了人生体验和世间万象。杨海明在比较南宋和北宋的词作时谈道:"北宋词坛上,基本是'言情'词的天下,到苏轼前后才出现了数量甚少的另外'品种'的词作。但到了南宋,由于特殊的社会条件,就产生了更多的新颖'品种',如慷慨杀敌的抗战词,忧国忧政的愤慨词,陶情山水的隐逸词;而在传统的婉约词里,也产生了刚、柔词风'嫁接'

---

① 　缪钺:《诗词散论》,上海古籍出版社 1982 年版,第 56 页。

后的另一种'新产品'——'清空'风格的词;除此之外,那些'专职'的祝寿词、咏物词、应社词,也纷纭而起,造成了品种繁多、热闹非凡的局面。"①从他的比较中可以看出宋词突破了狭小的视野,眼界逐渐开阔,内容逐渐充实,风格逐渐多样,感情也由单一而丰富。宋词题材的这种变化,反映了宋代文人以词作全面书写真实自我的内在要求。由此,词作中塑造的追求艳情的文人片面形象让位于崇尚雅致生活的更为全面的文人雅士的摹写。

宋词中表现出来的尚雅反俗倾向,与宋代文人对诗、文、书法的审美趣味是一致的。对于作诗,黄庭坚告诫侄子说:"叔夜此诗豪壮清丽,无一点尘俗气。凡学作诗者,不可不成诵在心,想见其人。虽沈于世故者,暂而揽其余芳,便可扑去面上三斗俗尘矣,何况深其义味者乎!"②由此可见他对"俗"之痛恨。与其诗论主张相似,在评论书法作品时,黄庭坚也坚持"戒俗"。"士大夫处世可以百为,唯不可俗,俗便不可医也。"③他对苏轼书法的评价,也多从此入手:"东坡简札,字形温润,无一点俗气。"④不仅黄庭坚如此,北宋诸公论美则大多崇雅诋俗。宋室南渡,尚雅之风未变。南宋罗大经论文,也是从"雅则文之高妙正宗"的标准来评价的,他盛赞欧阳修之文章"温纯雅正",汪圣锡之文章"温雅",徐渊子之文章"清雅"。⑤ 这就不难看出,宋代文人对于诗、文、书法的审美标准是一致的,他们普遍地具有一种崇雅反俗的审美倾向。

我们发现,宋词中流露的文人尚雅的审美意识并非宋代词人勉力为之的有意之举,这种特有的"文雅"(既不同于先秦之雅正,又与晋唐贵族的"高雅"有明显区别)是两宋文人富贵从容日常生活美学在文学领域的投射。宋代文人生活有雅致精巧的特点。与唐人锋芒毕露、开放豪迈的

---

① 杨海明:《唐宋词史》,天津古籍出版社 1998 年版,第 419 页。

② (宋)黄庭坚:《书嵇叔夜诗与侄榎》,见曾枣庄、刘琳主编:《全宋文》第 106 册,上海辞书出版社、安徽教育出版社 2006 年版,第 324 页。

③ (宋)黄庭坚:《论书》,见上海书画出版社、华东师范大学古籍整理研究室选编:《历代书法论文选》,上海书画出版社 1979 年版,第 355 页。

④ (宋)黄庭坚:《山谷论书》,见崔尔平选编:《历代书法论文选续编》,上海书画出版社 1993 年版,第 64 页。

⑤ 参见(宋)罗大经:《鹤林玉露》,中华书局 1997 年版。

性格不同,宋人日常多表现得温文尔雅,中乎礼义,一副谦谦君子模样。他们用很多时间品诗、赏花、鉴画、郊游、宴饮,不仅如此,就连接人待物的日常交往方式也视来人之雅俗而定,雅客则清谈,俗客则酒色歌舞招待。宋词中多有歌舞、宴会、郊游、酬唱、游赏、休闲等内容,罗大经总结此时文人的情趣所系云:"但居市朝轩冕时,要使山林蓑笠之念不忘,乃为胜耳。"①富贵与野逸、从容与自然的无间贴合正是宋人的生活趣味及宋词的审美旨归。

同时宋词尚雅也是两宋文学受儒家审美尤其是性理之学审美影响的结果。儒家向来主张文艺应"乐而不淫,哀而不伤",以中正平和、温柔敦厚为美,这也是两宋时期饱读典坟的词人积极认同的。北宋中期以后,周敦颐、邵雍、程颐、程颢、张载等儒学大家先后奋起,将儒学的理性思考由伦理层面推进到哲学层面。至南宋朱熹,"理学"盛极一时。在此性理思潮统摄下,原来书写较为"放肆"的"言情"词也注意到了要"止乎礼义"和"好色而不淫"的问题。林景熙说:"乐府(指词),诗之变也。诗发乎情,止乎礼,美化厚俗,胥此焉寄? 岂一变为乐府,乃遽与诗异哉?"②这显然是呼吁以儒家诗教观念的标准来改造词的审美标准。持这种主张的人在当时并不少,如杨万里在《诚斋诗话》中提出,诗词要"怨悱不乱"、"尽而不污",要"好色而不淫"。张炎也说:"燕酣之乐,别离之愁,回文、题叶之思,岘首、西州之泪,一寓于词。若能屏去浮艳,乐而不淫,是亦汉魏乐府之遗意。"③我们确实看到,随着时间的流逝,宋词崇雅的主张越发明确。越是后出的词人词作,就越是靠近儒家雅正主张。至南宋后期,我们已能感觉到词人在主动自觉地追求词的雅化,姜夔那种"清空"的雅词因此被奉为典范,得到词坛的一致肯定与追捧。词人们赞誉姜夔的词,或"骚雅",或"醇雅",乃至"清雅"、"古雅"、"淡雅"等,这体现出词坛整体向风骚雅正传统审美的回归。

---

① (宋)罗大经:《鹤林玉露》,中华书局 1997 年版,第 323 页。
② (宋)林景熙:《胡汲古乐府序》,见陈良运主编:《中国历代词学论著选》,百花洲文艺出版社 1998 年版,第 198 页。
③ (宋)张炎:《词源》,见唐圭璋编:《词话丛编》,中华书局 1986 年版,第 264 页。

总之,宋词雅化的过程,正是宋代文人有意识地以雅兼俗的过程。宋人固然曾经在词中也有艳俗、俚俗的一面,然而文人的本性和宋代特有的文人生活文化使他们最终回归到了雅正的传统。宋代文人对词由外而内的雅化改造,尤其凸显了他们尚雅的审美意识。宋词中所显现的文人尚雅意识,与当时宋代文人的整体审美取向保持了一致,这显示出中国传统雅正审美力量的强大。而宋朝特殊的经济政治历史文化,尤其是经济的发展和优待文人的政策,以及南宋偏安一隅的历史现实,都成为宋代文人崇尚文雅的共同推力。

二、追求自然,反对富艳

我们说宋词追求自然,首先是相对于晚唐五代的词风而言的。晚唐五代词风总体呈绮艳一派。在温庭筠的词中,充满歌场舞榭的迷醉与风月艳情。词作语言色彩绮丽,金、红、绿、翠等色彩形成一幅幅富贵华艳又靡靡俗丽的画面。在他笔下,"金"往往是"金鹧鸪"、"金翡翠"、"金凤凰"、"金雀钗"之类。而"红"则是"红满枝"、"红丝拂"、"红烛背"、"红粉面"等。由于这一时期词的主要功能是小国君臣间的文字消遣,叙写的也多是艳情闺怨,所以,以富艳为美的审美心态是比较普遍的,如韦庄的《菩萨蛮》:"琵琶金翠羽,弦上黄莺语。"张泌的《浣溪沙》:"翡翠屏开绣幄红,谢娥无力晓妆慵。"欧阳炯的《三字令》:"罗幌卷,翠帘垂。彩笺书,红粉泪,两心知。"牛峤的《女冠子》:"绿云高髻,点翠匀红时世。"这些词作无论题材、语言,还是意象都甚为相似,从而形成一股靡艳之风,词为"艳科"的传统直到柳永等北宋词人手中依然势头不减。

晚唐五代词不仅"艳",而且"富"。花间词已是锦绣富贵景象,南唐君主、宰相的词作尤好雍容华贵,这样的词风对北宋的晏、欧诸公影响甚大。而且,当时的词论家也对词之富贵颇为肯定,如吴处厚在《青箱杂记》卷五中说:"晏元献公虽起田里而文章富贵,出于天然。"①而李清照

---

① (宋)吴处厚:《青箱杂记》,见上海古籍出版社编:《宋元笔记小说大观》(二),上海古籍出版社 2001 年版,第 1658 页。

在批评秦观词时也说:"秦即专主情致而少故实,譬如贫家美女,虽极妍丽丰逸而终乏富贵态。"①词论家们在当时以"富贵"来衡量词作,其实是受宋初人们普遍享受承平气象的社会风气的影响。所以,随着后来宋代社会政治动荡,宋词钦慕富贵的风气也日渐改变。

学界一般认为唐宋词具有富贵气,这个立论通常来自两个方面的考虑:一是与诗比较,"诗可以怨",诗歌中有大量作品揭露现实的黑暗,诗作中塑造的诗人形象往往是穷愁型;二是主要针对婉约词而言,词的创作环境特殊,词人的身份地位较诗人要高,词的娱乐性较强,因此,词作内容浸淫着享乐意识。我们认为,宋词尽管延续了晚唐五代的富艳词风,然而,随着宋代文人对词的态度的改变,词由文人的笔墨游戏成为文人们抒情遣怀的得力工具,它越来越受到文人们的尊重与重视,富艳的一面越来越被文人骨子里的崇尚清淡自然的审美风尚取代,因此,富艳华丽的词作越来越少,评价也一路走低,清雅自然的词作越来越多,受到越来越多人的喜欢,这也成为雅词最终确立的关键。

宋代文人追求自然,可以从词的内容来看。宋词逐渐从对绮思艳情的书写过渡到了闲情逸趣,反映了文人们审美趣尚的变迁。虽然诗文词赋等传统文学形式也不乏对闲情的叙写,如陶渊明的《闲情赋》,白居易的闲适诗等,但无疑宋代文人是最有"闲情"的。不同于前代文人,宋代文人特别喜欢和享受自然适意的人生。欧阳修在其《采桑子》组词的小序《西湖念语》中写道:"昔者王子猷之爱竹,造门不问于主人;陶渊明之卧舆,遇酒便留于道上。况西湖之胜概,擅东颖之佳名。虽美景良辰,固多于高会;而清风明月,幸属于闲人。并游或结于良朋,乘兴有时而独往。鸣蛙暂听,安问属官而属私;曲水临流,自可一觞而一咏。至欢然而会意,亦旁若于无人。"②在宋代像欧阳修这样心态的人非常普遍,他们仰慕魏晋名士,词作也多流露出追慕魏晋名士风流的儒雅之心和以闲人自居的闲情雅意。宋代文人的这种审美取向显然影响到了南宋的隐逸词。整体

---

① (宋)李清照:《重辑李清照集》,黄墨谷辑校,中华书局 2009 年版,第 54 页。
② (宋)欧阳修:《欧阳修全集》,张春林编,中国文史出版社 1999 年版,第 157 页。

看,这些闲情词和隐逸词的意象、词风清新雅淡、萧散洒脱、澄静灵秀,已经完全没有了富艳之态。

宋代文人们对自然的追求,更倾注在"自然"、"天然"的审美境界上。如张耒为贺铸词所做序云:"文章之于人,有满心而发,肆口而成,不待思虑而工,不待雕琢而丽者,皆天理之自然,而性情之至道也。"①再如王灼评晏几道:"叔原如金陵王谢子弟,秀气胜韵,得之天然。"②这些评价都把"自然"作为词的衡量标准,他们所说的自然不但是客观的自然山水和闲适的文人雅游,而且还更深地指向了人的自然天性,如张耒所言即把"自然"和人的性情相联系。这一点在苏轼身上表现得非常突出。苏轼思想兼容道释,生性旷达,其词作的妙处也常常表现为词中表露的性情自然而然,绝不矫揉造作。如"十年生死两茫茫"、"人生如梦"等句,非词人情绪自然流动,不可道出。故清人楼敬思说:"东坡老人故自灵气仙方,所作小词,冲口而出,无穷清新。"③苏轼崇尚"自然"的审美追求,与他对艺术之美的整体认识是完全相符的。他师事欧阳修,其评价欧阳修书法云:"此数十纸,皆文忠公冲口而得,信手而成,初不加意者也。其文采字画,皆有自然绝人之姿,信天下之奇迹也。"④"有自然绝人之姿",便为"天下之奇迹",可见,苏轼是把"自然"作为最高的审美标准的。

诚然,宋词中有不少精工之作,但具体情形尚需分辨。因为,自然并非是全无雕饰,不是原始而粗糙。文艺作品的本质决定了文人们追求的自然只能是一种艺术的自然。因而,词人的创作不是不要雕琢修饰,而是要通过词人的反复炼字锻词来最大限度地表现词人所感受到的审美体验,以言、象、意三者契合来获得宛如自然天成的艺术效果,所谓"妙手得天然"是也。姜夔《诗说》云:"诗之不工,只是不精思耳。不思而作,虽多亦奚为?雕刻伤气,敷衍露骨。若鄙而不精巧,是不雕刻之过。拙而无委

---

① (宋)张耒:《贺方回东山乐府序》,见陈良运主编:《中国历代词学论著选》,百花洲文艺出版社1998年版,第59页。
② (宋)王灼:《碧鸡漫志》,见唐圭璋编:《词话丛编》,中华书局1986年版,第83页。
③ (清)张思岩、宗橚辑:《词林纪事》,成都古籍书店1982年版,第124页。
④ (宋)孔凡礼点校:《苏轼文集》,中华书局1986年版,第2198页。

曲,是不敷衍之过。"①一般论者多引这段话作为姜夔词作讲究精思的证据,然而,他们没有注意到,在鄙、拙、雕刻、敷衍之间,流露的正是词人追求超越的言外之意。元代陆辅之说:"词不用雕刻,刻则伤气,务在自然。"②这显然是在姜夔的主张上进一步提出来的。姜夔词通过精雕细刻所形成的清雅风格,是历代词论者大加赞赏的。况周颐云:"词太做,嫌琢。太不做,嫌率。欲求恰如分际,此中消息,正复难言。但看梦窗何尝琢,稼轩何尝率,可以悟矣。"③这证明精心而为却又合乎自然的东西是值得肯定的。

总之,宋代文人在词作中树立起以自然为美的审美理想,是宋词逐渐摆脱晚唐五代富艳词风的影响,确立宋人自我审美取向的过程。宋代文人所理解的自然,偏重于人性的自然和天然,这既与他们喜欢率意的享受生活和自适其适的心态密切相关,又在他们主体自我意识的抒写和精神自由空间的拓展中得以表现。同时,宋代文人所追求的自然,实则是一种二律背反,即创作时的精雕细琢与理论追求的不露痕迹之间的矛盾,这显然也是所有文艺创作要面对的矛盾。

三、推重含蓄,反对直露

词诞生于民间,起初并不讲究含蓄,如《敦煌曲子词》中的《鹊踏枝》:"叵耐灵鹊多满语,送喜何曾有凭据。几度飞来活捉取,锁上金笼休共语。比拟好心来报喜,谁知锁我在金笼里。欲他征夫早归来,腾身却放我向青云里。"④语言通俗直率,语意简单明了。当时的文人也学习这种词风,清新明朗,甚少委曲。如白居易的《忆江南》:"江南好,风景旧曾谙,日出江花红胜火,春来江水绿如蓝,能不忆江南?"此词直抒胸臆,通俗易

---

① (宋)姜夔:《白石诗说》,见(清)何文焕辑:《历代诗话》,中华书局1981年版,第680页。
② (元)陆辅之:《词旨》,见唐圭璋编:《词话丛编》,中华书局1986年版,第301页。
③ (清)况周颐:《蕙风词话》,见唐圭璋编:《词话丛编》,中华书局1986年版,第4408页。
④ 王重民辑:《敦煌曲子词集》,商务印书馆1950年版,第26—27页。

懂。再如韦庄《思帝乡》:"春日游,杏花吹满头。陌上谁家年少足风流。妾拟将身嫁与,一生休。纵被无情弃,不能羞。"此词表意直露,一派热烈,毫无女性之矜持。当时,类似词风的文人曲子词还不少。但随着晚唐五代文人创作的增多,创作者对词体看法的改变,文人自身的审美意识逐渐显现,词的语言表达方式由直露渐变为含蓄隐约。

宋词崇尚含蓄,追求深隐幽微之美,是延续了晚唐五代词对唐人曲子词的改革。晁谦之在《花间集跋》中评《花间集》:"情真而调逸,思深而言婉。"可见,《花间集》作为早期词由民间状态向文人创作转换、发展的重要词集,文人的审美意识已经显露出来,整体上形成了"思深而言婉"的特征,这与民间词是颇不相同的。例如温庭筠的《梦江南》:"梳洗罢,独倚望江楼。过尽千帆皆不是,斜晖脉脉水悠悠。肠断白蘋洲。"这首词的题材仍不脱闺怨情愁俗套,但"过尽千帆皆不是,斜晖脉脉水悠悠"两句,情落境中,写尽了思妇的心曲而无脂粉气,思妇无限的惆怅哀怨由此表达得幽深悠长,意趣与唐人大不相同,这种表达方式与民间词也迥异其趣。《花间集》虽然已经开始以表现手法求含蓄,但还谈不到寄托文旨的含蓄蕴藉。如何在词中找到更适合文人表现自己的写作方式,这是宋代文人才开始思考的问题。

宋人虽极力批判晚唐五代词富艳颓靡,但对其词作一改中唐以来直率用意却是认同的。在具体做法上,宋代文人常常通过"比兴"来寄托文旨,以求达到含蓄蕴藉的审美效果。起初,词并不讲究比兴,施蛰存在《读温飞卿词札记》中说:"唐五代人为词,初无比兴之义,大多赋叙闺情而已。读词者亦不求言外之意。"[①]这说明在当时,无论是创作还是欣赏,人们都还没有用诗歌审美中特别看重的"言外之意"有无来衡量词。现在来看,苏轼在《卜算子·黄州定惠院寓居作》中,非常明显地使用了"比兴"的手法,他以孤鸿自比,借孤鸿的形象写自己"乌台诗案"后惊魂未定的现实境遇,进而表现自己不愿与当道者同流合污的气节情操。苏轼之

---

① 华东师范大学古典文学研究室编:《词学研究论文集》(1949—1979 年),上海古籍出版社 1982 年版,第 238 页。

后,"比兴"手法在贺铸、周邦彦等词人笔下进一步发展。南宋特殊的政治环境,使"比兴"成为南宋词人广泛使用的表现手法。辛弃疾在词中大量运用比兴手法,或抒发壮志难酬之悲愤,或寄托对于国家社稷的忠诚,或倾诉对投降派小人的痛恨,或表达恢复中原的愿望……辛词继承了中国诗歌"香草美人"的言志传统,有意识地在词中表达了中国文人比兴寄托的审美意识。而姜夔词之"比兴"前人也多有评述,如:"姜、张诸人,以高贤志士,放迹江湖,其旨远,其词文,托物比兴,因时伤事,即酒食游戏,无不有《黍离》周道之感,与《诗》异趣而同工。"①当宋代文人把诗歌中的"比兴"手法全面地引入词的创作,并有意识地大量创作时,这就表明他们认同了诗歌所崇尚的"言有尽而意无穷"的审美理想。

为了使作品含蓄隐约,回味悠长,宋代文人还多爱使事用典。柳永在《乐章集》中大量用典,以事典为主,语典次之,"开启了中国文学史上文人词用典的先河"②。而苏轼和辛弃疾经常用典明志。苏轼在词中大量用典,《江城子》(密州出猎)、《念奴娇》(赤壁怀古)、《水调歌头》(昵昵儿女语)、《哨遍》(为米折腰)等无不是借典抒怀之作。辛弃疾的词甚少不用典故,"《辛稼轩词编年笺注》共辑词626首,其中未用典故的有83首,占总数13.3%"③。为了在有限的内容里包蕴无限的内涵,辛词往往借典故所包含的情绪色彩和象征意蕴寄托自我,甚至一首词作含十三个典故,苦心孤诣地追求"味外之旨"、"言外之意"。

自姜、张而后,追求含蓄隐约,反对浅露已成为词人的普遍认识。姜夔《白石道人诗说》主张词要"语贵含蓄",张炎《词源》主张小令要"有余不尽之意始佳",慢词要"情景交炼,得言外意",吴文英论词,《乐府指迷》引"用字不可太露,露则直突而无深长之味"。宋代以后,刘熙载在《艺概·词曲概》中说:"词之妙,莫妙于以不言言之;非不言也,寄言也。"陈廷焯在《白雨斋词话》中说:"必若隐若现,欲露不露,反复缠绵,终不许一

---

① (清)王昶:《姚茝汀词雅序》,见陈良运主编:《中国历代词学论著选》,百花洲文艺出版社1998年版,第481页。
② 王辉斌:《柳永〈乐章集〉用典说略》,《山东师范大学学报》2003年第1期。
③ 熊笃:《论稼轩词的用典》,《社会科学研究》2005年第1期。

语道破,匪独体格之高,亦见性情之厚。"沈祥龙在《论词随笔》中说:"含蓄无穷,词之要诀。含蓄者,意不浅露,语不穷尽,句中有余味,篇中有余意。其妙不外寄言而已。"所有这些主张无不贵含蓄,贬直露,这可以看出词论家们在词推重含蓄隐约上已经达成了一致意见。

综上所述,从整个发展过程来看,宋词由俗而雅,由富艳而自然,由直露而含蓄,其间固然有难以理清的枝蔓丛生的情况,然而总体上的脉络还是清晰的,即宋词整体雅化了。宋词雅化虽然与宋朝的社会状况不无关系,但我们认为,宋词雅化主要是受宋代文人"尚雅"审美意识的推动,是传统"雅正"审美意识渗透并对词加以改造的结果。同时,宋词雅化也折射出文人审美的"执拗"——讲究语言的含蓄文雅、手法的精致优雅、意境的自然风雅。由此,词始为文学雅正之体,也不再有民间俚趣或直白文辞,它在两宋文人的尚雅意识的改造中由"曲子词"变为"文人词",成为中国雅文学的重要组成。

第二节　宋代婉约词审美意识

韵文至宋,词的大兴为之一变。纵观华夏韵文流衍,宋词婉约与豪放并胜,故与唐诗齐足并趋,成就一代之雄的地位,其中之婉约词尤显宋人气质。明徐师曾云:"词贵感人,要当以婉约为正。"①宋代婉约词不仅数量上为一代之主流,词作倍增、名作如林,即较之趣味内蕴,也可谓格调多样的繁荣兴盛。在宋代婉约词中,宋人于"文化造极之世"孕养而成的独特情感及审美趣味成为词作着力表现的,亦成为词人们刻意体验的。这些不仅仅反映了宋人对于诗以言志传统的背离,也揭示了在城市审美、人生一乐、文人趣尚共同作用下生成的宋人审美意识。

一、感情内敛

上古之时,诗、乐、舞一体。《尚书》论诗以为"言志",此论已成为中

---

① （明)徐师曾:《文体明辨序说》,罗根泽点校,人民文学出版社 1962 年版,第 165 页。

国诗歌的"开山的纲领"。至孔子时,无论是"诗无邪"说还是"不学诗无以言"说,都将诗歌笼罩于儒家诗教体系中,诗歌这一韵文被赋予了宏大严肃的文体色彩。魏晋六朝,文人在时代的苦痛中以诗酒玄思自我脱解,文学进入"自觉"的时代。秦汉以来的"哀乐言志"之外的"缘情"、"自然"、"彩丽"、"声病"、"滋味"等思维先后生成并聚合另开了"诗言情"的新路。也因时代的重压,魏晋六朝的诗歌表达还强调了情感的抒发与主体内外之间的比兴。唐诗融通前代,更以一代之才力显著于诗歌,"萃数百年天下人之精神"①,诚"一代之文学"。诗至于唐,可谓极盛,如李沂《秋星阁诗话》云"到今如日月中天"。唐诗虽"曰高,曰古,曰深,曰厚,曰长,曰雄浑,曰飘逸,曰悲壮,曰凄婉"②,气象万千,但总的看,都在于诗人极强极浓的真挚情感的表达,"以我眼观物","物皆着我之色彩",以诗言"我"之性情的倾向无可动摇。故严羽论曰"盛唐诸人唯在兴趣"③。五代十国,神州破碎,有南唐后蜀据山河之险,偶得残存太平之兴。残山剩水之间,小国君臣或笑中原板荡,或庆夜郎之喜,但其心性志趣已不足驾驭唐诗雄体,故其醉生梦死的自娱自乐中有了"花间"者流,温李是也,此亦是宋词之导源。审宋词的渊源,其体造之初,就携带着"卑弱伏顺"的因子,这不能不说是宋词的先天之病。

北宋建立,太祖太宗重整河山,域内一统,尊文重礼,传留有"不杀士大夫及上书言事人"之训。君权国体尊文人之举,远超前代。两宋三百余年,尊重文人和优待文人的社会文化涵养出独特的"宋型文人"。他们生活极优裕从容,君权给予的极大权利、社会民众的普遍尊重和儒家文人的治世理想使得他们具有了强烈的时代先锋和社会脊梁的自我认知。加之宋代儒学力图在汉儒天人理念及宗经治经学统上探求人之心性归依在宇宙中的位置,树立天地间人的自我,故宋儒在治学中特重内心的开掘,或论气,或讲性理,路径皆在以人格物致知上。宋代文人在这种哲学的指引下,重视内心自省,学愈深而身自谦,身自谦而心内圣。在社会"舍我

---

① (清)李沂:《秋星阁诗话》,见丁福保编:《清诗话》,中华书局1963年版,第913页。
② (宋)严羽:《沧浪诗话》,中华书局1985年版,第5—6页。
③ (宋)严羽:《沧浪诗话》,中华书局1985年版,第6页。

其谁"认知和由哲学指引而造就的内心深化的共同作用中,宋代文人思维内部孕育了深沉博大的精神力量,使得他们喊出了"为天地立心,为生民立命,为往圣继绝学,为万世开太平"的强音。

承自前代的宋词与注重心性的宋人在某种意义上说是有矛盾的,卑弱文体的问题不解决,宋词的接受与后来的繁荣就无从谈起。尤其在言情题材上,延循六朝及五代的浮艳文风是宋代词人从心底所不能接受的,而主体的抒情审美需求又必须得到满足。于是,以心绪上的克制和形式上的雕琢来冲淡脱口而出的浓情婉致,将两者间的情感流通转化为主体内心对情感的孤独品味,以深邃学识和高迈品格改造"私情"成为宋代婉约词摆脱五代艳词,上追秦汉盛唐"性情之响"的必然选择。

宋代婉约词言情多落笔于男女悲欢,似与六朝宫体及五代艳词一致,但审读细思不难发现其自身的特点。婉约词中的感情偏重于内敛、凝聚,言情中诉说的指向是言者和能品味者的内心,而非情感的对象。婉约词中的情感常常表现得欲说还休,盘旋在词人构建的独立的精神世界(如梦、幻、酒醉、对他乡的想象)中,在起伏中而偏向于收束,终笔止于孤独的言者内心。如晏几道的《临江仙》:

> 梦后楼台高锁,酒醒帘幕低垂。去年春恨却来时,落花人独立,微雨燕双飞。记得小苹初见,两重心字罗衣。琵琶弦上说相思。当时明月夜,曾照彩云归。①

这是婉约词中极常见的儿女情长,写别后之相思。词人在酒后梦醒的刹那间,脑海中无意识地凸显出自己与小苹分别的场景,雨中双飞的燕儿,让人倍感凄凉。念及初见时的情景,小苹琵琶传情,两人怦然心动,而今明月依旧,却难觅小苹影踪。明明是极为强烈的情感,词人却并不作激烈的倾泻。而是试图约束这种感情,可是束又束不住,在酒醒梦回的时刻,分别的情形执着地从心底跳出来,"去年春恨却来时",眼看情感的闸门即将打开,词人却又以"落花人独立,微雨燕双飞"的巧妙对照将情感

---

① 文中宋词如不特别注释均引自唐圭璋编纂:《全宋词》,中华书局 1999 年版。

淡化了。然而,情感的洪流已自涌出,初见小苹的情景历历在目,叫人如何能忘怀?"当时明月夜,曾照彩云归",词人再次收束起奔涌的情感,化作低回的伤感。

这种情感表现的特点,在宋代婉约词中并非是偶一有之。如柳永《雨霖铃》:"执手相看泪眼,竟无语凝噎。念去去、千里烟波,暮霭沉沉楚天阔。"晏殊《踏莎行》:"一场愁梦酒醒时,斜阳却照深深院。"张先《虞美人》:"高楼何处连宵宴。塞管声幽怨。一声已断别离心。旧欢抛弃杳难寻。恨沉沉。"秦观《风流子》下阕:"青门同携手,前欢记、浑似梦里扬州。谁念断肠南陌,回首西楼,算天长地久,有时有尽,奈何绵绵,此恨难休。拟待倩人说与,生怕人愁。"李清照《一剪梅》:"红藕香残玉簟秋,轻解罗裳,独上兰舟。云中谁寄锦书来?雁字回时,月满西楼。"这些词人无一例外地采取了由实写转向虚化表现的手法,将情感控制得低回缠绵,深沉内敛。

宋代婉约词情感的内敛,还表现为情感的内向化,或情感的内指性。这指的是在婉约词中,词人的情感常常指向自我,在自我体验中感悟情感的力量,却很少指向隐含的接受者,这使婉约词的情感形成一个封闭的自足空间。然而,这个封闭的空间并不是要拒绝接受者,而是以其封闭造成一种召唤,它在暗暗等待能够读懂它的知己,这个作为知己的接受者需要的是去体验,在情感的体验中与词人合二为一。就是说,婉约词中的情感表现由于其主要着眼于个人的情感体验,如恋情、别离、伤春、悲秋和羁旅行役等比较个人化的情感,所以,对它的接受,词人并不要求自己一下子感发别人,而是通过展示自己的情感体验,以期唤醒读者的类似经历,从而使读者感同身受,在深层次上理解自己。

即使是苏轼,堪称他婉约词代表作的《蝶恋花》,也是遵从情感内敛的词体要求的。

> 花褪残红青杏小。燕子飞时,绿水人家绕。枝上柳绵吹又少。天涯何处无芳草。墙里秋千墙外道。墙外行人,墙里佳人笑。笑渐不闻声渐悄。多情却被无情恼。

这首词情感的内敛,主要体现在"枝上柳绵吹又少。天涯何处无芳草"和"笑渐不闻声渐悄。多情却被无情恼"两句。前一句与后一句的关系相似,都是通过实写向虚写转化,无论是乐观(天涯何处无芳草)还是理性(多情却被无情恼),指向的依然是自我。再看《江城子·乙卯正月二十日夜记梦》:

> 十年生死两茫茫。不思量。自难忘。千里孤坟、无处话凄凉。纵使相逢应不识,尘满面,鬓如霜。夜来幽梦忽还乡。小轩窗。正梳妆。相顾无言、惟有泪千行。料得年年断肠处,明月夜,短松冈。①

这首词情感的内敛主要在最后一句:"料得年年断肠处,明月夜,短松冈",虽然细品之下,词人的深情令人心碎,但"料得"一语道破词人情感不是指向读者的同情,而是非常自我化的"推己及人"。

婉约词的情感内敛是宋人以内心省视求得自我圆融在词上的体现。在词作、词境和词人思维中,词构建的情感世界是作者自我缅怀的对象,即词人以词追忆或触摸的并非是彼端时空的某个具体的情感对象,而是词本身的浓挚深情及情感所由生的艺术场景。这时,词中意境亦是词人对自我情感认知世界的体认与拓展,从而词人通过对自我的回忆和摩挲达到了解脱或超越的圆融。这无疑是其与同写"艳科"的六朝宫体的最大不同了。

二、意象静美

宋人之为婉约,其导源于晚唐以来五代词风的流靡,实于宋人求理笃学之体气不甚相容。虽时有文人以"小道艳科"作"排遣"之语开解,但如不能在宫体闺语之讥中别开生面,婉约词不免落入下乘,难得骚雅真旨。故自晏、柳、欧、苏以下,宋代词人虽多竭力于男女离合、伤春悲秋,但其寄意多有淡散闲雅之韵。由此,词之立象也突破了唐五代以来花间畛域。如必以一语概宋婉约词之意象,"静美"可称。

与情感内敛相应的是,宋代的婉约词人创构了众多静美的审美意象。

---

① 邹同庆、王宗堂:《苏轼词编年校注》,中华书局 2002 年版,第 141 页。

《蕙风词话》云:"词有穆之一境、静而兼厚、重、大也。淡而穆不易,浓而穆更难。"①况氏所言"静穆"者,即静美也。所谓"静美",即宋代婉约词人着意在作品中将情感灌注于某个人生的剪影中,以类似"定格"的方式将之呈现于笔下,捕捉并完成了一个个在情感高潮来临时最具美感的画面。这样的华彩被定格后,给人的感觉却是"欲静不止"的微妙感受。词人以此达到静以制动、动静结合的审美效果。宋代词人苦心孤诣营构的这些意象,往往折射的是宋人独具的幽深闲雅的心境。而当欣赏者静静地体验特定图景所唤起的情感时,于内省中独得奥妙的自由感觉与被唤起的情感融合而终成"静美之象"。此时读者内心尽管少有波澜但却能够获得一种独会于心的默契,从而得以体验到那种静中蓄动、动静相谐的独特韵味。试以苏轼《贺新郎•夏景》观之:

> 乳燕飞华屋。悄无人、桐阴转午,晚凉新浴。手弄生绡白团扇,扇手一时似玉。渐困倚、孤眠清熟。帘外谁来推绣户,枉教人、梦断瑶台曲。又却是,风敲竹。

> 石榴半吐红巾蹙。待浮花、浪蕊都尽,伴君幽独。秾艳一枝细看取,芳心千重似束。又恐被、秋风惊绿。若待得君来向此,花前对酒不忍触。共粉泪,两簌簌。

此词主旨写静,却多用动词,如"飞"、"弄"、"推"、"敲"、"吐"、"看取"、"待"、"触"、"簌簌"等,随着这些动词的移转一幅幅画面也即生成。这些经过剪裁的画面都是词人刻意营造的静谧之境。燕子翻飞,映衬出午后休憩的"悄无人"。"孤眠"、"梦断"、"都尽"句,以交叠之语交代"幽独"。下片"一枝"与"千重"对,尤显佳人手中榴花之情重,"不忍"云云,写尽花之娇态。"共粉泪,两簌簌"以动态之笔点出人花交映之"幽独"。此《贺新郎》词,其佳处不在美人体态,亦非特状其多情,而在于写雅静传情重。故杨湜《古今词话》赞其文雅风流,以为"子瞻真所谓风流太守也,岂可与俗吏同日语也!"②

---

① (清)况周颐:《蕙风词话》,人民文学出版社 1960 年版,第 22 页。
② (宋)杨湜:《古今词话》,见唐圭璋编:《词话丛编》,中华书局 1986 年版,第 28 页。

在宋词中，自然山水的意象颇受宋代文人的喜爱，但婉约词中的山不是厚重的崇山峻岭，水也不是浩浩汤汤的激流，一切自然景物都被人为地剪裁，表现出轻灵静穆的审美倾向。如范成大的《满江红·冬至》：

> 寒谷春生，熏叶气、玉箫吹谷。新阳后、便占新岁，吉云清穆。休把心情关药裹，但逢节序添诗轴。笑强颜、风物岂非痴，终非俗。
>
> 清昼永，佳眠熟。门外事，何时足。且团栾同社，笑歌相属。著意调停云露酿，从头检举梅花曲。纵不能、将醉作生涯，休拘束。

寒谷、吉云、节序、风物、清昼、佳眠，词人将节气文化中岁时轮转与山水结合，特别点出的"清穆"情氛与起笔的"寒谷春生"意象结合，透出几许庄严肃穆的儒家气派。由此观之，部分宋词中的山水已不尽如六朝至唐诗歌写山水之乐了，而是沿循儒家"仁智山水"观表现人意于己于人的感悟了。意既不在山水，其象也远非"山水之情"之刚健秀美所能涵盖的了。再如欧阳修的几阙《采桑子》：

> 轻舟短棹西湖好，绿水逶迤。芳草长堤。隐隐笙歌处处随。无风水面琉璃滑，不觉船移。微动涟漪。惊起沙禽掠岸飞。
>
> 春深雨过西湖好，百卉争妍。蝶乱蜂喧。晴日催花暖欲然。兰桡画舸悠悠去，疑是神仙。返照波间。水阔风高飏管弦。
>
> 清明上巳西湖好，满目繁华。争道谁家。绿柳朱轮走钿车。游人日暮相将去，醒醉喧哗。路转堤斜。直到城头总是花。

这组词描绘西湖胜景，以一系列温婉的意象为词之主体，轻舟、短棹、绿水、芳草、长堤、笙歌、涟漪、沙禽、春雨、百花、蜂蝶、兰桡、画舸、管弦、绿柳、朱轮、钿车、游人、斜堤，写尽了西湖景色的柔和宜人。但读者在读词中，总能感到词人那微动而不惊、从容而闲淡的情思蕴积其中。如"隐隐"、"无风"、"不觉"、"悠悠"、"日暮人去"等，前代山水韵文是少及于此的。

其实，宋代婉约词中的意象，不只是自然景物具有这种静美的内蕴，其中的人物更是如此。婉约词对于女性、女性意识、女性文化具有先天的表达优势，因而表现出一种强烈的女性情结。词的娱乐功能使女性的地位被强烈地凸显出来，女性既是词作的歌者，又是被描写的对象,如柳永笔下的秀香(《昼夜乐》其二)、英英(《柳腰轻》)、心娘、佳娘、虫娘、酥娘(《木兰花》四首)等歌妓,晏几道笔下的莲、鸿、苹、云等,至于那些无名的歌女自是数不胜数。这些涉及女性的婉约词流露出极为浓重的对于女性的观赏意味。这里的女性是柔媚的,也是娴静的。她们神情、姿态、妆容、衣着不仅体现出人见人怜、人见人爱的女性特质,也暗暗蕴含着女性特有的"内守"品格,这与宋人独有气质是有暗合之处的。如欧阳修《长相思》下阕:"玉如肌。柳如眉。爱著鹅黄金缕衣。啼妆更为谁"。《踏莎行》:"寸寸柔肠,盈盈粉泪"。秦观《浣溪沙》其四:"脚上鞋儿四寸罗。唇边朱粉一樱多。见人无语但回波。"其二:"香靥凝羞一笑开。柳腰如醉暖相挨。"《点绛唇》其二:"清泪斑斑,挥断柔肠寸。嗔人问。背灯偷搵。拭尽残妆粉。"这样的女儿状绝不仅仅局限于欧阳修和秦观的婉约词,应该说,宋代婉约词对于女性娇弱情态的描摹是非常普遍的,而且,婉约词中关注的往往是封闭或独处的女子柔弱之象。当男子"主于外",或隐或显,或江湖或庙堂,出没于山南水北之间时,词中女性则往往"持于内",婉约中又独具了娴静情深的静美之意。

宋代婉约派词人苦心孤诣凝练而成的审美意象成为他们内在情性的投影,显现了他们返璞守静的内心世界。中国从先秦时期就已有诗言志的文学传统,这种传统凸显的是文人们的志向和抱负,它给人的感觉是强健的、积极进取的、阳刚的。可是宋代的婉约词却于词中显示不动而静美的一面。宋代婉约词正是通过书写人之静美来表现情之微妙和美之含蓄,而守静心态与内视思维又打开了中国传统文人压抑的种种心结,开掘了以往难以发现的美感体验。通过抒写纤细、静婉的情感,宋代婉约词构建出了更全面、更真实的中国文人形象。

三、情思婉曲

任讷在《词曲通义》中曾作词曲之性质比较云:"词静而曲动;词敛而曲放;词纵而曲横;词深而曲广;词内旋而曲外旋;词阴柔而曲阳刚;词以婉约为主,别体则为豪放;曲则豪放为主,别体则为婉约;词尚意内言外;

曲竟为言外而意亦外。"①又在论及元曲时点出元曲特质在于："词与曲之所以说者，其途径与态度亦各异。曲以说得急切透辟，极情尽致为尚；不但不宽弛，不含蓄，且多冲口而出，若不能待者；用意则全然暴露于词面，用比、兴者并所比所兴亦说明无隐：此其态废为迫切，为坦率，恰与词处相反地位。"②此论反面认识即可视为对宋词的允论，即宋词在于说得舒缓委婉，含情蕴意为尚，词中须有待，情思韵致潜于字面以下方好。也就是说，宋词在审美上还是讲求"意在言外"，追求"韵外之致，味外之旨"的。

但我们不能因为宋词的委婉曲折与传统诗词审美表达的曲折美有近似之处，就简单地将其归于风骚以来的"含蓄蕴藉"范畴。应该看到的是，宋人在词中追求的婉曲不同于以往诗词韵文单纯的"迁徐曲折"，与唐诗中的"沉郁顿挫"亦不相同。它是宋以来南方审美意识渐入中原的一大变化，亦是文人审美受市井审美干预后文体审美自觉自立的必然结果。

隋唐科举以来，取士北多于南，关陇河洛人士往往通过科举居中枢要津，且周以来中央政权多定都于关洛，北方文化一直是华夏审美的主流。唐代人口繁衍，统治者开始开发江南。唐上元三年（676 年），高宗下诏，取消了都督选补官吏权，决定由朝廷直接派遣"强明清正五品以上官充使选补"③，负责简选，并且派御史同往监察注拟，四年选补一次，后来又改为三年一次，形成制度，称为"南选"制。唐天宝十三年，玄宗下诏："如闻岭南州县，近来颇习文儒。自今以后，其岭南五府管内，自身有藻词可称者，每至选补时，任令应诸色'乡贡'。仍委选补使准其考试。有堪及第者具状闻奏。如有情愿赴京者亦听。其前资官并常选人等，有词理兼通，才堪理务者，亦任'北选'及授北官。"④由此拉开岭南、福建等地士子

① 任讷：《词曲通义》，见张燕瑾编著：《20 世纪中国文学研究论文选·辽金元卷》，社会科学文献出版社 2010 年版，第 394 页。
② 任讷：《词曲通义》，见张燕瑾编著：《20 世纪中国文学研究论文选·辽金元卷》，社会科学文献出版社 2010 年版，第 393 页。
③ （宋）王溥：《唐会要》卷七十五《选部下·南选》，中华书局 1955 年版，第 1369 页。
④ （唐）李隆基：《谕岭南州县听应诸色乡贡举诏》，见王溥：《唐会要》，中华书局 1955 年版，第 1369—1370 页。

文人这一科举入中枢的历史大幕。五代十国时期,南汉、闽等割据政权十分重视科举教育,因唐旧制,且取士增多。宋代尊文重礼,科举取士之多,取士授官之广,远超前代。为避免门阀党争,宋代统治者又实行了"糊名"、"誊录"、"锁厅"制度,取消官员"公荐",原本远离中枢的江西、福建等路士子最大限度地缩小了与文化政治发达地区的差距。不但如此,具有后发优势的南方士人在宋代科举中取得巨大的成就,中举人数迅速增加且多有人借此平步青云。如两浙一带,仁宗庆历年间,苏州应试者200人;南宋孝宗淳熙中,猛增至2000余人。福建则一跃成为宋代科举之最发达地区。《宋史·地理志》载:"(福建路民)多向学,喜讲诵,好为文辞,登科第者尤多。"仅以福州为例,自太平兴国五年(980年)至淳熙八年(1181年)的202年间,以科目进者共有1339人。故宋代陈襄言云:"天下士儒,惟言泉、福、建、兴化诸郡为盛,其间中高第、历显官、福吾天子之民者为不少。"①与此情形相对应的是北方士子原本参加科举人数优势的消失。晁补之《祁州新修学记》云:"河北自五代兵革迁徙之余,而士日少。"②不但参加科举人数变少,且中举人数也急剧下降。宋仁宗宝元二年,富弼上书云:"臣窃思近年数榜以来放及第者,如河北、河东、陕西此三路之人,所得绝少者何?盖此处人物秉性质鲁,不能为文辞中程试,故皆老于科场,至死不能得一官。"③

科举优势地区的南移直接导致大批南方士人进入文化中枢。而南方士人又多长于辞赋,往往文思绵渺,情致委曲。如欧阳修所言:"东南之俗好文,故进士多而经学少。"④苏轼亦云:"臣本蜀人,闻蜀中进士习诗赋者,十人而九。及出守东南,亲历十郡,及多见江湖福建士人皆争作诗赋,其间工者已自追继前人,专习经义,士以为耻。"⑤故其特有之南方地域审

---

① (宋)陈襄言:《与陆学士书》,见曾枣庄、刘琳主编:《全宋文》第50册,上海辞书出版社、安徽教育出版社2006年版,第119页。
② (宋)晁补之:《鸡肋集》卷二十九,四部丛刊本。
③ (宋)富弼:《上仁宗乞诏陕西等路奏举才武》,见赵汝愚编:《宋朝诸臣奏议》卷82,上海古籍出版社1999年版,第893页。
④ (宋)《欧阳修全集》,李逸安点校,中华书局1986年版,第1717页。
⑤ (宋)李之亮笺注:《苏轼文集编年笺注》,巴蜀书社2011年版,第146页。

美倾向(所谓"南骚"者)亦借作者在科举及词坛的优势进入文学创作领域开始影响审美主流。清人谢元淮《填词浅说》论词指出,词之南北差异正在婉约与豪放的分野,"以辞而论,南多艳婉,北杂羌戎。以声而论,南主清丽柔远,北主劲激沉雄"①。综上所论,宋词之"情思婉曲"实为南方审美意识在词上的体现。

宋代的婉约词家们擅长以深婉的情感兴味来主导词境,其情感表现得迂回曲折,揪人肺腑。如贺铸《御街行·别东山》:

> 松门石路秋风扫。似不许、飞尘到。双携纤手别烟萝,红粉清泉相照。几声歌管,正须陶写,翻作伤心调。岩阴暝色归云悄。恨易失、千金笑。更逢何物可忘忧,为谢江南芳草。断桥孤驿,冷云黄叶,相见长安道。

此词题材很有代表性,是婉约词中常见的别离。上阕开篇情感冷凝,"松门石路秋风扫。似不许、飞尘到"渲染离别气氛。纤手双携,清泉照影,主人公此时登场,让人不由地心生哀伤。此时突然而来的几声歌管,让人心生寄托,以为会得宽解。不料管曲竟是伤心调,感伤之情不能释然反愈积之,词情急扬急抑。下阕在山岩阴沉、归云悄飞的惆怅中,词人已经上路。"更逢"二句写词人为解忧而寄希望于江南美景,词情转为上扬。"断桥"三句却回到现实中来,用陡转之笔写词人在长安道上,唯见"断桥孤驿"、"冷云黄叶",心中离愁始终不得宽解,词情复归于抑。全词情绪基本遵循"抑—扬—抑—扬—抑"的变化过程,形成"M"式样的流动轨迹,这就把人物内心的每一种细微变化都真切地传达出来,整首词词境深约,引人入胜。此外,如李清照的《凤凰台上忆吹箫》,此词写离愁别恨,欲说还休,极尽婉转之致。秦观的《满庭芳》,通过情与景的不断交错映衬,表意隐约含蓄、迂回曲折。而姜夔的《琵琶仙》境界悠远迷濛,寄情于景,余韵不尽。这都反映出宋代婉约词人创造意境时不喜用痛快淋漓、浅显直露之笔的倾向。相反,他们喜用和擅用"曲笔"来表现人类的精神风

---

① (明)谢元淮:《填词浅说》,见唐圭璋编:《词话丛编》,中华书局1986年版,第2509页。

貌和心理状态。为此,他们抒发情感欲说还休,欲露还藏,从而使婉约词的意境婉转跌宕,缥缈缠绵。

宋代婉约词表现出来的情致婉转,是宋代文人审美意识的具体流露。这种审美意识,使文人们在婉约词中使用了大量曲折迂回的表现手法。通过这些手法的惊人表现力,词人就把最丰富的生活感受,最深挚的内心体验,最深刻的思想见解,巧妙地融入其精心构筑的意境之中,而不以浅显直接的方式诉诸读者,从而真正实现了词人内心崇尚雅致含蓄的追求。盖"情有文不能达,诗不能道者,而独于长短句中可以委宛形容之"①。

总之,宋代的婉约词中所蕴含的审美取向是非常独特、非常鲜明的,无论是与唐诗、元曲还是与豪放词相比,婉约词的整体审美风貌都是独树一帜的。它对于人类内心情感生活的细致入微而又辗转曲折的描摹,它偏爱细小柔弱的优美特质,以及它真挚、细腻、内指的情感表现方式,共同展现了宋代文人丰富的内心世界及其守虚观静的审美倾向。它的静美的意象、婉曲的情思以及内敛的情感熔铸而成的文学形式,为中国美学增添了独特的光彩,也是其真正的审美价值所在。

第三节　宋代豪放词审美意识

与当代词史观不同的是,在宋代,豪放词在数量上并未能和婉约词形成分庭抗礼之势,也不被两宋词人视为词的双峰之一。但自明以来,词史以"婉约"、"豪放"二者并提,主要因其风格意趣相对而互补,成就影响并驾而齐驱。在婉约词盛行的两宋,范仲淹引边塞诗风入词,首开豪放词先河。苏轼笔挟江河,情贯雅怨,成就豪放词风。靖康前后,中原陆沉,爱国词人们或哀民族之不幸,或怒赵宋之不争,竞相以词抒胸怀、浇块垒,豪放词乘势而起。南宋中期以后,文风渐趋颓废,南宋小朝廷的封闭而自欺导致清空词的兴起,被南宋词人放弃的豪放词在北方金亡前后反有词人继

---

① （清）查礼:《铜鼓书堂词话》,见唐圭璋编:《词话丛编》,中华书局 1986 年版,第1481 页。

承,于金元间有元好问横空出世,为宋元豪放词写下终章。总论之,豪放词的出现是多种因素综合作用的结果,不能忽视的一是宋代词人审美风格多样化的要求,二是宋代的民族矛盾及其政治生活的动荡。尤其是社会生活的急剧变化,使得原本遵循词的本色要求的词人们不得不在面对现实的拷问中写出了风格雄放的词作。这些迥异于婉约词的作品,表现出了完全不同的审美意识。

一、意象雄奇

在豪放词兴起之前,婉约词触目可及的娇柔意象一统词坛。豪放词以其雄奇宏丽的意象打破了这种畸形的局面。宋真宗时期的李冠是宋代较早创作豪放词的词人。他的《六州歌头》凭吊项羽:

> 秦亡草昧,刘、项起吞并。鞭寰宇。驱龙虎。扫欃枪。斩长鲸。血染中原战。视馀耳,皆鹰犬。平祸乱。归炎汉。势奔倾。兵散月明。风急旌旗乱,刁斗三更。共虞姬相对,泣听楚歌声。玉帐魂惊。
>
> 泪盈盈。念花无主。凝愁苦。挥雪刃,掩泉扃。时不利。骓不逝。困阴陵。叱追兵。呜咽摧天地,望归路,忍偷生。功盖世,何处见遗灵。江静水寒烟冷,波纹细、古木凋零。遣行人到此,追念益伤情。胜负难凭。

此词以历史事件勾勒项羽的主要事迹,把项羽从起兵到失败的曲折历程熔铸其中,将项羽的英雄气概表现得慷慨激昂、气度非凡。这与之前婉约词的风格大为不同。由于偏重追忆历史事件,这首词在意象创构方面用力不足,稍显粗糙。尽管如此,这些意象如寰宇、龙虎、欃枪、长鲸、鲜血、鹰犬、散兵、旌旗、刁斗、雪刃、泉扃、追兵等,共同构筑出一个远离日常生活的兵戈铁马的尚武世界,这种独特的面貌宣告了新的风格的诞生。

苏轼自由抒写情性的创作追求,促使他在豪放词中精心构筑了一系列宏大深远的意象,极目远眺的壮观景象在他的笔下屡屡闪跃。"一千顷,都镜净,倒碧峰。忽然浪起,掀舞一叶白头翁。"(《水调歌头·快哉亭作》)"城上层楼叠,城下清淮古汴,举手揖吴云,人与暮天俱远。"(《如梦令·题淮山楼》)"巉巉。淮浦外,层楼翠壁,古寺空岩。"(《满庭芳》)"湖山信是东南美,一望弥千里。"(《虞美人》)"试上超然台上看,半濠春水一城花,烟雨暗千家。"(《望江南》)"北望平川,野水荒湾,共寻春,飞步屦颜。"(《行香子·与泗守过南山晚归作》))"四面垂柳十里荷,问云何处最花多,画楼南畔夕阳过。"(《浣溪沙》)"一叶舟轻。双桨鸿惊。水天清、影湛波平。鱼翻藻鉴,鹭点烟汀。"(《行香子·过七里濑》))"清颖东流,愁来送,征鸿去翮。情乱处,青山白浪,万重千叠。"(《满江红·怀子由作》))"银涛无际卷蓬瀛,落霞明,暮云平,曾见青鸾,紫凤下层城。"(《江城子》)这些意象共同的特点是大处着眼落笔,纵横江山湖泊,寄托词人积极而又平和的超脱思绪,它们是苏轼潇洒旷达的胸襟与自然对象的契合。它们不同于婉约词中纤细、柔弱的花草和温婉、宜人的山水,而是以空阔纵逸、雄奇壮伟的壮观山河取胜,无论数量还是空间都体现为对"大"的崇尚。苏轼之后的豪放词也都普遍具有这一特点。

由于两宋金元始终处于激烈的民族矛盾中,有时民族间的矛盾还表现为国与国之间的铁血战争,所以,在豪放词中还出现了越来越多的战争意象。这类意象以范仲淹、辛弃疾词最为著名。范希文《渔家傲·秋思》创作最早,但词风凛然,意象杀气含而不露,有盛唐气象。词云:

> 塞下秋来风景异。衡阳雁去无留意。四面边声连角起。千嶂里。长烟落日孤城闭。浊酒一杯家万里。燕然未勒归无计。羌管悠悠霜满地。人不寐。将军白发征夫泪。

宋仁宗康定元年(1040年),范仲淹自越州改任陕西经略副使兼知延州(今陕西延安)。延州当西夏出入关要冲,宋夏交战于此,战后城寨焚掠殆尽,戍兵皆无壁垒,散处城中。此词可能即作于知延州时。原有数阕,皆以"塞下秋来"为首句,欧阳修尝称为"穷塞外之词",但流传至今的却只有此词。词中"边声"、"孤城"、"浊酒"、"羌管"、"将军白发"、"征夫泪"等战争意象堆叠而不显冗废,在深沉忧闷情怀点染下显出一派孤冷苦寒,在北宋众多情词中别树一帜。宋金大战以后,陆游等爱国词人写了大量军事战争题材的词作,借战争意象鼓舞斗志热情。如陆游的《秋波媚》"秋到边城角声哀,烽火照高台";《谢池春》"阵云高、狼烟夜举。朱颜青鬓,拥雕戈西戍";邵缉的《满庭芳》"落日旌旗,清霜剑戟,塞角声唤严更。论兵慷慨,齿颊带风生。坐拥貔貅十万,衔枚勇、云梁交横。笑谈顷,匈奴授首,千里静檝枪";曹冠的《蓦山溪》"胥神忠愤,贾勇助鲸波,湍砥柱,驾鳌峰,万骑轰鼍鼓。连天雪浪,直上银河去。击楫誓中流,剑冲星、醉酣起舞";岳飞的《满江红·登黄鹤楼有感》"兵安在,膏锋锷。民安在,填沟壑。叹江山如故,千村寥落";《满江红·写怀》"靖康耻,犹未雪。臣子恨,何时灭。驾长车踏破,贺兰山缺。壮志饥餐胡虏肉,笑谈渴饮匈奴血"。随处可见的烽火、旌旗、剑戟、狼烟、高台等意象,在壮观之外更展现了沙场征战、英勇杀敌的非同寻常的奇观。这是豪放词对"力"的向往,寄予着词人的爱国豪情和凌云壮志。

即使是时间,豪放词也一定要把它写得纵横古今,在时间的长河中突出历史的沧桑巨变,从而具有历史的厚重感。这种基于对于时间的独特感悟而形成的意象早在苏轼那里就已经突出地表现出来。如其《水调歌头》"明月几时有,把酒问青天。不知天上宫阙,今夕是何年?"《满庭芳》"归去来兮,吾归何处,万里家在岷峨。百年强半,来日苦无多。""百年里,浑教是醉,三万六千场。"再伟大的人面对时间的无尽流逝,也只能感慨自我的藐小。从苏轼开始的豪放词接续了中国文学史上的"感时"情结,但不再是乐生恶死、伤春悲秋,而是以宏观视野审视着时间的本质,在其中探寻生命的意义。由此时间意象,宋词又衍生出历史意象。这类意象往往以时间前后相对照来表达流转与不变、转瞬与永恒的辩证,并更加豪迈地予以抒发时光流逝所展示的具有张力的美感体验。如张孝祥《水调歌头·汪德邵无尽藏》"一吊周郎羽扇,尚想曹公横槊,兴废两悠悠。此意无尽藏,分付水东流";《水调歌头·桂林中秋》"去年明月依旧,还照我登楼。楼下水明沙静,楼外参横斗转,搔首思悠悠";范成大的《念奴娇》"圆缺晴阴,古今同恨,我更长为客";《满江红》"算五湖、今夜只扁舟,追千古""算赏心、清话古来多,如今少";丘崈的《水调歌头·登赏心亭怀古》"平芜千里,古来佳处几回秋。歌舞当年何在,罗绮一时同尽,梦幻两悠悠";赵长卿的《水调歌头·遣怀》"贪痴无了日,人事没休期。白驹过隙,百岁能得几多时";辛弃疾的《满江红》"嗟往事,空萧索。怀新恨,又漂泊";《鹧鸪天·登一丘一壑偶成》"百年雨打风吹却,万事三平二满休"。这些词作将自我价值、人世沧桑、历史变幻与人生感慨熔于一炉。古往今来的万千事物在时间的长河中疏忽漂移,宛如沧海一粟,读来使人心襟摇动、唏嘘感慨。

综上,豪放词的创作,是词人们突破婉约词格局的一种自觉选择。通过对于洪荒宇宙、浩渺时空、高山大河以及边塞生涯的书写,豪放词中的意象显示出了对于"巨大"的青睐,对于"勇力"的崇拜,对于"古今"的感慨,对于"沙场"的热爱。总之,一切宏大的、富有气势的景象都成为了豪放词人抒发胸中磅礴激情的助力器。这些气象恢宏的意象使得豪放词的境界阔大、气势雄浑,完全走向了婉约词的反方向。借助豪放风格,宋词不但走出了晚唐五代词的局限,而且为宋代审美增补了趣味。宋型审美,无论是散文诗歌,还是书法绘画,总体上是趋向内省及克制的,多为内心指向。而婉约词和话本南戏,或偏于柔媚,或失于粗陋,可备一格。豪放词秉词体词境革新之势,包两宋征战之情,在宋代独开以阳刚雄豪为美的趣味,上接两汉盛唐诗文壮伟气象,下启明清历史英雄文艺品格,的确为宋代审美之异数。

二、无事不可入

豪放词的题材广泛是相对于婉约词而言的。词擅言情,婉约词专擅儿女私情。宋代婉约词在承袭花间词的基础上,逐渐形成了情爱、伤春、悲秋、别离、思乡、闲愁、享乐、怀旧等言情主题,婉约词人囿于词体的传统认识,始终不肯越雷池一步。然而生活是由众多的侧面共同构成的,闺情和艳情并非是生活的全部内容。与前文所提李冠的《六州歌头》和范仲淹的《渔家傲》,饱含建功立业的豪情壮志,颇有唐代边塞诗的风范。李冠与范仲淹的这两首词虽然在当时并未引起人们太多的注意,但却表明长短句专擅儿女情长只不过是人们的一种思维定式,词这种形式完全可以容纳更广泛的题材与意蕴。

真正探索以词来抒写情志的是苏轼。交游、咏物、咏怀、怀古、节序、写景等种种在婉约词中不太被重视的题材,在苏轼笔下焕发出了新颜,主要原因是苏轼在词中表达了真实的自我。就苏轼的交游词来看,大多为婉约之作。然而,《满江红·正月十三日送文安国还朝》、《南乡子·和杨元素》、《八声甘州·寄参寥子》、《渔家傲·赠曹光州》等词兼怀情意相投、抱负难展、感慨时事诸意,突破了婉约词的儿女之情,是非常典型的豪放之作。这是因为苏轼有针对性地根据所结交感怀人物的身份、地位、个性以及当时所处情境来表达自己的情感,从而使流于形式的交游词焕发出新的生命,增强了词的表情达意的功能。苏轼通过创作豪放词非常明显地打破了婉约词的禁锢,使词"无意不可入,无事不可言"①,即词以自己的方式咏物言志,抒发襟怀抱负,反映世事沧桑。这些题材的内容某种程度上决定了苏轼词风的转变。即龙榆生所谓:"举宇宙间所有万事万物,凡接于耳目而能触发吾人情绪者,无不举而纳诸词中,所有作者之性情抱负,才识气量,与一时喜怒哀乐之发,并可于其作品充分表现之。"②苏轼在词中抒写自己士人的怀抱,表现爱国之情,议论古今,这也成为豪放词人们普遍遵循的模式。

尤其是豪放词蔚为大观时,那些庆寿、酬答之作也一改往日模样,祝寿而不屑于阿谀奉承,酬答而不耽于离思别绪,而是借机自然地融入国家兴亡和自我怀抱的抒写,如辛弃疾为韩南涧祝寿的《水龙吟》二首,为范南伯祝寿的《破阵子·掷地刘郎玉斗》,把祝寿与言志融为一体,例行之作却不失作者的个性。再如陈亮的《贺新郎》寄辛幼安三首,一反传统的伤离惜别的低沉,而是在互相唱和中表达克服困厄的决心,并以积极的进取精神相勉励,体现出一种惺惺相惜的英雄相知味道。这种创作思路当然是前承苏轼一脉而来的。

宋代国家命运的多舛成为豪放词题材拓宽的重要现实语境。首先,词人们在豪放词中鲜明地表达了对于和战的态度,并借此抒发了炽热的爱国情怀。如张孝祥的《六州歌头·长淮望断》"征尘暗,霜风劲,悄边

---

① (清)刘熙载:《艺概》,上海古籍出版社 1978 年版,第 108 页。
② 龙榆生:《龙榆生词学论文集》,上海古籍出版社 1997 年版,第 254 页。

声"对于主和派的不抵抗政策的痛斥。王以宁的《渔家傲》"往事闲思人共怕。十年塞上烟尘亚。百万铁衣驰铁马。都弄罢。八风断送归莲社"揭露了投降政策所造成的恶果。李弥逊的《水调歌头》"昂霄气概,古来无地可容才。不见骑鲸仙伯,唾手功名事了,猿鹤与同侪。有意谢轩冕,无计避嫌猜"指斥投降派对主战派李纲的排挤打击。其次,他们在词中真实地记录了悲壮激烈的战争生活,如李纲的《喜迁莺·长江千里》叙述了北宋真宗时的"澶渊之盟"。贺铸的《六州歌头·少年侠气》真实地描写了"笳鼓动、渔阳弄"的西夏入侵事件。张孝祥的《水调歌头》记载了宋金交兵在采石矶的胜利。邵缉的《满庭芳》记载了岳飞治军严明的可歌事迹。再次,对于国家命运的忧思。如李纲被罢相后所做《苏武令》"驿使空驰,征鸿归尽,不寄双龙消耗"表达了对于徽宗和钦宗被金人掳去,国家危难而不能尽忠的焦虑与愤慨。向子諲的《阮郎归》"天可老,海能翻,消除此恨难。频闻遣使问平安,几时鸾辂还?"也同样表现了忧国忧君的情怀。陆游的《诉衷情》、《谢池春》等词抒发的无不是对抗击金兵收复故国的爱国痴情。朱敦儒的《风流子》则将国家命运延伸至对故国的忧思:"有客愁如海,江山异,举目暗觉伤神。空想故园池阁,卷地烟尘。"此外,还有大量借唱和、怀古、咏物、写景等词,寄托建功立业、忠君爱国、怀古叹世的壮志豪情。如辛弃疾几次登建康赏心亭写就的《水龙吟·楚天千里清秋》、《菩萨蛮·青山欲共高人语》、《念奴娇·我来吊古》,类似的还有他登北固亭而作的《永遇乐·千古江山》和《南乡子·何处望神州》,这些词将写景、怀古、抒怀、赠答融为一体,个人的抱负与国家的前途自然也相融了。

国家命运的变化使得那些本擅写婉约词的词作家也突破了儿女情长、春花秋月的题材。姜夔曾与辛弃疾有过几次唱和。如他的《汉宫春·次韵稼轩》、《汉宫春·次韵稼轩蓬莱阁》、《洞仙歌·黄木香赠辛稼轩》、《永遇乐·次稼轩北固楼词韵》等词,显然突破了他的既有题材风格,也显示了他作为江湖词人的历史使命感。婉约词人"他们之所以偶尔违背其艺术信条而写出数首豪放词来,是因为受到了当时政治环境的巨大影响。是为特定的时间、特定的历史背景所决定的,是在特殊的氛围中的产物,而绝不是词人一时的心血来潮"①。这种评价就比较中肯地考虑到了词人的惯常风格与促成其风格变化的具体现实处境之间的关系。国家形势的逆转使惯写婉约词的词人们也不禁关注起国家的前途命运来。

个人命运的变化无常,也成为豪放词题材拓宽的重要原因。北宋政治斗争频仍,时有官员被贬。南宋和战之争,主和派得势,抗战一派常遭贬谪。现实生活环境的恶化也使词人们无心也无力去仅仅围绕儿女情长、春花秋月而惆怅,而羁旅、思乡、怀人、咏史、叹古、山水田园等题材却受到贬谪词人们的青睐。这些题材承载了词人贬谪生活中更多的情感需求。在这些题材中,词人们更便于把个人的命运与怀古、咏史、思乡、咏物等感情对接,二者互相促发,自然地突破了原来题材创作方面的禁忌。

由于题材的转变,词人们的视野自然开阔,词境也随之极大地拓宽。不仅男性词人如此,女性作家也是如此。李清照曾有一抒写怀抱的豪放词《渔家傲》:"天接云涛连晓雾。星河欲转千帆舞。仿佛梦魂归帝所。闻天语。殷勤问我归何处。我报路长嗟日暮。学诗谩有惊人句。九万里风鹏正举。风休住。蓬舟吹取三山去。"此词以宏大的意象、超脱的境界,展现了李清照壮志男儿般的气概。这与婉约词中的作者李清照宛若两人,因此梁启超评价曰:"此绝似苏辛派,不类《漱玉集》中语。"②

在无物不可入词的艺术思维中,词人们发挥幽绪,将视野投向恢宏世间。这一体裁的扩张所彰示的正是词人在审美意识上追求多变突破原有词题词境的努力。晚唐五代词因写闺怨艳情,故多以富丽华艳为美,宋词词题丰富广泛,故达至情兼雅怨之境。宋词题材的广阔映射出的是宋代文人审美上的宽容、自信和成熟。在宋代,以儒学为主干的华夏哲学体系不但更加完备成熟,而且从书斋走向了社会的各个角落,通过伦理规范、民族自觉和国统意识构建起完整圆融的华夏美学。文人在高尚荣耀的社会地位、优裕从容的经济生活和以人为本的哲理思维中明确了作为文化

---

① 房日晰:《宋词比较研究》,安徽大学出版社 2010 年版,第 110—111 页。
② 梁启超:《饮冰室诗话》,周岚、常弘编,时代文艺出版社 1998 年版,第 314 页。

的传承者和文学的创造者的能力边界和历史责任。对于宋人而言,什么能成为宋人赞赏的美,什么题材能成为文艺表现的对象,什么能承载宋人的审美情趣和情感寄托,他们自认为是可以作出正确判断的。而宋词作为宋代的"一代文学",它的题材广泛,反映的不仅是词的诗文化,更是宋人审美的自信和自觉。就审美意识来说,以词之刚柔来观察世界,在词境中让传统诗文表现的对象世界焕发出新的美感,是宋词审美对华夏审美的作用之一。

三、情感外放

与婉约词一样,豪放词也很擅长抒情。但与婉约词抒情的趋向不同,豪放词在情感的表现上有其自身的特点,那就是情感的外放。所谓外放,是指寓于豪放词中的情感,超越了词人一己之身首先关注的范围,而走向了更广阔的社会生活;也是指豪放词中的情感饱和度强,褒贬分明,爱憎浓烈,并且具有鲜明的指向性。这也就形成了豪放词情主豪迈、意尚不羁的特色。

宋代豪放词所表现的情感超越了婉约词侧重抒发自我感受的传统,从个人的情感世界迈向纷纭变幻的现实生活领域。婉约词中的情感世界常常是非常个人化的,由爱恋、惜别而引发的自我内心的千变万化是婉约词情感抒发的重要内容。与之相比,豪放词在情感的表现上,更注重的是普遍性的情感、普遍性的语境。这种情感尽管也是以自我感受为基本出发点,但却与外在的社会生活密切相关,抒情自我寻求的是普遍的社会共鸣。比如,大量的豪放词抒发的是建功立业、报效国家的豪情壮志,这虽然也是抒情自我的个人意愿,但这种个人意愿由于与民族忧患、保家卫国的关联,就会使处于两宋时期的人们产生强烈的共鸣。这与婉约词因情感经验相似而引起的共鸣是很不一样的。因此,在豪放词中,抒情自我与社会现实中的实际问题距离更近,它关注的现实生活更为广阔。这是豪放词情感抒发由内向外转变的第一步。

豪放词的情感外放,不仅在于它的情感指向外在的世界,更在于它的情感处理方式。豪放词中的情感往往是以高昂、饱满、激进的态势传达出来的。那些建功立业类的豪放词,它们蕴含的情感往往是非常强烈的,而且具有非凡的力度和饱满的张力。如张孝祥的《六州歌头·长淮望断》、张元干的《石州慢》(雨急云飞)、岳飞的《满江红》(怒发冲冠)等,意气纵横,排比激昂,不可一世,抒发了"欲挽天河,一洗中原膏血"的壮志豪情。在那些咏史抒怀类的豪放词中,词人常常能跳脱个人遭遇,抚今追昔,在超越时空的对话中,生成豁达超越的人生境界。如苏轼的《八声甘州》(寄参寥子):"不用思量今古,俯仰昔人非。谁似东坡老,白首忘机。"再如他的《定风波》(莫听穿林打叶声):"回首向来潇洒处。归去。也无风雨也无晴。"还有辛弃疾的《贺新郎》(甚矣吾衰矣):"不恨古人吾不见,恨古人、不见吾狂耳。"《浪淘沙》(山寺夜半闻钟):"身世酒杯中。万事皆空。古来三五个英雄。雨打风吹何处是,汉殿秦宫。"这些透彻的人生感悟实际上显露出的是由其激进的事业追求的失意所导致的人生态度的狂放。

尽管豪放词也表现失意,但其中的情感从来不是单纯的低迷,而更多地走向了愤激。这在辛弃疾的词作中有非常明显的表现。辛弃疾一生力主抗金,无奈政治局势非自己的主观意愿所能左右,所以,在他的豪放词中,失意与报国如影随形,情感也在其间奔涌激荡,并最终走向了愤激。如《贺新郎》(用前韵送杜叔高)"夜半狂歌悲风起,听铮铮、陈马檐间铁。南共北,正分裂",在另一首《贺新郎》(别茂嘉十二弟)中,"将军百战身名裂。向河梁、回头万里,故人长绝。易水萧萧西风冷,满座衣冠似雪。正壮士、悲歌未彻",乃至《兰陵王》"恨之极,恨极销磨不得。苌弘事、人道后来,其血三年化为碧",都是激愤不能自已的心声。

豪放词之所以能产生此种情感外放的抒情效果,首先得益于它以论入词的修辞方式。苏轼为了更好地表现自己的内心世界,尝试引议论入词。他的《满庭芳》(蜗角虚名)全篇几乎都是对名利的议论,充满了议论文嬉笑怒骂的色彩。与此相似的词如《无愁可解》,开篇"光景百年,看遍一世。生来不识愁滋味",颇似立论,中间部分全是辩论,结尾"问无酒,怎生醉"以诘问的方式收尾,回应"生来不识愁滋味"。以论入词的手法,在苏轼之后逐渐普遍化,写景、抒情与议论常常熔为一炉,并在辛弃疾笔下达到顶峰。豪放词中的议论因其具有很强的针对性,这就增加了情感评价的倾向性。

其次，豪放词的情感外放的抒情效果与其抒情方式有关。直抒胸臆、直截了当是豪放词所采取的通常方式，婉约词抒情时迂回曲折、欲说还休的方式被完全摒弃。郑文焯评《东坡乐府》云，"从至情流出，不假熨贴之工"，元好问《新轩乐府引》说，"情性之外，不知有文字"，这些评价都重在揭示豪放词以抒发情感为最高追求，因而在语言表达上欠缺精雕细刻，以致有些豪放词"粗豪太甚"、"锋颖太露"。豪放词直抒胸臆的抒情方式与其抒情角色的变化有关。在婉约词中，由于男子而作闺词的现象极为普遍，所以大多数作品的抒情角色其实是采取了代言的方式，作者揣摩女性的心思，在词作中塑造的是男性视角下的女性形象，她服从于男性的审美观：精致、细腻，并且含而不露。而在豪放词中，作者是以第一人称的抒情角色出现的，在强烈情感的驱使下，他完全没有顾忌，直截了当的情感表现方式是首选，或者喷薄而出或者单刀直入。

总之，宋代的豪放词突破了婉约词在情感表现上的局限性，并在宋代国家政治的跌宕起伏的政治命运中走向繁盛。尽管其数量上远逊婉约词，但在审美风格上已足以与之比肩。宋代豪放词中的意象是雄奇的，题材是多样的，情感是外放的，其整体流露出来的审美意识是自觉区别于婉约词的审美追求的。宋代豪放词在清代得以中兴光大，陈维崧的豪放词秉承的正是苏、辛豪放词的创作基调。清晚期内外交困的社会现实也为清代豪放词的复兴提供了与宋代相似的社会环境，宋代豪放词反映现实生活、表现时代精神的一面被清代词人加以发挥，豪放词内在的崇尚慷慨激越、气魄宏大的精神被继承下来。

第二章

宋元戏曲审美意识

不同于诗词文赋,戏曲在中国成熟的较晚。南戏早出,但已在两宋之间,且偏于一隅,未成风气。直至元代,以杂剧、散曲为代表的俗曲文艺方才兴盛起来。百余年间,戏曲成为市民百姓最为喜爱的艺术形式。随着城市的繁荣,戏曲作为市民文艺成为以往被忽视甚至遗忘的下层民众思想情感的最佳载体。也因其面向下层的文艺属性,戏曲成为中国俗文学及通俗审美的最早代表。从戏曲出现开始,以"诗言志"为纲领的崇尚高雅的审美大一统局面受到冲击,沿着雅俗两种不同道路,中国审美渐趋分化,直至于今。

第一节　南戏审美意识

戏曲在元代走向成熟,但因发源地的不同,也走向了南北分立。北称杂剧,领有元一代之风骚;南称戏文,占东南风情终至大兴。在南北戏曲沿着各自的发展轨迹扩大影响确立文体特征的同时,南北戏曲所反映出的审美意识亦各自不同。如果要在审美意识角度上准确把握南戏,则必须要考虑元代戏曲南北分立平行演进的情况。一方面要以《永乐大典戏文三种》、"四大南戏"、《琵琶记》和有关文献资料为审美现象,从中提炼考寻南戏审美意识的特征;另一方面,要从南戏兴于东南,而盛于南宋的独特历史地域环境出发,在杂剧与南戏的差异比较中发现南戏审美意识的本质。

一、重伦言情、风化动人

在对南戏的考察中,南戏题材对伦理和情感的双重关注是研究者很难忽视的。尽管情感(尤其是爱情)是一切文学关注的重点,但南戏与北杂剧立意却大不相同。北杂剧中的《西厢记》、《墙头马上》等剧都写情与理的冲突,抒发"愿普天下有情的都成了眷属"的情感渴求,表达男女真情的可叹可贵。而南戏并不直接表现男女之真情,而是往往将情感植入剧烈的伦理冲突中,并在情感发展的整个过程中实现某种伦理教化。当伦理教化和情感冲突结合后,基于个人的个性解放和基于社会的秩序约束,在戏剧矛盾的博弈中达到一种微妙平衡,使得观众获得兼具自我道德评价提升和个人情感需求满足的美感体验。当观众在南戏最后的"家庭大团圆"中形成稳定的情感归宿和伦理评价后,这种沉淀了道德和情感的审美体验成为一种理性的审美判断标准,在口耳相传和群体评论中成为大众的约定俗成的审美倾向。

为捏合教化和宣泄,南戏选择了家庭婚姻题材来联系伦理和情感,成为向来以"才子佳人"表现情感的文艺领域的异类。钱南扬在《戏文概论》中认为南戏题材广泛,但"总的看来,戏文中反映婚姻问题的特别多,约在三分之一以上"[①]。据钱南扬《戏文概论》考证,南戏存目 238 本,保持宋元面目者 5 本,计:《张协状元》、《宦门子弟错立身》、《小孙屠》、《白兔记》、《琵琶记》,大体可反映宋元时人的真实情趣。明人改本宋元杂剧 14 本,宋元风貌留存不多。另据俞为民、刘水云《宋元南戏史》分析,尚有《赵贞女蔡二郎》、《王魁》、《陈叔文负心》、《李勉负心》、《崔君瑞》等 5 本有残曲宋元旧本均为婚变戏文。

在这些戏文中,从题材上大体可分为两类,一类是男女婚变遇合戏文,以男子发迹负心最终夫妻团圆为重大关目;一类是家庭遭祸家人齐心解难为重大变故的。又有两本为特殊者,一是《宦门子弟错立身》,写完颜延寿马出走寻爱故事;一是《琵琶记》,反《赵贞女蔡二郎》意,以"三不从"关目写蔡伯喈、赵五娘夫妇悲欢离合故事,突出"全忠全孝"和"有贞有烈"。这两类的共同点如前文所述,其表现的中心和设置的主要矛盾都在伦理和情感的碰撞上。

无论是男女婚变还是家庭遭祸,南戏中的矛盾缘起都是对某些社会

---

① 钱南扬:《戏文概论》,中华书局 2009 年版,第 69 页。

问题的文学反映。一般论者认为,宋元南戏中男女婚变剧往往谴责因科举发迹的负心男子,同情赞美纯情而坚贞的民女或娼妓,所以,南戏反映了贫富对立社会中的女性悲剧。这种说法看似有理,但却与南宋以后理学渐趋兴盛的社会思潮背道而驰。很难想象在理学快速浸润社会上下的思想背景下,出身科举的士子掌握较大政治权利的社会结构中,起于民间的南戏有如此大的创作自由。这不是一句"上层文人不重视"就可以解释的。从文献上看,宋元文人是很重视对南戏等民间"百戏"的管制和约束的。绍熙元年(1190年),朱熹任福建漳州知事,在任上颁示《劝谕榜》曰:"约束城市乡村,不得以攘灾祈福为名,敛掠财物,装弄傀儡。"①朱熹弟子陈淳在《侍讲待制朱先生叙述》中赞其师:"守临漳,未至之始,阖郡吏民得于所素,竦然望之如神明。俗之淫荡于优戏者,在悉屏戢奔遁。"②文人官吏查禁既烈,南戏为什么还一再以婚姻家庭剧为号召呢? 其实,这两者不但不矛盾,反而是互为因果的。文人官吏反对"淫戏",在于民间百戏往往不合礼教,图以耳目之乐事人,故而查禁。但一方面不合礼教的要查禁,另一方面,一贯以来的儒家诗教传统又让文人官员们不舍得白白放弃深具民众影响力的文艺宣教手段,故而,要借南戏以风化万民,改"淫荡优戏"为"教化之剧"。

在上文列举的南戏中,有两个共同特征值得我们注意,一是戏剧主要矛盾的反方都是礼教的反对对象,如嫌贫爱富正是"灭人欲"所反对的,读书人的恶行恰与"君子慎独"、"三省吾身"相对。将大众唾弃的恶行与礼教反对的恶德关联,在同仇敌忾中可以提升下层民众对礼教的认同。二是所存南戏均是大团圆结局,《琵琶记》夫妻婚变剧以和合双美为结,《杀狗记》家庭遭祸剧以全家团圆为结,行礼教者必得善报的教化暗寓其中。葛兆光在《中国思想史》中说:"而在民众间颇有影响的如祠堂祭祀、家族聚会和节日活动的演出中,如《张协状元》、《赵贞女蔡二郎》、《王

---

① (宋)朱熹:《劝谕榜》,见《晦庵先生朱文公集》(卷一百),《四部丛刊》初编集部,上海涵芬楼影印明嘉靖本,第7页。
② (宋)陈淳:《侍讲待制朱先生叙述》,见《北溪陈先生全集》(第四门卷一),光绪辛巳年新镌本种香别业藏本,第6页。

魁》之类的戏曲,也渐渐出现了伦理道德教化的意味和趋向。"①所以,南戏中的伦理教化与理学主张实质上是并行不悖的。

借文艺行教化无疑是有效的,但前提是不损害作品的艺术性。所以高明在《琵琶记》中说:"论传奇,乐人易,动人难。"②南戏中的伦理教化不能仅仅凭借有趣的情节来深入人心,而是要让观众在激烈的戏剧矛盾中进行自发的道德评判,在情感震荡中坚固自己的伦理观,所谓"发乎情,止乎礼义"也。宋元南戏中,也并非一味地以伦理强行教化灌输,而是注意强化戏剧的情感冲突,赋予冲突的正反方不同的伦理色彩,使得善者团圆,恶者败裂。眼观南戏,不但是一场伦理教化,也是观众们一次"快亲痛仇"的情感宣泄。在个人痛快淋漓的情感释放中,伦理借此深入人心,并不自觉地作用在精神深处,形成美善结合的评判意识。

南戏产生在宋元之际,根植于温州商农之间,不但承载着娱乐大众的文艺责任,而且也充当着伦理教化的道德责任。前者不言自行深合人心,但一味放任必将流于迎合而俗烂;后者意味无穷礼乐结合,但纯为说教难免板重呆滞而自枉。南戏情理并举,以伦理统人情,寓教化于戏乐,合伦理之善与文艺形式之美于一剧,形成了兼具道德美和情感美的审美意识。

二、以唱补戏、繁缛华丽

据《南词叙录》载,南戏始于宋光宗朝。靖康之后,北方人口大批南迁,至南宋光宗朝,天下户数已南多于北,且"南渡后水田之利,富于中原,故水利大兴"③。人口增多农业发展直接促进了南宋的城乡商品交易。宋末元初方回《续古今考》载:"予见佃户携米或一斗,或五七三四升,至其肆,易香烛、纸马、油、盐、酱、醯、粉、麸面、椒、姜、药饵之属不一,皆以米准之。整日得米数十石,每一百石舟运至杭、至南浔、至姑苏粜钱,复买物货,归售水乡佃户如此。"④随着农业和商业的发展,宋元时期南方

---

① 葛兆光:《中国思想史》第二卷,复旦大学出版社 2005 年版,第 277 页。
② (元)高明:《琵琶记》,见王季思主编:《全元戏曲》第十卷,人民文学出版社 1999 年版,第 133 页。
③ (元)脱脱等:《宋史》,中华书局 1997 年版,第 4182 页。
④ (元)方回:《古今考·续考》,中华书局 1980 年版,第 133 页。

百姓的生活经济压力得到缓和,生活相对北方优裕,渴望符合其康居从容的文艺消费需求随之高涨起来。且南方气候温热,露天舞台演出的南戏不像北方演出杂剧那样受到演出场所和演出时间的严格限制。因此,南戏剧本篇幅和戏曲演出时间大大长于北杂剧。青木正儿在《中国近世戏曲史》认为,南戏都为"极度之长篇","一剧之长短上,后者(南戏)较前者(杂剧)长数十倍"①。南戏体制上量的增加,也带给南戏创作者们一个重要的问题:如此充裕的艺术空白用什么去填充?

宋元时的南方长久远离中国的政治中心,人们对政治斗争、历史兴亡等宏大叙事的兴趣远逊北人,他们感兴趣的一般只是才子佳人故事和家庭悲欢题材。这样,南戏像后来章回小说那样以叙写宏大故事填充艺术空间的道路就被堵死了。而在通过增加剧本情节和丰富表演技巧来填充南戏艺术空间方面,宋元南戏的剧作家和表演者们做得也不够好。南戏起于里巷,剧本多出于水平不高的书会才人之手。他们缺乏积极的、有意识的艺术追求,很少像杂剧作家如"关汉卿辈争挟长技自见,至躬践排场,面傅粉墨,以为我家生活,偶倡优而不辞者"②。他们不会也没有能力在剧本创作上从表演艺术角度对演员作出指导以补充丰富南戏。而南戏演员多出身村坊,亦不似北方艺人多居于勾栏日夜以雕琢技艺为务,依靠演员表演填充戏剧的可行性亦不存在。故而,在文字修饰上下功夫,添加曲牌调数,以唱补戏就成为南戏创作上的必然选择,由此生发,以繁缛华丽为美的审美意识也应运而生了。

在曲词文字上,南戏无论是篇幅长度还是反复渲染修饰上,都大大超过了北杂剧。如同样是赏春游玩,南戏《小孙屠》写来与北杂剧《西厢记》大不相同。《小孙屠》是公案剧,写孙必达、孙必贵洗冤故事。在剧本中,以孙必达邀请友人赏春游玩为引子展开故事。既然只是引子,又是不关公案本身的游春闲场,本应以简洁为要。但在《小孙屠》中,作者用了整整一出的篇幅来演出这段现场。其中,除角色自述一百五十余字可算交

---

① [日]青木正儿:《中国近世戏曲史》,中华书局 2010 年版,第 35 页。
② (明)臧懋循:《元曲选》,中华书局 1958 年版,第 3 页。

代角色背景外,本出一整套曲词,共六只曲子,近五百字均是孙必达同友人游春的敷衍文字。见下:

【净末上相见传问挨介】

【生唱】【惜奴娇】同出西郊,听乳莺枝上,一声啼起。萦情惹恨,恰似报人明媚。偏宜,两两三三穿花去。载传樽,酬乐意。【和】我共你趁此青春,日日宴酌,对花沉醉。

【净唱】【同前换头】欢聚,草嫩轻黄,弄丝丝暗织,素肠千缕。天桃张锦,无烟禁火烧拔。凝觑,万卉争开春罗绮,步芳郊,真得趣。【和同前】

【末唱】【锦衣香】见浪子,闲游戏。并艳质,闲游戏。都趁玉勒金鞍,共寻佳致。小桥芳草,柳阴堤。鼎沸笙歌,堕簪遗珥。玩江山景致,此身在画图里。【和】马嘶芳草地,粉蝶交飞。双双往来,游人如蚁。

【生唱】【同前】傍柳边莺飞,度小桥,临绿水。一簇魏紫姚黄,竞舒罗绮。海棠枝上染胭脂,是谁家院宇?燕子来去,引青春浪子,小苍头斗草携垒。【和】看双双秋千架起,粉墙阴,笑声鼎沸。

【同唱】【浆水令】四时中春光最美,共游赏更莫待迟。暖风逐日好天气,莫蹉跎过了,谩自伤悲。花深处,酒望垂。可惜解貂留佩。同欢会,同欢会,同欢醉归。扶归去,带好花枝。①

在这些闲笔中,生、净、末三色口吻雷同,一派诗酒风流气度。曲词中多处用典或暗引诗词,如传樽、堕簪遗珥、解貂留佩等,反复渲染景色的妖娆和情怀的雅致。如剧本叙述和台上表演本是步行,词中却唱到“趁玉勒金鞍,共寻佳致”,纯粹是诗词借典抒情口吻,用在这里反而使得曲词演唱和舞台表演脱节。

　　与《小孙屠》第二出“游春”形成鲜明对照的是杂剧《西厢记》第一折中的“张珙游春”。在杂剧中,王实甫完全放弃了无谓的书生抒情,将游

---

① (元)无名氏:《小孙屠》,见王季思主编:《全元戏曲》第九卷,人民文学出版社1999年版,第138页。

春缘起、景色赏玩完全对话叙事化了。唯一一支有关游玩的曲子【村里迓鼓】也完全是对舞台动作表演的注释式说明:"随喜了上方佛殿,早来到下方僧院。行过厨房近西,法堂此,钟楼前面。游了洞房,登了宝塔,将回廊绕遍。数了罗汉,参了菩萨,拜了圣贤。"在此曲结尾,王实甫写道:"【末做见科】呀!正撞着五百年前风流业冤。"以俭省文字为本剧重大关目"崔张初会"张目。

比较以上两剧"游春"描写,南戏与杂剧区别很大。首先,南戏重唱,剧本中曲词演唱多于杂剧。在演唱方式上,各角色轮唱、接唱、合唱,与主人公独唱紧密结合,形成错落反复的舞台演唱美,大异于杂剧"一人主唱"的方式。其次,南戏侧重于在曲词中重复抒情咏叹,曲词风格更近于诗词。在南戏曲词中,源于书面文学的艺术手法基本被原封不动地引入剧本曲词中,而诗词以抒情为主的文体特征也相应进入本应强调叙事的戏剧中,具有强烈的抒情味道。再次,南戏的曲词演唱与宾白、科介、关目等关系不甚紧密,曲词动作性不强,与情节叙述关联不大,在塑造人物和叙述情节上作用不明显,显现出一定的松散性。

既然较杂剧而言,南戏的曲词演唱与戏曲本身有游离,也不符合"村坊"间南戏观众的口味,本应精简压缩。但因"以唱补戏"的因素,早期南戏游离于情节和表演之外的本不应被观众接受的额外曲词演唱不但未被摒弃,反而在后来的"四大南戏"和《琵琶记》中被继承,且成为有别于北杂剧的艺术特征。以唱补戏在客观的艺术消费需求中成为作家和观众的必然选择,并在自我坚持中成为南戏独特的特征,具有了文体品格。同时,以唱补戏赋予了南戏反复演唱的特质,产生了多重修饰的作用,使得南戏繁缛华丽起来,并成为它独具的戏剧之美。

三、纵情声色、俚趣自成

南戏兴于里巷,多演出于乡人祭社之所,观者多取其笑乐,少品其比兴寄托,因此南戏多谐"俚耳"而少入"文心"。早期南戏创作活动的参与者主要是民间艺人和下层文人,创作多为满足民间娱乐。受个人艺术素养和创作目的的限制,早期南戏中体现的多是市井乡间的俚俗之趣。故徐渭《南词叙录》云:"作者猥兴,语多鄙下,不若北之有名人题咏也。"①
随着南戏的发展,这种早期南戏的艺术特色成为后来作家和观众评判作
品的标准,进而作为自觉或不自觉的审美倾向,影响波及明清直至当前。
南戏虽文鄙笔俗,但反而成就其朴拙自然的文字面目,并具有了一种独有
的俚俗之趣。审其大略,其俚俗之趣又可从曲词科诨、思想旨趣两处细究。

　　在元代戏剧中,科诨是普遍存在的,即使是悲剧中,作者也会强行插
科打诨。如此看来,科诨似乎是元代戏剧的必备表演。但同样是以逗笑
谐谑为目的的科诨,杂剧与南戏存在着方式与品味的差异。在杂剧中,插
科打诨常常借用语言文字的误会和角色与现实的错位来实现。如孙仲章
杂剧《河南府张鼎勘头巾》恶道王知观上场诗云:"道可道,真强盗;名可
名,大天明。"②利用对道家经典与民间口语的桥接来达到诙谐的效果。
再如同剧张千祗候上场诗云:"官人清似水,外郎白如面;水面打一和,糊
涂成一片。"③诗中巧妙借用官府"清白"混成水面的物理特性,以水面糅
合暗喻官府口称"清白"实则"糊涂"。全诗看似逗趣,却隐含着作者匠心
独具的巧思。除语言外,角色行为上的错位也是杂剧常用的科诨手段。
如关汉卿《窦娥冤》中,桃杌太守给告状的百姓下跪,口称"但来告状的,
便是我的衣食父母"。与现实中官吏高高在上的嘴脸大相径庭。关汉卿
借此不仅增加了作品的观赏趣味,而且讽刺了元代官吏榨取贫民血汗的
贪婪无耻。总的看,杂剧科诨虽然多为逗笑取乐的谐谑小品,但杂剧作家
们还是尽力构思,借此塑造人物或寄托讽刺,其趣味更像文人借用文字游
戏和变形描写来讽刺现实。

　　南戏中科诨也不少见,但其中的趣味却更近于市井调笑,文学性不
强,也不含太多的作者寄托,表现出明显的俚俗之趣。在南戏中,科诨的
主要形式往往是角色之间的相互调戏闹剧和使用白话讲述人对财色的渴

---

① （明）徐渭撰,李复波、熊澄宇注释:《南词叙录注释》,中国戏剧出版社 1989 年版,
第 5 页。
② （元）孙仲章:《河南府张鼎勘头巾》,见王季思主编:《全元戏曲》第二卷,人民文学
出版社 1999 年版,第 527 页。
③ （元）孙仲章:《河南府张鼎勘头巾》,见王季思主编:《全元戏曲》第二卷,人民文学
出版社 1999 年版,第 529 页。

望。南戏作者更愿意通过满足观众生理欲望来达到逗趣的艺术效果。戏剧科诨是否能寄托个人思想和集科诨讽刺现实的作用被作家和观众共同忽视。在南戏《杀狗记》第三出"蒋园结义"中，柳龙卿、胡子传偷吃酒宴，剧本有如下文字：

> （净）如今一个看人，一个吃酒，如有人来，咳嗽为记。（丑）那个先去看人？（净）你先去看人，我吃酒，我吃完了替你来。（吃介）告饮了。（丑）偷酒吃还有许多礼数！（净）自古道："礼不可缺。"（又吃介。丑）他只管吃了去，竟不替我去吃，不免哄他一哄。（咳嗽介。净惊介）兄弟，有甚么人来？（丑）没有。（净）你为何咳嗽起来？（丑）若不咳嗽，连桌子都吃了下去了。如今你去看人。（吃介，诨科。）

在这段情节中，作者极力渲染柳、胡二人的贪吃和胡闹，其中表现出的人物性格与后文中的狡猾和贪婪是有矛盾的。显然，在作者的艺术考量中，人物塑造的整体和谐让位给科诨表演的喜剧效果了。南戏观众们是如此的对偷吃和争吃的闹剧感兴趣，无疑说明口腹财色才是处于忍饥和温饱来回切换的普通百姓的关注所在。此处科诨虽然在艺术上是败笔，但在迎合观众、体现趣味方面树立了南戏的标榜。

南戏作者们一方面通过角色的相互调戏增加戏剧的喜剧效果，而且也愿意在剧中插入"俗人狂想曲"的喜剧段落逗人发笑。同样是《杀狗记》中柳、胡二人，在盗得孙华钱物后，幻想借本生利暴富后，二人有一段对话：

> （丑）阿哥，你有了钱时，怎么受用？（净）兄弟，我若有了钱，讨他娘四个小厮，都叫他兴字，一个叫来兴，一个叫进兴，一个叫郎兴，一个叫加兴。（丑）加兴是地名。（净）苦瓜蒌便好，地苓又要。买四十四匹马，要五样颜色的。（丑）那五样？（净）青马、黄马、红马。（丑）那有红马？（净）关老爷骑的胭脂马，便是红马了。（丑）是。（净）白马、绿马。（丑）又来了，马那里有绿马？（净）前日你每阿嫂有病，教我去求签，那道人说："大象不妨，绿马不倒。"（丑）这是命里的马，不是骑的。（净）我只道是骑的马。一买了马，叫来兴。兄弟，你便权应我一声。（丑）我应。（净）来兴！（丑）有。（净）你去抱我的青马来。（丑）正是不曾骑马的，马怎么抱过来？牵过来。（净）便

是带过来,我要骑了马去上东厕也。(丑)罢了,上东厕也都要骑马?(净)你不晓得,倘或六月间痢疾病起来,奔得快。假如与老婆一头睡在那里,一句话不投,就叫来兴带那白马来,我要骑了那一头去,这便是我的受用。兄弟,你怎么样受用?也说一说。(丑)我的受用,比你不同。(净)怎么样的?(丑)我做了财主的时节,先讨四个丫头,按时景取名:春里叫春香,夏里夏莲,秋里秋菊,冬里癫痫。(净)有了银子,讨那癫痫怎么?(丑)不是,口快说错了,是腊梅。睡了一夜,早上坐在床上,叫春香。阿哥你便也应一声。(净)有。(丑)替我穿袜。(净)嗄!(丑)一起来了,叫夏莲讨脸水来刷牙来。(净)来了。(丑)我便开了这一张臭口,好像洗酒瓶的一般,吸吓吸吓,这等洗了脸。叫秋菊,拿衣服来与我穿。(净应介。丑)一穿衣服。叫腊梅,拿白麂皮皂靴来与我著。

在这段戏里,柳、胡二人完全脱离《杀狗记》中主线情节,也放弃了对主角孙氏兄弟的表演衬托,而是自顾自一股脑儿地完成了只属于他们二人的完整喜剧段落表演。他们畅想了发财后的"理想幸福生活",赤裸裸地表达了对财色的追求和对有权有势的向往,充分表达了下层人民不受礼法约束的真实欲望。在这段"俗人狂想曲"喜剧中,表达真实欲望与违反逻辑的戏剧语言充分结合。当买马(表达欲望)和绿马(违反逻辑)、讨丫鬟和癫痫等结合在一起后,普通人的真实欲望成为其自我调笑的对象,俚俗脱去其令人厌恶的市侩感成为一种独具韵味的"俗趣"。

"俗趣"在南戏的浅层表达主要在曲词科诨中,在南戏的深层表达则更多地在于其中不加掩饰地传达了俗人的情感思想。南宋时朱熹重整儒学,一方面通过解读经典和梳理道统"确立了经典、思想与意识形态话语的同一性",另一方面,借编订乡约家礼将"思想世俗化、生活化,进而形成实际制度"[①]。朱熹引理学入世俗的结果之一是将原本止于学人意识形态争论领域的"天理"、"人欲"矛盾扩展到普通人的生活制度仪轨上。因此,宋元南戏表达的思想旨趣也是矛盾的,一方面是经世俗化改造了的

① 葛兆光:《中国思想史》第二卷,复旦大学出版社 2005 年版,第 232—234 页。

儒家思想;另一方面是顽固留存的细民市侩生存哲学。但无论二者如何涤除,它们都是被下层民众认可接受的,体现的仍然是社会思想俚俗的一面。

下层文人受朱熹思想的影响,在南戏中将理学思维通俗化是在所难免的,最明显的表现就是南戏曲词吸收了当时一些世俗道德教育读物如《增广贤文》、《事林广记》中"警世格言"中的格言警句。如《张协状元》中的"世上万般皆下品,思量惟有读书高"、"闭口深藏舌,安身处处牢",《小孙屠》中的"雁飞不到处,人被利名牵",《宦门子弟错立身》中的"但存公道正,何必问前程"、"花谢尚有重开日,人老终无再少年"等,都与《增广贤文》、《事林广记》重复或雷同。如细细梳理、归纳可以看出,早期南戏所宣讲的民间生活伦理价值,有些与正统儒学教化伦理及佛道观念是一致的,如修身正己、诚信为本,妻贤子孝、家庭和睦,善恶有报、行善积德等,但有些价值理念则呈现与正统教化伦理不同程度的背离取向,如"结交须胜己"的势利选择,慨叹"人情轻薄似纸"而提倡不相信世间一切人的不和谐导向。这些是非标准、伦理价值,正是民间意识形态的真实折射,与底层民众的生活实践非常契合,因而能唤起他们强烈的共鸣。

南戏曲词充分表达下层人民吸纳儒家思想后自行构建的思想体系,与宋元主流思想推崇的理学比较,其更加趋向维护"人欲"的合理存在。尽管如此,南戏中俚俗的民间思想并不企图在理学之外另立一家,而是在模糊人欲与天理的对立基础上争取能为君子允许的"俗人权利"。如前文提到的蒋世隆搭救陀满兴福,蒋世隆既冒险救人性命,又云"后来必有好处"。几乎同样的话语桥段也出现在《荆钗记》中,贡元钱流行欲招王十朋为婿,也曾言道:"只因小女未有佳配,昨闻故人王景春之子,堂试魁名,去后必有好处。"①招赘贤良不仅仅是重才识人,而且也是人生命运的投机赌博。与此同时,南戏也对令人生厌的低俗进行嘲讽,《荆钗记》中

---

① (元)柯丹邱:《王十朋荆钗记》,见王季思主编:《全元戏曲》第九卷,人民文学出版社 1999 年版,第 216 页。

以诡计诈术图谋钱玉莲美色的无赖文人孙汝权就是典型。论及学问，孙汝权无知到了荒唐可笑的地步。解释《论语》"有朋自远方来"，孙云："鹏，大鸟也。一飞九万里，果是远方之外。落者，是掉也。那大鹏在远方之外飞来，不想飞得羽垂翅折，在半空中停翅而想，说道：'我有些吃力了，莫不要掉下去？'说言未尽，蹼踏，此乃不亦乐乎？"南戏有意表现好人行善也有意在"后来好处"，同时也不反对嘲讽不学无术背离儒家根本的士子。如此双管齐下，既达到曲尽人情，又维护了儒家礼教，流露出下层人民的道德自我约束和有趣的生存智慧，与戏文曲词中的"俚俗"内外相应，成就了审美趣味上的浑圆一体。

　　总而言之，宋元南戏既因起于民间而天然浸润了俚俗之趣，又因其盛于东南融汇了繁缛柔媚的江南之美，当二者在南宋理学风潮的影响下不自觉地承载宣教风化的功能时，南戏"风化动人"的独特戏曲审美意识逐渐形成。此后，中国通俗文学（大如"四梦"、"三言"，小如"道情"、"乱弹"）其中秉持的"情理并举，通俗化人"之主旨大约肇基于此。

第二节　元代杂剧审美意识

　　元代百余年间，以杂剧为代表的舞台戏曲表演艺术成为当时最受欢迎的艺术样式。同时，杂剧中蕴含的美学理念也逐渐融入当时社会的审美意识整体中，隐约而深幽地影响着华夏审美意识的变迁。此前有关杂剧审美的研究，大致可分为两类：一是从作家作品（即审美实践的结果）出发，分析其中的美学特征；二是从元代的戏曲批评（即审美理论本身）出发，阐发其中的美学理论。两者各有所长，但多着重在文本阐释上，忽视了杂剧作为戏剧的审美特殊性。杂剧是中国艺术史上第一种成熟的综合艺术，不仅是集表演艺术、造型艺术、语言艺术于一体的综合艺术，也是剧本撰写、舞台表演和观众接受三者合一的艺术。杂剧中蕴含的审美意识不止于创作活动，还包含在传播与接受以及杂剧与其他文化活动的互动中。因此，从审美主体、审美活动和审美环境等三个方面，分析归纳由杂剧生发但不囿于杂剧的审美新变是必要的。

一、审美主体的群体性和"张扬狂欢"的审美意识

在传统的审美活动中,审美的个体主体性是被格外凸显出来的,即分外强调美感体验中个人的"自得"或"独得"。如孟子认为"自得于心而生色于面背四体"①,庄子认为"吾所谓明者,非谓其见彼也,自见而已矣"②。这种理念随历史演进化入文学审美领域。如宋王安石即云:"孟子之云尔,非直施于文而已,然亦可托以为作文之本意。"③如此可见,传统的以诗文为代表的文学审美主体在元以前往往是社会意义上的个体,其表达和抒发的也是基于个人审美感受的"滋味"或"兴趣"。欣赏者在审美活动中得到的也并非创作者的原有"滋味"或"兴趣",而是基于欣赏者个人体验而生成的新的审美感悟。

元杂剧打破了传统诗文中基于个人的审美主体畛域,在其创作、表演、鉴赏等一系列审美活动中,主体时时刻刻都是以群体形式呈现的。在杂剧创作中,作者并不重视"独得之妙";相反,往往倾向于集体创作。如杂剧创作中存在"次本"现象,即不同作家先后以同一题材撰写杂剧,虽或有删改,但却前后相承。据《录鬼簿》载,李文蔚有《谢安东山高卧》,下注云:"赵公辅次本",而于赵公辅之《晋谢安东山高卧》下,则注云:"次本"。再如,杂剧创作中还有多人合写一本的现象,鲍吉甫《曹娥泣江》杂剧,汪勉之就曾为之作二折;《开坛阐教黄粱梦》一剧,便是第一折马致远作,第二折李时中作,第三折花李郎作,第四折红字李二作。又如在汪勉之下注云:"鲍吉甫所编《曹娥泣江》,公作二折。"④频繁的创作往来还促成了杂剧作家创作组织的出现,即所谓"书会"。

杂剧创作主体的群体化不仅体现在剧本创作上,其戏剧表演也并非个人的独角戏。"从元杂剧剧本与田野考古资料可证金元戏曲搬演,每

---

① 杨伯峻译注:《孟子译注》,中华书局1960年版,第309页。
② 陈鼓应注译:《庄子今注今译》,中华书局1983年版,第242页。
③ 蒋述卓等:《宋代文艺理论集成》,中国社会科学出版社2000年版,第193页。
④ (元)钟嗣成:《录鬼簿》,见中国戏曲研究院编:《中国古典戏曲论著集成》(二),中国戏剧出版社1959年版,第134页。

场以五六人为寻常,如加上司乐或杂务者,一个剧团只要十余人即可应付演出。"①无论是五六人,还是十余人,都远超诗人创作人数。况且,杂剧剧团往往创作、表演、生活都在一处,其审美主体的群体性是格外突出的。

相较创作、表演,元杂剧接受、鉴赏的群体性更为明显。因为是面向大众的演出,多数还要谋求商业利益,所以,杂剧往往追求观众的最大化。这样一来,再像唐宋时几个贵人闲观歌舞的局面就不存在了。取而代之的是大量观众集中到特定表演场所观赏杂剧,他们基于杂剧表演而进行的审美活动是在一个向外开放的不断受其他观众影响的环境中展开的。从杂剧审美活动整体看,我们无法区别舞台下某个观众是特定的接受主体,也无法针对某个观众作个体与个体的双向审美交流。这样,杂剧的接受主体也成为一个由多个社会主体组成的审美主体,也即套曲《庄家不识勾栏》中所说的:观众是个"人旋窝"。

审美主体的群体化导致杂剧呈现出混沌而矛盾的美学特征。一方面,它坚持着诗词韵文传统和叙事艺术规律,与前代文学一脉相承;另一方面,它也胡乱甚至无逻辑地随意添加谐谑笑话、杂耍戏弄,表现出对文艺规律的颠覆。在关汉卿悲剧《邓夫人苦痛哭存孝》中,第一折起首李存信上场诗云:"米罕整斤吞,抹邻不会骑。弩门并速门,弓箭怎的射? 撒因答剌孩,见了抢着吃,喝的莎塔八,跌倒就是睡。若说我姓名,家将不能记:一对忽剌孩,都是狗养的。"②诗句杂糅蒙古语与俚俗汉语,不仅与全剧悲剧气氛不谐,而且与人物塑造关联亦不大。从文学规律和戏剧艺术上看,基本是无意义的。作者如此写作的原因除了取悦观众,大抵只能归结于杂剧惯例了。再如《赵盼儿风月救风尘》第二折宋引章"套绵子"关目,纯是闹剧,意义不大。即使在相对严肃的历史剧中,滑稽可笑段落的插入也随处可见。如高文秀《刘玄德独赴襄阳会》中刘琮上场自云:"武艺不会。所事不知,能吃好酒,快吃肥鸡。"又道白云:"俺父亲差之毫厘,

① 曾永义:《元杂剧体制规律的渊源与形成》,见张月中主编:《元曲通融》,山西古籍出版社 1999 年版,第 343 页。

② (元)关汉卿:《邓夫人苦痛哭存孝》,见王季思主编:《全元戏曲》第一卷,人民文学出版社 1999 年版,第 3 页。

失之千里,掉在壕里,签了大腿。"①纵观元代杂剧,无意义文字颇多,且多为戏笑浪语,除了娱乐观众,也是因为杂剧审美活动中随着主体群体化,民众俚俗审美意识参与其中,并发挥着优势作用,使得杂剧审美中出现否定既往价值体系的"狂欢化"意识。

结合元代文人的历史处境来看,杂剧审美主体的群体属性与杂剧"狂欢化"审美意识具有必然的关联。由于杂剧审美主体以文人和民众兼有的群体形式存在,杂剧审美首先呈现出主体内部意识的碰撞,即高与低、雅与俗、静与动等审美情趣的争执和选择。在元代,文人失去科举晋身之路,因而也失去政治及文化的话语权。所以,在这场碰撞中,与前代相反,文人高雅趣味并未占据上风,而是在谋生压力和文人自颓自弃中被裹挟进民众"狂欢化"娱乐中。杂剧作家在狂欢中背弃原来的文雅,主动或被动地剥离了原本具有的教养、学识和思维方式,显现出作为"人"的本心。在本心的关照中,现实世界不但被剥离,而且表现出"无意义"的"荒诞",而杂剧在创造"荒诞"时散发出强大的生命力。在这种特殊的社会审美环境中,杂剧呈现出一种颠倒尊卑、高下、美丑、雅俗的"狂欢化"审美意识。在群体性的审美主体前提下,民众俚俗审美成为居于文人高雅审美之上的优势审美意识,以俗为美,以丑为美,以谐谑笑浪为美,并以此来嘲讽戏弄高高在上的文雅之美。民众在杂剧中获得了颠覆既有秩序,重新确立自身存在的审美愉悦和审美满足。清代凌廷堪《论曲绝句》注云:"元人关目,往往有极无理可笑者,盖其体例如此。"②凌廷堪所说的"极无理可笑",正好点出元代杂剧审美意识的本质:在"狂欢"中,无视现实,有意颠倒日常生活秩序和价值观念,以游戏的方式脱卸生活中给定的意义重负,在宣泄人的感性冲动中重新解释世界存在的意义。如王国维在《宋元戏曲史》中所说的那样:"彼以意兴之所至为之,以自娱娱人。关

① (元)高文秀:《刘玄德独赴襄阳会》,见王季思主编:《全元戏曲》第一卷,人民文学出版社 1999 年版,第 583 页。

② (清)凌廷堪:《论曲绝句》,见赵山林:《历代咏剧诗歌选注》,书目文献出版社 1988 年版,第 469 页。

目之拙劣,所不问也;思想之卑陋,所不讳也;人物之矛盾,所不顾也。"①

二、审美活动的综合性和"强调复合"的审美意识

按元人说法,杂剧是唐诗宋词的后续,但这只是就其韵文形式而言的。实际上,杂剧是包括文学创作、舞台表演和媒介传播在内的综合艺术,不仅形式与前代韵文不同,且基于杂剧而生发出的审美体验也是大异于前的。在杂剧审美活动中,审美主体的听觉与视觉同时接受审美信息,并通过主体将接受的综合体验重新合成。因而,演员的表演、妆容、演唱、道白、科介,舞台上的布景和砌末(道具),以及剧本的情节、线索、关目等分别隶属不同形式和领域的艺术要素同时成为杂剧审美的某个因子,共同构成杂剧审美活动。这其中,欣赏者的审美体验最明显的特征无疑是体验的综合性。在这样的综合性审美体验的激发下,杂剧审美意识形成了"复合化"的特征,即强调多种艺术体验的集合和叠加,进而通过审美主体的合成形成全新审美体验。

杂剧是融合多种艺术形式后形成的综合艺术,因而在杂剧审美活动中,表演者的艺术创作行为是多层次、多角度且同时发生的。我们以高文秀《黑旋风双献功》第三折"李逵探监"情节来说明这一情况:

> 我无计可使,权打扮做个庄家呆后生,提着这饭罐儿。我怎能够入的那牢里去呵? 我自有个主意也。(唱)【双调】【新水令】我可便为哥哥打扮个丑容仪,(带云)有那等不认得我的,他道我是个呆厮,呆厮;有那等认得我的,他便道我那里是真呆厮,倒是个真贼。(唱)怎知道我是那宋公明的兄弟? 可也自有咱心上事,不许外人知。将我这饭罐儿忙提,山儿也,可用着你那贼见识入牢内。(做向古门问科,云)大哥,那里是那牢哩? (内应云)高墙儿矮门,棘针屯着的便是。(正末云)哦,高墙儿矮门儿,一周遭棘针屯着的便是。多谢了大哥。(做走科,云)此间是牢门首也。放下这饭罐儿,我拽动这牢铃索。山儿也,你寻思波,着那牢子便道:"你既是做庄家呆后生,便

①　王国维撰马美信疏证:《宋元戏曲史疏证》,复旦大学出版社 2004 年版,第 177 页。

怎生认得个是牵铃索?"可不显出来了？旁边儿有这半头砖，我拾将
起来，我是敲这门咱。叔待，叔待，你家里有人么?①

在这段文字中，剧本主要表现李逵"粗中有细"的性格，且铺垫劫狱高潮。
为此，演员首先需要外在改扮角色行头（打扮个丑容仪），内在调整角色
性格特征（做个庄家呆后生）；其次，利用精准巧妙的舞台对白和独白突
出表现"呆厮"和"真贼"的真假对比之美。我们在分析时可以区分其表
演先后，事实上，在此段表演中，演员的说唱表演、完整的角色心理活动提
示说明、精心设计的舞台表演动作和道具设置，一时间内同时呈现在观众
面前。此外，还有剧本没有记载的音乐伴奏和舞台美工布景也应在发挥
着烘托气氛、提升戏剧艺术效果的功能。

考察《双献功》，我们可以发现杂剧艺术与其吸收融汇的其他艺术的
关系：杂剧通过泯灭其他艺术的独立性使之成为自身的有机组成部分，同
时，被杂剧吸收的艺术摆脱了原来艺术母体而呈现出新的面目。也就是
说，杂剧艺术的并发式呈现是迥异于诗词、书画承接式体验的。这样，观
众们欣赏杂剧就不可能将某些个人喜爱的艺术内容从杂剧整体中剥离，
也不可能特意选择某些艺术形式作为独立的审美对象。因为，如此就破
坏了杂剧的艺术完整性，杂剧就失去了存在价值，而观赏杂剧也成为毫无
意义的行为了。因此，欣赏杂剧的过程，必然是多种艺术同时作用在观众
心灵的过程。王骥德《曲律・杂论上》指出："论曲，当看其全体力量如
何，不得以一二韵偶合，而曰某人、某剧、某戏、某句、某句似元人，遂执以
概其高下。寸疏自不掩尺瑕也。"②这里所说的"全体力量"就是强调在
杂剧审美中，对于观众和批评者来说，其审美的关注点不应是单纯的可以
准确分辨的戏剧艺术活动中的某一要素，而是建立在曲白叙述舞台故事
基础之上的综合化审美体验。

杂剧艺术的综合性促生了杂剧审美体验的综合化，杂剧审美体验的

---

① （元）高文秀：《刘玄德独赴襄阳会》，见王季思主编：《全元戏曲》第一卷，人民文学
出版社 1999 年版，第 568—569 页。

② （明）王骥德：《曲律》，见中国戏曲研究院编：《中国古典戏曲论著集成》（四），中
国戏剧出版社 1959 年版，第 152 页。

综合化促使杂剧审美意识走向强调"美在复合"，即在对杂剧作品或杂剧演出进行审美批评时，是否能够准确完整地呈现复合化的审美体验成为观众和批评者秉持的主要标准。元代文学家胡祗遹在《黄氏诗卷序》中谈及杂剧女演员审美标准时提出了著名的"九美"理论：

> 女乐之百伎，惟说唱焉。一、姿质浓彩，光彩动人；二、举止闲雅，无尘俗态；三、心思聪慧，洞达事物之情状；四、语言辩利，字句真明；五、歌喉清和圆转，累累然如贯珠；六、分付顾盼，使人解悟；七、一唱一说，轻重疾徐，中节合度，虽记诵闲熟，非如老僧之诵经；八、发明古人喜怒哀乐、忧悲愉佚、言行功业，使观者如在目前，谛听忘倦，惟恐不得闻；九、温故知新，关键词藻，时出新奇，使人不能测度为之限量。九美既备，当独步同流。①

胡祗遹认为，优秀的杂剧女演员应是多种美的体现者和创作者，既要面容美和举止美，又应具有敏锐的审美感受能力；既要善于语言表达，又要长于歌唱；既要属于戏剧舞台音乐，又应通过表演感染观者；同时，她也要是一个能够适时提高自身审美能力，能不断进行艺术创新的美的创造者。由此看来，元人已经意识到杂剧之美首先是多种要素的综合之美。

这一点我们也可结合王实甫《西厢记》的人物塑造来看。王实甫写崔莺莺，有神态动作，"他那里尽人调戏㪳着香肩，只将花笑捻"；有面容妆饰，"则见他宫样眉儿新月偃，斜侵入鬓云边"；有语言声韵，"恰便似呖呖莺声花外啭，行一步可人怜"；有舞蹈身段，"解舞腰肢娇又软，千般袅娜，万般旖旎，似垂柳晚风前"。金圣叹读此评曰："此方是活双文，非死双文也。伧乃不解，遂谓面是面、钿是钿、眉是眉、髻是髻，则是泥塑双文也。"②在金圣叹看来，杂剧之美妙就在于通过多种要素的有机结合和共同作用使观众体验充满灵气人性的特质。如果强行条分缕析地只认曲词唱腔，得到的只能是等而下之的"泥塑"而已。

总而言之，元人在创作、欣赏、传播杂剧的过程中，将这种"综合"视

---

① （元）胡祗遹：《胡祗遹集》，吉林文史出版社 2008 年版，第 209 页。
② （明）金圣叹：《金圣叹全集》第三卷，江苏古籍出版社 1985 年版，第 47 页。

为不同于以往任何文艺的杂剧本质,从而不断调整自己的美学观。在不断的实践中,杂剧作家们认识到杂剧之美在于提供给观众多种艺术的复合之美;观众和批评者们在欣赏中也逐渐地开始肯定和赞扬"复合"在杂剧之美中的重要作用。从这时起,杂剧要求中国人开始形成"复合"的审美意识,这也是后来中国戏剧美学所依循的主要原则之一。

三、审美环境的生活化和"讲求自然"的审美意识

杂剧在元代,并不是单纯的文学创作或文艺活动,而是积极地与民俗、宗教、商业结合,成为社会生活的一部分。换言之,杂剧的审美环境不同于以往任何文艺以文人为主构成的"圈子"环境,而是全面开放的带有生活化性质的社会环境。

元代杂剧审美环境的"生活化",首先,体现在杂剧不仅是当时百姓文艺活动的内容,也是当时百姓一般社会活动的内容。在当时墓葬活动中普遍存在于墓室中绘制杂剧题材壁画和使用雕饰杂剧演出画面的墓砖的现象。① 在当时的民间祭祀活动中往往邀请剧团演出杂剧,其中祭祀活动与杂剧表演的联系是如此紧密,甚至普遍出现将神庙露台改建为戏剧舞台的情况。② 其次,在元代,杂剧不仅是文人抒情言志的产物,而且也是艺人谋利糊口的工作。元代杂剧演出是商业性的,元初杜仁杰套曲【般涉调·耍孩儿】《庄稼不识勾栏》就写道:"说道:'前截儿院本《调风月》,背后幺末敷衍《刘耍和》。'高声叫:'赶散易得,难得的妆哈。'要了二百钱放过咱。"③无名氏杂剧《汉钟离度脱蓝采和》中也写道:"做一段有憎有爱劝贤孝新院本,觅几文济饥寒得温暖养家钱,俺这里不比别州县,学这几分薄艺,胜似千顷良田。"④第三,元代杂剧不仅以曲唱抒情,且通过舞台叙事直接反映生活,有的时候观众甚至直接参与杂剧演出活动,

---

① 参见廖奔:《宋元戏曲文物与民俗》,文化艺术出版社 1989 年版,第 108—110 页。

② 参见廖奔:《宋元戏曲文物与民俗》,文化艺术出版社 1989 年版,第 111—125 页。

③ (元)杜仁杰:《庄家不识勾栏》,见隋树森编:《全元散曲》,中华书局 1964 年版,第 31 页。

④ (元)无名氏:《汉钟离度脱蓝采和》,见王季思主编:《全元戏曲》第七卷,人民文学出版社 1999 年版,第 117 页。

社会生活成为杂剧的一个组成部分。据黄竹三先生记载,元明时期晋东南迎神赛社搬演杂剧《过五关》中,由村民扮演关羽等角色,"沿途还可随意与观众谈笑,甚至取吃街上小贩的食物"①。这时,杂剧表演已脱离形式上的舞台,而与生活混一了。

　　杂剧审美环境"生活化"改变了元杂剧的审美倾向。普通群众因杂剧审美环境的开放,开始参与到杂剧艺术创作过程的各个环节。在群众的参与中,杂剧的审美倾向逐渐发生变化。这种变化表现在杂剧艺术美学品格的确立上,即是"讲求自然"的审美意识的出现。

　　我们这里所说的"自然",并非道家所云的"道法自然"的"自然"。要明了杂剧的"讲求自然",有两组美学概念必须要被提到,一是点明杂剧艺术规律的"本色"和"当行",二是概括杂剧美学风格的"蛤蜊"和"蒜酪"。历代曲家以为,杂剧之美关键在于这两组概念所体现出的独特审美个性。王国维则以为:"元曲之佳处何在? 一言以蔽之,曰:自然而已矣。"②我们认为,无论是"本色当行",还是"蛤蜊蒜酪",其实质指向的都是元人"讲求自然"的审美意识。"本色当行"、"蛤蜊蒜酪"与"讲求自然"之间在真实自然地反映社会生活方面存在着紧密的内在关联。

　　"本色"和"当行"作为一组相关概念被引入文学批评始于严羽论诗。明臧晋叔《元曲选·序》则首称杂剧"本色",认为杂剧的奥妙主要在于"不工而工",杂剧"填词者必须人习其方言。事肖其本色。境无旁溢。语无外假"③。臧晋叔的本色论落脚点在于,他认为戏剧的语言、情节、意境都应该生活化。但同时期稍晚的何良俊、祈彪佳直至清代李渔等人,却片面地阐释了臧氏"本色论",以为"本色"只是语言"浅近"而已,"本色"论成了明清曲家自囿于文字雕琢的歧论。在《宋元戏曲史》中,王国维指出,关汉卿杂剧成就主要在于"曲尽人情,字字本色,当为元人第一"④,且

---

　　① 黄竹三:《我国戏曲史料的重大发现——山西潞城明代〈礼节传薄〉考述》,见《中华戏曲》第三辑,山西人民出版社 1987 年版。

　　② 王国维撰,马美信疏证:《宋元戏曲史疏证》,复旦大学出版社 2004 年版,第 177 页。

　　③ (明)臧懋循:《元曲选》,中华书局 1958 年版,第 3—4 页。

　　④ 王国维撰,马美信疏证:《宋元戏曲史疏证》,复旦大学出版社 2004 年版,第 180—181 页。

进一步指出元人杂剧与明清戏剧主要区别在于"人工与自然之别"。这实质是将"本色"与"自然"联系了起来。

在杂剧批评中，"当行"往往指的是杂剧作家中的突出者和创作中的正确的创作方向。但元代与明代，批评者认同的"当行"却是大相径庭的。赵孟頫认为"鸿儒硕士，骚人墨客所作"为"当行本事"，重视演出的"娼优所扮"只是"戾家把戏"。臧晋叔认为"当行"在于高超的戏曲表演艺术和由此带给观众的强大感染力："行家者，随所妆演，无不摹拟曲尽，宛若身当其处，而几忘其事之乌有，能使人快然掀髯，愤者扼腕，悲者掩泣，羡者色飞，是惟优孟衣冠，然后可以于此。故称曲之上乘首曰当行。"①赵、臧持论虽然不同，但究其实都在于强调杂剧应明确自身的美学品格。只是赵氏重传统文学之美，臧氏重舞台演出之美。近代王国维、吴梅在前贤理论基础上，提出"当行"应是"有意境"和"贴切"。他们认为无论杂剧剧本的文学之美还是杂剧演出的舞台之美，其根基都在于能否密切贴合生活，以符合生活逻辑的戏曲充分表达普通人的喜怒哀乐。

由此，"本色"、"当行"不再仅是元杂剧创作规律的总结，而成为元人杂剧美学风格的重要特征。杂剧源于生活，在富于生活气息的审美环境内发展壮大，有满足观众口味的客观需要，因而要求发扬戏剧的"本色"、"当行"。当"本色"、"当行"做到佳处，杂剧也孕生出独特的美感。因为源于生活而又愿意贴近生活，杂剧审美最终体现为"自然"。王国维认为"以其自然故，故能写当时政治及社会之情状，足以供史家论世之资者不少"②。

"蛤蜊"、"蒜酪"分别是元人和明人对杂剧美学风格的形容，也是对杂剧之美的高度概括之语。"蛤蜊"语出钟嗣成《录鬼簿序》，"若夫高尚之士、性理之学，以为得罪于圣门者，吾党且啖蛤蜊，别与知味者道"③。在这篇序中，钟嗣成以"啖蛤蜊"比喻创作杂剧。在钟嗣成看来，传统文人情致高雅，讲究性理，是不会接受风行市井、笑闹俚俗的杂剧的。"蛤

---

① （明）臧懋循：《元曲选》，中华书局1958年版，第4页。
② 王国维撰，马美信疏证：《宋元戏曲史疏证》，复旦大学出版社2004年版，第181页。
③ （元）钟嗣成：《录鬼簿》，见中国戏曲研究院编：《中国古典戏曲论著集成》（二），中国戏剧出版社1959年版，第101页。

蜊风致"的杂剧应另觅蹊径,在传统文艺圈子以外寻找"知味者"。在传统高雅文艺拒绝了杂剧的时候,向来被视为"无礼无文"的百姓接受了杂剧,并在狂热中将杂剧变成了卑贱者的文艺美食。蛤蜊因其在食物中低廉卑贱,反而成了杂剧美学风格的最佳形容。通过元人以蛤蜊形容杂剧,我们也可借蛤蜊特性来认识杂剧之美,蛤蜊鲜味浓烈,甜美多汁,价廉而易得,以市井百姓口味烹制;杂剧情感激烈,俚俗喧闹,浅白而易懂,以平凡百姓趣味为审美的题旨。

"蒜酪"语出明人何良俊《曲论》,"然既谓之曲,须要有蒜酪,而此曲全无,正如王公大人之席,驼峰、熊掌,肥腯盈前,而无蔬、笋、蚬、蛤,所欠者,风味耳"①。何良俊在评论《琵琶记》时,认为《琵琶记》曲工词美,但缺乏戏曲必需的"风味"。可见,明人以"蒜酪"评曲用意也在突出杂剧之美不在于传统文学的雕琢词句,而在于表现平民文学的独特审美倾向,如蒜般辣香,如酪般醇浓,不计风雅情志,只求满足口腹声色之欲。"蛤蜊"、"蒜酪"虽各有渊源指代,含义却有一致之处。它们都在强调杂剧之美在于味道浓郁,趣味浅俗上,与诗词文大不相同。在审美上,杂剧更倾向于情趣并不高雅的普通百姓。

这样,元杂剧在"生活化"的审美环境中发展壮大,也在表现社会生活的过程中逐步确立了自己的创作规律和美学风格。无论是杂剧化用俚俗口语,还是杂剧喜欢言情断案,蕴含在杂剧中且推动杂剧不断发展的正是暗合天然的"讲究自然"意识。这里所说的"自然",既非指杂剧不加人工雕琢的朴质泼辣,亦非指杂剧回归市井乡土的平民关怀,而是指杂剧在顺应文学客观现实和文学发展规律后,本体美自然呈现的美学思维。杂剧作家因被统治阶级排斥,在艺术创作上摒弃了功利之心,将全部心神凝聚在杂剧本身。同时,杂剧观众素无文艺根底,也不懂什么"言志缘情",客观上摆脱了原有文艺审美的包袱,形成了不自觉的"涤除玄鉴"的审美思维。这样,从审美活动发生角度看,杂剧的作者和观众不约而同地达成

---

① （明）何良俊:《曲论》,见中国戏曲研究院编:《中国古典戏曲论著集成》(四),中国戏剧出版社 1959 年版,第 11 页。

了"无为"的状态。以其"无为",在观众和审美环境的呼唤中,杂剧作家们淋漓尽致地"无不为",在行为与思维中,不假造作,自然而然,任半塘先生"冲口而出",斯之谓也。

综上所述,元代杂剧作为群体性综合艺术,其审美意识正在发生巨变。以下层民众为主的审美主体促使杂剧审美走向群体狂欢,而杂剧在民众的积极参与中自觉确立了强调复合和讲求自然的审美取向。在杂剧开拓了中国戏剧表演艺术纪元的同时,它也终结了诗词文"风教"、"取境"思维统领审美意识的时代。在这以后,中国通俗文艺勃兴繁盛,小说、戏曲成为文学主流,其巨大成就的审美意识奠基正在元人杂剧。

第三节　元代散曲审美意识

审美意识研究作为美学研究的基础,是我们认识和了解一个时代美学风格必须解决的问题。但这个问题的解决,并不是局促于单纯的美学理论思考中就可以完成的。应该明确的是,审美意识的深度把握,既要从宏观的美学理论思考下展开,也要从足以反映审美意识的美学现象中琢磨总结。如此,方可由表及里,溯流探源,得到全面科学的答案。落实到元代审美意识研究,我们也应从元代较具代表性的美学现象——散曲入手,通过分析散曲中反映出的审美意识,来寻找元人审美意识对中国传统审美的继承和创新。

元代是中国历史上一个极特殊的时代,它不仅是由少数民族建立的第一个大一统政权,而且改变了商周以来中国崇雅的文化传统,一直作为文化传承主要载体的文人和文艺也因此发生了巨大改变,整个社会的审美意识都随之发生了方向性的偏转。在韵文层面,一直居于审美核心位置的诗词被散曲取代,正是这种偏转的最集中表现。元人散曲的出现,改变了传统诗词讲究蕴藉委婉的审美意识传统,取而代之的是独树一帜的张扬、豪辣、浩烂的审美意识追求,这集中体现在元代散曲审美的三个方面上,即崇尚表达的外扩意识、不拘格律的特立独行意识和强调现世的极情尽致意识。

一、崇尚表达的外扩意识

所谓"外扩",是相对于"内蓄"而言的。元以前,在韵文创作上作者追求的是"言尽意不尽"的审美效果,以求得文字以外的"味道"、"境界"为高。作者将美的感悟包裹在可作多种解读的文字中,有时甚至添加典故、略称等常人不易直接明白的文字隔膜来加大接受者理解的难度。当作品的审美欣赏发生时,欣赏者如感受到"独得之妙"或与作者借"知己之思"融通时,往往被认为是达到了审美的理想效果。如此,从言意思辨发展而来最终立基于"含蓄委婉"的内蓄审美意识既符合传统儒家诗教"言者无罪,闻者足戒"的理念,又满足华夏美学"不得一字,尽得风流"的习惯,渐渐成为诗词等韵文审美的通识。《文镜秘府论》引《诗格》云:"含思落句势者,每至落句,常须含思,不得令语尽思穷。"①至宋代,虽有苏、辛力主豪放,但相应者寥寥,词之审美大宗仍为委婉内蓄,南宋张炎就提出:"末句最当留意,有有余不尽之意始佳。"②也就是说,元以前,中国社会对以有韵文字为主要表现形式的艺术创作强调体验式的深究,以满足对意蕴、味道的审美追求。作者也因此将"表达"委婉起来,越是能内蕴的作品越被认为是审美内涵更丰富的作品,由此产生的审美意识也变得崇尚"内蓄"了。

但这样的传统在元代散曲创作中并未得到认同和继承;相反,元代散曲家几乎不约而同地对"含蓄"审美意识进行了颠覆,取而代之的是一反常态的崇尚直接表达和立刻体验的"外扩"审美意识。元人在散曲上的外扩首先表现为散曲的情感内涵展现的是带有共性的感性体验,而非基于个人的情感体验,以此实现审美上的直接表达。在散曲中,常见曲家以带有普泛性的词语为题,如"别情"、"酒"、"色"、"忆旧"、"苦雨"题目等随处可见,这与唐诗宋词往往即事赋作大异其趣。试举同为咏雪的两首作品比较:

① (唐)王昌龄:《诗格》,见弘法大师著,王利器校注:《文镜秘府论校注》,中国社会科学出版社 1983 年版,第 116—117 页。

② (宋)张炎:《词源》,见张璋等编纂:《历代词话》,大象出版社 2002 年版,第 196 页。

江　雪　　　　　　　　　　　　柳宗元

千山鸟飞绝，万径人踪灭。孤舟蓑笠翁，独钓寒江雪。

【双调】【蟾宫曲】雪　　　　　　　薛昂夫

天仙碧玉琼瑶，点点扬花，片片鹅毛。访戴归来，寻梅懒去，独钓无聊。一个饮羊羔红炉暖阁，一个冻骑驴野店溪桥，你自评跋，那个清高，那个粗豪？

这两首作品主题类似，但审美的着眼点和企图体现的审美内涵却完全不同。在《江雪》中，柳宗元描绘的是个人眼前之景，如同画家的个性之眼，所见所写，皆为独得。诗人借永州少见的雪景隐晦地表达了自己贬谪之抑郁和丧母之痛苦。如果了解柳宗元的生平经历和当时的社会文化背景后，我们也就明白了隐藏在写景下的深层寄托。不同于《江雪》，元人薛昂夫的散曲《雪》只是对下雪场景的赋法描写，引用的典故多为熟知常见之事。读过此曲，作者心境如何，基于何事，很难明了。取代个人情感表达的是曲家对雪景之美的赞叹和文人清高粗豪品格的思考。对这些主题的接受，并不需要理解作者的个人体验，只要"人同此心"，必"心同此理"。分析元代散曲的创作实际，我们发现，元代散曲的审美过程较前代而言，正在最大程度地缩短创作者与欣赏者的情感距离，表达变得直接快速。在不计较深刻和回味的情况下，同样外部环境中，元代散曲发生的表达影响远远大于唐诗宋词为代表的传统韵文。快节奏的直接表达正是元人在草原帝国文化影响下产生的外扩审美的具体显现。

散曲与杂剧同属元曲，散曲作家往往也创作杂剧，杂剧的戏剧表演艺术特征由此也影响到了散曲。戏剧美的实现依赖演唱和舞台动作，两者都是瞬时变化的艺术，唱罢音散，做完散场，观众没有太多的时间去慢慢理解。散曲也是这样，作为市井的流行艺术时，创作者不可能也没必要要求欣赏者反复回味。相反，如果作品不能在最快的时间里获得欣赏者的青睐，作品很可能就失去了存在的价值。因此，散曲运用俗语叙述，重视演唱便利,主题浅俗明了,作者想尽一切办法争取散曲审美效果立刻实现。事实上,当我们在谈论散曲通俗时,其实讨论的就是散曲审美效果的立刻实现。

音乐和曲词是散曲两大构成要素,它们都在各自的角度表现出散曲强调审美效果立刻实现的倾向。在音乐上,散曲使用北曲,以弦乐弹拨为主,节奏较快。明王世贞《曲藻序》指出说:"曲者词之变。自金元入主中国,所用胡乐,嘈杂凄紧,缓急之间,词不能按,乃更为新声以媚之。"①在音乐节奏变快的前提下,元代韵文作者吸收了当时音乐变化的特点,在散曲曲牌上也做了相应调整。作家们放弃了入声,平、上、去三声同押。用韵更加频密,往往句句用韵,且一韵到底。曲词上,元代曲家格外重视文字的通俗,一方面加大俗语口语的比例,一方面降低典故文字的理解难度,以达到"意显"、"直述"。如同为抒写秋思的词与散曲,审美角度就完全不同。

怨　王　孙　　　　　　　　　　李清照

湖上风来波浩渺。秋已暮、红稀香少。水光山色与人亲,说不尽、无穷好。莲子已成荷叶老。清露洗、苹花汀草。眠沙鸥鹭不回头,似也恨、人归早。

【天净沙】秋思　　　　　　　　　　马致远

枯藤老树昏鸦,小桥流水人家,古道西风瘦马。夕阳西下,断肠人在天涯。

在李清照笔下,深秋意象不仅隐含在残败的景物中,而且也在"已"、"不尽"、"似也"等虚化的表达中,情感托物言出,含回绵渺。读罢作品,作者若有如无的微妙情感我们可以感觉到,却无法用语言道出。马致远则不

---

① （明）王世贞:《曲藻序》,见中国戏曲研究院编:《中国古典戏曲论著集成》（四）,中国戏剧出版社1959年版,第25页。

同,开篇在题目中就点出情之发起。然后通过常见景物的顺序拼接,直接凝练为完整固定画面。结尾点题明确,使人一望即得,全无滞涩。即使事后回味,也再无诠释的多余,仍然将停留于曲家在作品中呈现的画面和主旨中。与宋词比较,元人散曲的审美效果其实是立刻实现的。

元散曲就是这样,通过降低理解的难度来获得更多新奇的审美体验,也形成了独特的"外扩"审美。散曲本身便于理解,也就更易接受,也就能在更大的接受范围内发挥影响,作品形成"外扩"态势。曲家有意创作这样的作品,说明以曲家为核心的审美环境秉持的也是如此的"外扩"审美心态。散曲是元代最具代表性的韵文形式,取代诗词成为有元一代抒情之体。故其中颠覆传统的"外扩"意识也是元人经历民族交流和南北沟通后中国传统审美意识的新变化。

二、不拘传统的自由意识

比较诗词而言,元人散曲在曲牌、合乐、语词、意象、主题等方面是更自由的,这也反映出元人审美意识的特质:不拘传统,取境有我,通过对前人的有意识地颠覆来表现审美趣味的个性。这种颠覆大大超越了词对诗歌的形式改造,其最有价值之处在于它将中国韵文审美由文人主导变为雅俗共赏,高高在上的阳春白雪因此成为了大众狂欢式的群众歌唱,标明了华夏审美渴求突破礼乐雅致走向更多可能的自由意识。

散曲中的自由意识是分层次的,从最浅层的形式自由看,散曲在选题、用韵、炼字上都毫无顾忌地随意创作着。用笔洒脱,总在表现个人所思所想的"性灵"。从作品隐含的审美本质看,散曲在兴象、取境和意趣上都或多或少地表现不同于常人的体验。这些新变化看似俗烂,却是曲家以俗反雅,追求审美新风的体现。在审美意识的反映上,散曲浅、本两层次的变化是华夏美学雅俗互化的表征,更是华夏审美渴望走向更自由的天地思维的显示。

元人散曲向以"自然本色"著称,前辈曲学家大多认为散曲不仅为骚人之文,也是歌者之文,因此,在选题、用韵、炼字上并不遵循诗词传统。散曲与杂剧相生发,所以在散曲创作时,曲家秉持的并非纯粹的诗词艺术规律,也吸取了杂剧等舞台艺术的法则。比如,在选题上,散曲常常以眼前之事直接立题,且题目本身就带有叙事性和说明性,这是诗词中很难见到的。大名王和卿是元代前期著名散曲作家。他的散曲选题中,我们常常可以看到这样的题目:《胖妓》《绿毛龟》《王大姐浴房内吃打》,等等。元代后期,时有论者认为散曲雅化,但选题仍然显得随意放旷。如散曲家乔吉,曲作中也常见《咏手》《上已游嘉禾南湖歌者为豪夺扣舷自歌临舟皆笑》《赠张氏香善填曲时在阳羡侯席上》等题目。这样的题目不但不雅,而且明确显出曲家的随性,其至带有市井的谐谑意味。散曲不但选题自由,用韵也突破了传统格律藩篱。元人北来,音调杂辽、金、元诸少数民族语言特点,与诗词沿用的南音四声不协。因此,以周德清为代表的元代曲家几经摸索,自创了不同于诗词格律的独配元曲的音韵体系,大致表现为自设音韵,入派三声,平仄互叶,一韵到底。罗宗信《中原音韵序》云:"国初混一,北方诸俊,新声一作,古未有之,实治世之音也。"[1]罗氏所说的"新声",就是元代散曲所依从的元代曲律。它与诗词格律的主要区别在于减少韵部,由《韵略》107 部减为 19 部;没有诗词的入声,原本入声字的韵派入平、上、去三声,且平声区分阴阳,即阴平和阳平,变平、上、去入四声为阴平、阳平、上声、去声四声;用韵更加细密,大多句句押韵,不同于诗词往往隔句押韵,且韵脚为平仄通押,不受原有四声限制了。散曲用韵大变,使得曲家摆脱了格律对创作的限制,创作进入更自由的领域。在炼字方面,散曲秉持的同样是自由发挥,随意点染。最明显的变化就是增句和衬字的出现。诗词等强调字酌句工,"无一字无来处"。一字尚且计较,更不要想添加看似无意的"废句"了。元曲则不然,不仅在曲牌正格基础上添加有实在意义的"衬字",且累积成句,成为"增句"。如关汉卿【南吕】【一枝花】《不伏老》的《尾曲》,正格应是六句,作"八八七二二七"的句式,34 字,关氏全文增至 27 句,一共用了 146 个衬字,衬字数量是正格的 4 倍。衬字的增加甚至改变了曲牌的句式,如【沉醉东风】首两句本

---

① （元)罗宗信:《中原音韵序》,见中国戏曲研究院编:《中国古典戏曲论著集成》(四),中国戏剧出版社 1959 年版,第 177 页。

为六字句,卢挚《秋景》变为两个七字句,断句节奏改为三—四,读作"挂绝壁,松枯倒倚。落残霞,孤鹜齐飞"①。

元人自由洒脱气质带来了散曲字词曲上的大幅变化,也改变了散曲的审美取向。诗词审美以兴象为先,所谓"依象立意,比兴寄托"是也。散曲也重兴象,可象是有新变化的。散曲意象不但有诗词常见的"芙蓉"、"烟蓑"等雅致的意象,也新造了"刎颈交"、"忘机友"的雅俗兼备的意象,还添加了"大蝴蝶"、"铜豌豆"等向来入于俗耳的市井意象。大量俗意象的掺入,一方面反映了散曲"合于时俗"的审美趣味,另一方面也表现出元代曲家突破传统的创作追求。在意象更新的基础上,散曲的意境也发生了变化。林泉隐逸是唐诗宋词常常抒写的主题,多表达穷达理念,贯彻其中的是文人节操和崇雅之趣。元人也写隐逸,巢父、许由、严子陵、邵平、范蠡、陶渊明等隐逸高士常见于曲中,但曲家格外钟情于陶渊明。与唐宋人赞颂陶渊明自然闲淡不同,元人更欣赏陶渊明识时避世的明智洒脱。如关汉卿在《双调·碧玉箫》中写道:"官品极,到底成何济。归,单取他渊明醉。"②郑光祖《正宫·塞鸿秋》写道:"渊明老子达时务,频将浊酒沽。识破兴亡数,醉时节笑拈着黄花去。"③在元代曲家笔下,陶渊明的归去是在官场风波险恶映衬对比中的乱世智慧。比起虚不可及的"自然真意",识时避世更贴近元人的精神世界。元人在意境上的创新并不只是改造旧有的,且构建全新的。元散曲中出现了传统诗词鲜见的抒写修道体悟的宗教意味的意境就是明显的例证。如范康【双调·新水令】《乐道》:

> 颂南华讲道德,谈周易见天心,察地利明人事,须持心炼己。分宾主,定浮沉,辨疏亲,识老嫩,通造化,别真伪,晓屯蒙否泰交。知消长盈虚意。甚的是先天至极。打破了太虚空,便是那出世超凡大道理。

---

① (元)卢挚:《秋景》,见隋树森编:《全元散曲》,中华书局2000年版,第110页。

② (元)关汉卿:《双调·碧玉箫》,见隋树森编:《全元散曲》,中华书局2000年版,第165页。

③ (元)郑光祖:《正宫·塞鸿秋》,见隋树森编:《全元散曲》,中华书局2000年版,第462页。

全曲无一字言情叙事,通写玄虚的修道体悟。不但在意象和意趣不同于传统,就是其中的审美意趣也是难以捉摸。类似的变化还有讽世、嘲官、谐谑等,激烈劲切,全不见温柔敦厚、中正和平的体面。

元人散曲全无顾忌地发挥着个人情性,在最大的范围内捕捉叙写一点性灵。为了达成这个目的,他们打破了传统诗词韵文的限制,也模糊了阳春白雪和下里巴人的雅俗界限。客观上,这样的创作实践使得作品更加符合大众接受习惯,其接受和传播的范围也大大扩大,参与者由少数文人变成多数民众,感染途径由单纯的文字传播变成了口头传播,主旨内涵由文人墨客的个人寄托变成了社会民众的情绪宣泄。如此,更多的参与者的情感和意识加入散曲创作中,反过来影响了散曲的审美取向。曲家和散曲成为华夏美学中一直被忽视和压抑的原始野性一面的代言,所有这一文艺的参与者都通过散曲来寻找回归最本真最自我的自由。市井俗文化借此显现出带着朴拙粗糙气息的原始生命力,顽强地挺进已渐现僵化的诗坛文苑。传承于诗词的雅文化和流行于烟花勾栏的俗文化在散曲创作领域相互碰撞,也相互改变,混杂在一起。也就是从这个时期开始,中国的诗人、词人们不再纯粹的高高在上,局促于文人小圈子。他们既作诗词,也填散曲,诗词曲代表的不同层次的雅俗审美意识同时熏染着他们,再无区分的可能了。散曲带来的审美上的自由,并不是俗文化取代雅文化,而是原本一个处于主流但相对狭小的雅文化圈与隐藏于普罗大众中的俗文化圈,进而形成不独属于某一方的审美交叉地带。韵文审美由单纯的高雅拓展为高雅、低俗和雅俗并举三个领域。更多的可能无疑是更大的自由的基础,而散曲中洋溢的不拘格律的自由审美意识也在更多的可能和更广阔领域中成为主流审美意识的一部分。

三、强调现世的极情尽致意识

散曲审美新出现的外扩意识侧重在体验形式上的变化,自由意识侧重在体验范围的变化,而强调现世的极情尽致意识则侧重在体验内容上的变化。这里所谓"强调现世的极情尽致意识",指的是曲家在散曲中更愿意表现此时此地的正在感受的事物,追求情感表现中能带给人感官愉悦的极限状态,也在情感的极限中毫无掩饰地展现自我。先秦以来,中国审美中强调"乐而不淫,哀而不伤"的中和之美在元人散曲中已基本不见,取而代之的是竭尽所能地表达人的现世享受。这种不同于传统也少见于后世的奇特意识具体说来可以从两个方面认识:重视眼前的现世意识和谐谑一切的玩世精神。

重视眼前的现世意识并非指元人沉迷声色犬马,纵欲忘情,而是指元人散曲中特重抒发人在生命过程中体验到的美好,通过营造人生之趣来唤醒人们珍视眼前、不要辜负好时光。从本质上讲,元人的重视眼前属于对礼乐传统压抑下的现世意识的复苏(或可称为被唤醒),是华夏审美中执着体验生命意识的有机组成。

对于生命的思考,是中国古代哲人的必然命题。孔子在《论语·先进》中云:"未知生,焉知死",认为重视当下的"生命存在"状态是思考生命问题的起点和基础。至道家庄子,恐惧未知且必至的死亡成为国人认识生死问题的主流,因而"生年不满百,常怀千岁忧"这样的生死观也影响到文学审美,感慨生命短暂,抒发悲慨凄凉和及时行乐的诗词不绝于史。李白高唱"朝如青丝暮成雪",苏轼慨叹"人生如梦",无不因现世生命的美好而遗憾生命过程短暂和难以把握,伤感无奈之情是主要情感基调。尽管这样的生死观赋予文学深沉悲凉的幽思,但也使得文学过多地关注概念上的生命本质而忽视了正在发生体验的生命现象。从这一点来看,元人与前人有明显不同。元代曲家格外重视在作品中描写正在经历的现象,抒写不带有规律性和本质意义的情感事件,愿意赋予作品更多的"烟火气"和"市井气息"。借此,元人摆脱了对生死问题和生命本质的哲学思考,转而关注属于个人的现世生命以及其中蕴含的美。试看以下两首,即可品味一二:

【正宫】【塞鸿秋】村夫饮 　　　　　　　　无名氏

宾也醉主也醉仆也醉,唱一会舞一会笑一会。管什么三十岁五十岁八十岁,你也跪他也跪恁也跪。无甚繁弦急管催,吃到红轮日西坠,打的那盘也碎碟也碎碗也碎。

【双调】【水仙子】代无题　　　　　杨朝英

　　　　闲时高卧醉时歌,守已安贫好快活。杏花村里随缘过,胜尧夫安乐窝,任贤愚后代如何? 失名利痴呆汉,得清闲谁似我? 一任他门外风波。

尽管两首曲子雅俗风格稍有不同,但其中体现出的重视眼前的现世意识是相通的。《村夫饮》众人痛饮大醉,身份、地位、长幼尊卑都抛掷脑后,只是尽享眼前杯中酒、盘中餐、场中歌舞,时光流逝并不能改变已经体验到的人生乐趣。欢乐过后,并不是前人所写的空虚和凄冷,而是心满意足的快活。《代无题》中,将"清闲"、"安贫"视作人生的真正意义,将俗世功名和后代贤愚都视作无关的"门外风波"。

　　类似的观点在元散曲中是十分普遍的。邓玉宾【正宫】【叨叨令】《道情》中唱道:"一个空皮囊包裹着千重气,一个干骷髅顶戴着十分罪。为儿女使尽些拖刀计,为家私费尽些担山力。您省的也么哥,您省的也么哥? 这一个长生道理何人会?"①在元人心中,为儿女和家私操心费力是毫无意义的,只管眼前是获得真正生命的开始。长生不再是尽力追求不可知的未来;恰恰相反,放弃对未来的预置才是长生道理。由此,我们可以看出,元人重视眼前的实质是对生命的尊重。也正是因为这样,元人审美关注的对象不再是浩渺的生命长河、沉重的功名道德和虚无的禅境玄理,而是市井的鸡毛蒜皮、个人的生活感受和止于保身的处世之道。这些元人的关注对象,都围绕着一个中心,即个人的现世生活感受。

　　与重视眼前的现世意识密切联系的是元人散曲中也出现了前代文学中少见的谐谑玩世意识。在现世的种种现象中,元人似乎更偏爱能引人发笑的内容。即使是面对社会的丑恶黑暗,元人也更愿意用嘲讽笑浪的态度去解脱超越。可以说,在元人散曲中,谐谑成为人们解释世界的主要方法,由谐谑带来的或夸张或变形的审美感受也成为元散曲的独特美学形态。

---

　　① （元）邓玉宾:《正宫·叨叨令》,见隋树森编:《全元散曲》,中华书局 2000 年版,第 303 页。

　　在散曲中，没有什么是不能被调笑的，大至历史政治，小至斗鸡走马，都成为可笑可叹的曲子。但同为谐谑，寄托的题旨还是有区别的。在元曲中，严肃高尚的题材常常通过谐谑被解构，变成了虚无，呈现被否定的状态；俗气低下的事物在谐谑中被重新发现，获得全新的意义，成为生命力的体现。换言之，在谐谑中，元人将原本的社会价值颠倒过来，以玩世不恭的态度重新诠释了一切。

　　对于像历史、政治、英雄这样严肃崇高的题材，元人常常抱着怀疑甚至否定的态度。他们运用谐谑来努力揭示历史的荒唐、政治的腐朽和英雄的可笑，通过嘲讽来达到批判的目的。进而，在否定传统价值观后获得对自身卑微低下命运处境的肯定，消解个人的苦痛。在元人看来，历史充满了荒唐，人们之所以产生历史崇拜，完全是因为我们与历史的距离太长，如果离得近些，崇高的皇帝其实也是小丑。对此，睢景臣的【般涉调】《高祖还乡》套数体现得淋漓尽致。套数中用村夫的视角和口吻重新描绘了庄严宏大的皇帝出巡，皇家仪仗被说成是"迎霜兔"、"毕月乌"、"鸡学舞"、"狗生双翅"、"蛇缠葫芦"，皇家礼服也成了"大作怪的衣服"。在剥去礼乐包装后，皇帝的威仪也荡然无存。皇帝也曾与村夫一样（或更卑微一些），"曾在俺庄东住，也曾与我喂牛切草，拽坝扶锄"。随着曲家的描述，读者这时才发觉，"高祖还乡"不过是"胡踢腾"和"妆大户"，无须敬畏，更不要崇拜。历史如此，现实政治也是这样荒唐，甚至腐朽起来。无名氏的《志感二首》（其一）这样描述当时社会："不读书有权，不识字有钱，不晓事倒有人夸荐。老天只恁忒心偏，贤和愚无分辨。折挫英雄，消磨良善，越聪明越运蹇。志高如鲁连，德高如闵骞，依本分只落的人轻贱。"历史和政治是荒唐和颠倒的，英雄又如何呢？看张鸣善的【双调】《水仙子》《讥时》："铺眉苫眼早三公，裸袖揎拳享万钟，胡言乱语成时用。大纲来都是哄，说英雄是英雄。五眼鸡岐山鸣凤，两头蛇南阳卧龙，三脚猫渭水飞熊！"[1]英雄也不过是"铺眉苫眼"、"裸袖揎拳"，那么，谁是英雄

---

[1]　（元）张鸣善：《双调·水仙子·讥时》，见隋树森编：《全元散曲》，中华书局2000年版，第1282页。

呢？质疑英雄存在是为了彻底否定英雄，号称"岐山鸣凤"的周文王不过是乌眼鸡，诸葛孔明和姜子牙也不过是两头蛇和三脚猫，并不比普通人更高贵。这样，曲家通过谐谑重新解读了宏大题材，并借此找回了个人精神的安身之处。

与否定崇高相对应的是，散曲也通过谐谑重新诠释了普通人的生活。在元人笔下，备受生活重压的普通人似乎享受到了前所未有的乐趣，一切平凡的事物中都包含了令人快活适意的要素。在曲家看来，平凡的生活蕴含了无数常人忽视的快乐，而谐谑正是使人发现快乐的最佳方式。如杜仁杰的套数《庄家不识构阑》，就着力表现了从未进过城的农民第一次欣赏戏剧演出的可笑可乐。但与谐谑崇高不同的是，曲家对普通人生活的谐谑充满了善意。这样，元人在散曲中通过否定崇高和褒扬平凡表达着自己对于生活的看法，生活之乐和人生之趣并不在于功业和名利，一切价值都只存在于现世的体验中，而作为人面对生活的最适宜的方式就是谐谑调笑。如任讷《散曲概论》所言："元代曲家，志趣大抵乐天，虽极颓唐、极危苦之境，亦必以极放旷、极兴会之语出之。满纸豪情万丈，令人神旺。……曲之初创，本属一种游戏文字，填实民间已传之音调，茶余酒后，以资笑乐者耳，初非同于庙堂之乐章，亦无所谓风诗之比、兴也。"①

总而言之，元人散曲表现出了独具元人品格的审美意识，即以外扩为佳，以自由为尚，以极情尽致为美，在颠覆传统的基础上，重新构建符合社会变迁的美学思想。从美学史的角度看，这一转变无疑是符合美学发展规律且影响巨大的。可以说，华夏美学逐渐摆脱儒家伦理局限走向雅俗共赏的新阶段正是从这里开始的。

---

① 任讷：《散曲概论》，见张月中编：《元曲通融》，山西古籍出版社 1999 年版，第 21 页。

第三章
宋元散文审美意识

　　就中国散文史而言,唐宋散文往往被目为一体,共同构成中国散文创作之巅峰。尤其是研究者们将欧阳修倡导的"诗文革新运动"视为中唐"古文运动"的后响,唐宋统论就成为散文研究者的常规做法。但正如史学家严格区别"唐型文化"和"宋型文化"一样,其实,宋代散文在自己时代的涵养下也显出一代之文学的风貌。元立朝甚短,文人多承宋金文统道统,以宋为宗,故本章合宋元散文为一论,以图见出中国散文审美由唐至宋元之转折间的深远而微妙的变化。

第一节　宋元散文的"平"

　　宋元时期是中国散文创作的繁盛期。自公元 916 年辽建立,到公元 1368 年元灭亡,四百余年间,宋、辽、金、元散文创作名家辈出,雄文无数。以作家作品而言,虽有大家各擅胜场,乃或形成自成一派的局面,但总的来看,以欧、苏、王、曾为代表的北宋散文之创作及主张仍是这一时期之主流。宋元散文审美意识之根本约略为二:一曰平,二曰实,二者互为表里,时有消长,凌跨四代而不衰,其中又有深蕴的宋元文人的独特品格隐约可见。单就其中的"平"一方面,从其产生原因到宋元文人对其的体悟阐扬,又有许多需要我们仔细深入探究的地方。

一、宋元散文的"平"的缘起

　　"平",《说文》解为"语平舒也",《广韵》云"平,正也",《增韵》解作"平","坦也"。从"平"的本义看,"平"多用来形容舒缓的、起伏不大的、不偏激的情形。所谓"平",在散文而言,简单说来就是行文不拘骈散,亦不以音韵事典为务,在语言上追求表意达情的便利流畅,以更易理解和接受的文字表达充实深刻的思想内容,使作者之意易晓,读者之心易通,如苏轼云:"其言简而明,信而通,引物连类,折之于至理,以服人心。"①

散文创作上追求"平"并非是宋初文人的主动追求,这种审美意识的生发实源于宋人对晚唐浮华文风反动的结果。晚唐五代,文人多以词臣之文或求苟全,或得幸进,所以文多饰非,以骈俪华靡为尚。宋初承五代余绪,文风浮靡,所谓天下才俊以"唐人声律之体"为工。陆游《老学庵笔记》卷八说:"国初尚《文选》,当时文人专意此书,故草必称王孙,梅必称驿使,月必称望舒,山水必称清晖……方其盛时,士子至为之语曰:'《文选》烂,秀才半。'"②这种讲求"属对静切、致意缜密"的散文风潮由南唐徐铉入宋始,陶谷、张昭、张洎、李昉、李至、宗白、吴淑等前南唐西蜀文人鼓吹响应,认为散文应"丽而有气,富而体要,学深而不僻,调律而不浮"③。因为符合太祖时期歌颂天下承平的局面,故这种文风一路发扬,至真宗时杨亿、刘筠主持台阁时达至顶峰。时杨亿、刘筠以台阁重臣身份主持文坛,当时学者以杨刘之文为楷模,专一揣摩,一时间海内文坛,刻词镂意,专事藻饰,"对仗以四六为宗,文辞求工求切,典饰交错为美"。④

太宗伐辽失利后,天下一统的寄寓破灭,国政稍衰,一味靡丽的文风不足扶振时局,真宗朝开始有反对空泛浮华文风的声音出现。故《宋史·文苑传》云:"五代以来,文体卑弱,周翰与高锡、柳开、范杲习尚淳古,齐名友善,当时有高、梁、柳、范之称。"⑤

宋初自柳开起,王禹偁、穆修、范仲淹、尹洙、石介等人,先后起来反对五代文风。他们或从治政出发,如王禹偁、范仲淹等,或以尊道为本,如柳开、石介等,纷纷著文反对散文空洞卑弱的创作主张,主张散文创作应在

---

① (宋)苏轼:《苏轼文集》,孔凡礼点校,中华书局 1986 年版,第 316 页。
② (宋)陆游:《老学庵笔记》,中华书局 1997 年版,第 100 页。
③ (宋)徐铉:《故兵部侍郎王公集序》,见曾枣庄、刘琳主编:《全宋文》第二册,上海辞书出版社、安徽教育出版社 2006 年版,第 195 页。
④ 莫道才:《骈文通论》,齐鲁书社 2010 年版,第 297 页。
⑤ (元)脱脱等:《宋史》,中华书局 2000 年版,第 13003 页。

在文道并举的前提下全面恢复古文传统。柳开在《应责》中明确说明对古文和古道的宗法，"吾之道，孔子、孟轲、扬雄、韩愈之道；吾之文，孔子、孟轲、扬雄、韩愈之文也"，同时指出古文并非"言辞古奥"，而在于以"平"的语言传达真切的理意。他说："古文者，非在辞涩言苦，使人难读诵之，在于古其理、高其意，随言短长，应变作制，同古人之行事，是谓古文也。"①文字平顺，语言流畅，便于诵读，内容充实是柳开对散文的形式内容的要求，这种要求其实是通过对五代文风的反对表达出来的。柳开以复古为号召，主张散文要平易晓畅，但从其留存作品看，他自己的创作却相当的"辞涩言苦"。在具体创作中落实以"平"为文的，宋初当属王禹偁。王禹偁，字元之，太平兴国八年举进士，先历州县职，端拱初擢右拾遗，后以台谏获罪，出知黄州，卒于蕲州，有《小畜集》传世。他在《答张扶书》中说："如能远师六经，近师吏部，使句之易道，义之易晓，又辅之以学，助之以气，吾将见子以文显于时也。"②在王禹偁看来，复古也好，宗汉也罢，其目的在于改变浮华空洞的脱离实际的五代文风，以易道易晓之文传能言能行之事，在此基础上，以文学干预时世，让散文达到"传道明心"的作用。也就是说，散文必须要平易而后才能"近人"，通过降低散文外在形式接受难度来提高散文的感染力，进而扩大散文的影响范围，使之在深切干预社会的过程中促进时代风气的转变。如果散文"句之难道"，儒家之"义必难晓"，那样的文章于世无益，传而不远，著之无用。与柳开不同，王禹偁不仅在理论上强调散文应"平"，在创作上也注意在"平"上下大工夫。至道三年（997年），宋太宗死，宋真宗立并下诏求直言，王禹偁即上《应诏言事》，极言冗官冗兵之害，写道：

> 伏以乾德、开宝以来，国家之事，臣所目睹……臣愚以为宜经制兵赋如开宝中，则可以高枕而治矣。且开宝中设官至少。臣本鲁人，占籍济上，未及第时，常记止有刺史一人，李谦溥是也；司户一人，今

① （宋）柳开：《应责》，见曾枣庄、刘琳主编：《全宋文》第六册，上海辞书出版社、安徽教育出版社2006年版，第367页。

② （宋）王禹偁：《答张扶书》，见曾枣庄、刘琳主编：《全宋文》第六册，上海辞书出版社、安徽教育出版社2006年版，第396页。

司门员外郎孙贵是也。近及一年，朝廷别不除吏，当时未尝阙事。自后有团练推官一人，今枢密直学士毕士安是也。太平兴国中，臣及第归乡，有刺史程廷山，通判阎暐，副使阎彦进，判官李延，推官李宣，监库沈继明，监酒榷税算又增四员，曹官之外，更益司理。问其租税，减于曩日也，问其人民，逃于昔时也。一州既尔，天下可知。冗吏耗于上，冗兵耗於下，此所以尽取山泽之利，而不能足也。

在上书言事时，五代多用骈文，四六相对，对使事譬喻，善用排比对偶，典丽古雅，但往往失于繁缛。王禹偁《应诏言事》同为奏疏，言冗官冗兵之害时，以己之所闻所睹出发，比较太祖太宗以来，官吏数量，举实例，列实名，较实数，然后由小及大，指出"一州既尔，天下可知"，全无修饰而立论自成，语不惊人而直指要害。从语言到主题，《应诏言事》都没有刻意突出个人的文笔和强调文章的说服力，但在一以贯之的平实中达到了"不言自明"的效果。真宗、仁宗年间，文坛如柳、王这样去华靡、倡平实的文人渐渐增多，范仲淹、尹师鲁、石介等人均在创作实践和理论阐发上提出了对"平"的崇扬，但直到嘉祐年后，欧、苏、王、曾群起复古，以古文呼应唱和，"宋文日趋于古矣"，"平"为文方蔚为大观，经宋入金元，成为宋元散文审美上的一大表征。

可以说，对于五代以来四六时文之风的反拨，也正是宋人树立自身审美品格的开始。从这时起，无论是对秦汉古文的追慕，还是对前唐古文的再复，宋人散文审美都摆脱了前代的影响，完全地发生在宋人对时世和内心的观察之中了。由此说来，唐宋古文虽一脉相承，但在审美的根底里，唐宋人的散文旨趣却以对五代文风的反拨为标志有了朝代的区分。

二、宋元散文的"平易晓畅"之美

虽以"平"之一字概括宋文反五代文风而自树立的散文审美追求，但详细审视宋文之"平"，又可从表之"平易晓畅"和里之"平淡自然"把握。

从欧、曾、王、苏起，无论是金之赵秉文、党怀英、王若虚、元好问，还是元之姚燧、虞集、马祖常、杨维桢，追求表达上的"平易晓畅"都是一以贯之的。欧阳修所谓"简而有法"，王安石所谓"适用为本"，苏轼所谓"行云流水"、"辞达而已",要之都在强调文辞的平易流畅。金人"文章雄健,直继北宋诸贤"①,元人"文擅韩、欧振古风"②,多数作品表现出来的也基本上是"不以尖新奇险之语"的不尚虚饰之文。那么,宋元散文所表现出的"平易晓畅"到底是什么呢? 这个问题的回答要从中国的文学话语体系中说起。

上古之文,至为简奥,一者限于甲骨竹木刻写之难,二者亦在于先王贵胄以文钳民。先秦两汉以来,《诗经》、乐府虽采于民间,亦非里巷能言之文。魏晋时文人风度波及下的文学话语愈发趋向于小范围的"自赏",有时使事用典近乎密码,甚者以刻镂为上,淡乎寡味。以理推之,魏晋时士族文人通过典丽的文字增加了理解文辞的难度,大部分庶族和平民被自然而然地排挤出文学审美的圈子。此时,皇权正统和九品中正制下的贵族文人不仅不需要与民众在审美上进行沟通,反而亟须通过文学话语上的独特与民众加以区别。安史之乱以后,贵族统治暂时弱化,统治危机导致整个社会出现了话语真空。这时有韩、柳等人力图通过重建话语体系来辅助新的统治秩序确立,但由于失去了上古秦汉以来历史赋予贵族文人的话语权力支撑,韩、柳等人必须以复古为旗号,以散文为工具争取社会大众对"古文"话语重新认同。尽管韩、柳等人提倡的是秦汉古文,但其本质是通过对稳定的秦汉一统社会的回忆帮助社会重新回归到贵族、官僚和文人为核心的"文道一统"社会秩序。

所以说,宋元散文的"平易晓畅"并不仅仅是要求文章、文字直白通俗,便于理解,而是要求文章中正古健,取消过于繁冗的辞藻堆砌和典故罗列,降低散文的创作难度,贴近社会中下层,避免文学话语在统治集团内部的集中,使得下层文人把握文道之美,进而可以通过参加科举融入儒家文人的固定秩序,扩大文人集团,增强社会话语权,以此抵消儒家道统与社会实际的背离和市民文艺兴起带来的民众的启蒙和觉醒。宋元散文中表现出的平易自然在接受指向上倾向的并非所有潜在的文学受众,而

---

① (清)阮元:《金文最序》,见(清)张金吾:《金文最》(上),中华书局 1990 年版,第 1 页。

② (金)刘祁:《归潜志》卷六,中华书局 1983 年版,第 184 页。

是认同儒家理念、接受过基本儒家诗教的中下层文人；其根本目的在于强化传统散文的学习便利，扩大散文的社会影响力和参与度；其反对矛头对准的是贵族化和官僚化的形式文风。因此，宋元散文的平易晓畅表现出以下特征：

第一，"简而有法"。"简而有法"是北宋欧阳修在《尹师鲁墓志铭》中提出的。其要害之处有二，一是指语言和艺术上要追求"有法"的"简"，即在审美体验最大化的同时达到文字材料的最小化。欧阳修在《与杜诉论祁公墓志铭》云，其为传记"止记大节，期于久远"，"其他常人所能者，在他人更无巨美，不可不书，于公为可略者皆不暇书"。如欧阳修所言，捕捉最具艺术魅力和审美体验的素材，以"省于旧笔"的文字简洁道出才能获得最"久远"的接受效果和传播效应。"简而有法"的要害之二在于要"简化"之法，即在不影响表达效果的前提下在散文创作过程中有意识地总结文字修辞上简洁的创作技巧，并通过简洁后的文字形成新的文风。如其在《与渑池徐宰》中说的那样："然著撰苟多，他日更自精择，少去其繁，则峻洁矣。然不必勉强，勉强简节之，则不流畅，须待自然之至，其如常宜在心也。"①在具体创作实践中，欧阳修对"简而有法"是十分在意的。在《朱子语类》中曾记载永叔炼字一例："顷有人买得他《醉翁亭记》稿，初说滁州四面有山凡数十字，末后改定，只曰'环滁皆山也'五字而已。"故朱熹称赞欧阳修散文云："欧公文章及三苏好处，只是平易说道理，初不曾使差异的字，换却那寻常底的字。"《新唐书》的"本纪"部分比《旧唐书》"本纪"少了将近三分之二的字却"其事则增于前"，《新五代史》比《旧五代史》少了将近一半的卷数，却被评为"文笔洁净，直追《史记》"②。

嘉祐二年，欧阳修主持礼部试，排斥"险、涩、奇、怪"的太学体，他本人成功的散文创作为"简而有法"树立了模板和榜样。此后宋、金、元三朝散文创作，成名成家的文人基本都自觉不自觉地继承和遵循着这一创

---

① （宋）欧阳修：《欧阳修全集》，李逸安点校，中华书局 2001 年版，第 2474 页。
② （清）赵翼：《廿二史札记校证》，王树民校证，中华书局 1984 年版，第 460 页。

作原则,他们的作品也因不同于魏晋六朝、残唐五代的简洁流畅而自树一帜。欧阳修的后辈王安石提出"所谓辞者……要之以适用为本"。欧门弟子苏洵更将"简而有法"引申为四:"其一曰隐而章,其二曰直而宽,其三曰简而明,其四曰微而切。"①苏轼将"简而有法"总结为"辞达而已矣",文须"行于所当行,止于不可不止"。金人多学苏,一路延续了他"辞达"、"行止有法"的主张。如赵秉文主"达意",王若虚主"辞达理顺"等。

在具体的创作上,宋元文人也以优秀的散文成果实践了自己尚"简"、尚"法"的主张。如苏轼散文名篇《记承天寺夜游》对"简而有法"的表现是比较明显的:

> 元丰六年十月十二日,夜,解衣欲睡,月色入户,欣然起行。念无与为乐者,遂至承天寺,寻张怀民。怀民亦未寝,相与步于庭中,庭下如积水空明,水中藻荇交横,盖竹、柏影也。何夜无月?何处无竹柏?但少闲人如吾两者耳。

全文一百零一字,直如口语,无一丽藻,无一假借,但亦无一废笔,无一冗句。全文无可删削,其中蕴含的隐约之文思、深远之寄寓和无尽之审美体验,全部表现无遗。结合苏轼引领的宋元词章小序创作新潮,更可领略宋元时散文"简而有法"的"平易晓畅"之美:

> 丙辰中秋,欢饮达旦,大醉,作此篇,兼怀子由。(苏轼:《水调歌头》序)

> 三月七日,沙湖道中遇雨。雨具先去,同行皆狼狈,余独不觉,已而遂晴,故作此。(苏轼:《定风波》序)

> 陈同父自东阳来过余,留十日,与之同游鹅湖,且会朱晦庵于紫溪,不至,飘然东归。既别之明日,余意中殊恋恋,复欲追路,至鹭鸶林,则雪深泥滑,不得前矣。独饮方村,怅然久之,颇恨挽留之不遂也。夜半投宿吴氏泉湖四望楼,闻邻笛悲甚,为赋《乳燕飞》以见意。又五日,同父书来索词,心所同然者如此,可发千里一笑。(辛弃疾:

---

① (宋)苏洵撰,曾枣庄、金成礼笺注:《嘉祐集笺注》,上海古籍出版社1993年版,第232页。

《贺新郎》序)

甲子夏,霞翁会吟社诸友逃暑于西湖之环碧。琴尊笔研,短葛巾,放舟于荷深柳密间。舞影歌尘,远谢耳目。酒酣,采莲叶,探题赋词。余得塞垣春,翁为翻谱数字,短箫按之,音极谐婉,因易今名云。

(周密:《采绿吟》序)

上引数文,均出自宋文词章小序,或怀人,或叙事,或言志,或抒情,淡雅的文人情怀看来与六朝小品有相似之处,但文字骈散兼用,清丽可喜,少用故事,读来顺遂,别是一派风光。吴梅《词学通论》中评周密词序高妙云,"叙事写景,俱极生动,而语语研炼,如读《水经注》,如读《柳州游记》",此语亦可视为对以宋词小序为代表的"简而有法"的宋代散文尚"平"的评价了。

第二,从常勿怪。"从常勿怪"是欧阳修在《与石推官第二书》中提出的散文创作主张,"而当从常法,不可以为怪"①。仁宗时,五代浮靡文风已影响治政。天圣七年,宋仁宗下诏曰:"比来流风之弊,至于附会小说,磔裂前言,竞为浮夸,靡曼之文,无益治道,非所以望于诸生也。礼部其申饬学者,务明先圣之道,以称朕意焉。"②在皇帝看来,文风浮夸"无益于治",好的文字应明道辅政才是。这一方面是宋代政治风气转变的表现,另一方面也表现出宋代儒学对散文创作提出的客观需要。很快,庆历文坛兴起了一股尚涩务怪的文风,其中的代表是儒者石介。他在《怪说》中直斥杨刘西昆之文为"淫巧侈丽,浮华纂组、刌镂圣人之经,破碎圣人之言,离析圣人之意,蠹作圣人之道"③。这种文风上的转变起于对西昆体的纠偏,有一定的正面作用,但很快就出现了矫枉过正的迹象,浮华工巧一变为艰涩险怪,文章主旨亦由原本的颂圣酬答变为崇儒论道,言志抒情、叙事状物等散文也在石介等人反浮华、宣道统的主张中被一并排斥了。杨刘之文过于侈丽,但石介等人儒道入文,古拙至于艰涩,唯儒少于

---

① (宋)欧阳修:《欧阳修全集》,李逸安点校,中华书局2001年版,第993页。
② (宋)李焘:《续资治通鉴长编》,中华书局1995年版,第2512页。
③ (宋)石介:《怪说》,见曾枣庄、刘琳主编:《全宋文》第六册,上海辞书出版社、安徽教育出版社2006年版,第291页。

文韵,又踏入了散文创作的另一歧途。如石介《复古制》一文,即是这种文风的代表:

> 厥初生人,无君臣、无父子、无夫妇、无男女、无衣服、无饮食、无田土、无宫室、无师友、无尊卑、无昏冠、无丧祭,同于禽兽之道也。伏羲氏、神农氏、黄帝氏、陶唐氏、有虞氏、夏后氏、商人、周人作,然后有君臣、有父子、有夫妇、有男女、有衣服、有饮食、有田土、有宫室、有师友、有尊卑、有昏冠、有丧祭。噫,圣人之作皆有制也,非特救一时之乱,必将垂万世之法。故君臣之礼有不可黜也,父子之有序而不可乱也,夫妇之有伦而不可废也,男女之有别而不可杂也,衣服之有上下而不可僭也,饮食之有贵贱而不可过也,土地之有多少而不可夺也,宫室之有高卑而不可逾也,师友之有位而不可迁也,尊卑之有定而不可改也,昏冠之有时而不可失也,丧祭之有经而不可忘也,皆为万世常行而不可易之道也,易则乱之矣。

石介此文,句式呆板,缺乏文趣,道学说教,令人无法卒读。此类文章,专以"道理"贯之,视无雕琢为最上,学古近于模拟,一味以道统文,使得散文失去了文学的独立性,只能充当宣讲儒道的传声筒。更有甚者,如太学刘几,迎合风尚,以怪为美,近于文戏,一时间专务险涩的文风大盛,时称"太学体"。后来苏轼回忆评价北宋尚涩务怪文风时说:"士大夫不深明天子之心,用意过当,求深者或至于迂,务奇者怪僻而不可读,余风未殄,新弊复作。大者镂之金石,以传久远;小者转相摹写,号称古文。纷纷肆行,莫之或禁。"①"浮巧轻媚丛错采绣之文"固然使得散文脱离文学本质,也无益于政事,但一味"怪诞诋讪",只能使散文创作走向自我灭亡的死路。

　　表面上看,太学体之文与欧苏之文都是倡导复古的,但在文学的本质、功用及定位等关键问题二者之间存在巨大差异。从北宋石介、二程到南宋朱熹,直至元代许衡、王恽,宋元理学家一直在借助古文来宣扬道统,

---

① (宋)苏轼:《苏轼文集》,孔凡礼点校,中华书局 1986 年版,第 1423 页。

崇尚的是"有德者必有言","文者,道之枝叶"①;而自欧、苏以后,苏门后学,到南宋陈亮、陆游,直至金元元好问、赵孟頫,则力图文道并重,强调散文的艺术性及其对"道"的反作用,所谓"辞至于能达,则文不可胜用矣"②。导致理学家之文和文学家之文差异的原因除了个人审美的差异,根本问题在于双方对"文统"、"道统"的争夺以及由此产生的社会话语权的争夺。

在这样的文坛大背景之下,直承"韩柳"之文的欧、苏等人在反对西昆的同时也要排除"怪癖不可读"的理学家之文。因此,平常勿怪成为了北宋散文的重要的理论主张和审美特征之一。随着北宋欧、苏散文渐成文坛大宗,他们的散文在"平易晓畅"上的突出表现渐渐被后学接受并发扬。如朱熹虽不喜苏轼为文不合于道统,但仍赞许其"文字明快",认为"文字到了欧曾苏,道理到了二程,方是畅"③。金代散文大家王若虚论文章之法云:"凡为文章,须是典实过于浮华,平易多于奇险,始为知本。求世之作者,往往致力于其末,而终身不返。其颠倒亦甚矣。"④在欧、苏文风的百年流播中,为文不可艰深,不可冷涩逐渐成为宋元文人的共识,影响直至民国不衰。

三、宋元散文的"平淡自然"之美

平易晓畅是宋元散文的外在形式的突出特征,但支撑这一外在特征的是时代孕育的独特的宋人气度,具体而言,是宋人在"文化造极"时代所独特孕生出的"平淡自然"之审美心境。宋太祖"用文吏而夺武臣之权",故两宋"尚文"而厚待文人,文人生活优裕从容,思想少钳制而开放,党争有节制而无亡身之虞。两宋三百年间,文人在同门、同年、同乡、同僚、同社等社交网络中形成不同的团体和宗派,成为社会财富的主要受益者和社会话语的主要控制者。在保证较高生活质量和社会地位的前提

① (宋)黎靖德编:《朱子语类》,王星贤点校,中华书局1986年版,第3319页。
② (宋)苏轼:《苏轼文集》,孔凡礼点校,中华书局1986年版,第1418页。
③ (宋)黎靖德编:《朱子语类》,王星贤点校,中华书局1986年版,第3309页。
④ (金)王若虚:《滹南遗老集》,中华书局1985年版,第214页。

下,在文人密切交往的生活中,宋代文人逐渐形成了带有文人气息和文化品格的独特生活方式,他们不仅饮茗弈棋、把玩金石、作书绘画、乐游山水,且在这些活动中自由地体验独特的文人趣味,建构了文人独享的微妙的"醉翁之乐"的审美模式。在独特的文人生活和微妙的文人趣味内外陶冶中,两宋文人逃离市井之俗、庙堂之险,向往山水自然,体验生活真味的愿望和行为升华为对幽微隐约的文韵和雅趣的偏爱和提倡。这种审美的偏好,落实在散文创作中便形成宋代散文中深蕴的"平淡自然"之美。宋人的"平淡自然"在金人学苏宗苏中由宋及金元,其间虽别有声韵,但在文人的普遍认同中而终成时代之底调。

细细思来,"平淡自然"又在心境和趣味上分出了三个层面,即平而后淡,终造自然。平淡自然中的"平",并非文章和为文技巧上的平淡,而是心境上的平和,即"无意为文"之谓也,也就是在强调作品在艺术上的非功利性的同时,最大限度地摆脱形式、技巧、修饰等因素对创作的干扰,寻找独立而稳固的艺术灵感并任其活动,逃离对于散文艺术技巧的僵硬锻造和散文形式美的盲目追求,转而深入到散文家体验把握到的表现对象的内在本质中去。在"无意"中,文人能够在把握对象的同时回照个人心境,在澄净中真正地运用文字去表现对象和抒发情感。正如程颐在《颜子所好何学论》中所说:"不思自得,不勉而中。"①宋元散文家的这种平和的心境每每经历着宦海浮沉、道统纷争、朝代更易而历波不扬。在个人荣辱和社会变迁中,不惊不躁的文人自我在个人的笔触中显示出了宋元散文的沉稳厚重。试以司马光《与范尧夫经略龙图第二书》为例即可看出此时文人的平和处事与文章风味:

> 光愚拙有素,见事常若不敏,不择人而尽言,此才性之蔽,光所自知也。加之闲居十五年,本欲更求一任散官,守候七十,即如礼致事;久绝荣进之心,分当委顺田里,凡朝廷之事,未尝挂虑。况数年以来,昏忘特甚。诚不意一旦冒居此地,蒙人主知待之厚,特异于常,义难力辞,黾勉就职。故事多所遗忘,新法固皆面墙,朝中士大夫百人中,

---

① （宋）程颢、程颐:《二程集》,王孝鱼点校,中华书局1981年版,第578页。

所识不过三四,如一黄叶在烈风中,几何其不危坠也? 又为世俗妄被以虚名,不知其中实无所有。上下责望不轻,如何应副得及。荷尧夫知待,固非一日,望深赐教,督以所不及;闻其短拙,随时示谕,勿复形迹。此独敢望于尧夫,不敢望于他人者也。光再拜。

元丰八年,旧党起复,司马光进京,诏除门下侍郎。此时司马光已经六十七岁了,晚年拜相,且旧党零落,国事繁杂,党争硝烟未息。于国于己,司马光都是充满忧虑的,所以他曾先后上《辞门下侍郎札子》、《辞门下侍郎第二札子》,极力推辞门下侍郎的官职。但他又心念旧恩,不忍国事倾颓,在高太后的再三诏除和兄长司马旦的劝说下再次出山。卷土重来的司马光既没有前度刘郎的得意,也没有漫卷诗书的狂喜。如文中所言,笔下皆心中所思所忧。身居旧党领袖和文坛耆宿双重高位的司马光对自己的不足、疑惑和忧虑毫不掩饰,尽数道出。支持其无畏无伪的平直文字的正是司马光"诚于心"的平和心境。此时的司马光虽久经宦事消磨,仍不改其"所为未有不可对人言"的品行,于己"愚拙"、"昏忘"、"危坠"直言不讳,对朝野上下的期望亦不推脱敷衍。对于他与范纯仁多年之交且为姻亲的格外守望,司马光是毫不隐晦,且特加寄托的。于人于己,于事于政,文中皆以明己意、道己言、说己事为主,既不修饰,也不避讳。笔笔娓娓道来,有老年的圆熟,而褪尽烟火浮躁之气,其中身为元老宰辅而发出"黄叶烈风"之比,正显示出宋元散文中蕴藉的"不以物喜,不以己悲"的平和文心。金代散文大家王若虚在《高思诚咏白堂记》中品评白居易,以为"盖乐天之为人,冲和静退,达理而任命,不为荣喜,不为穷忧,所谓无入而不自得者"方是"乐天之妙","心平气定"后方可"自得"。王若虚此言,不仅是对唐人文章的追慕,且是其自身文心所在。宋、金、元文人文气平和,往往如此。

一般来说,平和心境往往是作家进入中晚年,历经劫波后才可能形成的。与之相应的是作家在长期散文创作中对于形式美和创作技巧的反思。在经历过"气象峥嵘,五采绚烂"之后,随着年岁的增长和经历的丰厚,无论是为文浮华艳靡,还是故作古涩孤深,都会引发作家对"刻意为文"的怀疑和创作真诚的喜爱。这样,在精通"作文之法"后试图掌握散文之美本质的作家往往倾向于对表现和形式的追求,转而去寻找和品味"外枯中膏,似淡实美"的美感体验。也就是说,伴随创作心境的平和,作家往往看重和把握到的是平淡之美,是"豪华落尽见真淳",宋元文人也不例外,具体在散文中见宋元人笔蕴平淡最真切的是他们的书信和记叙之文。

> 无咎向过此,服阕赴贬所,相从数日,颇见言色,他皆不通问矣。某有诗文数篇在王立之处,托渠转致,必能上达也。迩来起居何如?不至乏绝否?何以自存,有相恤者否?令子能慰意否?风土不甚恶否?平居与谁相从,有可与语否?仕者不相陵否?何以遣日,亦著文否?近有人传《谒金门》词,读之爽然,便如侍语,不知此生能复相从如前日否?朱时发能复相济否?某素有脾疾,近复暴得风眩,时时间作,亦有并作时,极以为苦,若不饥死寒死,亦当疾死。然人生要须死,宁校长短,但恨与释氏未有厚缘,少假数年,积修香火,亦不恨矣。
>
> 师道上①

陈师道一生耿介,仕途坎坷,迁转多年,不过是州学教授或秘书省正字之类的小官,且历来家贫,衣食有时尚不能续。在与黄庭坚的书信中,陈师道也提到了个人疾苦,所谓"饥死"、"寒死"、"疾死"也,但如此惨状并不是师道陈情之重点,反以"人生须要死"一语带过,直至文末"亦不恨"才道出师道一生之积怨积憾。在写到对好友黄庭坚的思念时,连发八问,语意不很连贯,如家常闲谈语,至隔句中又问"不知此生能复相从如前日否?朱时发能复相济否?"才曲笔写出后山与挚友的半生交往及一世沦落的感怀和慰问。师道文章,在北宋是被肯定的。黄庭坚认为其"至于作文,深知古人之关键",《四库全书总目提要》亦称允其古文"简严密栗","不失为北宋巨手也"。是以上文观之,陈师道为文往往言语不特修饰,而于平淡处入手,寄托浓挚深情。由此看来,宋人作文之"淡",一层是超越技巧后的"大巧不工",更深的一层是超越表达后的"情到浓处情转薄"。

---

① (宋)陈师道:《后山居士文集》,见曾枣庄、刘琳主编:《全宋文》第一百二十三册,上海辞书出版社、安徽教育出版社 2006 年版,第 298 页。

再如记叙之文,也颇见此时散文的平淡细微处之妙,如欧阳修的《画舫斋记》:

> 予至滑之三月,即其署东偏之室,治为燕私之居,而名曰画舫斋。斋广一室,其深七室,以户相通,凡入予室者,如入乎舟中。其温室之奥,则穴其上以为明;其虚室之疏以达,则槛栏其两旁以为坐立之倚。凡偃休于吾斋者,又如偃休乎舟中。山石崭崒,佳花美木之植列于两檐之外,又似泛乎中流,而左山右林之相映,皆可爱者。因以舟名焉。
>
> 《周易》之象,至于履险蹈难,必曰涉川。盖舟之为物,所以济难而非安居之用也。今予治斋于署,以为燕安,而反以舟名之,岂不戾哉?矧予又尝以罪谪,走江湖间,自汴绝淮,浮于大江,至于巴峡,转而以入于汉沔,计其水行几万余里。其羁穷不幸,而卒遭风波之恐,往往叫号神明以脱须臾之命者,数矣。当其恐时,顾视前后凡舟之人,非为商贾,则必仕宦。因窃自叹,以谓非冒利与不得已者,孰肯至是哉?赖天之惠,全活其生。今得除去宿负,列官于朝,以来是州,饱廪食而安署居。追思曩时山川所历,舟楫之危,蛟鼋之出没,波涛之汹欻,宜其寝惊而梦愕。而乃忘其险阻,犹以舟名其斋,岂真乐于舟居者邪!

以文中所述欧阳修任滑州武成军节度判官判断,此文作于宝元二年(1039 年),此时的欧阳修年过三旬,已经历了发妻离丧,获罪被贬等人生之痛,如其所言,"其羁穷不幸,风波之恐数矣"。然在人生之逆境中,贬谪甫安,欧阳修即营治偏陋小室,以为济难之所。身处小室,于耳目相接之间,温室槛栏、佳花美木、可爱山林在作者笔下都流露出点点暖意。作者借对日常居室的格外发现来冲淡对人生苦难的沉溺自伤。在这篇文章中,欧阳修看淡履险蹈难的险阻宦途,发现体验"饱廪食而安署居"的平淡之美,恰是宋元文人通过散文传达出的独特趣味所在。类似的如金代王若虚的《门山县吏隐堂记》、王庭筠的《五松亭记》,元代王恽的《新井记》等,也多用笔墨在"华隐妙巧与人意会者"。

在平和心境的观照下,宋元文人很自然地认识到,峰上谷下般的极限经历和类似的审美体验只是生活中特例,普遍存在的是日日经历却极难品味的从容不变之"淡",这种看似寻常的美才是大美,才是真实的美,甚至是美的本质。如庄子所说:"夫恬淡寂寞,虚无无为,此天地之平而道德之质也。"①

宋元散文的平淡是散文审美由外扩趋于内敛(或曰"内收")的结果。无论是作家还是作品,内敛引发的是进一步对自身的内视内省。这是一种审美主体"堕肢体,去聪明"的深化过程。散文审美越是走向深入,我们发现作家的心境就越是平和,作品中的美感就越是平淡。如果我们假想这种散文的审美深化有一个极限的完美状态的话,那么,这个无疑就是"自然"。宋元散文审美的"自然"并非客观的自然界,而是一种在创作中完全得心应手后文章表现为恰到好处,以及由此生发出的作者和读者都可感受到的贴切、顺畅和充实。它完全如文章想要表现和描述的那样,并揭示或升华出了它所表现和描述的对象未被发现和少有被认识的深层美感体验。文如自然,则其体现的常常使接受者感觉那就是亘古恒存的客观宇宙的某物,使接受者感觉通过文章能够获得认识把握世界本质的方法或途径。正因如此,宋元文人常常将散文之"文"与至大之"道"联系起来认识,以为二者或为表里,或为互一,文之"自然",则合大道。

较早的宋元文人,如北宋田锡,论文将其比为自然风水,"亦犹水质常性,澄则鉴物,流则有声"②。后来的曾巩对文章与自然的关系作了进一步阐发。在论述三代两汉散文至妙时曾巩写道:"如登高山以望长江之活流","浩浩洋洋,波彻际涯","其高足以凌青云,抗太虚","其下足以尽山川草木之理"③。苏洵论文,接续其蜀中先辈田锡,以风水论文,"风行水上涣,此亦天下之至文也"④。到苏轼,散文如何"自然"有了更系统的论述。在创作主体方面,他指出"欲令诗语妙,无厌空且静;静故

---

① 陈鼓应注译:《庄子今注今译》,中华书局 1983 年版,第 396 页。
② (宋)田锡:《贻陈季和书》,见曾枣庄、刘琳主编:《全宋文》第五册,上海辞书出版社、安徽教育出版社 2006 年版,第 217 页。
③ (宋)曾巩:《读贾谊传》,见(宋)曾巩撰:《曾巩集》,陈杏珍、晁继周点校,中华书局 1984 年版,第 700—701 页。
④ (宋)苏洵:《仲兄字文甫说》,见(宋)苏洵:《嘉佑集笺注》,曾枣庄、金成礼笺注,上海古籍出版社 1993 年版,第 412 页。

了群动,空故纳万境"①;在创作动机方面,他提出"为文者,非能为之为工,乃不能不为之为工,山川之有云雾,草木之有华实,充满勃郁,而见于外"②;在作文过程中,苏轼强调"画竹必先得成竹于胸中"③,要求创作秉持仔细观察客观对象和熟练掌握技巧后超越客观景物的画"所欲画"的正法;在创作感受上,他的两段感受,不仅阐述了为文自然的根本,而且就散文本身而言,也体现了平淡自然的审美趣味:

> 吾文如万斛泉源,不择地皆可出,在平地滔滔汩汩,虽一日千里无难。及其与山石曲折,随物赋形,而不可知也。所可知者,常行于所当行,常止于不可不止,如是而已矣。其他虽吾亦不能知也。④

> 或曰:"龙眠居士作《山庄图》,使后来入山者信足而行,自得道路,如见所梦,如悟前世,见山中泉石草木,不问而知其名,遇山中渔樵隐逸,不名而识其人,此岂强记不忘者乎?"曰:"非也。画日者常疑饼,非忘日也。醉中不以鼻饮,梦中不以趾捉,天机之所合,不强而自记也。居士之在山也,不留于一物,故其神与万物交,其智与百工通。虽然,有道有艺,有道而不艺,则物虽形于心,不形于手。吾尝见居士作华严相,皆以意造,而与佛合。佛菩萨言之,居士画之,若出一人,况自画其所见者乎?"⑤

苏轼上文中提到的"随物赋形"、"行行止止"、"天机所合"、"不强自记",揭橥其平生之创作怀抱,亦以充实自然的文字形象地阐释了高超作者体悟天道后的感觉和高妙散文能达到的境界,此即苏门后学黄庭坚所说的"不烦绳削而自合矣"⑥。苏轼之后,金之文人多学欧、苏,南宋散文虽理

---

① (宋)苏轼:《选参寥师》,见(宋)苏轼:《苏轼诗集合注》,(清)冯应榴辑注,黄任轲、朱怀春校点,上海古籍出版社2001年版,第864页。

② (宋)苏轼:《南行前集叙》,见(宋)苏轼:《苏轼文集》,孔凡礼点校,中华书局1986年版,第323页。

③ (宋)苏轼:《文与可画筼筜谷偃竹记》,见(宋)苏轼:《苏轼文集》,孔凡礼点校,中华书局1986年版,第365页。

④ (宋)苏轼:《苏轼文集》,孔凡礼点校,中华书局1986年版,第2069页。

⑤ (宋)苏轼:《苏轼文集》,孔凡礼点校,中华书局1986年版,第2211页。

⑥ (宋)黄庭坚:《与王观复书》,(宋)黄庭坚:《黄庭坚全集》,刘琳、李勇先、王蓉贵校点,四川大学出版社2001年版,第470页。

学明道之文大兴,但亦不恶文理自然的说法。朱熹认为:"东坡文字明快,老苏文雄浑,尽有好处。"他所认同的正是散文的平淡自然,"古人文章,大率只是平说而意自长。后人文章,务意多而酸涩。如《离骚》初无奇字,只恁地说将去,自是好。后来如鲁直,恁地着力做,却自是不好"①。在宋元文人对"自然"之美的大量论述和创作实践中,我们能够发现文人及其作品肯定和提倡的"文须自然"已经摆脱了吟咏山水,寄情烟霞的客观自然的局限,而是在吸收了道禅哲学后,儒家美学在散文领域和文学与世界关系上的升华。在这一点上讲,宋元文人在散文审美领域达到了前代文人从未达到的境界。

袁枚在《与孙俌之秀才书》中曾说:"大抵唐文峭,宋文平……宋人或能立诚,不甚修词。"②袁枚此论,本意在于扬唐贬宋,但实际上他对"宋文平"的总结是准确的。宋元散文,在秦汉的古拙、魏晋的流丽、唐的气象之后,在承继前人的基础上返璞归真,得文之"平",其中的"平易晓畅"和"平淡自然"所蕴含的对于前代的反思与超越,实已达到中国散文审美的一个高峰。此后中国散文在明清时期或复秦汉,或宗唐宋,虽时有清丽俊语,但再难呈现自己时代的独特之美了。

第二节 宋元散文的"实"

以往的美学史研究在谈到宋元美学时,往往关注的是其平淡自然、禅意理趣,有学者认为"人生一乐,可谓是宋、辽、金、元美学生活世界普遍价值和基本特征"③。笔者以为,以"人生一乐"概括宋元美学很难说是科学结论,恰恰相反,宋、辽、金、元美学更多的是以强烈入世干预期望为特征的"有所为"精神。即使把这一结论定义在"生活世界"上,也不足以覆盖宋、辽、金、元的全体,事实上,宋人因边患带来的危机意识,辽、金、元人因文化差异衍生的变革意识才是此时的美学主流。体现在此时的散文

① (宋)黎靖德编:《朱子语类》,王星贤点校,中华书局1986年版,第3299页。
② (清)袁枚:《小仓山房诗文集》,上海古籍出版社1988年版,第1860页。
③ 参见邹其昌:《论宋辽金元美学的生活世界》,《创意与设计》2013年第1期。

审美上,"平"、"实"并重,以文用世是宋元文人的共同追求。在此追求及其实践的背后,隐藏的是宋元文人普遍的忧虑意识和急于构建新的文道关系的责任意识,是一种"人生一乐"反面的文人焦虑。笔者前文已围绕"宋文之平"作了系统阐述,因此,本节将围绕"宋文之实"来阐发宋元散文审美的深层意蕴。

一、尚"实"之风的确立

实者,《说文》解为"富也";《广雅》云"实,诚也";《小尔雅》云"实,满也,塞也";《素问》云"有者为实,故凡中质充满皆曰实"。总各字书之解训,"实"的字义根本在于充盈、志诚。宋人在解释"实"时,又因时代的新变有了新的释义,有时释为实际、事实,如司马光《资治通鉴》云"今以实校之",欧阳修《送徐生之渑池》诗云"脚靴手板实卑贱"等;有时释为真实、本质,如程颐《粹言》云"惟理为实"。也就是说,宋元文人及其创作的尚"实"含义有二:从文章的审美表现上讲,散文应施用于实际,不可发空论,作空文,以充实之文字直接道出明道治政之法;从文章的审美内涵上讲,散文成败的关键在于主体的充盈,主体体念天地、生民、万物及己之悲喜离合,自在圆满,其笔下之文自然文道质实,不以浮华而自树立。以上关于"实"的两个方面,从表里层次去看的话,又可作"体—用"的区别阐释,故宋元散文"实"义颇多,不可不仔细把握。

宋元散文之所以尚"实","实"之含义又很深广复杂,这一特征其来有自。中国文化之脉络,唐至北宋是一个重要的节点。唐时,基于血统门第的贵族门阀是皇权统治的根基,士族是社会权力的重要支配者。郑樵云:"自隋唐而上,官有簿状,家有谱系,官之选举必由于簿状,家之婚姻必由于谱系。"①因此,当时的社会文化主要由极其发达的贵族生活衍生出的文化内容组成,底层民众自发创造的文化少且薄弱,民众不足以之与贵族门阀争夺文化话语权。宋时,文化格局发生变化,经济的发展(如税制、城市经济结构等)、科技的传播(尤其是雕版印刷等文化科技)和外来

---

① (宋)郑樵:《通志》卷二十五,浙江古籍出版社 2008 年版。

文化的深入(佛教等),逐渐瓦解了原有的文化结构和文化创生机制,以贵族作为主要承传者、以儒家思想为核心的主流文化(可概括为士族文化)受到越来越多的冲击,并逐渐地开始被质疑。越来越多的中下阶层民众接受到了更系统精深的文化教育,形成新的文化人群。在这块新开辟的文化疆域中,士族文化或因矜持,或因迟钝,并未占据主导地位。外来的文化和新生的文化开始发声,进而展示着力量,并因与士族争夺文化话语权而开始流露出对儒家文化的些许非难。这时的主流文化,包括传统的诗文创作,如果不自我革新,那么只会被动地被削弱,失去统治地位,甚者有被历史淘汰而沦亡之虞。对于文学亟须变革的问题,早在中唐即有文人敏感地意识到,进而起来倡导散文改革,即韩、柳之"古文运动"。其运动号"古文",亦以复古为号召,但韩、柳借此求索的却是中国散文在六朝贵族文人流丽骈赋之文后的再变与新生。散文如果再空谈泛论,已经不是文学的问题,而被认为是对民族文化的伤害了。所以,中唐"古文运动"的复古和初唐陈子昂等提倡的复古不同,前者力图借散文的力量来将融合古今中外营养的"新儒学文化"和"新封建"制度散播开去,干预社会当下和未来,以图文化的复振,不再是前者那种单纯的改变审美趣味和转移创作方向。故陈寅恪论韩愈时指出:

> 退之首先发现《小戴记》中《大学》一篇,阐明其说,抽象之心性与具体之政治社会组织可以融会无疑,即尽量谈心说性,兼能济世安民,虽相反而实相成,天竺为体,华夏为用,退之于此以奠定后来宋代新儒学之基础,退之固是不世出之人杰,若不受新禅宗之影响,恐亦不克臻至。①

很明显,在陈寅恪看来,道统上"谈心说性"和治政上"济世安民"才是韩文的主要目的。要知道,韩愈本是斥佛的,认为外来文化会动摇儒家文化的统治地位,进而动摇周汉以来稳定的民族文化秩序。他在《谏迎佛骨表》开篇即指出佛教文化乃"夷狄之一法",且与儒家多有背离,"口不道先王之法言,身不服先王之法行,不知君臣之义、父子之情"。尽管

---

① 陈寅恪:《金明馆丛稿初编》,上海古籍出版社1980年版,第288页。

如此,其倡导之古文及其古文传达之思想中可隐约见出外来佛教的精义。这种主张与行为上的矛盾表现出中唐文人内心中的一种极紧迫的焦虑感。他们作为时代最敏感的观者和言者,已经觉察到了持续千年的皇权—士族权力结构依照汉儒经学治国叙统的秩序的瓦解,但什么才是中国文化新的正确方向,如何确立新的文化秩序等这样的宏大难题,却是一代文人在短时间内无法回答的。同时,对旧文化传统的惯性依赖和为抵御外来文化而产生的对旧文化传统的坚持维系,也使得中唐文人难以割舍虽已衰颓但仍有根骨的旧文化。既要坚持旧的传承,又要建构新的格局,温和的汰沙淘金式革新与激烈的破旧立新式革命,无论哪一种,都需要文人在理论与实践中去尽快落实。在社会秩序的瓦解和新生过程中,强烈的文人责任心和浓挚的文化情感在紧迫的时间压力下迫使中唐文人在散文创作中放弃幻想与空谈,转而在道统和治政两方面大做文章,以"求实"之笔实现中华文化的救亡图存。因此,所谓的"古文运动",虽是散文的运动,着眼却不止于文学。如陈寅恪所言:"退之发起光大唐代古文运动,卒开后来赵宋新儒学新古文之文化运动,史证明确,则不容置疑者也。"①陈氏此言点出了两个关键:一是韩愈领导的古文运动远超文学范畴的巨大意义,确立新儒学、新古文、新文化是古文运动的目的所在;二是韩愈和古文运动承载的历史任务并未完成,赵宋后学才是古文运动的后来完成者。韩柳以古文命世,其运动亦以古文为根底,故在宋代承继其任务的主要是散文家。承续韩、柳古文,在"有为而作"的共同努力下,北宋文人完成了"以文干世"的散文实用审美的理论建设和创作实践,并以倍出之雄文为金元文人提供了模仿借鉴的作品样本。

二、有为实用之美

如前文所述,宋元文之"实"在文章和作者这两方面的表现是完全不同的,就前者言,文章要"实",即"有为实用";就后者言,文人要"实",即"道艺充实"。

---

① 陈寅恪:《金明馆丛稿初编》,上海古籍出版社 1980 年版,第 296 页。

所谓"有为实用",指的是宋元文人著文重在论政纪事、谈理讲性,他们需要通过文章来干预影响社会人心和治政道统。宋代古文先行者柳开在其《昌黎集后序》中称道韩愈时,特意点示于此,云:"先生于时作文章,讽颂规戒,答论问说,淳然一归于夫子之旨……观先生之文诗,皆用于世者也。"①因文欲用世,所以,宋元散文总是具有强烈的实用性,或要说服他人接受己之理念,或要描述史实以资治政。散文内容须有所指,论说强调逻辑,情感走向凝重,成为这一时期散文审美的重要特征,客观辩证之美成为散文"实"之美的最恰切注脚。宋元散文突破个人吟风弄月的局限,又并非是纯粹有笔无文的论证谈道。审其文章,宋元散文普遍表现出的是,在对时局治乱和道统存续等宏大命题的论述中流露出的文人情怀。这方面最具典型意义的作品是王安石的《本朝百年无事札子》(以下简称《札子》)。

治平四年(1067年),英宗驾崩,年仅18岁的太子赵顼继位,即神宗。此时北宋立国已百有八年,国虽承平,但已隐含危机。神宗于登基次年(熙宁元年,1068年)即任命素有人望、才干过人的王安石为江宁知府。几个月后,又召王安石入京为翰林学士兼侍讲。据《续资治通鉴》记载,熙宁元年四月,神宗召见王安石,并就"祖宗守天下,能百年无大变,粗致太平,以何道也"问安石。神宗数留数问,安石以翰林学士入对,《本朝百年无事札子》即写于这一背景下。《札子》以"无事"为题,而言"有事"之事,借"有事"之言,论百年无事之幸掩盖下的积弊之深。在《札子》中,他历数了北宋太祖以来历任皇帝的治绩:太祖明智,太宗聪武,真宗谦仁,各有优长,至论仁宗、英宗则直言"无有逸德"。论治政之道时,王安石将笔触集中在仁宗朝。如此发论,原因有二:一者,仁宗在位时间最长,无论是谈太平还是论积弊,事例都是最切实典型的;二者,仁宗时安石历任知县、判官等地方牧民官和集贤院知制诰等馆阁官职,对朝廷内外大小弊政的了解全面深刻。仁宗朝被目为太平,安石上万言《言事书》,神宗朝前代

---

① (宋)柳开:《昌黎集后序》,见曾枣庄、刘琳主编:《全宋文》第六册,上海辞书出版社、安徽教育出版社2006年版,第355—356页。

积弊已逐渐显露,安石却上《本朝百年无事札子》,此非纵横家故作耸人之文,其实欲以文安世,求"有为"而致"无事"。在安石看来,空言误国,发言则必有实用,故其论仁宗朝,笔笔落于实处。安石云仁宗治政仁恕、避战、刑赏、纳谏、选职,条缕剖分,全无避讳。行文先定其可,不因人废事;后斥其非,尤显持论高超。《本朝百年无事札子》中虽无一言云变法,而心情之迫,求变之切溢于言表。尤为难得的是,他在文中始终灌注的是基于深刻体察社会危机的建设性思维,话语论及问题亦跳出一帝一朝畛域,而落于对"累世因循"体制问题的反思。故文章头尾不特加雕琢,亦乏丽藻俊语,但文中宏大命题、深邃思考和仁义情怀使文章自然生发出气象雄浑、体脉阔大之美。在王安石看来,文章之事"礼教治政云尔","务为有补于世而已矣"。也就是说,王安石并不认为,文章是单纯的文字、写作技巧和作家审美内在情志的整合和凝聚,而是干预世事的工具和武器。文章可以通过紧实的文字表达,将作者意志转化为社会发展的方向,将作家内在的思维力量转化为制度变革的动力,甚至可以借助帝王对文章的认可,将个人思考转化为法律和制度。这时,原本作用于个体的、文学审美领域的、相对务虚的散文,成为实际生活中人人可见、可感、可用、可从的"实"文。此种思维及创作客观上造就了北宋雄文如律令般简严和如经典般庄重的审美效果。

　　在宋代"不得杀士大夫及上书言事者"的宽松论政气氛下,在北宋内外的种种社会危机中,在普遍认可文化的科举盛世里,北宋文人如王安石这般为文着重实际,善发议论且多借此显达者甚众。由此,宋文形成了一种"好发议论"的风气。但宋文之议论并不是六朝谈玄之文,而多是有针对性的论实之文。如郭预衡《中国散文史》所言:"论政、论兵、讲学、鸣道,成了一代文章的重要内容。"①这些论实之文的作者,在具体创作上是颇不相同的,如司马光之长于史传资政,二程、张载之重在谈理阐道,欧、苏之妙寓情理神思等。但他们在社会的不同位置或层面"将以有为",力图借助自己的作者以外的社会身份(如大儒名士、达官显贵等)将文章落

---

①　郭预衡:《中国散文史》(中),上海古籍出版社 1999 年版,第 381 页。

在实地的企图是共同的。

王安石之文是北宋"实文"的表率,其中寄托着儒家文人入世治政、济世安民的仁者情怀。就儒者为文来说,因其出仕治政,其作文的重心落在"功用"上,显出儒者"为外王表功能"的诉求,范仲淹、欧阳修、三苏等类于此。同时,北宋独特的社会环境,亦促发了大儒高士在"本体"上思考"以内圣为本质"的问题。以此为发端,张载、二程、邵雍、朱熹等儒者开出理学一派,在哲学思辨层面试图去寻找和把握民族前进的方向。虽然前者在功用,后者在本体,但文章强调求实有为却是他们的共同之处。与王安石《本朝百年无事札子》类似,宋代理学大儒的文章在条理性、逻辑性、文字的平实通顺、作文的目的指向上,都呈现出宋人承自中唐的责任感和急迫感。由此看来,宋儒文章中充溢着舍我其谁的弘道自许,若"为天地立心,为生民立命,为往圣继绝学,为万世开太平"之句每每可见。其中,以张载《西铭》可视为典型。

《西铭》原名《订顽》,是张载《正蒙·乾称》一部分,作于张载居乡横渠讲学期间,全文如下:

> 乾称父,坤称母。予兹藐焉,乃混然中处。故天地之塞,吾其体。天地之帅,吾其性。民吾同胞,物吾与也。大君者,吾父母宗子,其大臣,宗子之家相也。尊高年,所以长其长。慈孤弱,所以幼其幼。圣其合德,贤其秀也。凡天下疲癃残疾,茕独鳏寡,皆吾兄弟之颠连而无告者也。于时保之,子之翼也。乐且不忧,纯乎孝者也。违曰悖德,害仁曰贼。济恶者不才,其践形唯肖者也。知化则善述其事,穷神则善继其志。不愧屋漏为无忝,存心养性为匪懈。恶旨酒,崇伯子之顾养。育英才,颍封人之赐类。不弛劳而底豫,舜其功也。无所逃而待烹,申生其恭也。体其受而归全者,参乎! 勇于从而顺令者,伯奇也! 富贵福泽,将厚吾之生也。贫贱忧戚,庸玉汝于成也。存,吾顺事,没,吾宁也。

《西铭》在中国的哲学史和儒学史上都具有重要地位。程颐曾对之赞叹再三,云"《订顽》一篇,意极完备,乃仁之体也"[①];云"《订顽》之言,

---

① （宋)程颢、程颐:《二程遗书》,上海古籍出版社 2000 年版,第 65 页。

极纯无杂,秦、汉以来学者所未到"①。又云"据张子厚之文,醇然无出此文也。自孟子后,盖未见此书"②。朱熹曾说:"《西铭》前一段如棋盘,后一段如人下棋。有个直劈下底道理,又有个横截断底道理。"在这篇文章中,张载以宇宙论发端,以其"气化万物"之论引出"民胞物与"的观点,立论宏大,旨意庄严。下文由天地及人世,渐次论述君臣父子之宗法结构,由孝而仁,由仁而天道,终阐出"存顺没宁"之理。文章通过"事天地"的思维将"事亲之孝"与"尽天道"结合在一起,从本体的角度通过对儒家"仁孝"的解释确立儒家的宇宙观,如冯友兰所言:"此篇的真正底好处,以其从事天的观点,以看道德底事。如此看,则道德底事,又有一种超道德的意义。"③

王安石、张载之文在宋代是具有典型性的。他们的散文在创作动机上迥异文人之文。他们主要是针对现实中存在的极其重大的问题来提出前瞻性的构想,有时是制度模型,有时是哲学理念。在散文接受指向上,他们的文章是极虚又极实的。虚是说王、张文章往往超越具体问题或细节,也不针对某个具体的人或事。实的一面是说,他们的文章往往落实在当时的大问题、大危机上,因其前瞻的睿智,而在内涵上超越了时代社会的局限,指向存在本身。在文章的技法上,王、张文章重视客观阐述和逻辑结构,表达和描述居于次要,抒发基本被压缩到最小范围。由此各方面总成,以王、张为代表的一类宋文,在审美风格上具有明显的理性之美,即文章中对纯粹的道德、政治等"硬问题"的智慧阐述,对宇宙存在等"终极问题"的缜密回答,使作品生发出类似山脉、日月等宏大客观存在的感觉。当这种感觉被读者深刻体验时,读者既感觉到了横亘胸中最大难题被解决的愉悦,又体验到了作为"万物之灵"的智慧荣耀之美。其后,由此类文章带来的反思、论辩更成为无穷隽永之源。

在宋代,王安石、张载等人作文甚多,但后来研究者出于种种考虑论

---

① (宋)程颢、程颐:《二程遗书》,上海古籍出版社2000年版,第72页。
② (宋)程颢、程颐:《二程遗书》,上海古籍出版社2000年版,第88页。
③ 冯友兰:《冯友兰集》,群言出版社1993年版,第323页。

之甚少。如单纯从散文艺术看,王、张之文较欧、苏略逊,但在宋元,这类文章影响远大于欧、苏之文。尤其是理学家之文,在金元时单开出一派,如刘因、虞集等,莫不如此。降至明清,文学家之文渐衰,再未有如唐宋八大家之惊才绝艳,而承继宋元政论道统之实文法式的学者之文则越发多了起来,王、张之文的以实作文之美亦蔓延扩散,所谓"朴素庄敬"也。这些是研究宋文审美不可不察的。

三、道艺充实之美

近代以来,有学者逐渐认识到独特的宋代文化对宋代及以后的文学影响颇大。较有代表性的文化理论方面有日本学者内藤湖南提出的"宋代为中国近世之开端说",台湾学者傅乐成提出的"宋型文化说"等;①文学方面有钱锺书提出的"诗分唐宋说"等。② 晚近论及此问题,王水照《"祖宗家法"的"近代"指向与文学中的淑世精神——宋型文化与宋代文学之研究》及《情理·源流·对外文化关系——宋型文化与宋代文学之再研究》③两篇文章可称允论。上述各家虽发论有殊,但在谈到宋代文学时,均认为宋代文化造就了独特的宋人品格,宋人品格促成了宋代文学,如司马相如言:"盖世必有非常之人,然后有非常之事;有非常之事,然后有非常之功。非常者,固常人之所异也。"④因特殊的宋代文化时世,造就了独具一格的"非常之人"——"宋型文人",即内在"道艺充实"的散文家。所谓"道艺充实",非单谓宋人之性理之学、文道关系者,这个"充实",指的是宋人在"封建文化造极之世"涵养出来的文人品格和在散文创作中摸索总结的艺术规律达到了极高妙的境界。当二者汇集于文人一身时,不同于秦汉隋唐的"宋型文人"便形成了。他们以己之充实内在,论实事,作实论,明实理,显于外者在其文章"有为实用",充于内者在其

---

① 参见内藤湖南:《概括的唐宋时代观》,见刘俊文:《日本学者研究中国史论著选译》,中华书局 1992 年版;傅乐成:《唐型文化和宋型文化》,见《汉唐史论集》,台湾联经出版事业公司 1977 年版。

② 参见钱锺书:《宋诗选注》,见钱锺书:《钱锺书集》,三联书店 2001 年版。

③ 参见王水照:《当代名家学术思想文库·王水照卷》,万卷出版公司 2011 年版。

④ (汉)司马迁:《史记》,中华书局 1997 年版,第 3050 页。

文人"道艺充实"。如此内外作用,相得益彰,以雄文名家称誉前后,亦形成宋文"实"之审美意识。

道艺充实,指的是宋元散文家在道与艺两方面同时达到的充盈饱满,和道与艺在各自饱满后相互激荡砥砺形成的深厚质实。就"道实"论,宋元散文之"道",不可一概与宋元散文论争中之"道统"、"文统"等同,而"实"是宋元文人在散文论争中逐渐养成的对自身观点见解的自我坚持。自北宋始,如前文所述,秦汉以来稳固的皇权—士族体系渐趋瓦解。在旧体系瓦解的过程中,对旧体系的坚持与否定,对构建新体系的不同思维,引发了持续数百年的论争。这一时代论争,贯穿宋元社会上层建筑的方方面面,大至宇宙认知,中至性理人情,小至文章诗文。宋元散文各派之争不过是各家发声争鸣的表象,本质在于通过散文发展道路的选择,获得所谓"文统"的文学话语权,推广自家主张而已。在宋代,哲学上有关学、洛学、新学等学派纷争,学派内亦有主张之争,如"性理"之辨等;在治政上,北宋有"旧党"、"新党"之争,南宋有"主和"、"主战"之争;在文学上,有"西昆"、"太学"之争,有"明道"、"尊体"之争;在科举上,有"诗赋取士"、"经义取士"之争。可以说,宽松的舆论环境、宋代统治者"不以言擅杀上书言事者"的祖训以及"异论相搅"的统治政策、发达的台鉴文化及其衍生的宋人好发议论的社会风气,共同推动着这一"大论争"走向深入严肃,超越了时代局限,成为事实上的"新百家争鸣"。

宋元"新百家争鸣"在激烈而不残酷的气氛下展开,在各家争辩中,对自身主张的辩证性坚持是论争的一大特征。无论是关洛之争,还是新旧之争,抑或文道之争,参与者都表现出对自身观点的强烈认可和对自身主张获得更广泛认同的强烈欲望,"(他道)不能苟同"和"吾道一以贯之"一体两面同时集中在论争参与者身上。许总认为:"宋文化的特点最重要的就不仅是儒学复兴,而且在于对儒家思想价值的重新认识和发现,知识分子已不再只是儒家经义的阐释者,而同时成为其思想和主张的实践者。"①宋人对儒家经义的具体践行之一便是作文。著文以立说,正心

---

① 许总:《论理学与唐宋古文主流体系建构》,《文学评论》2005 年第 4 期。

以诚意,各家均心中一道,文风不二。作为表达的散文受此影响,呈现的是宋文各自有家数,一家一道,一以贯之,少有游移。据魏泰《东轩笔记》载:

> 沈括存中、吕惠卿吉甫、王存正仲、李常公择,治平中,同在馆下谈诗,存中曰:"韩退之诗,乃押韵之文耳,虽健美富赡,而终不近古。"吉甫曰:"诗正当如是,我谓诗人以来,未有如退之也。"正仲是存中,公择是吉甫,四人者交相诘难,久而不决,公择忽正色而谓正仲曰:"君子群而不党,君何党存中也?"正仲勃然曰:"我所见如是耳,顾岂党耶? 以我偶同存中,遂谓之党,然则君非吉甫之党乎?"一坐皆大笑。余每评诗亦多与存中合。顷年尝与王荆公评诗,余谓凡为诗,当使挹之而源不穷,咀之而味愈长,至如欧阳永叔之诗,才力敏迈,句亦健美,但恨其少余味耳。荆公曰:"不然,如'行人仰头飞鸟惊'之句,亦可谓有味矣。"然余至今思之,不见此句之佳,亦竟莫原荆公之意,信乎所言之殊,不可强同也。

沈括、吕吉甫为新党,王存、李常为旧党,但在文章宗法上,沈王同调,吕李一筹,论诗及"评韩"各不相让,绝不相同,论至难处,乃有李常出"君子小人"之言。魏泰所记虽为北宋文人轶事,但笔下"正色"、"勃然"云云者,写出宋人在文章主张上的坚持。所谓"道实",在宋人言,即"吾道"实,不可非。在宋人散文中,闲笔较魏晋盛唐少。如书信游记,也多喜论己之道理。如口头语之语录、诗话、文话、词话等散文作品,看似随便,其中观点却坚实不容转移,人物臧否毫不含糊。试看理学宗师朱熹批评韩愈、欧、苏:"韩退之、欧阳永叔,所谓扶持正学、不杂释老者也。然到得紧要处,便处置不行,便说不去,便说得来也拙,不分晓。缘他不曾去穷理,只是学作文,所以如此。东坡则杂以佛老,到急处便添入佛老,相和瞒人。如装鬼戏、放烟火相似,且遮人眼。"①崇尚文辞的一派毫不示弱。周密《浩然斋雅谈》云:"宋之文治虽盛,然诸老率崇性理,卑艺文。朱氏主程而抑苏,吕氏《文鉴》去取多朱意,故文字多遗落者,极可惜。水心叶氏云

---

① 冯青:《朱子语类学归》,江西人民出版社 2011 年版,第 137 页。

'洛学兴而文字坏',至哉言乎!"①元代虞集虽承理学文统,但在观点上颇不同于宋儒,论及宋文云:"宋之末年,说理者鄙薄文辞之丧志,而经学、文艺判为专门。士风颓弊于科举之业,岂无豪杰之出,其能不浸淫汩没于其间,而驰骋凌厉以自表者,已为难得,而宋遂亡矣。"②元代袁桷沿其师戴表元语干脆认为:"后宋百五十余年,理学兴而文艺绝。"③其文犀利如此,正在于其文希以扬己道如斯,则宋元文之"实"正在其"道实"。"道"之"实",不在"儒道",不在"文道",而在"吾道之实"。

　　"道实"以外,宋元散文的"实"之审美还应包括"艺实"。宋元文人常常使用不同的词语指代称呼散文创作领域的具体艺术,如"法"、"辞"、"笔"等。笔者以为,以"艺"名之,较为恰当。在宽容的文化环境和激烈的文化论争中,学派与学派之间、党派与党派之间的论争参与者们,不断地著书作文。他们不仅要通过文字、文章辨清道理,更要通过文字、文章完整准确地表达个人的思考。这一切都需要宋元文人娴熟掌握散文的各种精妙法门,甚至需要他们能够新创出为文的技巧。随着宋元文人在社会、政治、文化、哲学等领域认识的愈发深邃,散文需要表达的内容和它被寄托的情感就越发复杂,这迫使宋元文人愈发注重散文之"艺"。在文人的格外重视和不断创新中,从文体到修辞,从炼字到用事,宋元散文都在进步发展中形成时代风格,佳文倍出,又促进了宋元文人追求散文表达最佳化的想法,泛泛的技巧、空洞的堆砌和扭曲的创新,都在实践中不断地被抛离和否定。为文需"艺",文"艺"需"实"的意识形成且扩散开来了。

　　宋元文章在审美上的"艺实"追求并不是一蹴而就的,而是经过了"宗法前人—自出机杼—无法而有法"的渐进过程的。宋初,宋人对于散文创作技巧的摸索和掌握,主要是通过宗法前人来达成的。柳开、田锡等人多尚古文,以中唐韩、柳为宗,前文多述,自不必说。惯常以为专一作

---

① （宋）周密:《浩然斋雅谈》,见王水照编:《历代文话》,复旦大学出版社2011年版,第1120页。
② （元）虞集:《庐陵刘桂隐存稿序》,见《道园学古录》卷三三,四部丛刊本。
③ （元）袁桷:《戴先生墓志铭》,见李修生主编:《全元文》（二十三）,江苏古籍出版社1999年版,第243页。

"四六之文"的西昆体之为文,亦注重吸收前人文学营养,杨亿在《西昆酬唱集序》云:"予景德中,忝佐修书之任……因以历览遗编,研味前作,挹其芳润,发于希慕,更迭唱和,互相切劘。"此语虽言作诗,但西昆四六文风的养成与其"研味前作,挹其芳润"是有因果关系的。宋人在学习前人为文之法方面,取法广泛且胸怀阔大,北宋初还只限于中晚唐。北宋中晚时,先秦以来散文诸家,宋人几乎无不可法了。陈师道《后山诗话》于此著论颇多:

> 余以古文为三等:周为上,七国次之,汉为下。周之文雅;七国之文壮伟,其失骈;汉之文华赡,其失缓;东汉而下无取焉。

> 龙图孙学士觉,喜论文,谓退之《淮西碑》,叙如《书》,铭如《诗》。

> 退之作记,记其事尔;今之记乃论也。少游谓《醉翁亭记》亦用赋体。

> 庄、荀皆文士而有学者,其《说剑》、《成相》、《赋篇》,与屈《骚》何异。

> 国初士大夫例能四六,然用散语与故事尔。杨文公刀笔豪赡,体亦多变,而不脱唐末与五代之气。又喜用古语,以切对为工,乃进士赋体尔。欧阳少师始以文体为对属,又善叙事,不用故事陈言而文益高,次退之云。王特进暮年表奏亦工,但伤巧尔。

> 范文正公为《岳阳楼记》,用对语说时景,世以为奇。尹师鲁读之曰:"传奇体尔。"《传奇》,唐裴铏所著小说也。

根据上述记载,我们可以发现,宋人散文取法是相当广泛和宽容的,秦汉古文、儒家经典、骚体赋体、科举时文,甚至小说传奇,无不可法。宋人在广泛取法前人的艺术技巧时,主要按照作文规律进行取舍。在取舍之间,何者可师,何事可入等问题的不同判断,渐渐显出作者的己意,不同的文人开始有了不同的散文艺术主张,宋文在创作上开始呈现百家争鸣的局面。

纵观宋元诸家,"以文为道"、"以理为道"、"以气为道"、"以辞为道"、"以变为道",乃至"以道为道",均造就了作家内心中坚定扎实的文学观。各家的文学观自我构建、自我肯定、自我发展,以文阐发,以文争鸣,落在散文上,自然有了"道实"之意识灌注其中。

宋代文化领冠辽、夏、金、元诸朝,新儒学、新古文共构的新文化也在胡汉文化交流中蔓延流变,但散文总未脱出"述王道,补世事"的时代风气。宋元理学家与散文家,无论就文道关系如何争辩,其中一个"实"字却是双方共同认可的。尽管为了"实",宋元散文多了几分板重凝滞,少了些许轻灵任性,但总的说来,它是对六朝以来华夏散文的一次认真的反思与调整,在接续秦汉散文传统中,完成了中唐古文运动未完成的历史重任。中唐至宋元,散文完成了一个由提出任务到实现责任的自我进化过程。唐宋文章,也因此有了时代风格的分野。当然,朱明立朝,在所谓"汉风吹尽腥膻气"的历史大格局下,重新找回民族自信与自尊的文人乃以轻松从容之心代替了中唐以来弥漫宋元文人的焦虑,并在不断地自我肯定中发展出了以心学为代表的新儒学。在心学带动下,李贽、张岱等人的性灵之文崛起,则是中国散文审美的另一个循环了。

第四章

宋元书法审美意识

作为中国独有的艺术形式,书法是最能表现华夏审美的艺术之一。其中,独具韵味的水墨晕染、富于变化的线条结构、别致有趣的书写工具,共同构成中国书法上下承传的物质载体。但在历代书家手中,相同的笔墨纸砚却书写出截然不同的碑刻书帖,其中所表现和寄托的也完全是自己所在的时代的一代魂魄。在宋元时期,书家不仅在书法艺术层面,且在书法艺术之本体构建层面,都努力作出开拓,书法、书写和书家三位一体的书法艺术审美被确立,并走向成熟。

第一节　宋人书法的"尚意"

中国书法艺术发展至宋代,积有代变,约略言之,即前辈学人所论之"唐人尚法"转为"宋人尚意"。五代以来,法帖多散佚,笼罩于唐人谨严法度之下力图再进一步的宋代书家,在宗法前人不易的困境中放弃"惟法是求",转而摸索书法艺术在间架、笔锋等法度因素之外确可体会但无可言表的意韵之美,"尚意"者也。这一书法的时代新变,与宋时释道两家宗教哲学影响渐入书法审美领域后形成的以"书"求出世的超脱审美意识有直接关系,亦是宋以来心性之学兴起后,书家对主体重视后的必然结果。

一、何谓"尚意"

意,《说文》解为:"志也。从心察言而知意也。从心从音。"段玉裁注云:"志即识。心所识也。意之训为测度、为记。训测者、如论语毋意毋必、不逆诈、不亿不信、亿则屡中。其字俗作亿。训记者,如今人云记忆是也。其字俗作忆。大学曰。欲正其心者。先诚其意。诚谓实其心之所识也。"《广雅》解为:"意,疑也。"《玉篇》云:"意,思也。"《增韵》解为:"意,心所向也。"又《礼记·王制》有"意论轻重之序"句,郑玄注云:"意,思念也。"总上述字书训诂可知,"意"之本义约略有三:一者中心之志;二者思念;三者怀疑。此三者与书法理论家论"宋人尚意"中的"意"均有不同。

将"书"与"意"勾连于一句的,最早可见于《易·系辞上》,其云:"子曰:'书不尽言,言不尽意',然则圣人之意,其不可见乎?"其中之所谓"书"者,文字也,著作也,非书法之谓,但其中所谓"意"者,则已具有了文字形式下隐藏的意义这一内涵。由此发端,后来的文论家渐渐将文艺创作中幽微隐约的主观情思或审美感受指称为"意"。陆机《文赋》云:"意不称物,文不逮意",这里的"意"有艺术构思的含义。刘勰《文心雕龙·神思》则云:"登山则情满于山,观海则意溢于海",这里的"意"与"情"相对,有创作主体强烈的审美体验的含义。"意"之此解,绵延盛于魏晋六朝,后钟嵘《诗品序》有"意深"、"意浮"之叹,以为意之妙在"滋味",乃别出一格。魏晋六朝人对"意"的主观属性的偏好,盖与此时审美自觉有直接的关联。秦汉以来对文艺形式美的追求因其久远,在渐趋极致后有僵化之危,逢六朝社会之大苦痛并佛道思想盛行,魏晋六朝人乃省心内视,有掘发形式之深蕴者,又有寄托主体之神思者,开拓此二者,尤须摆脱"书"或"言"、"字"或"画"的形式审美干扰。以此,故魏晋六朝人极重玄而又玄的"意",书家亦不例外。因以"意"论美起于魏晋,且宋人论书多宗晋人,所以,要讨论宋人书法的"尚意",须先理清魏晋书家所谓"意"也者。

明董其昌《容台别集》论及前朝书法评曰:"晋人书取韵,唐人书取法,宋人书取意。"[①]董氏此说对清朝书家影响极大,几成书法史定论。冯班《钝吟书要》云:"晋人用理,唐人用法,宋人用意。"梁巘《评书帖》云:

---

① 转引自黄惇:《董其昌书法论注》,江苏美术出版社1993年版,第56页。

"晋尚韵,唐尚法,宋尚意,元、明尚态。"刘熙载《艺概》云:"论书者谓晋人尚意,唐人尚法。"纵观魏晋六朝书家书论,少有以"韵"论书者,反多言"意"。如成公绥《隶书体》一文论隶书指出"工巧难传,必由意晓",卫铄《笔阵图》论书法之妙时有"笔意前后"之论。至王羲之《题卫夫人〈笔阵图〉后》明确了"意"在书法艺术上的重要作用,其曰:"夫纸者阵也,笔者刀稍也,墨者鍪甲也,水砚者城池也,心意者将军也,本领者副将也,结构者谋略也,飚笔者吉凶也,出入者号令也,屈折者杀戮也。"①王羲之以战阵比拟书法,指出书法艺术的核心在于书者的"心意",进而提出"意在笔前,然后作字"的主张。不仅如此,王羲之对于"意"的重视是贯彻其作书及论书始终的。在传法王献之时,王羲之作《笔势论》欲尽言书法阃奥,篇首《创临章第一》即云"本领者将军也,心意者副将也"。如其《黄庭经》《告誓文》,王僧虔评为"骨丰肉润,入妙通灵",着眼均在右军书之"心意"。而右军论书亦多云"意",《自论书》自评云"去此二贤,仆书次之,须得书意转深,点画之间,皆有意,自有言所不尽。得其妙者,事事皆然",评王献之云"子敬飞白大有意",论草书云"君学书有意,今相与草书一卷"。以书圣特重"笔意",因此羲之以后,书家论书殊尚意。王羲之四世族孙、南朝齐书法家王僧虔专作《笔意赞》,提出"神采为上,形质次之,兼之方可绍于古人",即书法之意在于"神采"与"形质"的完美结合,尤其强调了"神采"的关键价值。在《笔意赞》中,王僧虔指出把握笔意在于"心忘于笔,手忘于书,心手达情,书不忘想"。陶弘景《与梁武帝论书启》言书法之妙有"手随意运,笔与手会"之言,对王僧虔"心手达情"作了进一步的阐释,指出"意"对书家的手之操控和笔之运转的决定作用。

历观魏晋六朝书论,言"韵"者少,几不可见,而言"意"者,多而且重,但少见书法研究者对魏晋书家所说的"笔意"的内涵作概念性的阐释。那么,魏晋六朝书家之所论"意"到底为何呢?这就要从魏晋六朝(尤其

---

① (晋)王羲之:《题卫夫人〈笔阵图〉后》,见上海书画出版社、华东师范大学古籍整理研究室选编:《历代书法论文选》,上海书画出版社1979年版,第39页。

是东晋以后)书家对秦汉书法的超越谈起。秦汉时,篆体、隶书、章草盛行,后二者均源于篆体。篆体因其产生年代久远,保有较明显的早期造字象形思维。这一特征使得篆体书法在字形、线条、间架等方面要坚持比附外物的具象思维,换言之,篆体书法要在"字像那个物"及"写得像那个字"的基础上表现书法的美感,这就使其受到形式本身的束缚和干扰较多。善隶书和章草的书家,虽已多少意识到这一问题,但因时代风气的限制及书法审美自身积淀尚不足,还无法完全摆脱或解决这一问题。魏晋六朝,汉统零落,苦痛的同时带来的是心灵的解放和对美的积极自觉的追求,各门艺术的审美自觉渐次萌生,书法也不例外。需要注意的是,魏晋六朝书法的审美自觉并非是沿循先秦两汉篆隶传统,而是在违反背离篆隶上下功夫。如王僧虔《论书》言:"亡曾祖领军洽与右军俱变古形,不尔,至今犹法钟、张。右军云:"而书遂不减吾。"①这里提到的王洽、王羲之"俱变古形",指的就是魏晋书家自创新体,摆脱篆隶的局限。正如羊欣《采古来能书人名》说"(王洽)众书通善,尤能隶、行","(王羲之)博精群法,特善草、隶"。这样看来,魏晋书法审美的自觉,首先是在书法具体表现形式上,行书、草书取代隶书而崛起,其次是书法审美上抽象美学思维取代具象美学思维的变化。总而言之,魏晋六朝书家对书法审美的判断标准和体验层次由形态深入到神态(或可称为神韵、意韵),即书法之美不能仅是对客观事物外在形态的比拟,而是对主客体内在神态的把握。如《晋书·王羲之传》论书圣隶书笔势"飘若浮云,矫若惊龙"。"笔势"的概念,汉晋书论常见,但含义有所不同。汉人蔡邕《九势》中的"笔势",一般指笔形笔法,如"藏头护尾,力在字中;下笔用力,肌肤之丽。故曰:势来不可止,势去不可遏",而晋人所言"笔势"指的是形与法以外的"神"和"韵"。《晋书》评羲之隶书笔势之语不在"龙形云态",而在其"如龙之矫"和"如云之飘",赞誉的是书家体验所获得的并以书法表现出的"龙"、"云"的"矫"和"飘",即"龙"、"云"的"意"。从魏晋六朝时期具体的书

---

① (南朝齐)王僧虔:《论书》,见上海书画出版社、华东师范大学古籍整理研究室选编:《历代书法论文选》,上海书画出版社 1979 年版,第 58 页。

法创作和书法理论著述来看,晋人所谓"意"的含义就很明白了:一方面,是在点画结构俱佳的基础上,书家对审美内蕴的把握和表现;另一方面,是书法作品通过形态(线条、结构等)唤起人类共同的审美体验。

明确了"意"在魏晋六朝书法审美中的意义内涵,使得我们对魏晋六朝书法艺术认识走向深入,同时也在书法史流变层面梳理了宋人书法"尚意"意识的历史渊源。冯班《钝吟书要》认为:"宋人用意,意在学晋人也。"①晋人尚意,故宋人学晋人,在书法上亦"尚意"。晋人尚意,故突破汉秦书法对线条和结构的讲求,而进入到书法审美内蕴的把握和表现。那么,宋人"尚意"是突破什么和追求什么呢?

要明确的是,宋人的"尚意",首先是对晋人超越秦汉书法畛域达至至高境界的追慕,是试图在书法审美规律层面体验、品味晋人书法审美真谛并把握之的结果。从中国书法历史的流变看,宋人在书法的审美创新上与晋人有相似之处:晋人急于突破秦汉,而宋人亦笼罩在唐人极高成就的阴影下;晋人突破秦汉对书法形态的强调,而宋人面对的是唐人森严法度已走到极致的困境。无论是秦汉形态还是唐人法度,都是对书法艺术有形因素的偏好,故晋人和宋人都选择了以无形而难言的"意"来中和或创新。

宋代书家追慕晋人风度,亦讲究书法之意,但仔细考察宋人,不难看到,宋人书法"尚意",不完全同于晋人。宋代书家上承唐代书法之繁盛,故其"尚意"与晋人在两方面存在不同:一方面是在宋人"见心性"哲思中生出的书法之美具有强烈的"尚己意"的倾向,即强调书中"有我",法中"有我"。晋人作书之"意",重在点画线条以外之神韵,而宋人作书之"意",则多言其超越"法度"之外的自出机杼,不合流俗。另一方面是对法度的接受与批判,此晋人未见。宋去唐不远,唐书法统法帖衰而不绝,宋人学书多承唐人宗法,所谓"划五代之芜,而追盛唐之旧法,粲然可观矣"②。

① (清)冯班:《钝吟书要》,见上海书画出版社、华东师范大学古籍整理研究室选编:《历代书法论文选》,上海书画出版社1979年版,第549—550页。
② (宋)朱长文:《续书断·宸翰述》,见上海书画出版社、华东师范大学古籍整理研究室选编:《历代书法论文选》,上海书画出版社1979年版,第321页。

故宋人作书无不笼罩在唐代书家取得的极大成就中,这与晋人作书眼界、心胸、品题远超秦汉大不相同。故宋人"尚意"中既有对唐人法度的批判,亦有对唐人法度的追摹,不若晋人另创真行那般激烈。宋人力图在点画字体等大规律不变的前提下,通过个性笔墨来表现书家的超脱个性。

由此两点,晋宋论"意"之不同,宋代书法所谓"尚意"的内涵自然显出。所谓"宋人尚意",首先是重"法中有我"之意,其次是重"书外有人"之意。"法中有我"是宋人书法不同于其他时代的诸般特色成就的最根本原因,也是宋代书家在审美意识上的最明显表现,即由法入,以法求意,而后得意,意即我也;而"书外有人"则是中国书法审美第一次意识到了书法艺术的价值存在——以创作极臻完美的水墨点画的抽象图谱来表现"人之美",或道德人格,或性理人心,书法再非图笔墨纸砚耳。在宋人尚意的这两方面中,前者表于外,后者蓄于内,表于外者根发于内,蓄于内者神彰于外,互为表里,同生同构,成就宋人尚意的完整内涵。

二、宋人书法审美的"法中有我"

20世纪初期,日本学者内藤湖南提出宋代为中国"近世"开端之观点,他说:"(宋代)学术文艺的性质亦有明显变化,经学由重师法、疏不破注变为疑古,以己意解经;文学由注重形式的四六体演变为自由表现的散文体,诗、词、曲等亦都由注重形式转为自己发挥,总而言之,贵族式的文学一变而为庶民式的文学,音乐、艺术等亦莫不如此。"[①]在内藤氏看来,作为"近代中国"开端的宋代,最明显的变化就是宋人对自我的关注、认可和张扬。从这个说法来看,宋人书法审美"尚意"最明显的表现就是,其书法创作和书法创作中体现出的宋人"法中有我"的审美意识。从书法审美流变上看,宋元书法审美中的"法中有我"意识,是书法艺术经历上古先秦、两汉的自发性审美走向魏晋、唐的审美自觉后的结果,是在继

---

① ［日］内藤湖南:《概括的唐宋时代观》,见刘俊文:《日本学者研究中国史论著选译》,中华书局1992年版。

承和揣摩晋唐法度的基础上,书家向更自由的审美境界迈进的必然。"法中有我"的审美意识首先表明宋人坚持"书须有法"的传统,但更重要的是,宋人不迷信法度,以自我趣味为旨归,以书写"我"之心意性情,方是书法之美的审美意识。

在书法审美史上,上古至晋唐可谓由"无法"到"有法",再到"重法"的阶段。中国书法的产生发展是与中国文字发展史相同步的,早在甲骨金石之文时,其点画锲刻和排列结构就可以看出书者寄寓其中的审美趣味。尽管如此,早期文字所承担的主要功能仍是以统一的符号体系完成意义的沟通和传达。这要求文字应以尽量少的文字符号来描述大千世界的方方面面,所谓"观象取法,依类象形"。因此,文字的构字思维是摒弃书者的个人趣味,通过抽象思维来表现外物的共性特征,整合文字形成符号的组织规律来帮助使用文字者形成认知可能。这就是说,认知和表达等实用功能在早期文字中是超越审美功能的。这时,书者的"我"是最小化的,也是书者自身所刻意压抑的。尽管如此,文字写得整齐规矩,线条深浅如一,也符合文字发展过程中对体系化和规律化的要求,这客观上也形成了一种美。因此,《毛公鼎铭文》这样的早期金石文字构成的"艺术作品"是依然存在的。

次后篆隶新体至萌生,一者在于书者思维进化,抽象构字能力增强,服务于认知和表达的文字笔画的简省可行且必然;二者在于点画锲刻费力耗时,为省人力计,更抽象的、笔画更少的简化字体应运而生。因为更为抽象和简化,所以文字本身与所指向的意义在形式上的共同点减少,直接基于象形指事的形式理解只能作为文字解读的一小部分,取而代之的是大量字形与意义的密码对应式的强制约定(某字不像某物某事,但它指的就是某物某事),文字的认知过程开始严重依赖人的辨识和记忆能力。这时,文字不仅要书写的整齐,且要符合线条构图的客观规律,如此方才便于辨识认知。线条,而非图像成为文字的主要组成。往往因某线条的书写,形成不同的文字,这样就产生了对文字书写能力的客观要求,有的书写者因操控线条能力出众开始成为"善书者"。如此,不同书写者的书写,表现的不仅是文字,也表现出了不同书写者的主体属性。性情与书写的关系开始形成,即蔡邕《笔论》所言的"任情恣性,然后书之"。由此,对于书家主体在书写过程中赋予文字美的内涵的作用,渐渐被发现并给予肯定。

　　魏晋六朝,书画大盛,人物品评之风大盛,书法名家多出于高门豪族。这时的书法审美、书法批评深受魏晋人物品评体系的影响,随之而生的是书法审美中兴起的"生命意识"。在书法的创作上,生命意识表现为书法努力捕捉和表现那些自然存在却难以直接把握的生命律动。在批评上,生命意识表现为书法应外求肌肤筋骨,内蕴风姿神韵的批评观。这时,比附于人成为书法艺术批评的常用方法。但此时亦是佛道玄虚之学盛行的时代,合于自然或天人合一的思维流入书法审美领域,导致书家认可的"书之主宰",并非是"这个此在的自然人",而是宇宙的最高理念——"道",书家的"我"只有合于"道"的那部分才被确认为书法艺术审美的关键。最明确的主张这一观点的是王羲之。王羲之在《记白云先生书诀》中首先完成了对书法本体的诠释:"书之气,必达乎道,同混元之理。七宝齐贵,万古能名。阳气明则华壁立,阴气太则风神生。"[①]这里的"气"应该是书法审美属于书者主体的关键之一,但它需要"达乎道"才能确立。对于这样的主张,魏晋乃至唐代的书家基本认同。虞世南在《笔髓论·契妙》中写道:"心悟于至道,则书契于无为。字虽有质,迹本无为,禀阴阳而动静,体万物以成形,达性通变,其常不主。故知书道玄妙,必资神遇,不可以力求也。"孙过庭《书谱》提出:"同自然之妙有,非力运之能成。"张怀瓘的相关论述就更多,他在《书断》中说,"得之自然,意不在乎笔墨",在《书议》中说,"是以无为而用,同自然之功;物类其形,得造化之理。皆不知其然也。可以心契,不可以言宣",在《书断·序》中说,"书之为征,期合乎道"。上述书论中出现的"不以力求"、"非力运能成"、"皆不知其然",都指出了唐代书家对逸少"气达乎道"书论的继承,都阐述了书法审美中人的主观局限,也都包含了突破极限须通过将书写

---

　　① （晋）王羲之:《记白云先生书诀》,见上海书画出版社、华东师范大学古籍整理研究室选编:《历代书法论文选》,上海书画出版社1979年版,第37页。

者之情志融入"书法之美"的自然造化才能完成的思维。所以,晋唐书法看到了书写主体在书法审美中的作用,但其理论着力点在于书法审美的根本在于书法审美理念中的至境,"我"的存在也好,法的构建也好,都是要服务于此的。

宋人则不然。无论是魏晋六朝书家对自然的迷恋,还是唐人对极严整法度的构建,都无法阻止宋人对书家主体性的张扬。肯定"我",甚至崇拜"我",在宋代书家中是常见之事。尤其值得注意的是,宋代书家往往惯常从书写规律的反处发论以见意,苏轼云:"凡世之所贵,必贵其难。真书难于飘扬,草书难于严重,大字难于结密而无间,小字难于宽绰而有余。"①黄庭坚论书言"肥字须要有骨,瘦字须要有肉"②,米芾云"大字要如小字,小字要如大字"③。这种对相对概念的反向强调,一方面可以看出,宋人在传统辩证审美意识(如《老子》"长短相形,高下相倾"等)基础上的以均衡和谐为书法之美的意识;另一方面亦可见出,宋人书法审美中以反常之美求得个人风格的努力。在宋代书家看来,书法最大的不美在于盲目落入前人的法度。书法如大者大,小者小,全无个人心意安排,唯恐一笔一画与法度背离,则书"多拘忌,成一种俗气"④。这种俗气是书法之最大弊病,以其无我,故黄庭坚指出"余尝言,士大夫处世可以百为,唯不可俗,俗便不可医也"⑤。何以"俗不可医"? 根本原因在于书家"法"从"形"中生出,其内核是被书法史认可的成功作品。但作品并非艺术本身,从作品中推导归纳出来的"法",如脱离了人的因素,只是一种"虚拟物",而失去了价值。如果书家唯法度是从,既是纤毫不差,也只"得形

① (宋)苏轼:《论书》,见上海书画出版社、华东师范大学古籍整理研究室选编:《历代书法论文选》,上海书画出版社 1979 年版,第 314 页。

② (宋)黄庭坚:《论书》,见上海书画出版社、华东师范大学古籍整理研究室选编:《历代书法论文选》,上海书画出版社 1979 年版,第 355 页。

③ (宋)米芾:《海岳名言》,见上海书画出版社、华东师范大学古籍整理研究室选编:《历代书法论文选》,上海书画出版社 1979 年版,第 361 页。

④ (宋)黄庭坚:《论书》,见上海书画出版社、华东师范大学古籍整理研究室选编:《历代书法论文选》,上海书画出版社 1979 年版,第 354 页。

⑤ (宋)黄庭坚:《论书》,见上海书画出版社、华东师范大学古籍整理研究室选编:《历代书法论文选》,上海书画出版社 1979 年版,第 355 页。

似",他失去的是创作及审美中的主体地位及作为主体的独特审美体验，他所能留下的和感受到的只有"法"及"依法"的字。这样的创作无疑是违背艺术一般规律的。

试以宋人书法冠冕的"苏黄米蔡"为例论之。以往研究者常常认为蔡襄处宋代书法"尚意"之风兴起以前，且有"书须重法"的言论，故而蔡襄是纯粹地"重法"，这其实是不全面的。细审蔡襄书论，其《论书》云："学书之要，唯取神气为佳，若模象体势，虽形似而无精神，乃不知书者所为耳。尝观石鼓文爱其古质，物象形势有遗思焉。及得原叔鼎器铭，又知古之篆文或多或省或移之左右上下，唯其意之所欲，然亦有工拙，秦汉以来裁得一体，故古文所见止此，惜哉！"①蔡襄此论，提出宋人的"神气说"，明确反对"形似而无精神"，肯定古人书法成就的取得是因其"意之所欲"。由此观之，蔡襄对书者主体的作用是肯定的。蔡襄虽为"四家"之末，但年龄长于苏、黄、米，书坛成名也比其他三人早，其"神气说"未必没有启发宋人"尚意"风气之处。

蔡襄之后，书坛继之而起的是苏轼。苏轼既是北宋诗文一代宗师，又是宋代书法"四家"之一。在他的身上和书法作品中，那种独特的文人书家特重己之心意性情的味道是十分明显的。从某种意义上来说，他可算得上宋人作书"尚意"、崇尚"法中有我"的第一人。苏轼非不重法，而是认为法度是限制书家创新的障碍。只有发扬"我意"，才可去除障碍。在苏轼的书论中，有关"我"的表述是极多的。在《石苍舒醉墨堂》中他自言："吾虽不善书，晓书莫如我。苟能通其意，常谓不学可"，又云"我书意造本无法，点画信手烦推求"②。其《评书》则说："吾书曾不佳，然自出新意，不践古人，是一快也。"③不仅书论如此，就其书法创作来看，对"我之心意"的表达亦十分明显，比较典型的是其《黄州

---

① （宋）蔡襄《论书》，见崔尔平选编：《历代书法论文选续编》，上海书画出版社 1993 年版，第 50 页。

② （宋）苏轼：《苏轼诗集合注》，（清）冯应榴辑注，黄任轲、朱怀春校点，上海古籍出版社 2001 年版，第 220 页。

③ 苏轼：《论书》，见上海书画出版社、华东师范大学古籍整理研究室选编：《历代书法论文选》，上海书画出版社 1979 年版，第 315 页。

寒食诗帖》。

在宋代，受"学而优则仕"思想的影响，儒家士人群体与政治官僚阶层往往是重合的，尤其是士人中的杰出者，虽时有穷达显隐，但完全脱离政治权力干扰的少而又少。因为身份的重合，士人的生活与政治的运行往往互相渗透。政治的层级性、政权的严肃性、政治斗争的残酷、官场上的虚伪狡诈，通过士人对政治的参与进入到士人的生活及相关的艺术审美领域，苏轼与"乌台诗案"就是这方面的典型案例。黄州贬谪生活，不仅影响了苏轼文诗文创作，在其书法上亦留下不可磨灭之印痕。神宗元丰二年（1079 年），苏轼坐"乌台诗案"贬为黄州团练副使。居黄州第三年，作《寒食诗》五言二首，诗云：

> 自我来黄州，已过三寒食。年年欲惜春，春去不容惜。今年又苦雨，两月秋萧瑟。卧闻海棠花，泥污燕脂雪。暗中偷负去，夜半真有力。何殊病少年，病起头已白。

> 春江欲入户，雨势来不已。小屋如渔舟，濛濛水云里。空庖煮寒菜，破灶烧湿苇。那知是寒食，但见乌衔纸。君门深九重，坟墓在万里。也拟哭途穷，死灰吹不起。①

苏轼自书上二诗之书帖，即书法史赞誉的"天下第三行书"——《黄州寒食诗帖》。此帖起笔平常，稍显拘谨，至"年年"长竖，点顿，流出书者自制之意。从"萧瑟"开始，字形渐大，"海棠花"、"燕支雪"字形相对，书者求工整的构图还是刻意的。但自"春江"句起，字形忽然大起来，仿佛全不顾上半部分，线条亦随而加粗。要知道苏轼因"用笔丰腴，结体圆肥"，时人有"墨猪"之讥。苏轼虽解为"短长肥瘠各有态，玉环飞燕谁敢憎"②，但在用墨薄厚还是比较注意的。而于《寒食帖》中，"春江"句以下笔力加重，线条肥厚，全不顾忌，抛开对技法和法度的刻摹，随性任气，运时世之感兴入书，反成"本色独造"之深境。尤其是，"水"之撇捺，得颜鲁

---

① （宋）苏轼：《苏轼诗集合注》，（清）冯应榴辑注，黄任轲、朱怀春校点，上海古籍出版社 2001 年版，第 1081—1082 页。
② （宋）苏轼：《苏轼诗集合注》，（清）冯应榴辑注，黄任轲、朱怀春校点，上海古籍出版社 2001 年版，第 348 页。

公之意而又不似,"苇"、"纸"二字之直竖,一作折钗,一作悬针,"掣笔极有力",真难得之笔!"破灶"、"途穷"字体特大,恐非书者有意为之,但观者触目必入,恰成"无意为佳"之处。全帖瘦硬刚劲,绵中如裹铁线,正是中岁苏轼其人之真写照。黄山谷曾笑称苏书"石压虾蟆",以苏书多"横扁",见此帖亦不得不承认"此书兼颜鲁公、杨少师、李西台笔意"①。纵观此帖,上半刻意求法而显拘谨,但法度对书者真性情遭遇的压制使得书者胸中苦闷若不能发,累积至书之半途,终不能蓄,以"银瓶乍破、铁骑突出"之势写出,苦闷孤寂,充溢不止。苏轼此帖必欲"写我",使人"知我"不观自得,以意运笔,成"宋人尚意"之典范,亦不失为一代之杰。

黄庭坚"与张耒、陈师道、秦观俱游苏轼门,天下称为四学士"②。在书法的外在形态上,黄庭坚与他的老师不甚相同,山谷字体狭,东坡字横扁,二人互有"树梢挂蛇"和"石压虾蟆"之讥。但在书法"尚意"方面,尤其是"法中有我"上,二人见解类似。黄庭坚认为学书需宗前人,但刻规镂矩是不行的,认为:"《兰亭》虽真行书之宗,然不必一笔一画为准。"③在研读揣摩前人法帖的过程中,黄庭坚发现,单纯考虑个别佳"法",反而会使书"多拘忌",使得书"成俗气"。他指出,对于前人书帖,真正要学习的是,学者通过"自得"而把握到的书帖之"不传之妙"。黄庭坚认为,学书需要书法中要有自我,要以"自成一家"、书中有意作为书法审美的判断标准之一。所谓"随人作计终后人,自成一家始逼真"④。这个"自",就是"法中有我"的我啊!或许有人会怀疑,黄庭坚所说的"自成一家"和"逼真"是否是矛盾的。如仔细辨析,我们可以明了二者看似矛盾,实为一理。山谷的"自"讲的是书法要写"我"之精

---

① (宋)黄庭坚:《题苏轼寒食帖跋》,见刘佳编:《中华书法大全集》,高等教育出版社2010年版,第163页。

② (元)脱脱等:《宋史》,中华书局1977年版,第13110页。

③ (宋)黄庭坚:《论书》,见上海书画出版社、华东师范大学古籍整理研究室选编:《历代书法论文选》,上海书画出版社1979年版,第353页。

④ (朱)黄庭坚:《题乐毅论后》,(宋)黄庭坚:《黄庭坚全集》,刘琳、李勇先、王蓉贵校点,四川大学出版社2001年版,第712页。

神，而"逼真"并非点画同于古人，而是对书法之美的认识在精神上的相通契合。故康有为评价黄庭坚："宋人书以山谷为最，变化无端，深得《兰亭》三昧。至其神韵绝俗，出于《鹤铭》而加新理，则以篆笔为之，吾目之曰'行篆'，以配颜、杨焉。"①康南海"深得《兰亭》三昧"云云，点出的是山谷书法"逼真"的一面，而"加新理"者，却道出了山谷书"神韵绝俗"的根本原因，这不正说明了黄庭坚对"我"的发扬是其书法审美的核心吗？

米芾为宋四家之最晚者，亦被目为书法史上的怪异之才。在苏、黄书法一意"见我"的导流下，其"法中有我"的倾向更趋加强。他一面诋斥前人，"自柳世始有俗书"，"欧、虞、褚、柳、颜，皆一笔书也。安排费工，岂能垂世"，"张颠交颜真卿谬法"，更言"古无真大字"；一面自誉己字，"自古及今，余不敏，实得之"，"真有飞动之势也"，"意足我自足，放笔一戏空"②。他通过抑古扬己的极端理论正式宣告了宋人法外求新，唯"我"无他的书法审美新趣。

苏、黄、米之后，宋人在"有我"的道路上越走越远，乃至越唐宗晋，完成了"有我"审美在书法宗脉上的寻根之旅。南宋姜夔《续书谱》重论唐书、唐法时已不分良莠，概言"唐人以书判取士，而士大夫字书，类有科举习气。颜鲁公作《干禄字书》，是其证也。矧欧、虞、颜、柳，前后相望，故唐人下笔，应规入矩无复魏晋飘逸之气。且字之长短、大小、斜正、疏密，天然不齐，孰能一之？"姜夔此语，一者点出了唐人书法之官场气，二者点出了唐人重法之不合理，三者说出了追慕晋人的缘由。这时，宋人通过对自我的张扬，借助书写性情，完成了书法审美在本体上的迁转，由晋唐时以文字书写为书法，转为以"我法"、"我体"为书法，由以点画线条为书法审美对象，转为以书合心手为审美对象，书法的审美标准也由以书法作品为主转向了书人合一的观念。

---

①　（清）康有为：《广艺舟双楫》卷六，见姜义华、张荣华编校：《康有为全集》（第一集），中国人民大学出版社 2007 年版，第 305 页。

②　（宋）米芾：《海岳名言》，见上海书画出版社、华东师范大学古籍整理研究室选编：《历代书法论文选》，上海书画出版社 1979 年版，第 361—363 页。

三、宋人书法审美的"书外有人"

如果说宋人书法审美"尚意"的最明显表现是"法中有我",那么,在更深层面支撑"法中有我"的,就是宋人及宋人书法审美内部鼓荡着的"书外有人"。简言之,宋人书法的"书外有人",指的是宋人不再将纯粹的笔墨纸砚、线条点画作为书法审美的全部,而是将上述外物与书者的审美趣味、人格修养和人生际遇互参互证,建立了书人同构的书法审美范式。"人"的意义内涵及其指向在中国古典美学中是极其复杂的。但"书外有人"的"人"不可简单地理解为书家的主观意志(包括其对书法的审美理解和审美感受),他不合于流俗,不囿于法度,不同于他者,是宋代士人审美趣味自我圆融完全成熟后形成的道德之人和乐趣之人,是宋人超越书法审美外物藩篱后华夏书法审美扩张之新疆域、新境界。

将书写之人视为书法审美活动的构成,并非是书法审美的固有习惯,它是书法流变进程中书法审美逐渐自觉的结果。两汉魏晋时,汉儒提出的"天人理论"作为当时社会的主流学说,得到了书法家的普遍认同。在"天人理论"中,"天"是"宇宙间所有秩序的本原和依据",也是"人之成为人的本原和依据"。① 故而,通过书法完成"天"的表现,成为书法家的至高追求,合于天道的书法也被认为是书法审美的理想境界。在书法中,作为人类的人性等普遍概念在"天人同构"的解释中被融入对天道自然的书写中,而书写者个体则往往自动充当了天道自然的观察者和表现者。可以认为,这时的书法审美是不包括对书法家本身的审美的,因为,书者将自身首先限定为书法审美活动中的客体参与,而非审美构成。同时我们也要看到,两汉魏晋还是贵族文化统领社会的时代,文化及艺术审美的教育尚未普及,西周分封制流风所致之世家文化和郡望文化造就了大量贵族豪门,具有较高审美能力的书法家基本出身贵族阶层或世家豪门,此时的书法家如蔡邕、王羲之父子等无不如此。因此,这时的书法审美中渗透着源于贵族文化的对社会的疏离和俯视。从流传的法帖看,无论是

---

① 葛兆光:《中国思想史》,复旦大学出版社 2005 年版,第 260 页。

《平复帖》还是《丧乱帖》,抑或《兰亭集序》、《中秋帖》、《伯远帖》,书帖内容多为贵族生活经历体验,这是后世书法家及书法评论家较难产生共鸣的内容,这可能也是中国书法审美在此时不视书者为书法审美活动一部分的一个原因。

隋唐五代时期,出于统治需要,统治者有意识地削弱和摧破魏晋以来严格的氏族门第文化。打破旧制度的同时,唐代亦大力建设适合时代需要的新制度,如三省六部、科举取士等。这就使得原来被隔离于文化艺术之外的庶民中之一部分通过文化普及而跳出中下阶层,逐渐组成了上层社会中贵族以外的官僚士人阶层。在这期间,科举起到的作用非常大。唐人权德舆说:"自开元、天宝间,万户砥平,仕进者以文讲业,无他蹊径。"①在这场前所未有的社会制度和阶级构成的大变革中,书法艺术及书法审美深受影响。首先是国子监列书学为六学之一,设书学博士主持;然后是以书取士,书为六科之一;在官吏选拔上,以"身言书判"为评定依据。书学大兴,远超前朝。因学书之人众多,且魏晋及本朝书法高妙,唐人学书不再是魏晋时家族传授及个人参悟法帖碑刻,而是在规律和本质层面认识书法,总结书法之普遍规律。以法作书,强调"思通楷则"、"学成规法",反对"任笔成体",以此达到最大便利地传授书法技艺之目的。法虽由人而生,但它只是人的造物,而非人本身。故而,唐代虽有书家论及性情,但总的看,唐人书法审美中主要强调的是书法的风格,书家之个性还是服从于法度的。

宋代是儒学大兴之时代,亦是诗词文学的盛世;是物阜民丰之世,亦是文化普及之世。故而,宋代之长于书法者往往兼官员、文人和书法家三种身份于一身。书者这样的身份属性使得他们在书法审美上形成了与前朝不同的意识与思维。基于吸取晚唐五代治乱教训的考虑,宋代统治者实施了"扬文抑武"的统治政策。为配合文官队伍的建设,宋代大力推进社会文化建设,进一步扩大科举的范围和规模。在上层的推动下,整个社会形成崇文尚雅的风气,学者文人在全社会的推崇中在文化建设上攀至

① (唐)权德舆:《王公(端)神道碑铭并序》,见《权载之文集》卷十七。

封建社会之高峰。《宋史·艺文志序》载:"宋有天下先后三百余年,考其治化之污隆,风气之离合,虽不足以拟伦三代,然其时君汲汲于道艺,辅治之臣莫不以经术为先务,学士搢绅先生,谈道德性命之学,不绝于口,岂不彬彬乎进于周之文哉! 宋之不竞,或以为文胜之弊,遂归咎焉,此以功利为言,未必知道者之论也。"①《宋史·选举志序》亦云:"神宗始罢诸科,而分经义、诗赋以取士,其后遵行,未之有改。自仁宗命郡县建学,而熙宁以来,其法浸备,学校之设遍天下,而海内文治彬彬矣。"②这样,宋代书法主要参与者的社会文化环境发生了巨大变化,文人书法家取代了晋时的贵族书法家、唐代的官僚书法家,而这样的文人书法家在宋代哲学新变化的影响下,对书法的看法开始发生变化。

考察宋代哲学,儒、释、道各家均十分重视对人的本体阐述。此时的佛家"文字禅"也开始注意人与书法的关系,并认为人心是书法的本源。宋代书僧"黄牛禅师"惟政云:"书,心画也,作意则不妙耳!"③这明显是对五代书僧昙光"书发于心源"④理论的进一步发扬。宋儒改变汉唐"天人两分"的思维,以为"性,即理也",认为人是"以天地万物为一体"的。只有正确认识人,才可以正确认识世间万物,"以天地万物为一体,莫非己也。认得为己,何所不至?"⑤哲学上对"人"的发现和重视,使得宋人开始关注书写者道德人格与书法审美之间的关系,进而形成"书人同构"的书法审美结构和"书人一品"的书法审美标准体系。

宋代较早关注书法审美与书者道德人格关系的是石介与欧阳修,在这个问题上两人有过一次争论,朱弁《曲洧旧闻》卷九载之甚详,兹录于下:

---

① (元)脱脱等:《宋史》,中华书局1977年版,第5031页。

② (元)脱脱等:《宋史》,中华书局1977年版,第3604页。

③ (宋)慧洪:《题昭默自笔小参》,见《石门文字禅》,兰吉富主编:《禅宗全书》第95册,台北文殊出版社1988年版,第354页。

④ 见苏颂《题送昙光序》:"光论书法:'犹释氏心印,发于心源,成于了悟,非口手可传。'此诚知书者。然当时名称如此,而独不闻于后世,笔迹绝少传者,岂唐人能书者多,如光辈湮没无闻,不知几何人耶? 观诸公称誉之言,盖非常常僧流也。"(苏颂:《苏魏公文集》卷七十二,文渊阁《四库全书》影印本,第1092册,第757页)

⑤ (宋)程颢、程颐:《二程集》,中华书局2004年版,第1170页。

　　欧阳文忠公《外集》载《与石公操推官》二书,言尝见其二石刻之
字险怪,讥其欲为异以自高。公操,即守道也。今《徂徕集》中,犹见
其答书,大略皆谰词自解,至谓书乃六艺之一,虽善于钟王虞柳,不过
一艺而已,吾文所学,乃尧舜周孔之道,不必善书也。文忠复之曰:
"《周礼》六艺有六书之学,其点画曲直,皆有其说。今以其直者为
斜,方者为圆,而曰我蔑行尧舜周孔之道,此甚不可也。譬如设馔于
案,加帽于首,正襟而坐然后食者,此世人常尔。若其纳足于帽,反衣
而衣,坐于案上以饭,实酒卮而食,曰:我行尧舜周孔之道,可乎? 不
可也。"此言诚中其病。守道字画,世不复见,即尝被之金石,必非率
而为者。即其答书之词而观之,其强项不服义,设为高论,以文过拒
人之态,犹可想见。①

　　石欧之争中,二者争论的重点本在"故作怪书行道可否"的问题,但
论争的出现,侧面说明无论是石介还是欧阳修,都认同书法审美与书者的
道德诉求密切相关,但此时书者的道德人格还没有明确地出现在书法审
美品评的视野中。

　　随着宋人书学批评体系的逐渐成熟,书法品评应审视书者道德人格
的审美意识逐渐确立。书者的道德人格等内在精神逐渐成为书法审美的
有机组成,形成了审美视野上的新"书—人"关系,即"书人同构"的理论
体系。宋人"书外有人"中的道德人格审美,不是简单地将书者人品与书
法作品联合起来进行体验,而是以德行为纽带沟通人与书法,同时观照彼
此之间的复杂作用,从而在基于"道德感兴"的思维中建立起了新的
"书—人"关系,构建了"书人同构"的审美图景。

　　首先,宋人提出了书者的道德修养及人格力量与书法审美相互作用
的理论。在宋人讨论习练书法的文献中,谈论书法成就与书者道德人格
关系的文字记载极多。欧阳修在《笔说·世人作肥字说》中云:"古之人
皆能书,独其人之贤者传遂远。然后世不推此,但务于书,不知前日工书,

---

　　① (宋)朱弁:《曲洧旧闻》卷九,见上海古籍出版社编:《宋元笔记小说大观》(三),
上海古籍出版社 2001 年版,第 3023 页。

随与纸墨泯弃者,不可胜数也。使颜公书虽不佳,后世见者必宝也。杨凝式以直言谏其父,其节见于艰危。李建中清慎温雅,爱其书者,兼取其为人也。"①首次提出了"爱书兼取其人"的将书法与书者为人同时纳入审美视野的欣赏理论。这样就将书法审美由单纯赏书扩展到了"书外有人"的范畴。此后,朱长文作《续书断》进一步将君子道德人格与书法审美联系起来作品评,指出二者之间存在着互相促进的积极作用。其评虞世南云:"貌儒谨,外若不胜衣,而学术渊博,论议持正,无少阿询,其中抗烈,不可夺也。故其为书,气秀色润,意和笔调,然而合含刚特,谨守法度,柔而莫读,如其为人。"②其评颜真卿云:"鲁公可谓忠烈之臣也,而不居庙堂宰天下,唐之中叶卒多故而不克兴,惜哉! 其发于笔翰,则刚毅雄特,体严法备,如忠臣义士,正色立朝,临大节而不可夺也。扬子云以书为心画,于鲁公信矣。"③这里大量的表因果的词语,如"故"、"发于笔翰"等,这说明宋人已经形成了书者道德与书法审美之间关系建构的认识,以及以人为核心的道德人格审美批评。这也从另一个角度解释了宋人对唐代颜柳的评价和宗法大相径庭的现象。在宋代,范仲淹在书法史上首次提出"颜筋柳骨"的说法,将颜柳书法并列。但宋人学颜多于学柳,评颜高于评柳,以颜书为入门正宗,其中的原委不仅是基于颜鲁公神妙书法的考虑,亦是受其高尚人格的感召。

其次,宋人认为书法是儒家进行人格修养的一种重要方式,通过修习书法可以深刻体悟人之正道,进而促进君子人格之养成。苏轼云:"书有工拙,而君子小人之心,不可乱也。"④此处他指出,书法之工拙并非书法审美之全部内容,其中蕴含着可感受的"君子小人之心",因此书者不可不慎重。在《题鲁公帖》中,苏轼对这一观点作了进一步说明:"吾观颜公

---

① 乔志强:《中国古代书法理论解读》,上海人民美术出版社 2012 年版,第 37 页。
② (宋)朱长文:《续书断》,见上海书画出版社、华东师范大学古籍整理研究室:《历代书法论文选》,上海书画出版社 1979 年版,第 328 页。
③ (宋)朱长文:《续书断》,见上海书画出版社、华东师范大学古籍整理研究室:《历代书法论文选》,上海书画出版社 1979 年版,第 323—324 页。
④ (宋)苏轼:《论书》,见上海书画出版社、华东师范大学古籍整理研究室选编:《历代书法论文选》,上海书画出版社 1979 年版,第 314 页。

书,未尝不想其风采,非徒得其为人而已,凛乎若见其消卢祀而叱希烈,何也? 其理与韩非窃斧之说无异。"①苏轼认为书法之道德审美不仅仅在创作欣赏领域发生作用,且可以由美而及善,通过极富形象的笔墨使人"想其风采",进而激发人对于儒家道德的向往,起到感染教化的作用。如此,宋人将"书外有人"的理论进一步丰富,形成了书者以书感发人心,使观者力行儒道的审美反射(或反映)机制。故朱长文《续书断》认为:"盖随其所感之事,所会之兴,善于书者,可以观而知之。"②黄庭坚云:"余观颜尚书死李希烈时壁间所题字,泫然流涕。鲁公文昭武烈,与日月争光可也……我思鲁公英气,如对生面。岂直要与曹、李争长邪!"③需要注意的是,黄庭坚观颜字,欣赏的是其"英气",激发出的是对颜真卿与曹(蜍)李(志)正邪不两立、不可同日而语的儒家情怀。此时,书法作品形式本身已不能涵盖书法审美的全部,通过书者情感寄寓和个人风格流露出的书者道德人格成为宋代书法审美的重要内容。

第三,宋人将书法作品及书法风格中流露(或寄寓)的书者道德人格作为书法审美评价标准的重要组成部分。长久以来,书法的审美标准都停留在书法的本体层面,可约略概括为以笔墨纸砚为载体的点画线条和书者独会于心的神韵风致两方面。但在宋代,随着宋代理学的扩散,源于"道即理也"的美善一体论也影响到书法领域。至南宋,朱熹干脆将书者之道德人格作为书法审美的主要考量。据《式古堂书画汇考》卷二载朱熹自述:"余少时喜学曹孟德书,时刘共公方学颜真卿书,余以字书古今诮之,共父正色谓余曰:'我所学者唐之忠臣,公所学者汉之篡贼耳。'余嘿然亡以应,是则取法不可以不端也。"④在相当一部分宋代书者看来,书法的风格、字体的流变等审美形式不应成为书法审美判断标准的全部,书

---

① (宋)苏轼撰,李之亮笺注:《苏轼文集编年笺注》,巴蜀书社 2011 年版,第 489 页。

② (宋)朱长文:《续书断》,见上海书画出版社、华东师范大学古籍整理研究室:《历代书法论文选》,上海书画出版社 1979 年版,第 324 页。

③ (宋)黄庭坚:《跋颜鲁公壁间题》,见郑永晓整理:《黄庭坚全集辑校编年》,江西人民出版社 2008 年版,第 1578 页。

④ (宋)朱熹:《朱文公论书》,见(清)卞永誉纂:《式古堂书画汇考》卷二,鉴古书社本。

法家的道德人格修养才是书法审美批评的根本指标。如黄庭坚所言："学书须要胸中有道义,又广之以圣哲之学,书乃可贵。若其灵府无程,政使笔墨不减元常、逸少,只是俗人耳。"①这样,宋人改变了中国书法史上论点画、贵风流、崇法度的审美评价体系,而是将感性的"书如其人"理念植入书法审美判断标准之中。尽管这种"书人相系"的观点有时显得主观随意,但因顺应了儒家美学,因此在后来的书法审美流变中被广泛地接受继承,如明代"苏、黄、米、蔡"中"蔡"为谁的道德推定,以至明以后"学书先贵立品"、"作书先须作人"等观点几成书法界的共识。更深一层看,这一评价体系的出现,既改变了前代书家书法的历史坐标,也突破了宗唐只重法度的形式主义倾向,实际上确立了一套以道德人格为纲领的书法审美品评标准。

在"尚意"思维推动道德批评进入书法审美领域的同时,宋人书法批评范畴内的书写者由单纯的书写之人变为道德之人,成为宋人书法审美的一部分,但这并非宋代"书外有人"书法审美意识的全部。宋人书法力图将"人"纳入其审美,但人是复杂的,他不仅是理性思维下的"道德之人",亦是极具感性色彩的"乐趣之人"。因此,宋人以书法高标人之道德,亦以书见人之乐趣,二者相合,方可见出"人"之全貌。当然,宋人的乐趣内涵很复杂,它有晋人之风流、唐人之气象的影子和痕迹,又没有停留于此,而是宋人在"宋型文化"中涵养生发出的书写之趣和文人情怀的综合。

宋代外弱内稳,所谓"太平日久,人物繁阜",经济发达且优待文人。随着儒家文人群体的日渐庞大,稳定而有序的文人阶层成为社会的中坚力量。这些士人处江湖则悠闲自得,居庙堂则雍容雅正,于生活中形成一种以"高、清、雅"为特征,以"玩、乐、趣"为目的的文人审美。受此影响,书法审美自然而然地发生了改变,随着文人趣味的渗入,书者之乐趣渐被视为书之美,以书法为乐,得书法之趣的书者由此成为"乐趣之人"进入

---

① （宋）黄庭坚:《书缯卷后》,见上海书画出版社、华东师范大学古籍整理研究室选编:《历代书法论文选》,上海书画出版社 1979 年版,第 355 页。

书法审美中。

在宋代，引发以书为乐潮流的先行者是宋太宗。朱长文《墨池编》卷九《宸翰述》载：

> 太宗方在跃渊，留神墨妙，断行片简，已为时人所宝。及既即位，区内砥平，朝廷燕宁，万机之暇，手不释卷，学书至于夜分，而凤兴如常。以生知之敏识，而继博学之不倦，巧倍前古，体兼数妙，英气奇采，飞动超举，圣神绝艺，无得而名焉。帝善篆、隶、草、行、飞白、八分，而草书冠绝，尝草书《千文》，勒石于秘阁。又八分《千文》及大飞白数尺以颁辅弼，当世工书者莫不叹服。上尝语近臣曰："朕君临天下，亦有何事于笔砚，特中心好耳。江东人能小草，累召诘之，殊不知向背也。小草字学难究，飞白笔势罕工，吾亦恐自此废绝矣。"①

太宗对书法的偏爱是宋代书风大盛的诱因之一，故而，他"以书为乐"的书法观，也深深地影响了宋人对书法审美的认识。仁宗时，主盟文坛的欧阳修时以笔墨娱情。他在《试笔·学书作故事》自云："苏子美尝言：明窗净几，笔砚纸墨，皆极精良，亦自是人生一乐。然能得此乐者甚稀，其不为外物移其好者，又特稀也。余晚知此趣，恨字体不工，不能到古人佳处，若以为乐，则自是有余。"②在这段文字中，欧阳修将书法之美区别为两种，一种是带有玩赏性质的书写行为本身，主要表现为对雅致环境的体验和精致文具的把玩。这种审美活动不要求书写者能够写出高妙精湛的书法，其中所激发的并非是书法艺术之美，而是文人书写之美。在他看来，在纸砚之间挥洒笔墨是文人雅士独得之乐，品味其中，心性情怀才是首要的审美体验，法度字体在真性情与人生乐境的比照下反在其次了。另一种才是一般意义上的书法艺术，要求"字体工"，最好能"得古人佳处"，需要漫长的浸润、专业的天分和艰苦的练习，如此方可获得。欧阳修很明显是倾向于前一种的，并以得文人书写之乐而自得意。因为欧阳修在宋代

---

① （宋）朱长文：《续书断》，见上海书画出版社、华东师范大学古籍整理研究室选编：《历代书法论文选》，上海书画出版社1979年版，第321页。

② （宋）欧阳修：《学书为乐》，见张春林编：《欧阳修全集》，中国文史出版社1999年版，第917页。

文坛的崇高地位,又因其论述深合宋人心性审美规律,他的这种书法审美观不仅深刻地影响了宋代书法审美,且奠定了宋人寻求"书外有人"之审美的思维基础。

在欧阳修之后,宋人之书家渐渐开始将学者文人之学问情性渗入书法审美领域,将书法之审美渐次延伸扩展到书写之乐的审美及书写之人的独特风致之美。如苏轼为"宋四家"之杰出者,在宋人看来,其书法之美并不限于其高妙的书法水平和极具个人风格的书法作品,他在书写中的趣事及文人情怀亦显出一代书家之不凡。试以《曲洧旧闻》记苏轼书法笔记二则观之,可见出宋人书法审美是如何以"人"为美的。

> 东坡在儋耳,因试笔,尝自书云:吾始至南海,环视天水无际,凄然伤之,曰:"何时得出此岛耶? 已而思之,天地在积水中,九州在大瀛海中,中国在少海中,有生孰不在岛者。覆盆水于地,芥浮于水,蚁附于芥,茫然不知所济。少焉水涸,蚁即径去,见其类出涕曰:'几不复与子相见!'岂知俯仰之间,有方轨八达之路乎! 念此可以一笑。"戊寅九月十二日,与客饮薄酒,小醉,信笔书此纸。

> 东坡云:"遇天色明暖,笔砚和畅,便宜作草书数纸,非独以适吾意,亦使百年之后与我同病者有以发之也。"张长史怀素得草书三味,圣宋文物之盛,未有以嗣之,惟蔡君谟颇有法度,然而未放心,与东坡相上下耳。[①]

在这两则笔记中,朱弁称道的不是苏轼之书法的艺术造诣、作品风格乃至字体法度,他欣赏并记录的是苏轼的作书之由来、书帖之内容、书家之言论举止。朱弁欲以此记录传达给读者的是,书法家苏轼在坎坷宦途和独特的人生际遇中形成的通脱豪迈和这种书家气质赋予书写行为的独特文人之美。这时,苏轼书法的墨之浓淡、笔之顺逆、字之间架结构、帖的安排布局已经不是书法之美的核心了,取而代之的是书写之人的遭际、气度及

---

① (宋)朱弁:《曲洧旧闻》卷九,见上海古籍出版社编:《宋元笔记小说大观》(三),上海古籍出版社 2001 年版,第 2991 页。

由此生发的风姿趣味了。

　　因看重书法以外的"人"，宋人不再将书写水平当作书法审美判断的唯一标准，书家品行、书法作品及书写行为成为书法审美批评同时关注的对象，部分书法家甚至将书法审美与人之趣味雅俗视为一体。因重人而慎书，因慎书而显出书之庄重、人之品格，书因人成，书以人贵，非人因书成，以书为名的书法观在宋代成为书家之普遍共识。《曲洧旧闻》卷一载：

　　　　蔡君谟得字法于宋宣献，宣献为西京留守时，君谟其幕官也。嵩山会善寺有君谟从宣献留题尚存。东坡评本朝书以君谟为第一，仁宗尤爱之，御制元舅陇西王碑文，诏君谟书之。其后，命学士撰温成皇后碑文，又欲诏君谟书。君谟曰："此待诏之所职也，吾其可为哉？"遂力辞之。①

文中蔡襄所言之"待诏"，应指太宗时设立的御书院中的书法家或翰林侍书等，其中不乏以书名世之人，如王著、吕文仲等。但蔡襄并不认为纯粹的书法艺术家可与自己相提并论，也不认为书写是可以随意进行的。蔡襄虽然擅长书法，但因其为文臣，非专以书法事君，故极力推辞。蔡襄的这一举动是宋人极为称道的，朱长文《续书断》在评价蔡襄时特拈出此事大笔称誉。他说："及学士撰《温成皇后碑文》，敕书之，君谟辞不肯书，曰：'此待诏职也。儒者之工书，所以自游息焉，岂若一技夫役役哉！'古今能自重其书者，惟王献之与君谟耳。"②自重其书者中王献之指的是晋太康中新起太极殿，谢安"欲使子敬题榜，以为万世宝，而难言之，乃说韦仲将题凌云台事"。子敬知其意，乃正色曰："仲将魏之大臣，宁有此事？使其若此，知魏德之不长。"谢安遂不之逼。事见张怀瓘《书断》中。王献之不轻易与人书，在于尊贵，与蔡襄不同。蔡襄对书法品格的认识摆脱了"技"的范畴，他认为书法是儒者"游息"之为，是君子品格养成之道，亦有

---

　　①　（宋）朱弁：《曲洧旧闻》卷九，见上海古籍出版社编：《宋元笔记小说大观》（三），上海古籍出版社 2001 年版，第 2964 页。

　　②　（宋）朱长文：《续书断》，见上海书画出版社、华东师范大学古籍整理研究室选编：《历代书法论文选》，上海书画出版社 1979 年版，第 336 页。

独特的文人之乐孕育其中。《礼记·学记》云:"君子之于学也,藏焉,修焉,息焉,游焉。"蔡襄认为儒者修习书法并非是为了追求书法艺术,而是因为书法可使儒者自得其乐,于"藏修"之余"游息"。书法既与社会评价无关,亦与书法艺术水平高低无关,而是"儒者自得"。

单单关注书法而不重视书者之道德趣味是极不符合宋人之书法审美的。在宋人看来,"书特一艺而圣贤之余事耳"。在书法艺术审美内核层面,法度与书家自我的深度结合后形成的独具个性的书法风格是宋人认可的书法之美;就书法艺术审美整体而言,书写行为、书法艺术、书家之道德趣味三者合一,方是书法审美的全部。在宋人心性之学的开启中,中国书法审美呈现出"以人为本"的观照态势,书法审美也由碑帖作品、书法技巧等单纯的物的审美,扩展到了对书写行为、书家个人的综合体验。可以说,中国的书法艺术审美的完整形态正是在宋人手中成熟的。

第二节　元人书法的复古与"尚态"

北宋"靖康之耻"后,天下南北两分,金宋对峙,书法宗向也因朝代地域的不同渐趋两分。金代书家宗法苏、黄,得北宋余气;南宋书家因天家喜好而翕宗逸少黄、米,然不免颓靡。至元一统南北,于不到百年间而有赵松雪横空出世,鲜于伯机、邓匪石雁行于后,以复"古法古意"为则,天下响应者众,书风弥荡一代,北宋"尚意"十不存八九。由救宋世之弊起,元人在宗法晋唐中极力回归"书法正途"。但书法终以华夏文化为根底,在蒙元不重汉文化的大环境下,元代书家的个人努力及复古的号召显得孤单薄弱,如无根之浮萍显出些许柔态。在复古的主观努力和大环境逼迫形成的柔态的矛盾中,元代书法为明代书家的时代之路奠定了根基。

一、元人书法的"复古"

在讨论元代书法全面复古之前,我们首先要区分清楚"复古"与书法艺术史中的"师古"。因为二者都需要宗法前人而常被混淆。

书法是一门需要熟悉多种人文素养才能修习的艺术,它的产生和认知需要一定的文字学知识,在具体书写中需要平面艺术(包括绘画、雕刻等)的素养。笔墨纸砚等书写工具具有复杂的物理性(如笔锋之刚柔、水墨之晕染、纸质之滑涩等),因而也要求书写者了解其不同特性及细微差异。以上困难决定了书法艺术的高门槛,仅凭个人而无师者点拨教导,习者往往无门可入,无法可循。因此,名师的教导是书法之习练者开始修习的必备前提和基础。以羲献父子为例,王门羲献父子传法,羲之特作《笔势论》十二章传献之,且在《笔势论序》着意点出:"父不亲教,自古有之。今述《笔势论》一篇,开汝之悟……贻尔藏之,勿播于外,缄之秘之,不可示诸友。穷研篆籀,功省而易成,篆集精专,形而势显。存意学者,两月可见其功;无灵性者,百日亦知其本。此之笔论,或谓家宝家珍,学而秘之,世有名誉。"①儒家认为"父子之教"有伤人伦,因此自古有"父不教子"的传统②,但王羲之不顾传统仍作《笔势论》十二章开悟献之,实在是因为书法"变体处多,罕臻其本;转笔处众,莫识其源。悬针垂露之踪,难为体制,扬波腾气之势,足可迷人",如无名师指点,后学实无门径可窥。王氏书学有家传渊源,名师唾手可得,他人无家门依傍,只能另寻他途以解迷津。如此,"师师"者或拜师名家,或观碑刻,各以门径登堂而入室。在师法的过程中,书家大多认同"转益多师"的理论,力图打破单一门派风格的局限,获得最大程度的艺术启示。而书家的"转益多师"往往不受时代的局限,他们将师法的目光更多地放在对前辈名家的学习上。通过对留存的碑刻法帖的临写揣摩,书家往往不仅把握的是前辈名家笔墨点画的奥秘,而且保留和吸收了前代的审美情趣。因后学对前辈名家高妙的书法艺术及审美趣味的向往,宗法前人往往会在后学书家那里形成师古的

---

① (晋)王羲之:《笔势论・序》,见上海书画出版社、华东师范大学古籍整理研究室选编:《历代书法论文选》,上海书画出版社1979年版,第29—30页。

② 《孟子・离娄》:公孙丑曰:"君子之不教子,何也?"孟子曰:"势不行也。教者必以正,以正不行,继之以怒。继之以怒,则反夷矣。'夫子教我以正,夫子未出于正也。'则是父子相夷也。父子相夷,则恶矣。古者易子而教之,父子之间不责善。责善则离,离则不祥莫大焉。"

主张。可以说,师古是书法艺术对修习者提出的客观要求,也是秦以后的书法家的共同认识。

复古则是书法师古的一种特殊类型,它不仅仅是单纯地从古人那里汲取艺术营养,而是希望在宗法古人的过程中形成与复古对象类似的艺术风格,再现复古对象的艺术取向,以图在其所处的"当代"树立起一个由复古者充当的"艺术典范"。复古者通过最大限度地接近复古对象来唤起同时代书法修习者对复古对象及其艺术风格的倾慕和模仿,以此来达到在"当代"重现其所敬仰的时代风格的目的,并在古代经典的号召下,改变不良的书法习气。书法上复古与师古最大的不同在于两个方面:一是宗法前人的目的不同。师古者宗法前人的目的在为形成个人风格提供艺术启发,而复古者宗法前人的目的在于为所处时代的艺术创作提供理想模板;二是宗法前人的结果不同。师古者以古为师而不囿于古,自出机杼者多,有天分者更能熔古今于一炉而超迈前人师者。如王羲之书从卫夫人学,草书师张芝,正书得力钟繇,而王僧虔《论书》言"右军俱变古形,不尔,至今犹法钟、张"。但师古者也存在着对前代经典的怀疑,有时会走向批判和否定,这也容易导致错失前代书法遗产的问题。复古者不然,其日夜临帖,甚者,临作与前人法帖真伪难辨,在极力求相似中,古代经典的养分与复古者的努力集合,在恰当的时机中,有时会产生极富古典美的"当代"书法。从美学角度看,这种复古形成的书法"古典美"与师古者的独占风流的个性美之间是难分高下的。元代书家共学赵孟頫就是典型事例。赵孟頫以一人笼罩元代书坛,"根抵钟王,而出入晋唐",倡导笔学古人,书须则古,字当有古意。有元一代,书家不受孟頫影响者几希,形成元代书法整体复古的时代风潮。以实论之,元之复古实为赵氏之复古,故于赵松雪不可不细论深审。如潘伯鹰先生《中国书法简论》所言:"看清楚了赵孟頫,方能领会元朝这一时代的书法,如若对他缺少真知灼见,不但不能了解书法的传统如何归结到他的趋势,也不能了解他以后书法传统的流变。"①

————————

① 潘伯鹰:《中国书法简论》(增订本),上海人民出版社 1981 年版,第 130 页。

赵孟頫(1254—1322年)字子昂,号松雪道人、别署水精宫道人、鸥波,浙江吴兴(今浙江湖州)人,人称赵吴兴,生于南宋宝祐二年,卒于元英宗至治二年。赵孟頫为宋太祖嫡子秦王赵德芳十世孙,五世祖秀安僖王是南宋第二代皇帝孝宗的父亲,四世祖赵伯圭为孝宗之弟。历官翰林学士承旨、集贤学士,封荣禄大夫,故世又称赵学士、赵承旨、赵集贤、赵荣禄。卒后受追封魏国公,谥文敏,故后世也称其为赵魏国、赵文敏。

1279年,崖山海战大败,末帝蹈海,南宋灭亡。25岁的赵孟頫身为赵宋帝胄,闲居湖州家中,苦研学问,并沉浸于诗文书画之中,常和当地文人逸士相往还,与钱选等人一时号称“吴兴八俊”。元至元二十三年,经御史程钜夫荐举,赵孟頫北上大都应世祖召见。次年,授兵部郎中。二十七年,迁集贤直学士。二十九年,自请出京,任济南路总管府事。成宗元贞元年春,被召回京修《世祖实录》,八月即辞病归吴兴。大德二年春,又被召入大都书写金字《大藏经》。大德三年,任江浙儒学提举,至大二年任满,迁泰州尹,但未上任。翌年,入京,拜翰林侍读学士,寻擢集贤侍讲学士。武宗至大三年,时为太子的爱育黎拔力八达再召赵孟頫入京,已知天命的赵孟頫再赴大都。在此次赴大都的途中,赵写下了著名的《兰亭十三跋》。武宗驾崩,爱育黎拔力八达继位,是为仁宗。仁宗崇儒而好书,赵孟頫因此再得宠遇。至大四年,孟頫升为集贤侍讲学士,中奉大夫,官从二品。皇庆二年六月,又升至翰林侍讲学士,同年十一月转集贤侍读学士正奉大夫。次年十二月升集贤学士、资德大夫正二品。仁宗延祐三年七月,再拜翰林学士承旨、荣禄大夫、知制诰兼修国史从一品,官至一品,推恩三代。英宗至治二年六月,赵孟頫无疾而终于湖州故里,逝世当日“犹观书作字,谈笑如常时”①。

元代文风薄弱,唐以来士人进身之阶的科举长期被停止。居于江

---

① (元)杨载:《赵公行状》,见(元)赵孟頫:《赵孟頫集》,任道斌校点,浙江古籍出版社1986年版,第275页。

南的南宋文人被划为"南人",处在社会的最底层。但蒙元统治者多笃信佛教,多次征召汉人书法家抄写佛经。赵孟頫以前朝帝胄之身而历二朝,以南人书法家之表率官至一品,事蒙元五帝而不失荣宠,实属难得。从其生平遭遇看,他的成功给久沉下僚而不甘心的汉人士子一个进身的希望,即"以书得官"。爱好书法的程钜夫举荐赵孟頫入京得官,赵孟頫又通过书法将更多的南方书法家举荐入朝。最有名的一次是大德二年赵孟頫应诏入京书写金字《藏经》。此次入大都写经,成宗"许举能书者自随。赵首荐邓文原及金寿之、邱子正等二十余人进京"①。据杨载《赵公行状》:"书毕,所举廿余人,皆受赐得官。"②此次进京的大获成功成就了赵孟頫元代书坛领袖的地位,也在其他书家的思维中留下了学赵书可得帝王恩宠的印象。虽然在书坛内部,赵孟頫的书法成就早已得到推崇。早在至元二十八年,赵孟頫书《过秦论》,鲜于枢作跋即云:"子昂篆、隶、真、行、颠草为当代第一,小楷又为子昂诸书第一。"③但大德二年的入京写经,朝廷点名赵孟頫荐举书家,而南方善书者纷纷景从。孟頫友人方回作《送赵子昂提调写金经》纪念此事,诗中写道:"不合自以艺能累,天下善书今第一。魏晋《力命》、《王略》帖,摹临有过无不及。真行草外工篆隶,兼有(文)与可、(李)伯时癖。小者士庶携卷轴,大者王侯掷缣帛。门前踏断铁门限,苦向王孙觅真迹。"④从方回的诗作看,此时的赵孟頫不仅是帝王心目中的书家第一,即在书坛内部,桀骜的书家们也往往一致肯定了赵孟頫的超迈绝伦。在带领书家入京写经的事件中,赵孟頫已成为当之无愧的朝野公认的书坛领袖了。

那么,作为元代书坛领袖的赵孟頫所倡导的书法之美是什么呢?他

---

① (元)杨载:《赵公行状》,见(元)赵孟頫:《赵孟頫集》,任道斌校点,浙江古籍出版社 1986 年版,第 273 页。

② (元)杨载:《赵公行状》,见(元)赵孟頫:《赵孟頫集》,任道斌校点,浙江古籍出版社 1986 年版,第 273 页。

③ (元)鲜于枢:《赵荣禄书过秦论卷跋》,见(清)卞永誉纂:《式古堂书画汇考》卷十六,鉴古书社本。

④ (元)方回:《桐江续集》卷二十四,四库全书本。

的书法美学与元代书法复古之间又有怎样的关系呢？回答这些问题，需要先从其书论入手：

> 右将军王羲之……当为晋室第一流人品，奈何其名为能书所掩耶？书，心画也，百世之下，观其笔法正锋，腕力遒劲。即同其人品。所惜溺意东土，放情山水，功名事业，止是而已。抑以晋室元气数有在也？晋之政事无足言者，而右军之书，千古不灭……孟頫倾心，师□□历多载。虽谬为时辈所推，而圣明在侧，抚心自愧！大德二年孟夏，适过翼之斋中，出示此帖，二十有九字，圆转如珠，瘦不露筋，肥不没骨，可云尽善尽美矣。

> ——跋王羲之《七月帖》

> （王羲之）总百家之功，极众体之妙，传子献之，超轶特甚。

> ——《阁帖跋》

> 至于圣翰，沉潜展玩，留心多矣。

> ——《思陵书孝经》

> 我时学钟法，写君先墓石。

> ——《哀鲜于伯几》

> 有志于书法者，心力已竭而不能进，见古名书而长一倍。余见此（东坡书《醉翁亭记》），岂止一倍而已。

> ——《题东坡书醉翁亭记》

> 若令子弟辈，自小便习二王楷法，如《黄庭》、《画赞》、《洛神》、《保母》，不令一豪俗态先入为主，如是而书不佳，吾未之信也……尚使书学二王，忠节似颜，亦复何伤？

> ——《与王子庆札》

在其重要书论《兰亭十三跋》中，赵孟頫写道：

> 昔人得古刻数行，专心而学之，便可名世。况兰亭是右军得意书，学之不已，何患不过人耶？

> 学书在玩味古人法帖，悉知其用笔之意，乃为有益。

> 书法以用笔为上，而结字亦须用工，盖结字因时相传，用笔千古不易。右军字势古法一变，其雄秀之气出于天然，故古今以为师法。

齐、梁间人结字非不古,而乏俊气,此又存乎其人,然古法终不可
失也。

从以上文献分析,赵孟頫的书法主张是很明确的:第一是书当宗法晋人,
尤其是二王,但对前辈名家如颜鲁公、苏东坡亦稍借鉴。第二是学书强调
古意古法,不尚己意,反对学书随俗。第三他认为学书最好的办法是通过
玩味临摹古人书帖来把握古人,学习的关键在于用笔得当。学书为何以
"复古"为法,复古为何以"宗晋"为正宗?赵孟頫给出了自己的回答,"用
笔千古不易","(王羲之)总百家之功,极众体之妙"。他认为,书法艺术
有其自身基本的艺术规律,即"用笔"。这些艺术规律是基于书写的客观
情况逐渐形成的,不因时代的变化而有所改变。同时,这些规律也承载着
书法艺术的审美本质。在具体的书法创作中,王羲之对这些书法艺术本
质规律掌握得最为完整,表现得最为典型,流传下来的右军书法具有书法
艺术规范的性质,为后代学书者树立了最佳师范对象。通过临写揣摩右
军书帖可学习右军书法,而学习右军书法可最为直接便利地掌握书法艺
术的基本规律和审美本质。亦可通过右军书法建立标准的书法审美批评
体系,合于右军者从之,不合右军者斥之。元代书坛欲提振风气,扫清南
宋以来书法积弊,最需要的并不是某些书法家的自出机杼和天才扬厉,而
是整体向古代经典(如晋之二王)的回归。就其主张和具体创作而言,赵
孟頫尝试通过对书法艺术中的古代经典追摹来找回书法的本质,其书论
甚至可以说是书法理论中的一种古典主义。"赵孟頫的古典主义,就是
要让书画这一艺术形式在历史中保持永恒的生命,把表现艺术中具有典
型而规范意义的东西,留予后世经常回顾,并成为一种凝聚和维持艺术传
统的力量。"①

　　赵孟頫个人对于晋人书法的回归因其社会地位和书坛领袖的身份得
到了元代大量书家的认同,在元代,迅速掀起了一场宗晋复古之风。在这
场风潮的涤荡下,唐法还稍有书家留意,宋人"尚意求我"之书法多被贬

_____

　　①　范斌、马青云:《赵孟頫古典主义艺术的内涵与形态》,《浙江社会科学》2005 年
第 4 期。

斥,金代以来北方多学"颜书"的做法被迅速廓清,书法艺术整体进入"宗晋复古"的时代。在元代"宗晋复古"中,书家主张虽各有不同,但远宗晋人(尤其是钟王)、近推松雪的宗法倾向是基本相同的。与赵孟頫同列"元初三大家"的鲜于枢的书法创作亦不脱"宗晋复古"倾向。赵孟頫在鲜于枢《御史箴卷》题跋赞曰:"伯机书,笔笔有古法,足为至宝。"就前代书家评价,鲜于伯机心宗二王。他对于王右军之章草是这样评价的:"右军云:吾书比之张草,犹当雁行。观此,乃知右军之言诚为过谦。"其对赵孟頫的推崇可参见前文。"元初三大家"之邓文原,书亦复古。《书史会要》评其书云:"邓文原正行草书,早法二王,后法李北海。"①吴澄评其书法"字法遒媚,与赵承旨(赵孟頫)伯仲"。

　　随着复古书风的形成,对宗晋复古的认同及对赵孟頫本人的推崇愈发扬厉。元末卢熊甚至发出这样的议论:"书法自唐颜、柳以来,多尚筋骨而乏风韵,然务筋骨者则失于狂躁,喜风韵者则过于软媚,求其兼善而适中者,亦难矣。至宋李建中、蔡君谟辈追踪六朝,见称于时,论者犹谓未能尽善。本朝赵魏公识趣高远,跨越古人,根抵钟王,而出入晋唐,不为近代习尚所窘束,海内书法为之一变。"②纵观元代百年,赵孟頫引领元代书家完成了书法对晋人的复古回归。与并倡复古的同辈书家鲜于枢,弟子俞和、张雨,其亲友邓文原、周驰、王蒙、虞集,得赵推荐入朝为官的钱良右、朱德润,以及私淑其人的郭畀,都在不同层面受到赵孟頫的影响,走向宗晋复古。考虑到明代不少书家对赵氏的服膺,我们甚至可以说,赵孟頫对书法艺术的个人偏好及艺术主张,影响了元明两朝的书法"宗晋"的审美趣味。

　　对于赵孟頫及元代书法复古我们不想评价其正确与否,但从书法审美意识的发展看,其可视为是中国书法美学的一次转折。这次转折有两方面的表现:一是肯定晋人书法的经典地位,确立书法宗晋的审美旨归,初步形成了晋胜于唐,唐胜于宋的书法审美史评判结论;二是对

---

　　① (元)陶宗仪:《书史会要》,上海书店出版社1984年版,第306页。
　　② (元)卢熊:《赵魏公二帖跋》,见(清)卞永誉纂:《式古堂书画汇考》卷十六,鉴古书社本。

宋人书法"以我意"为美的不足之处的反思和批驳,对书法审美共性与个性的关系问题提出了自己的看法。中国书法成熟于魏晋六朝,书家于世家风流间得书法意韵,至隋唐五代为一大变,唐人书家以不世气象之雄心成就谨严法度,与六朝之风流意韵可谓并美。值得注意的是,唐人虽极赞晋人书法,但在具体创作上却呈现强烈的时代个性,其书论主张及审美追求与晋人有根本区别,即"唐人重法"。从唐人起,中国书法审美越来越多地表现为一种自重求新的审美意识。这种审美意识是这样的:书法家尊重学习前人经典,努力全面继承前代书法的艺术养分,但书法之美一定源于书家自我个性,书法美集中表现为书法个人风格,笔笔不脱前人是没有书法美可言的。这种自重求新的意识发展到宋代,如我们前文所说的,出现了"尚意"书风,以苏、黄、米、蔡为代表的北宋书家在尊重书法艺术本质和继承晋唐书法的基础上,以个人天分为基,以宋人心性之学为指引,发展出"重我"的书法,在晋人意韵和唐人法度外又别开一生面。但宋人书法创新与唐人有所不同,唐人书法之创新不仅是书家天才的创造,而且是书法本质与审美规律的体现。宋人书法创新似乎不是这样,在宋人书论中,"我意"为审美之首要考量。如书法独造则无不暗合天机,书法艺术的本质及其基本原则自然不是"我意"的限制。在宋人看来,"我意"与书法美的本质似乎是一而二、二而一的。从两宋书法的实际看,具有天分的书法家在"我意"的指导下可以走出新路,其"我意而无法"确实是自然而然地符合了书法艺术的审美根本的,如苏、黄、米、蔡宋四家。但这种审美追求严重依赖书家个人天分和个人对书法极致之美的不懈追求。如冯班《钝吟书要》所言:"宋人作书,多取新意,然意须从本领中来。"如书家缺乏天分和不懈努力的话,书法创作还能否再现北宋四家的盛况?从宋金的书法创作看,答案是否定的。无论是金还是南宋,北宋四家的书法及其以"我意"为美的主张都没有得到很好的继承,不但如苏、黄、米、蔡的书法家没有再次出现,而且,失去优秀书家引领的金宋书坛整体进入了低谷。高宗赵构曾叹道:"余四十年间,每作字,因欲鼓动士类,为一代操瓢之盛,以六朝江左皆南中大夫,而书名显著非一。岂谓今非若比,视书漠然,略不为意?果时移事异,习尚亦与之污隆,不可力回也。"①高宗此言,明确指出南宋时学书"习尚"已发生变化,南宋书法家数量已大幅减少。即习书者对于宋四家的追摹,也大多仅得皮毛,神理气韵无从谈起。如学米芾者,高宗指出:"以米芾收六朝翰墨,副在毫端,故沉着痛快,如乘骏马,进退裕如,不烦鞭勒,无不当人意。然鼓效其他者,不过得外貌,高视阔步,气韵轩昂,殊不究其中本六朝妙处酝酿,风骨自然超逸也。"②就后来的书法史家看,苏、黄、米、蔡诚一代之雄,但由于一般人往往缺乏苏、黄、米、蔡的笔力与胸怀,单纯"尚意",实书法之歧路。清冯班对宋人书法的评价是:"宋人多用新意,自以为过唐人,实不及也。"③钱泳《书学》云:"宋人门类少,蔡、苏、黄、米,俱有毛疵。""宋四家皆不可学,学之辄有病,苏、黄、米三家尤不可学,学之不可医也。"④

按明宋濂所言,高宗书是赵孟頫前期书法的主要宗法对象,"盖公之字法凡屡变,初临思陵,后取则钟繇及羲、献,末复留意李北海"⑤。对高宗所引起的南宋书法由盛而衰的现象,我们推测赵孟頫是无法不对其有所感触的。虽然我们无法从文献上直接了解赵孟頫对宋季书法的具体看法,但从元明书法史家对宋金书法低谷的评价⑥,我们可以看出,赵孟頫及其引领的书法复古审美风潮,正是要以树立晋人书法的审美取向来涤荡宋人的积弊。此一破一立,一正一反,第一次从书法史的角度提出了书法审美上"复古与创新"的关系问题,赵孟頫也通过宗晋复古构建起了元

---

① （宋）赵构:《翰墨志》,见上海书画出版社、华东师范大学古籍整理研究室选编:《历代书法论文选》,上海书画出版社 1979 年版,第 367 页。

② （宋）赵构:《翰墨志》,见上海书画出版社、华东师范大学古籍整理研究室选编:《历代书法论文选》,上海书画出版社 1979 年版,第 368 页。

③ （清）冯班:《钝吟书要》,见上海书画出版社、华东师范大学古籍整理研究室选编:《历代书法论文选》,上海书画出版社 1979 年版,第 549 页。

④ （清）钱泳:《书学》,见上海书画出版社、华东师范大学古籍整理研究室选编:《历代书法论文选》,上海书画出版社 1979 年版,第 623 页。

⑤ （明）宋濂:《题赵魏公书〈大洞真经〉》,见罗月霞主编:《宋濂全集》,浙江古籍出版社 1999 年版,第 759 页。

⑥ 如明陆深《俨山集》云:"书法敝于宋季,元兴,作者有功,而以赵吴兴、鲜于渔阳为巨擘。"清冯班《钝吟书要》云:"宋人用意,意在学晋人也。意不周匝则病生,此时代所压。赵松雪更用法,而参之宋人之意,上追二王,后人不及矣,为奴书之论者不知也。"

人书法的审美批评体系。尽管这一体系有自身的局限,但确实在书法发展史上有溯源、正本、清流的作用,诚如冯班言"松雪正是子孙之守家法者"①。

二、元人书法的"尚态"

既然元人在书法上崇尚宗晋复古之美,我们很自然地会产生一个新的问题:元人宗晋排宋,以古法古意号召,那么,元人在宗晋复古中究竟将师法的重点放在了晋人书法的哪里? 或者说,晋人书法如何影响了元代书法及书家之审美? 在检阅后来的书法家对元代书法及元人书法家的评价时,我们发现,在肯定赵孟頫及元人书家复古的同时,各家都提到了"元人书法尚态"的特征:

> 唐贤求之筋力轨度,其过也,严而谨矣;宋贤求之意气精神,其过也,纵而肆矣;元贤求性情体态,其过也,温而柔矣。
>
> ——项穆:《书法雅言》

> 晋人尚韵,唐人尚法,宋人尚意,元明尚态。唐太宗作书,全行以逸气。学书者见太宗字,而后始敢放笔。
>
> ——梁巘:《承晋斋积闻录》

> 予极不喜赵子昂,薄其人遂恶其书。近细视之,亦未可厚非。熟媚绰约,自是贱态。润秀圆转,尚属正脉。盖自《兰亭》内稍变而至此。与时高下,亦由气运,不独文章然也。
>
> ——傅山:《字训》

> 赵孟頫——文徵明——董其昌,这是元明尚态的一条历史线索。他们的书法都上追晋唐,力求雅韵,然而又都圆媚,姿致横生,带有不同程度的时俗特色。
>
> ——金学智:《中国书法美学》

以上节列之后人对元人书法的评价是相当统一的,他们都注意到并强调

---

① (清)冯班:《钝吟书要》,见上海书画出版社、华东师范大学古籍整理研究室选编:《历代书法论文选》,上海书画出版社 1979 年版,第 557 页。

了元人书法审美的极明显的特征——"尚态",即书法审美上"以态为美"。那么,什么是"态"呢? 元人书法之"态"又是什么呢? 为了探究这种"尚态"之美的根源,我们要回到"态"的字义训诂上。态,正体作"態",许慎《说文》解为:"意也。从心从能。"徐锴曰:"心能其事,然后有态度也。"段玉裁《说文解字注》云:"意态也。各本作意也。少一字。今补。意态者,有是意因有是状。故曰意态……意者,识也。从心能。会意。心所能必见于外也。能亦声。一部。"从"态"的训诂看,态,指的是人的内在思想情感的外在显现,也是"意"的外在显现,更多的是一个表现形式的意义范畴。如此看来,"尚态"所要阐明的应该是书家对书法"见于外者"——外在形式美的关注与追求。

书法的外在形式一般表现为笔画结构,元人既然宗晋复古,后世又评论其"尚态",我们可以得出一个推论:书法史认为元人对晋人的宗法主要是对晋人笔画结构等书法的表现形式的刻摹。从元人自己的创作主张和后世书家的评论可以印证,这一推论是符合元代书法实际的。赵孟頫认为:"学书有二,一曰笔法,二曰字形。笔法弗精,虽善犹恶;字形弗妙,虽熟犹生。学书能解此,始可以语书也。"①他所提到的学书关键,无论是笔法,还是字形,无疑都属于书法审美之外在表现形式。他在《兰亭十三跋》进一步完善了他的书法美学观,"书法以用笔为上,而结字亦须用工"②。如前文所论,我们认为,赵氏的"用笔"指书法的本质规律和创作的基本原则,那么,与"用笔"相对的概念"结字"就应该是书法创作的具体表现形式了。在赵孟頫看来,把握书法本质规律和基本原则是书法提升的基础,但对书法形式的精磨雕刻所呈现出的笔法字形的"工"是书法之美的具体表现。赵孟頫在称道鲜于枢的书法时说道:"伯机书,笔笔有古法,足为至宝。"③从这一跋文看,孟頫欣赏书法的着眼点有二:一是古

---

① (清)赵孟頫:《论书》,见崔尔平选编:《历代书法论文选续编》,上海书画出版社1993年版,第180页。

② (元)赵孟頫:《松雪斋书论》,见崔尔平选编:《历代书法论文选续编》,上海书画出版社1993年版,第179页。

③ (元)赵孟頫:《题鲜于枢〈御史箴卷〉》,见梁披:《中国书法大辞典》,香港书谱出版社1984年版,第1886页。

法，二是笔法。尤其是笔法，指出"笔笔皆有"。如果说只论笔法与前人书论尚无不同的话，那么，赵孟頫提出"笔笔皆有"，并以之为宝，就能见出赵孟頫论书特重笔画结构等书法形态的书法美学观。明清人评价赵孟頫也多肯定他的笔画结构，于神韵风骨等蕴于内者殊少提及。如钱泳《书学》云："松雪书用笔圆转，直接二王，施之翰牍，无出其右。"①梁巘《评书帖》中说："学董不及学赵有墙壁，盖赵谨于结构，而董多率意也。"②从明清书评中提到的赵书的"用笔圆转"和"谨于结构"的特点可以看出，明清书家也普遍认为，以赵孟頫为代表的元代书家在审美和宗法上具有"尚态"的倾向。

既然元人宗晋"尚态"，而书法实有千姿百态，或刚或柔，或沉或浮，那么，元人宗法的是晋人的哪一种态呢？我们发现，从晋人书法审美趣味和元人宗晋书论两方面来分析，元人书法实际上存在着两种"态"：一种是元人自己期望达到的"态"，另一种是后人认为元人书法实际表现出来的"态"。这两种"态"其实是元人书法"尚态"意识在主观层面和客观层面上的不同存在，但因理想与现实的落差，这两种"态"却有较大的不同。

就书法流变而言，晋代书家主要是在汉魏以来的书法革新基础上完成开创新书体书风的任务的。事实上，晋人完美地完成了书法的时代创新，书家跳出了篆、隶的专习，推动了楷、行、草各体的兴起，并以自己卓越完美的创作为后世留下了宝贵的书法作品。魏晋书家能在中原板荡之乱世完成书法大革新，与这时期玄学大盛是分不开的。魏晋时期，玄学盛行，书家多喜谈玄论道。玄学的"象形"观，因关涉汉字造字思维而对晋人书家产生影响。《易•系辞》首先提出了"象形"问题，书云："在天成象，在地成形，变化见矣。"③老子《道德经》云："大象无形"，王弼注曰："象而形者，非大象。"④在玄学思维中，外在的表现形式依据与"大道"的

---

①　（清）钱泳：《书学》，见上海书画出版社、华东师范大学古籍整理研究室选编：《历代书法论文选》，上海书画出版社 1979 年版，第 625 页。

②　（清）梁巘：《评书帖》，见上海书画出版社、华东师范大学古籍整理研究室选编：《历代书法论文选》，上海书画出版社 1979 年版，第 580 页。

③　周振甫译注：《周易译注》，中华书局 1991 年版，第 229 页。

④　（三国）王弼注：《老子道德经注校释》，楼宇烈校释，中华书局 2008 年版，第 113 页。

远近,分为"象"与"形"两类。形是清晰可辨的,但因其可见故为"有","有"者非道,所以,可见的外在并非真正的道的显现。而象是无形之形,恍兮惚兮,若有而实无,故为"大道"之外在表现。对于晋人而言,他们所孜孜以求的是通过奥妙而和心意的笔画之"象"来表达他们对于宇宙大道的体验和感受。如王羲之在《记白云先生书诀》中,借白云先生之口所道出的书之玄理,"书之气,必达乎道,同混元之理"①。同时,因为没有过多的历史包袱,又一意在创新,故晋人对书法之美的认识是极自由的。他们不太看重后来书家视为圭臬的笔法、结体,而格外重视玄虚宏大的书法美学思维,如笔势、心意,所谓书之"本领者,副将也"。王羲之在《题卫夫人〈笔阵图〉后》畅言"意在笔先,然后作字",如"得其点画"便"不是书"。晋人以笔势、笔意为作书之关键,以"达道同理"为作书之至境。

元人虽宗晋复古,但晋之珍宝并非是元之良药。从有关元人宗法晋人的文献中,我们可以看到元人书家对晋人书帖的反复临写和对晋人笔法的追慕模仿,但少见元人对晋人之笔势心意的细致揣摩,以及以晋人意韵融于其书的具体叙述。赵孟頫临右军《兰亭序》甚勤,评者谓"亡虑数十本";临右军《东方朔画赞》《黄庭经》,评者谓"有飞天之致";临《十七帖》,跋者云:"于一日之间,所闻见者,已得三本,乃知此帖盖为公平日书课。"②临《大令四帖》,评者谓:"赵魏公留心字学甚勤,羲献书凡临数百过,所以盛名充塞四海者,岂无其故哉!"③据赵汸《东山存稿》记云:"往岁游吴兴,登松雪斋,闻文敏公门下士言:'公初学书时,智永《千文》临习背写,尽五百纸,《兰亭序》亦然。'"④再如元代书家李倜,"以好书名天下,稍暇则取晋右军纵笔拟为之","书取王右军,述拟临模无寒暑晨夜,其得意往往臻妙"⑤。元人的这种师法显得很奇怪,有大不合书法史逻辑

---

① (晋)王羲之:《记白云先生书诀》,见上海书画出版社、华东师范大学古籍整理研究室选编:《历代书法论文选》,上海书画出版社 1979 年版,第 37 页。

② (明)吴宽:《赵吴兴临王右军十七帖跋》,见《家藏集》卷 49,四库全书本。

③ (明)宋濂:《题赵子昂临大令四帖》,见《宋文宪公全集》卷 17,四部备要本。

④ (元)赵汸:《跋赵文敏公临东方先生画赞》,见《东山存稿》卷五,四库全书本。

⑤ (元)戴表元:《拟晋山房记》,见陈高华:《元代画家史料》,上海人民美术出版社1980 年版,第 128 页。

和艺术规律之处。我们不能想象元代百年间数代书家均见识浅薄如此，书坛举世皆浊，宗法只见皮毛而不及神理，如群盲行于黑暗。况元人之书家领袖赵孟頫楷行之书即书史千年上下亦史称超绝，其雁行于后者如鲜于伯机、邓巴西辈，亦足称一时之杰，均遍览魏晋唐宋碑帖，熟稔历代书家典论，难道不知不见晋人之宝何在吗？

我们认为，如将元人如此买椟还珠之师法，仅仅以矫宋季之弊解之，失于简单粗暴，不能试想一代书家仅仅为了改良而放弃了对书法之美的认识和追寻。如果将元人复古却一味"尚态"的书法审美矛盾置入元代独特的社会文化环境中，将有可能找到元人"尚态"的真实想法。无论我们怎么强调蒙古统治者倾慕中原文化，元代依然是一个草原贵族统治阶级掌握文化霸权的时代。这个时代在文化上是个矛盾的时代。一方面，蒙元贵族是不重视中原文化的，或者说他们没有坚持汉以来以儒家独尊一统的思想文化格局。他们尊儒，但也崇佛道；修习书法，但也沉醉于酒肉歌舞。在蒙元统治者的思维中，中原文化、藏地文化、草原文化，乃至西域波斯大秦文化，都是一样的。在文化政策上，蒙元统治者近乎"无为"。无论是儒家学者，还是墨客骚人，都失去了凭借儒家文化而与统治者的天然亲近，也失去了因此具有的晋身之阶。更加雪上加霜的是，因南宋国力孱弱，抗元激烈而无力。因此南北一统后，在民族文化差异中，南方汉人沦为社会最下层的四等人，受到北方蒙古统治者的有意歧视。以华夏衣冠正统自居的南方儒家知识分子及文人，彻底失去了文化心理的优越感，甚至对自己的文化产生怀疑。在这样的情况下，如赵孟頫为代表的元代书家再现晋人书法的世家风流、玄妙天然是不可能的。

另一方面，蒙元统治者的文化无为，客观上促生了元代文化的宽松，对于文化阶层利用文化来扩大其社会影响力的举动，统治者并没有明显有意识地压制。在这样的环境下，作为前朝宗室和书法家的赵孟頫，内心既有利用书法来搭建南方文人与北方权力中心稳定联系的用意（见前文论大德二年入京写经部分），又隐含着矫枉（如宋季书法因重意而纤弱、北方学颜而无韵等）存正留存华夏书法精义的深意。既欲以书邀宠，而蒙元统治者又限于民族文化差异,对书法审美欣赏只及笔画结构,难以体会书法深蕴的风骨神韵,那么,元人书家偏爱精研晋人之笔法结体就可以理解。方回《送邱子正以能书入都,并呈徐荣斋、阎靖轩、卢处道集贤翰林三学士》诗对元人书家的此等用心写的是很明白的,诗云:"褉帖昔秘永禅师,不过纸上王羲之。御史萧翼百计取,公等乃有胸中奇。胸中奇者五色笔,可以补天可活国。宗彝作绘衮作火,可但能书梵王译。此之所宝玉非石,求而不藏卞和泣。良贾韬椟什其袭,藏而不求价倍百。公等翰墨今第一,谁云识字不得力。借径文艺以致身,勋名政要无心得。"①再如梁巘《评书帖》载:"子昂见僧雪庵书酒帘,以为胜己夕荐之于朝,名重一时。僧书未必果胜,而子昂奖拔之谊不可及。"②无论是元代书家自己,还是后来的书法史学者,都指出了元代书家学书的功利心。既欲留存华夏书法精义,那么无论是书法外在的笔法结体,还是内在的心意神韵,都是元代书家心存对象。赵孟頫《阁帖跋》云:"历代称善书者,必以王氏父子为举首,虽有善者,蔑以加矣。当是时,江右号礼乐衣冠之国,而北朝尚用武,其遗风流俗,接于耳目,故江左人士以书名者,传记相望。"③东晋时,天下两分,胡汉南北对峙,此时王羲之父子以书法之妙善接续礼乐衣冠,为天下仰望。赵孟頫身为元时江左书家领冠,诗文书画兼通,从南北文化地位上看正是"元之王右军",效羲献父子以书传礼乐,是其心中兹兹所念。这样看来,赵孟頫及元代书家并非浅见囿于笔法结体,实欲有笔法而见笔势笔意,完整再现晋人全貌。从赵孟頫晚年书法的代表作《帝师胆巴碑卷》看,笔法秀媚,苍劲浑厚,独具风格,于规整庄严处见潇洒天真的韵致,可谓笔笔提起,字字挺拔,充分体现了赵体书法的风韵和神采。虽取法李邕的《岳麓寺碑》,但又较之舒展放松,去其险佻之势,化为端庄肃穆,雄遒苍健之姿。运笔和间架均出于二王,凝重古朴,"老劲可喜"。从

---

① (元)方回:《桐江续集》卷二十四,四库全书本。

② (清)梁巘:《评书帖》,见上海书画出版社、华东师范大学古籍整理研究室选编:《历代书法论文选》,上海书画出版社 1979 年版,第 575—576 页。

③ (元)赵孟頫:《阁帖跋》,见崔尔平选编:《历代书法论文选续编》,上海书画出版社 1993 年版,第 182 页。

陶宗仪评其"其书人但知自魏晋中来,晚年则稍入李北海耳"①和钱良右评其"今人观承旨书,但见其晚笔纵逸为胜,殊不知妙年应规入矩"②来看,赵孟頫晚年对唐法的吸纳是很明显的。其欲宗晋追唐、笔演造化天机的意识明白清楚。从继承学习的逻辑看,由表极理的宗法是自然的,是顺理成章的。元人宗晋,首先肯定是从笔法结体等晋人之表开始,渐次深入到晋人之笔势心意,而后脱古自立成元代书法。但元无百年运,元人书家刚刚把握到晋人笔法,蒙元政权就灭亡了,深入学习消化晋人书法精髓的未完成重任只能期于明代书家了。从明代书家承元人"尚态"书风成就一代风韵的历史看,使元再延续百年,元人书家宗晋复古是否能在"尚态"之上再进一步,抑未可知。时也?命也?无复多言。

宗晋意韵不可能,复不可为,元人百年师法留下了晋人笔法的再行,在书法美学史上扫除了宋人"思脱唐习,造意运笔,纵横有余,而韵不及晋,法不逮唐"③的大弊病。但这种失去自然超脱精神根骨的"晋人笔法",不可能表现出晋人在大苦痛中自然生出的宇宙思考、深沉悲愤和自然和谐等独特的心灵体验。换言之,元人得到的是无精神之晋体。"虽然大家都在标榜宗法晋人,但实质上并没有学习到晋人的神韵和精髓。原因很简单,魏晋书法的内在神韵,是由魏晋文人士大夫的心理素质及审美追求造成的,那是一种发自内心的抒情达意、超逸优游。而处在异族压迫和统治下的元代书法家,则根本不具备这种潇洒不羁的精神气质和'怡然自足'的自信心,甚至连宋人那种细腻、敏感、内向的心理性格也不具备,更多的是灰暗沉闷的压抑和痛苦。"④在元与南宋对峙时,南人书家还存着南北并存、以汉化胡的想法。在元一统南北后,尤其是立朝稍久后,他们彻底失去了抗元希望,默认了"夷狄可为华夏之君"的现实。稍

---

① （元）陶宗仪:《南村辍耕录》,中华书局 1959 年版,第 81 页。
② （元）钱良右:《六言斋二笔》,见（清）王原祁等纂辑:《佩文斋书画谱》第五册,孙霞整理,文物出版社 2013 年版,第 3736 页。
③ （清）梁巘:《评书帖》,见上海书画出版社华东师范大学古籍整理研究室选编:《历代书法论文选》,上海书画出版社 1979 年版,第 581 页。
④ 葛承雍:《中国书法与传统文化》,中国广播电视出版社 1992 年版,第 298 页。

晚没有经历异代之变生于元代的文人，更认为元乃"华夏正朔"，大元为华夏盛世也。"书者，心画也"，元人留下的无精神的晋体没有了晋人神韵，取而代之的是元一代书家的内心所思。在世吹腥膻之风，礼乐崩坏之世，在元人暴戾残酷的血腥统治中，在蒙元黑暗压迫和歧视下，元人书家不免生出一些功名利禄心、委曲求全心、事"夷"自耻心。这点从赵孟頫的诗作就看得很分明了。赵孟頫仕元后作《罪出》诗自谴，以此宣泄自己胸中的隐痛与苦衷，对自己的"降元"深表忏悔。其诗曰：

> 在山为远志，出山为小草。古语已云然，见事苦不早。平生独往愿，丘壑寄怀抱。图书时自娱，野性期自保。谁令堕尘网，宛转受缠绕。昔为海上鸥，今如笼中鸟。哀鸣谁复顾？毛羽日摧槁。向非亲友赠，蔬食常不饱。病妻抱弱子，远去万里道。骨肉生别离，丘垄缺拜扫。愁深无一语，目断南云杳。恸哭悲风来，如何诉穹昊。①

在其逝世前六十三岁作有《自警》诗云："齿豁头白六十三，一生事事总堪惭。唯余笔砚情犹在，留与人间作笑谈。"②从其诗作可见，赵孟頫一生都处在身心分离、志行不一的自伤、自恨、自怜中。不得不说，承认蒙元正统，活在胡汉混杂时代，这种文化上的无根和不纯，使得元人书法之态显出柔弱纤细之貌。李东阳在《麓堂诗话》中写道："赵子昂书画绝出，诗律亦清丽……以宗室之亲，辱于夷狄之变，揆之常典，固已不同，而其才艺之美，又足以讥訾之地，才恶足恃哉！"③张丑在《清河书画舫》直言赵孟頫书"过于妍媚纤柔，殊乏大节不夺之气"，更有后世书评斥赵书为"奴体"、"奴书"。明清时书家认为，书法缺乏风骨，"过于妍媚纤柔"，并非赵孟頫一人之不足，乃元季之时代风气，朱彝尊《曝书亭画跋·鲜于伯机草书千字文跋》认为："元自赵子昂书法盛行，一时相率习妍媚之体。"

　　元人本欲师法晋人复古自新，矫宋季"任意为书"之弊，以古意提振

---

① （元）赵孟頫：《松雪斋集》卷二，中华书局 1991 年版，第 32—33 页。

② （元）赵孟頫：《自警》，见赵孟頫：《赵文敏公松雪斋全集》（卷五），康熙五十二年刊本。

③ （明）李东阳：《麓堂诗话》，见古清杨、冯丽、任平君主编：《四库精华之集部》，远方出版社 2005 年版，第 247 页。

书气,但因时代文化局限和个人风骨不足,只留得晋人笔法,显出书之软媚柔态。元人宗晋初心与他们作书"妍媚"柔弱的实际,确有差异,但如细审精辨,我们会看到这心手的矛盾中别生出一种姿态。无论明人对元人及赵孟頫如何臧否,元人的这种姿态都是明人书法风格形成之基。

第五章

宋元绘画审美意识

自公元 960 年,太祖赵匡胤建元开国,至公元 1368 年,元顺帝遁走漠北,四百年间,中国绘画经历巨大变革,概言之,即在晋唐墨法线条绘画登峰造极基础上别开局面,变形为意,不但改易旧法,更上层楼,且在求新求变中最终确立了中国民族绘画美学体系。详言之,即宋元人以大量扎实的艺术实践和系统的理论建构,将中国绘画审美的根本核心由晋唐绘画"求形似"上升为宋元绘画"重神意"。在此"重神意"意识之指引下,宋元绘画在题材、形式及绘画主体等方面均大胆改革,极力创新,不仅风格各异的优秀画家层出不穷,且在具体的山水、花鸟、人物、风俗等绘画题材领域均创作了大量优秀的作品,在中国绘画史上又攀至新的高峰,为明清绘画开启了新的向上一路。

第一节 宋元绘画的变革

中国绘画,自上古岩画起,历数千年,于古老广袤之神州大地成就东方绘画艺术之独特一派。纵观神州绘画流衍,汉、魏、晋、唐可视为一阶段,宋、元、明、清则可视为另一阶段。两个阶段虽共同贯彻华夏审美之趣味,但在艺术形式、趣味内涵和艺术理论建构上,却呈现出巨大差异。在晋唐与宋元这两个时间承接但绘画迥异的时代的比较中,我们发现,中国绘画之变革正萌发于此。要明了宋元绘画之变革及其重大意义,我们有必要追根溯源,从绘画史的宏观角度做一前(晋唐)后(宋元)的比较。

中国绘画艺术起源较早,历史悠久,从原始绘画一直到汉唐,中国绘画艺术是围绕着线条描绘和追求形似展开的。早在旧石器时期晚期(距今约一万年前),在北方的内蒙古、新疆、甘肃和南方的云南、贵州等地,就已经出现了比较系统的岩画艺术。限于上古物质条件和绘画技巧的不足,原始岩画多采用线条勾勒、涂色填充的方式来描绘对象的剪影,画中形象大多高度概括简化为线条构成的轮廓。这种对线条的敏感是早期人类绘画的共性,东西方绘画大抵如此。但比较西方绘画我们发现,不同于西方绘画美术迅速转向对立体光影的描绘,中国绘画近乎固执地完整地继承并发扬了人类早期以线条来表现描绘对象的绘画传统。因此,后来的秦汉绘画虽较原始绘画更加精细而富于变化,但整体以简略线条构成的风格没有质的转变,故谢赫《古画品录》云"古画皆略",后世绘画重视线条墨法正是这种绘画审美传统的进一步发展。

魏晋时期,绘画艺术在时代的培育中走向自立,专业的画家、优秀的画作和以审美为核心的绘画批评论著开始出现。此时,画家们已不满足于仅用线条勾勒对象轮廓的画法,他们渴望通过自己的画笔来表现人物的骨肉风神,因此,魏晋画家开始提倡并强调"骨"的概念,即用刚柔粗细浓淡各异的线条来表现绘画对象的细节,尤其是人物画中人物衣饰遮盖以下的更具个性美感的骨肉肌理。张彦远《历代名画记》卷五载顾恺之《论画》云:"《伏羲》、《神农》:虽不似今世人,有奇骨而兼美好;神属冥芒,居然有得一之想。"又云:"《醉客》:作人形,骨成而制衣服幔之,亦以助醉神耳。"[1]顾恺之赏鉴前代画作的言论显示,他对"骨"是十分重视的。这固然是晋时多人物画的缘故,但也可以见出,中国早期绘画大量的轮廓线条,正在被更趋向内在的"骨"所替代。"画骨"思维及由此衍生的"骨法"的出现和被重视,一方面说明,画家对绘画的认识由平面趋向立体,但更重要的一面是,它表明,此时的画家已不满足早期绘画的"文字符号"思维而试图描绘对象的个性之美,他们着重于画"骨",实质上更是为画"神"服务的。因此,顾氏上述画论中,"画骨"往往与"画神"是紧密

---

① (晋)顾恺之:《论画》,见(唐)张彦远:《历代名画记》,俞剑华注释,上海人民美术出版社 1964 年版,第 103—104 页。

联系的。详推顾氏所言,其中的"神"似不能简单地认为是描画对象的神韵,这个"神"既指向了画作对欣赏者个人的审美体验的激发,所谓"有得一之想",又包含着对描画对象个性特征的审美把握的含义,所谓"醉客"之"醉神"也。应该说,魏晋绘画通过对"画骨"、"画神"等个性的肯定来跳离周秦两汉以来"字画一体"的认识局限,对中国绘画的艺术自立起到了决定性作用。虽然这时的绘画还是处于追求"形似"的阶段,不容"有一毫小失",但在魏晋绘画否定没面目的雷同和追求有个性的"形似"的努力中,中国绘画走向了独立。也因于此,谢赫《古画品录》总结魏晋绘画理论时,格外重视有个性的"形似",其影响深远的"六法"以"气韵生动"为首要之法,突出画要"个性",实为总领画法的纲领,而后分论画要"形似"的五法:骨法用笔、应物象形、随类赋彩、经营位置、传移模写。纵观魏晋绘画,通过把握表现对象的个性和追求更贴近对象真实的"形似",完整的中国绘画艺术体系在魏晋时被建立起来。

绘画艺术与书法艺术一样,学习掌握其中的奥秘特别需要宗法师承。所以唐初彦悰《后画录》品评南北朝以来27位画家,特别指出其师承渊源的就有15人之多。以此,我们可以见出唐人绘画是重视继承前代绘画优长的,尤其是重视接续晋人法式的。裴孝源《贞观公私画史序》称许汉王李元昌绘画云:"六法俱全,随物成形,万物不失",几与谢赫《古画品录》无差,说明当时对绘画审美标准的认识没有发生根本的变化,形似仍是绘画批评中要首先考虑的重点。但在看到唐人对前人继承的同时,我们发现,随着唐代绘画审美的成熟,唐代绘画在时代风气的感染下,也展现出不同于晋人的气象。阎立本是唐初艺术水平和社会评价都较高的代表画家,但对他的评价,初唐和中唐却大相径庭。彦悰《后画录》评阎立本云:"唐司平太常伯阎立本,学宗张、郑,奇态不穷。变古象今,天下取则。"①窦蒙《画拾遗》则评曰:"阎立本,直自师

---

① (唐)彦悰:《后画录》,见潘运告编注:《中国历代画论选》(上),湖南美术出版社2007年版,第38页。

心,意存功外,与夫张、郑,了不相干。"①彦悰认为阎立本的创作具有自身的求新求变的意识以适应时代的特点,"变古象今"是也,但其绘画"学宗张、郑",是根源于前人的。窦蒙的品评能明显看出其对彦悰观点的有意识反对,他完全否定了彦悰关于阎立本师法前人的主张,提出"直自师心"的观点。通过比较他们两人的批评,唐代绘画审美标准的变化自然显出。在唐人看来,晋人以墨法描绘求画之形似是正确的,但对形似的判断却不能止于晋人的"画骨画神",而是力攀新高,以画出"姿态"为上。朱景玄《唐朝名画录·序》认为,绘画以画人物、禽兽为最难,原因就在于"人物禽兽,移生动质,变态不穷,凝神定照,固为难也"。朱景玄是唐武宗时人,他的观点反映出,在中唐以后,绘画之美已由强调"骨神"转向着重"姿态"。在唐人大步向"姿态"迈进之时,绘画讲求"外貌"的风气渐渐产生变化。朱景玄《唐朝名画录》记载了这样一件轶事:

> 又郭令公婿赵纵侍郎尝令韩干写真,众称其善;后又请周昉长史写之。二人皆有能名,令公尝列二真置于坐侧,未能定其优劣。因赵夫人归省,令公问云:"此画何人?"对曰:"赵郎也。"又云:"何者最似?"对曰:"两画皆似,后画尤佳。"又问:"何以言之?"云:"前画者空得赵郎状貌,后画者兼移其神气,得赵郎情性笑言之姿。"令公问曰:"后画者何人?"乃云:"长史周昉。"是日遂定二画之优劣,令送锦彩数百段与之。②

人物写真是晋唐绘画共同关注的题材,既云"写真",必讲究"形似"。但能看出唐人不再如晋人那样侧重以"画骨"求形似,转而描绘人物的"姿态"的逼真,即尽可能还原人物情性最集中显现的那种典型"姿态",如此方可描绘出人物的"本真"。这无疑是由"空得状貌"的"形似"向"形神兼备"的"形似"前进。如吴道子言:"众皆谨于象似,我则脱落其

---

① (唐)窦蒙:《画拾遗》,见潘运告编注:《中国历代画论选》(上),湖南美术出版社2007年版,第54页。

② (唐)朱景玄:《唐朝名画录》,见潘运告编注:《中国历代画论选》(上),湖南美术出版社2007年版,第81页。

凡俗。"①这说明唐代绘画仍在坚持古老的勾线设色技法来表现形似的同时，已经开始思考"画与谁似"的问题，甚至隐隐提出了绘画是否应追求形似的疑问。唐代绘画中萌生出的对"形似"的怀疑，意义极其重大。这不仅关系到中国绘画评价标准的改变，而且影响着中国绘画审美的历史走向。

沿至宋元，画家在晋唐绘画取得巨大成就的基础上积极变革。宋元绘画变革的发生，一方面是源于绘画艺术内部的呼唤。从原始绘画时期形成的"以线条描绘求形似"的绘画艺术在唐代达到巅峰，无论是沿着"形似"的道路再进一步，还是跳出"形似"的局限另辟蹊径，都需要画家尝试新的内容与形式，探索不同于前人的艺术道路。另一方面是基于绘画艺术与时代其他艺术门类的彼此呼应。自唐以来，诗歌、散文、书法等相关文艺百花齐放，蓬勃发展。这些文艺所积累的艺术技巧和审美感悟，都以不同的方式影响和推动着绘画走向更广阔的艺术空间。如果说魏晋南北朝时绘画因其自身的确立较少吸纳其他艺术的养分，那么，经历6个世纪积淀而显出厚重的中国绘画，此时已不介意"书画本一体"、"画乃无声诗"的主张了。

一、宋元绘画的题材变革

宋元绘画的变革，首先发生在题材领域。自晋以来，人物画（宫廷人物和宗教人物）一直是中国绘画的主要题材，"画像"的重要性一直未受到冲击。在晋唐画家心中，画人物不是单纯地描摹容貌，而是通过最大程度地还原模仿人物外在来留存或唤起对象的精神内在，使人能够借此获得精神上的感染教化。张彦远《历代名画记》对此有精妙阐述。他说："以忠以考，尽在于云台；有烈有勋，皆登于麟阁。见善足以戒恶，见恶足以思贤。留乎形容，式昭盛德之事；具其成败，以传既往之踪。记传所以叙其事，不能载其容；赋颂有以咏其美，不能备其象；图画之制，所以

---

① （唐）张彦远：《历代名画记》，俞剑华注释，上海人民美术出版社1964年版，第35页。

兼之也。"①但晋唐时期被认可的这种基于道德教化的人物画题材传统，在宋代并不被画家普遍认同。在宋人心中，人物画似乎并没有因传写教化功能而显得更加重要。郭若虚《图画见闻志》云："若论佛道人物、仕女牛马，则近不及古；若论山水树石，则古不及近。"②与人物画热潮消退同时发生的是宋元山水画的兴起。山水画并非宋元人发掘的新题材，唐时山水画从人物画背景中独立出来，并发展出青绿山水和水墨山水。但宋元却是第一个特重山水题材而大规模创作山水画的时代。在宋元诸多山水画家的共同努力下，水墨山水绘画被有倾向地凸显出来，表达着宋元画家对宇宙自然、人、美的独特认识。可以说，宋元画家通过在题材上用山水对人物进行置换，改变了中国绘画的观察和表现中心，甚至改变了中国绘画对"世界"的描述。自宋元起，人物画减少，画家的关注中心转移到了山水自然上。此后，明清及近代中国绘画大家十之八九都曾寄意于山水，在水墨皴染中显出独特的自然情怀。正因宋元山水绘画成就超高且影响深远，关系着中国绘画审美的本质变迁，后世画史对宋元山水多有赞誉。明代顾起元认为："昔人谓山水之变始于吴，成于二李……厥后荆、关顿造其微，范、李愈臻其妙。自米氏父子出，山水之格又一变矣。"③明董其昌也说："米元章作画，一正画家谬习。观其高自标置，谓无一点吴生习气。又云王维之迹，殆如刻画，真可一笑。盖唐人画法，至宋乃畅，至米又一变耳。"④北宋"二米"独创"米氏云山"，成就山水画本格审美趣味，董氏以为至二米则绘画"能事毕矣"表明，明人对宋元绘画山水题材崛起的格外肯定。

在宋元绘画题材领域的变革中，山水画的兴起是最具代表意义的，但绘画题材方面的其他一些变化仍有值得我们注意的地方。在人物画领

---

① （唐）张彦远：《历代名画记》，俞剑华注释，上海人民美术出版社 1964 年版，第 4 页。

② （宋）郭若虚：《图画见闻志》，见潘运告编注：《中国历代画论选》（下），湖南美术出版社 2007 年版，第 392 页。

③ （明）顾起元：《题友仁〈云山卷〉》，见翁长森、蒋国榜编：《金陵丛书》（丙集），台北力行书局 1970 年版。

④ （明）董其昌：《仿米画题》，见卢辅圣主编：《中国书画全书》第三册，上海书画出版社 1993 年版，第 1018 页。

域,晋唐人物画多以宫廷人物(帝王将相和宫廷贵族、仕女等)和佛道神像为主。此时的画家多出身世家名门(如晋之顾陆)或身居宫廷(如唐之阎氏兄弟),他们在经历、视野和趣味上的偏好,决定了他们的笔触在摹画宫廷人物上有得天独厚之势,故其笔下此类人物往往神态逼真,气韵生动。同时,晋唐宗教盛行,大量的庙观壁画多为命题之作,画家应僧道所请,长期浸润此中,其笔下佛道人物自然神妙难及。因晋唐人物有独到之难及处,故元赵孟頫云"宋人画人物,不及唐人远甚"①。如只论晋唐擅画之人物,松雪所言不为过,但他没有看到宋元人物画之新变化,则不得不说是松雪障目之见了。宋元时,人物画上出现了大量市井中人,并形成了一些比较固定的世俗人物图式,如《货郎图》、《婴戏图》等。尤其是不朽名作《清明上河图》,融人物画与城市风俗画于一身,以细致工巧之笔将城乡市井人物之形形色色置入盛世升平之景中加以描绘,体大而笔真,实属难得。

　　山水画、人物画的题材变迁以外,宋元绘画中静物花鸟画取代牛马题材,墨竹画的流行等,都表现出宋元绘画在晋唐基础上题材的突破和创新。仅就题材变革而言,重要性是不亚于山水画兴起和世俗人物画出现的。

二、宋元绘画的形式变革

　　与题材变革相伴发生的是宋元绘画在形式上的变革,包括主要技法由勾线设色笔法向水墨皴法的转变,呈现形式上的壁画为主向卷轴画为主的变化,书法艺术中的笔法向绘画艺术的渗入,题画文字与图画的同体同构等。其中,水墨皴法取代勾线设色墨法成为绘画艺术主要且基本的笔法在形式变革中是最重要的。宋元以前,绘画基本笔法以单线条描法为主,这种笔法多中锋用笔,墨色统一,线条粗细均匀,以此用来勾勒人物面容、衣饰的轮廓极为便利出神。在以描法勾勒好轮廓后,画家再用墨法

---

　　① (元)赵孟頫:《松雪论画》,见潘运告编注:《中国历代画论选》(上),湖南美术出版社 2007 年版,第 361 页。

在轮廓中填充颜色,或五墨,或六彩,不一而足。宋元时,晋唐盛行的这种多用于人物画的"勾线设色"笔法,因山水画的崛起而显出形式上的不足。山水不同于人物,体大景深,味淡韵清,山水之美更多地表现在景物的立体感和山水与人的审美的对话中。"勾线设色"笔法无法很好地表现景物的立体感,基本无法满足景深的需求。同时,"勾线设色"笔法过于追求轮廓,导致这种笔法停留在平面"形似"中难以自拔,必然影响到绘画表现山水美景激发出的微妙的"山水之情"。因此,早在唐时,使用多线条绘画技法来表现山水的作品就已经出现。如李思训的《江帆楼阁图》等在展子虔《游春图》"勾线赋彩"基础上就多了皴擦笔法,以更好地去表现山水之美。至晚唐时,王墨画山水使用了更加激进的完全不同于传统"勾线设色"的"泼墨"法。朱景玄《唐朝名画录》载:"王墨者,不知何许人也,也不知其名,喜泼墨山水,时人故谓之王墨。多游江湖间,常画山水松石杂树,性多疏野,好酒,凡欲画图章,先饮醺酣之后,即以墨泼,或笑或吟,脚蹙手扶,或挥或扫,或淡或浓,随其形状,为山为石、为云为水,应手随意,图出云霞,染成风雨,宛若神巧,俯观不见其墨污之迹,皆谓之奇异也。"①王墨泼墨作画,以挥扫为法,墨色浓淡不均,这样的全新绘画形式在描绘山水时确实有妙处,时人以为"宛若神巧",但朱景玄同时也指出王墨之"泼墨","非画之本法,故目之为逸品,盖前古未之有也"②。这说明绘画基本笔法的变革还没有发生,对"勾线设色"的坚持仍是主流。

这种对描法的坚持到五代北宋受到批判,五代著名山水画家荆浩在评价唐代画家时认为,"吴道玄有笔而无墨,项容有墨而无笔",提出绘画应"兼笔墨而有之"的主张。他在自己的《笔法记》中借"老叟"之言提出了"画有六要"的观点:"夫画有六要:一曰气,二曰韵,三曰思,四曰景,五曰笔,六曰墨。"③比较晋唐时奉为圭臬的谢赫"六法",我们发现,晋唐的

---

① (唐)朱景玄:《唐朝名画录》,见潘运告编注:《中国历代画论选》(上),湖南美术出版社 2007 年版,第 88 页。

② (唐)朱景玄:《唐朝名画录》,见潘运告编注:《中国历代画论选》(上),湖南美术出版社 2007 年版,第 89 页。

③ (五代)荆浩:《笔法记》,见潘运告编注:《中国历代画论选》(上),湖南美术出版社 2007 年版,第 162 页。

"六法说"和荆浩的"六要说"有同有异。二者在对气韵的重视方面是一贯的,重视对象("六法"中主要指人物,"六要"中主要指景物)和笔法也无太大差别,但提出"思"与"墨"则是宋人的创新。尤其是对笔法中的"墨"的特殊强调,荆浩重点诠释了他对此的认识。他说:"墨者,高低晕淡,品物浅深,文彩自然,似非因笔。"①他将墨与水结合使用后在绢纸上的晕染,成功地运用在表现对象的"浅深"立体描绘上,追求一种巧妙雕琢后呈现的"自然"之美。从他的阐释中我们可以明显看出,以墨皴染在表现立体景物和复杂审美体验方面具有超越"勾线描法"的优势。

北宋后期的《宣和画谱》则进一步完善了荆浩的"笔墨论"。"浩兼二子所长而有之,盖有笔而有墨者,见落笔蹊径而少自然;有墨而无笔者,去斧凿痕而多变态。故王洽(即王墨)之画,先泼墨縑素,取高下自然之势而为之。浩介乎二者之间,则人以为天成,两得之矣。"②《宣和画谱》分别辨析了"笔"和"墨"的各自优劣长短,指出专注于"勾线填色描法"的"笔",有"蹊径"可揣摩,便于画家学习操控,有规范技法的功能长处,但在表现对象上过于刻意,缺乏"自然之意",这与极其张扬"我意天然本无法"的宋代是格格不入的。同时,成书于北宋后期的《宣和画谱》也反思了五代以来百余年绘画创新"用墨"上的不足与局限,指出水墨皴染技法非常依赖水墨绢纸的物理变化,尽管这种变化赋予了绘画独特的美感,但它也是画家主观难以预测把控的。这种创作上的"惊喜"虽更贴近变动不居的自然,也更符合"天地大美"的美学认知,但极难把握操控无疑增加了在绘画艺术创作领域大规模运用皴染技法的难度。在《宣和画谱》看来,只有笔墨结合,二者参酌运用,方可在传承中走出窠臼,在创新中不致迷失,最终达至超越前人艺术"天成"的奥境。《宣和画谱》撰写于两宋之交,反映的正是宋人在绘画形式变革方面阶段性的理论总结。宋人在理论上提倡笔墨并重,一方面表现出宋代绘画对描法传统的尊重,更重要

① (五代)荆浩:《笔法记》,见潘运告编注:《中国历代画论选》(上),湖南美术出版社 2007 年版,第 162 页。

② (宋)赵佶敕纂:《宣和画谱》,岳仁译注,湖南美术出版社 1999 年版,第 222 页。

的是,将唐人视为"非画之本法"的水墨皴染技法提高到绘画基本技法的高度,实质上表现出了宋人对皴法的偏爱。在对水墨皴染技法的普遍重视中,宋元绘画表现出与晋唐完全不同的面貌。在山水方面,从北宋之荆、关、董、巨、李、范,到南宋的李、刘、马、夏,再到元之黄、倪、王、吴四家,诸多天才画家以水墨皴染描绘自然山水,佳作迭出,画史罕见。在花木禽鸟方面,水墨皴染技法与竹子题材结合形成的墨竹画横空出世,为中国绘画"托物喻志"开辟了新路。纵向审视画史嬗变,宋元以后画家多工于山水禽鸟花木,人物画趋向衰微,画家偏好水墨皴染技法未始不是肇因之一。

宋元时期,中国绘画基本形式的变化还不止于皴法的产生壮大,院体工笔画对以往工笔的改革创新,界画在宋代的延续及元时的衰微,人物画中对细微事物的还原细绘,宋元间皴法的内部发展流衍,画家创作由人—画平行的壁画创作向人—画垂直的案画创作的转变,题画诗和画跋等文字与绘画的同构一体现象的出现等大量的新形式,在宋元绘画中层出不穷,且每一项变革都可视为是正向的颠覆式的艺术突破。这些形式的变革是如此的繁多和剧烈,几近重新确立了中国绘画的创作范式。至明代,宋元发扬光大的水墨皴法几乎成为绘画技法的代名词了,如明董其昌所言:"书家之结字,画家之皴法,一了百了,一差百差。"①实际上,后来的明清近现代中国绘画接续的主要是宋元的范式,晋唐绘画作为"古画"更像是一种形式的"传统"而存在于绘画史当中了。

三、宋元绘画的主体变革

无论是内容,还是形式,发生在这些领域的变革无一不是当时画家努力的结果,与此同时,这些变革又反过来影响着画家本身。如果我们沿着创作流程从留存的作品及相关文献追溯到那只执着画笔的手,我们肯定会发觉,这只手的主人已不同于晋唐时的那些画家了。换言之,宋元绘画

---

① (明)董其昌:《书梅花赋卷》,见郑威编著:《董其昌年谱》,上海书画出版社 1989年版,第 27 页。

的题材内容和艺术形式等领域发生巨变的同时,当时的画家身上也发生了相应的变化。而且画家主体上的变化与绘画题材形式变革之间彼此联系影响,或彼此呼应,或主客相生,共同构成了宋元绘画的剧烈变革并共同形成对后世的深远影响。必须看到,宋元画家身上发生的"雅化"(文人化)及绘画批评发生的"诗化"(审美化)深刻地影响了当时的绘画审美意识。

魏晋南北朝时,画家的出身比较单一,大都是世家豪门中具有相当艺术素养的个体,如顾恺之等。少数画家虽不知出身高低,但从文献看,亦多随侍帝胄高门,如陆探微等。这些人虽多以画称世,但"画"并非是他们的立身之本,只是爱好而已,"善画"只是这些人的次要属性之一,属于社会对其认知定位的一个方面。如果剔除他们"善画"的特长,既不影响他们的存在状态,也无法改变他们的社会地位。从这一角度看,在魏晋南北朝时,专业画家很少,如顾恺之、张僧繇等当时的代表性画家,以我们现在的标准看,只是"业余"绘画爱好者,他们并不以画为生,也不以此为人生旨归,只是"以画名世"罢了。绘画艺术初起,画家的主体性还不够明确,模糊的"善画者"和"以画游艺者"基本可以充当当时画家的身份解释。

唐时,分科取士制度取代了九品中正制度,随之发生的是科举出身的封建官僚取代了依赖血统的门第贵族,成为社会的统治阶级。寒门子弟通过科举进入社会上层,贵族不再是社会文化的主要拥有者了。在这样的大环境下,作为"君子游艺"的绘画,也随官僚政治的崛起从高门扩张到社会的更广阔领域,如中下层知识分子阶层等。但因这种扩张是伴随科举官僚政治体制兴起而发生的,所以这时的绘画艺术和画家更像是政治的伴生品,表现出极强的政治宣教属性。在当时的文化环境中,画家的"善画"依然如魏晋时无法支撑他们以此独立地存在,如果不依附于政治,画家往往只能在举世目为艺匠的社会遭遇和自己沉浸于艺术天地中遗世自乐的自我解脱中左右摇摆罢了。关于当时画家主体的自我认知,《旧唐书·阎立本传》的一段文字很能说明问题:

太宗尝与侍臣学士泛舟于春苑,池中有异鸟随波容与,太宗击赏数四,诏座者为咏,召立本令写焉。时阁外传呼云:"画师阎立本。"时已为主爵郎中,奔走流汗,俯伏池侧,手挥丹粉,瞻望座宾,不胜愧赧。退诫其子曰:"吾少好读书,幸免墙面,缘情染翰,颇及侪流。唯以丹青见知,躬厮役之务,辱莫大焉! 汝宜深诫,勿习此末伎。"立本为性所好,欲罢不能也。①

作为一门艺术,创作者内心中对自己作为艺术创作主体的价值的主观认知,深刻影响着他对艺术创作的投入程度,这种影响通过创作活动也延伸到艺术作品的审美价值上。阎立本自认因"性好丹青"而"身躬厮役",这无疑是作为画家对其画家身份和绘画艺术的怀疑和否定。但阎立本的这种自我认识并非内心生发的,画家对绘画主体身份的怀疑和对绘画艺术价值的否定,源于当时社会对阎及其杰出画艺的轻视态度,文中"传呼"、"画师"、"俯伏"、"不胜愧赧"等描述,反映的正是当时一流画家的真实社会处境。不论是社会对创作者的价值评判,还是创作者本人对其创作主体的自我认知,画家不但无法与一直被尊崇的文人墨客相提并论,即与所从事艺术性质形式类似的书法家相比,亦多有逊色。如褚遂良、颜真卿等书家较阎立本、吴道子等画家,单就美术史考量,可仰足并驰,然如从当时及后世的评价看,书画之作者的差异则不可以道里计了。阎立本的遭遇并不是他个人的偶然,朱景玄《唐朝名画录》评为"神品上"的吴道子,虽"年未弱冠,已穷丹青之妙",但任瑕丘县尉未因此得到任何助力,仍不免于"浪迹东洛"。玄宗召其入大内供奉,从文献推测,恐仍视吴道子为百工之属。因地位卑下,正史无传,其他记载则多《太平广记》之类的逸闻趣事。一代画圣,生平无考,实在令人感叹。阎立本、吴道子画艺绝伦,尚且如此,唐代其他画家不问可知。推求唐代画家地位低下的原因,主要还在于唐代画家无法将绘画艺术合理顺畅地融入儒家礼乐文化体系。这就使得画家们在罢黜百家的文化环境中成为以礼乐为评判标准的艺术创作领域的局外人。既然唐代画家不是礼乐文艺的参与者,又失去了魏晋时贵族游艺的保护色,他们普遍经历的

---

① (后晋)刘昫等:《后唐书》,中华书局 2007 年版,第 2680 页。

被主流文化排斥鄙弃的生存境遇,直接导致了他们对画家身份的自我认知的迷茫。绘画艺术本身在越来越多的画家"为性所好,欲罢不能"的努力中不断前进,但画家作为艺术创作主体的自我及社会对其的认知却仍在自立和自弃中来回徘徊,这明显是矛盾的。从绘画艺术自身的发展规律和现实看,画家主体性的问题成为宋元画家必须要面对和解决的一个历史问题。

宋代浓厚的"崇文抑武"的社会文化使解决这一问题成为可能。宋代统治者吸收五代时武将以武割据一方鼎革朝代的教训,实行崇文抑武的统治政策。为充实文人士大夫队伍,北宋大规模增加科举录取人数,科举取士人数较唐时增加五倍余。[①] 为稳定庞大的文官队伍,宋代统治者给予了文官及文人士大夫超优的物质待遇和尊崇的社会地位。文官们在掌握政治权力的过程中,又依据籍贯、师承等社会纽带结成大大小小的文官集团。这些文官集团进则居庙堂纵横捭阖,党同伐异;退则处江湖悠游林泉,诗酒自娱。因统治者的有意引导、社会中的普遍文化尊崇和文人从容优裕的生活际遇,文人地位一路高蹈。在这些文官的自我认知中,尽管他们既是文人又是官员,但儒雅文人的文化属性是高于官僚的政治身份的。在文官的参与、引领和带动下,宋代社会出现了一种全新的文人休闲文化。这种文人的休闲讲究雅致、从容、有意韵,要清淡超然,不同于汉唐贵族的富贵繁华,又要天机独造,区别于勾栏瓦舍的俚俗熟烂,故而,富于艺术气息的文艺活动成为宋代文人休闲的主要形式。如此,不仅传统的诗书文化借此焕发新意,处于主体迷茫的绘画和画家亦借此摆脱了困境。这种画家主体定位的变化主要就是画家的全面"文人化"。

较早发现画家文化层次较低限制绘画艺术发展这一问题的北宋文人是欧阳修。他在《六一跋画》中提道:"萧条澹泊,此难画之意,画者未必识也。故飞走迟速,意近之物易见,而闲和严静,趣远之心难形。若乃高

---

① 张希情《论宋代科举取士之多与冗官问题》(《北京大学学报》1987 年第 5 期)统计宋代科举取士人数:"两宋通过科举共取士 115427,平均每年取士 361 人,年均数是唐代的 5 倍,约为元代的 30 倍,约为明代的 4 倍,约为清代的 3.4 倍。"

下向背,远近重复,此画工之艺耳,非精鉴之事也。"①欧阳修以文人的角度阐述他对绘画艺术的认识,认为"画工"之类的"画者"虽通晓"画艺",但难得"画意"。此语虽意在画之内涵上,但其中对"画工"的否定是显而易见的。既然宋人认为"画工"难得文人欣赏的"画意",那么文人自己动手充当画家或以文人的审美趣味改造画者就是很自然的了。也就是说,宋元画家的"文人化"的发生是因为宋元文人对画者艺术局限的不满足而引发的。

宋元画家"文人化"转变的实现则始于苏轼。苏轼是北宋文宗、词坛巨匠,蜀学领袖之一,同时他亦是北宋书画大家。尤其在绘画上,他第一次将绘画与中国文化中地位极高的诗联系起来,提出了"诗中有画,画中有诗"的观点。围绕这一观点,苏轼对绘画艺术的画家的文化属性明确提出了自己的看法。他说:"古来画师非俗士,摹写物象略与诗人同。"②苏轼这一观点的提法看似简单随意,但考虑到苏轼在北宋文艺领域的影响力,我们就不可能忽视这一观点的提出。在苏轼看来,用社会地位等衡量"俗士"的标准去判断画师作为艺术创作者的价值无疑是错误的,画师与诗人一样同属于艺术活动中的创作主体,他们所从事的活动从"摹写物象"的判断标准看是基本相同的。苏轼此论,将画家的地位提升到近乎与诗人一样的艺术地位。因与诗人略相同,那么,画家就不再是如晋代的"游艺君子"和唐代的"丹青厮役"那样的被排挤轻视的"艺术圈外人"了,而是一些通过绘画来表现"言志"、"不朽"等宏大深邃的艺术寄托的艺术家。这样,画家彻底地摆脱了类同于"巫、医、乐师、百工"的身份认知,他应该是也确实是艺术活动的主体。

当苏轼提出这一看法并被社会迅速接受后,画家的艺术自觉自然形成。如宋刘学箕《方是闲居士小稿论画》云:"古之所谓画士,皆一时名胜,涵泳经史,见识高明,襟度洒落,望之飘然,知其有蓬莱道山之丰俊,故

① (宋)欧阳修:《六一跋画》,见(清)孙岳颁等:《佩文斋书画谱》,《中国历代书画艺术论著丛编》(56),中国大百科全书出版社 1997 年版,第 459 页。
② (宋)苏轼撰,(清)冯应榴辑注:《苏轼诗集合注》,黄任轲、朱怀春校点,上海古籍出版社 2001 年版,第 253 页。

其发为豪墨,意象萧爽,使人宝玩不置。今之画士,只人役耳,视古之人又万万不啻也。"①此语虽以古今区别画士,但实质是以雅俗为标准将画家分为两类,且特别肯定了画家中之高雅者。"涵泳经史,见识高明,襟度洒落,望之飘然"云云者,十分明显地指出了宋人对画家的形象期望:画家,他应该是一个带有出尘气质的儒家文人形象。在北宋宣和年间,专门培养专业画家的"画学"兴起。在记载"画学"的选拔制度时,《宋史·选举志》这样写道:"画学之业,曰佛道,曰人物,曰山水,曰鸟兽,曰花竹,曰屋木。以《说文》、《尔雅》、《方言》、《释名》教授。《说文》则令习篆字、着音训,余书皆设答问,以所解艺观其能通画意与否。"②可以看出,对画家的文人化教育不止于山水画家一类,所有画家不仅要如刘学箕所言在气质和行为上文人化,且要在技能知识体系上文人化。在这样的内外文人化作用下,画家与文人除擅长的艺术门类不同外再无差异了。所以,邓椿《画继杂说》云:"画者文之极也……其为人也多文,虽有不晓画者寡矣,其为人也无文,虽有晓画者寡矣。"③从文、画关系角度论为画之人,干脆将画家等同于文人,绘画等同于文学了。元杨维桢在宋代诗画一体的作者观基础上进一步阐释,他在《图绘宝鉴序》中写道:"书盛于晋,画盛于唐宋,书与画一耳。士大夫工画者必工书,其画法即书法所在。然则画岂可以庸妄人得之乎? ……故画品优劣,关于人品之高下,无论侯王贵戚,轩冕山林,道释女妇,苟有天质,超凡入圣,可冠当代而名后世矣。"④杨氏此论将画品与人品关联起来,进而将高超画家的地位和作用提高到前所未有的认识高度。总的看,宋元人在文人艺术生活的大背景下普遍认为,画家是独具艺术个性的创作主体,画家与诗人、文人一样用艺术审美的思维观察和表现世界,他们所从事的艺术在审美本质上与地位崇高的诗文没有什么区别,甚至,因形式上的不同为礼乐诗文提供了艺术审美上的借

---

① （宋）刘学箕:《方是闲居士小稿论画》,见余剑华编:《中国画论类编》,人民美术出版社 2004 年版,第 73 页。

② （元）脱脱等:《宋史》,中华书局 1997 年版,第 3688 页。

③ （宋）邓椿:《画继·九》之《杂说·论远》,影印文渊阁《四库全书》本。

④ （元）杨维桢:《图绘宝鉴序》,见余剑华编:《中国画论类编》,人民美术出版社 2004 年版,第 93 页。

鉴和补充,其价值可谓大矣。这样,绘画者作为艺术创作主体的认识,打破了社会大众对画家与绘画艺术的认识偏见,也吸引了大量热爱绘画的有艺术天分的人在没有任何顾虑的前提下积极加入绘画的艺术队伍。翻检中国绘画史料,宋元以后画家队伍人数的迅速膨胀,正印证了我们的说法。①

不仅如此,苏轼通过将画家与诗人的相提并论,将中国诗人千年来培养出的"诗意气质"赋予到画家和绘画艺术上,这使得大量文人墨客直接加入到画家队伍中去,宋元画家队伍的主要构成由晋时的贵族、唐代官僚转变为文人墨客,画家队伍走向"文人化"。此后画家不再是依附于血统和政治的次要身份符号,而成为可以独立于社会文化中的艺术主体。此后,画家成为被中国主流文艺接纳和认同的艺术身份,如苏轼、米芾、赵孟頫等诗文书画并称于世的艺术宗师,如文同、倪瓒、黄公望、王蒙、吴镇等以绘画称绝一代的诗画大家,如李唐、刘松年、马远、夏圭等深受文人欣赏认同的院体山水名家,这些出身经历高低迥异的画家们,以同样的"画家"身份被大部分文人认可接受,其作品被视为难得的艺术珍品被反复揣摩研究,这在宋元以前是很难想象的。

从题材内容到形式技法再到创作主体,四百年间的宋元绘画完成了在接续发扬晋唐绘画传统基础上的伟大变革。这一变革的意义是如此深远,首先,如我们前文所言在于确立了此后中国绘画的基本范式;其次,也是更重要的一点,即通过上述领域的变革完成了中国绘画的内在变革:对形象由写实到写生,对标准由形似到神似,以独特的画意诗意相通观构建了中国绘画的审美意识。

第二节　宋元绘画的"极似如真"

如同世间万事万物的审美一样,任何艺术领域的变革都是因为相

---

① 　(唐)朱景玄《唐朝名画录》著录唐高祖武德年至唐武宗会昌年约200余年知名画家126人,而郭若虚《图画见闻志》著录唐武宗会昌年至约宋神宗熙宁七年200余年知名画家280余人,还有不少北宋画院画家名籍散佚不考未录。

应的艺术审美方面产生了新的认识、思想甚至思潮。这种审美上的新的变化首先作用于人的精神世界中,进而影响着人的艺术活动,就像人在头脑指挥下所作出的种种行为一样。宋元时在绘画领域发生的巨大变革也不例外,它在题材内容、艺术形式和活动主体等方面的变化,都给我们释放出一个共同的指示信号:在宋元绘画审美意识上有一些新的变化已经发生,正是这些审美意识的新变促生和推动了绘画的变革。宋元绘画变革所形成的绘画艺术成为后来中国绘画的基本范式,深刻地影响了中国绘画。同样,宋元绘画中的审美意识的变化,不仅影响了中国绘画审美精神的最终确立,而且通过绘画的民族属性和巨大影响力影响着中国艺术的审美问题。所以,从已知的宋元绘画审美特征的变化出发,我们去发现找寻宋元绘画审美意识上的一些重要而有趣的变化,进而思考回答宋元时的中国审美意识的变迁问题,这无疑是十分有意义的。

绘画作为一种直接建立在线条和颜色构成的视觉形象上的艺术,在图画本身、表现对象和欣赏者的审美认知之间,画家一定要建立某种联系。这种联系一般是一种"彼此相似"的思维联系,即它们之间在形象体验上会激发出"它们是相似的"印象。尽管在后来的绘画艺术中,有画家通过对"相似形象"的有意扭曲和破坏来表达更多的寄托,但他们的艺术首先是基于"彼此相似"的思维联系的,而绝不会导致欣赏者头脑中出现"彼此无关"的认识。

在绘画艺术早期,这种"彼此相似"主要落实在对象轮廓的相似上,绘画者往往借这种轮廓上的彼此相似,来指代或指示某个实际对象。出于审美的原始觉醒,人们发现这种"彼此相似"的表现带有某种难以言喻的美感。尽管,人们似乎还不太明白这种使人愉悦的审美体验到底是什么,但他们已经发现这种体验源于自己随手或精心描绘的神秘的线条和色彩。人们在以"彼此相似"的思维运用线条和色彩来描绘客观世界时,仿佛直接发现和掌握了这个世界的某些神奇的奥秘,这使得人们沉浸在人可操控的因"相似"而引起的愉悦中,并自觉地去追求这种"相似"。可以说,图画与对象之间的"相似"是绘画审美的核心和基础。有关于绘画审美的争论,与其说是对"似"与"不似"的争论,不如说是对"似什么"、"如何似"和"为什么似"的探究。在追求"相似"中,"不似"并不应该是"似"的反义和反面,它应该是一种更高的"似"对此前较低层次的"似"的升华,一切的"不似"都是特殊的"似"。

　　既然如此,在明确了宋元绘画领域的巨大变革基础上,我们对于宋元绘画审美意识的讨论也将围绕绘画的"似"的问题展开,如前一小节我们对绘画史的梳理中所说的:形似是上古至晋唐绘画审美的核心标准。无论是轮廓的形似,还是外形的形似,乃至姿态上的形似,画家们都在视觉上追求某种意义上的形象的逼真再现。但这种对形似的膜拜在北宋被否定了,而且,否定得很轻易。宋代画家毫不费力地以一种更形似的"形似"(院体工笔画)取代了此前绘画的形似,同时,因发掘出一种潜藏着的"形不似而神更似"(水墨山水花鸟画)而超越了单纯的形似。宋元绘画审美意识中发生的这种"似"的变化,受到了宋元及以后的中国绘画的普遍接受,这种接受是如此顺畅热烈,以至于我们可以将这种对宋元"似"的新变的接受视作对一种期盼已久的"绘画真经"的欢迎。

一、宋元界画的"极似"

　　以一般意义上的"物画相似"的标准去看待宋元绘画史的话,我们可以发现,宋元四百年绘画存在一个"极似如真"与"神似见意"各自标榜最后"神似"胜出的绘画审美之争的过程。但无论是"极似如真"对晋唐"画无常工,以似为工;学无常师,以真为师"①的超越,还是"神似见意"的更上一层楼,其中都包含着宋元人对绘画审美的极有价值的思考。

　　在宋代,以"似"为主要审美特征的绘画有两种是值得我们重视的:界画和院体花鸟。界画,五代、宋、元极盛,北宋时称之为"屋木画",南宋时始有"界画"之名。它是中国绘画中的一种古老技法,早在晋代已有画

---

　　① (唐)白居易:《记画》,见潘运告编注:《中国历代画论选》(上),湖南美术出版社2007年版,第94页。

者为之。其法大略以界笔、直尺合而为画楼台亭阁宫室,讲究"以毫计寸"、"折算无亏"。界画者将现实中之建筑景物以精细尺算按固定比例画于纸上,结构部件纤毫不差,在物画关系上极力追求相似之能事。宋元时界画极度繁荣,发展到此类画法之顶峰。《宣和画谱》卷八云:"(界画)一点一笔,必求诸绳矩,比他画为难工,故自晋宋迄于梁隋,未闻其工者。粤三百年之唐,历五代以还,仅得卫贤以画宫室得名。本朝郭忠恕既出,视卫贤辈,其余不足数矣。"①以此言论之,宋人对"界画"是相当自矜自高的,亦可见宋人对"极似如真"之美的创造和接受,这都显示出了宋元画家在"物画相似"上对前代的超越。郭忠恕后,宋元界画代有杰才,佳作迭出,这无疑说明以"界画"为代表的"极似如真"审美在当时并非个别画家的个人趣味,它已经成为那个时代绘画审美的一种潮流。《画之流派溯源》在谈到宋元界画浪潮时说:

> 宋郭忠恕出,其界画称古今第一。郭忠恕者,洛阳人,字恕先,能文章,精小学,工篆隶,擅绘画,为人不羁,玩世嫉俗,纵酒肆言,山水师关仝,尤工屋木,虽本尹继昭,然自为一家,屋木原以折算无差,乃为合作,画者往往束于绳墨,稍涉畦畛,便落庸匠。独郭氏以沉宏精审之才,博闻强识之资,游心于规矩绳墨之中,而不为窘,可谓古今绝艺。栋梁楹桷,望之中虚,若可蹑足,栏楯庑户,则若可以扪历而开阖之也。折算皆中规度,略无小差,其妙可知。时人王士元,传其法。又言元之王振鹏,明之仇英,亦传其法。又有张择端者,传有《清明上河图》。宋南渡以后,有李从训养子李嵩,亦善界画,有《高阁焚香图》存焉。元王振鹏,字朋梅,永嘉人,官至漕运千户,界画极工,仁宗眷爱之,赐号孤云处士。论者谓其运笔和墨,毫分缕析,左右高下,俯仰曲折,方圆平直,曲尽其体,细微精致,神气飞动,格力超腾,不拘于法,而不出于法,非画院中人所能,可并驾郭恕先云。承其衣钵者有李容瑾,卫九鼎,朱玉等。有明一代,界画日趋衰落,唯有仇英可以提点。

---

① (宋)赵佶敕纂:《宣和画谱》,岳仁译注,湖南美术出版社1999年版,第170页。

结合《宋朝名画评》、《宣和画谱》、《画之流派溯源》中之评论郭忠恕文字,我们可以知道郭忠恕"其界画称古今第一"允为绘画史之公认结论。《画之流派溯源》通过梳理宋、元、明间界画师徒传承,指出郭忠恕为北宋以后界画流派之共宗。如此,以郭忠恕为例论宋元界画可收纲举目张之能效。如《德隅斋画品》所论,郭之界画"以毫计寸,以分计尺,以寸计丈,增而倍之,以作大宇,皆中规度,曾无少差,非至详至悉、委曲于法度之内,皆不能也"。但又不同于一般的"画者往往束于绳墨",他的界画以界尺直笔为器,但不以此为畦畛,常"游心于规矩绳墨之中,而不为窘",反而达到"栋梁楹桷,望之中虚,若可蹑足,栏楯牖户,则若可以扪历而开阖之也"之妙境。在熟练掌握界画艺术规律的基础上,郭忠恕也能根据审美需要适当突破成法,所谓"明万法而无法"也,这才是其界画取得常人难及成就的关键。如李廌所说:"孔子所谓从心所欲不逾矩,庄子所谓猖狂妄行乃蹈乎大方者也。其为人无法度如彼,其为画有法度如此,则知天下妙理,从容自能中度。使恕先规规度量而为之,则亦疲矣。"[1]师法于郭忠恕的元代界画名家王振鹏作界画亦"不拘于法,而不出于法",在继承与突破界画技法上与郭忠恕是一脉相承的。

从上述可以看出,界画宗师郭忠恕、王振鹏等人的界画虽"极似如真",但他们的这种"极似"是在突破界画"以毫计寸、折算无亏"创作法则基础上达到的。宋元界画家因为严格尊重客观规律和全面掌握界画技法,所以突破了技法对界画者主观艺术心灵的局限,进而在遵守艺术规律之上获得更广阔的艺术自由。更重要的是,郭忠恕等人的界画在严格遵守自然客观景物物理规律而画出"极似如真"的同时,欣赏者所感受到的却不止于等比例缩小的景物的逼真还原画面,而是依据界画中的比例将自我缩小而进入界画家所营造的艺术真实中,并获得一种宛如真实的游赏揽胜之美。如不解此意,将郭忠恕等人的界画目为"束于绳墨"的建筑图解,那只能说没有品出郭忠恕界画"极似如真"的艺术形式中深蕴的

---

① (宋)李廌:《德隅斋画品》,见卢辅圣主编:《中国书画全书》第一册,上海书画出版社 1993 年版,第 991 页。

"神气飞动,格力超腾"的艺术魅力。《宋朝名画评》说得好,"洎国初郭忠恕、王士元之流,画楼阁多见四角,其斗拱逐铺作之,向背分明,不失绳墨。今之画者多用直尺,一就界画,分成斗拱,笔迹繁杂,无壮丽闲雅之意"①。界画之所以在皇帝敕纂的《宣和画谱》所列绘画诸门位中得列第三,郭忠恕界画之所以"古今第一",被评为"神品",奥秘并不在其物画彼此的"极似如真",而在于其在"极似如真"的形式中蕴含着只属于北宋"文化造极"之升平盛世的"壮丽闲雅之意"。

也因其寄意深远,观者多有不解者。《宣和画谱》"郭忠恕"条目下云:"钱塘有沈姓者,收忠恕画,每以示人,则人辄大笑,历数年而后方有知音者。谓忠恕笔也,如韩愈之论文,以谓时时应事作下俗文章,下笔令人惭,及示人以为好,惜古文之难知也如此,今于忠恕之画亦云。"②如果界画只是"形似"的话,那么郭忠恕的作品是不会如文中所云乍见无法理解的。显然,以郭忠恕为代表的宋元界画所表现的不仅仅是"形似",还包括"数年方知"的深意。将郭忠恕界画比为韩愈古文,尤其写出宋人对界画之以"极似如真"达"真形寓深意"的探索。宋元界画家通过对形似真实的极致描绘,反而造出"形真"以外的无穷奥境,此妙境又寄托表达了单纯形真画似不能尽言的雅意,所谓"画之中规矩准绳者为难工,而游规矩准绳之内而不为所窘而尤难"也。这种真与幻、形与神之间的辩证统一,正是宋元人在前代纯粹"形似"的追求基础上达至探知的一种更高层级的"形似"。

二、宋元花鸟画的"如真"

界画以外,同样讲求"极似如真"审美的还有五代宋元时期创作非常繁荣的院体花鸟画,但这两种绘画在审美上有共通之处的同时还存在较多不同之处。二者在绘画审美上都极力表现"极似如真"之美,但在细微之处又有所不同,即院体花鸟画虽以"形似"为主要审美风格,但在"形

---

① (宋)郭若虚:《图画见闻志》,见潘运告编注:《中国历代画论选》(下),湖南美术出版社 2007 年版,第 377 页。

② (宋)赵佶敕纂:《宣和画谱》,岳仁译注,湖南美术出版社 1999 年版,第 177 页。

似"的同时,往往又极力突出"以形传神"。

"花鸟"作为明确的画科类目名称,首次出现实在北宋郭若虚《图画见闻志》中,晚于晋代成熟已成大宗的人物画。但如以入画题材论,花鸟画之渊源极远,原始陶器之花鸟纹样可视为远祖。以独立的绘画门类论,唐时初有萌芽。张彦远《历代名画记·叙画之兴废》云:"圣唐至今二百三十年,奇艺者骈罗耳目相接。开元、天宝其人最多。何必六法俱全,(六法解在下篇)但取一技可采。(谓或人物,或屋宇,或山水,或鞍马,或鬼神,或花鸟,各有所长)。"①此言可见出中唐后花鸟画已脱离"狗马"、"禽兽"等门类逐渐走向独立。限于发展尚处于萌芽期,花鸟画还不能视为是成熟的绘画门类。陈绶祥在《中国绘画断代史·隋唐绘画》中指出:"首先,'花鸟'只是作为一种题材上把握的绘画专长而存在,花鸟画尚不能作为完善的独立门类而确定;其次,在技法方面尚处于附属阶段,不能形成自己的技巧语汇,也未见画谱及理论著述;再次,在画家方面,大多数画家仍在全面题材的把握上特别擅长某一两门花鸟题材,这种擅长往往作为一种特别的专长被称道。"②尽管如此,中唐边鸾花鸟画之"精于设色,浓艳如生"的开创之功,仍不可埋没,宋代内府收其数十幅花鸟杰作,其对宋代花鸟画的影响可想而知。

五代时,割据政权上下醉心于小太平,尤其是西蜀南唐,皇帝钟情于书画者多有,适合表现富贵闲适气象的花鸟画在宫廷中首先兴盛起来。后北宋山河一统,花鸟名家如西蜀黄家、南唐徐熙,随割据政权归宋,俱入宋之画院,花鸟画随之成为宋代宗室贵族偏爱的绘画题材。在皇室爱好的号召中,大量优秀人才开始着力于花鸟画的创作,黄居寀等花鸟名家长期主持画院,贵如徽宗赵佶则钻研花鸟成癖,花鸟画作为独立的绘画门类在北宋正式确立。两宋三百年间,画院画家长于花鸟者众多,自成一派,其画号为"院体花鸟",如《画继》说的那样,"盖一时所尚,专以形似"。在这个前所未有的由画院画家创辟的花鸟画浪潮中,涌现出大量花鸟画

---

① (唐)张彦远:《历代名画记》,俞剑华注释,上海人民美术出版社1964年版,第17页。

② 陈绶祥:《中国绘画断代史·隋唐绘画》,人民美术出版社2004年版,第112页。

优秀画家,作品众多且杰出,故画史中有"院体花鸟画"之称。① 元代时画院裁撤,但院体花鸟画在元代仍有承继,且转出新变,渐趋写意,下开明清之文人花鸟写意,意义极大。

院体花鸟早期笔法多宗"黄家富贵",承袭西蜀入宋的黄荃、黄居寀父子笔法。黄荃者,侍奉前蜀、后蜀、北宋三朝,为北宋宫廷画院之潜宗。在长期服务于宫廷的绘画艺术生涯中,他自然而然地形成了一种富贵雍容的画风,"其画花鸟先以墨笔钩勒,后傅以彩色,浓丽精工,世所未有,称双钩体,尤为后世之法式"。"季子居寀,字伯鸾,亦工画,画艺敏瞻,妙得天真之趣。于蜀为翰林侍诏,后主归宋,入宋之画院,为领袖,极负盛名于一时"②。黄氏父子之笔下花鸟,多以禁御珍禽异木为对象,尚颜色,笔法工谨,构图精致,形状逼真,一丝不苟,体态富丽安详,如《宣和画谱》云:"花之于牡丹芍药,禽之于鸾凤孔翠,必使之富贵。"五代宋初,与黄氏父子齐名的花鸟名家还有南唐徐熙,在宋元时期影响不下于黄氏父子。徐熙,钟陵人,南唐世家之后,生卒无考,应卒于宋灭南唐前。徐熙花鸟,江南称绝,《宋朝名画评》赞曰:"熙善花竹林木、蝉蝶草虫之类。多游园圃,以求情状,虽蔬菜茎苗亦入图写,意出古人之外。自造于妙,尤能设色,绝有生意。"据该书记载,太宗曾收南唐遗墨图画,见徐熙《石榴图》,评曰:"花果之妙,吾知独有徐熙矣。其余不足观。"继而"遍示群臣,俾为标准"。③ 徐熙花鸟,情状逼真,尤其注意表现花鸟在自然状态下的形似,《宣和画谱》赞其"妙夺造化"。徐熙笔下花鸟多取自江南自然风物,与主要描绘宫室豢养花鸟的黄氏父子有所区别。就笔法而言,徐熙与黄氏父子也有不同,他的花鸟画主要以水墨构图,设色匀淡,有萧散之气。沈括《梦溪笔谈》论徐、黄笔法不同时说:"诸黄画花,妙在赋色,用笔极新细,

---

① 成书于宣和年间由徽宗赵佶敕纂的《宣和画谱》收录历代画家 231 人、作品 6396 件,分列于十门:道释、人物、宫室、番族、龙鱼、山水、畜兽、花鸟、墨竹、蔬果。其中龙鱼、畜兽、花鸟、墨竹、蔬果五门均可视为花鸟,共计画家 109 人,作品 2000 余件。无论是画家人数,还是作品件数,几占画坛半壁江山。

② 潘天寿:《中国绘画史》,团结出版社 2005 年版,第 104 页。

③ (宋)刘道醇:《宋朝名画评》,见潘运告编注:《中国历代画论选》(上),湖南美术出版社 2007 年版,第 209 页。

殆不见墨迹,但以轻色染成,谓之写生。徐熙以墨笔画之,殊草草,略施丹粉而已,神气迥出,别有生动之意。"①

　　纵观北宋前中期徐、黄两家花鸟,虽有富贵野逸之分,但从他们的传世作品和《宋朝名画评》《图画见闻志》《宣和画谱》《广川画跋》《画继》及苏轼、沈括、米芾等各家评论看,徐、黄两家有两点值得我们注意:一是对形态"极似如真"的重出。花鸟题材在表现形似上有它的特殊性,人皆常见花鸟,但对其形态往往熟视而无睹。因此,画家笔下的花鸟如果只是轮廓无差或形态肖似,并不能体现花鸟绘画的独特审美价值。必须使画中花鸟的形似进入到常人无法观察到的极致,方可引起审美上的惊异。要想如此,首先需要画家对自然花鸟等描绘对象观察入微,掌握它的一切细节;其次,要求画家根据自然花鸟的形态和中国绘画的艺术规律琢磨出一套专门的技法。因此,花鸟易画而难工。为真实表现花鸟,徐、黄两家都有反复观察花鸟形态的记载,且创造性地运用不同笔法去极力表现花鸟的"极似"之美。从他们的作品看,北宋前中期的院体花鸟画,形态惟妙惟肖,逼真如生,有移物于画上之感。也就是说,从常人很难发现和感受到的细节层面去描绘花鸟的"形似如真",是两家花鸟绘画的共同之处。从后来的花鸟画发展史看,这也奠定了宋元花鸟画的审美基础,确立了院体花鸟画甚至是工笔花鸟画的主要审美风格。院体花鸟画的这种审美创造的主要价值就在于,通过对常见之物的细节极似如真的描绘,激发出描绘对象被人熟视无睹后所忽视了的独特审美感受。如梅尧臣咏徐熙《夹竹桃花图》诗写的那样:"徐熙下笔能逼真……描写工夫始惊俗……竹真似竹桃似桃,不待生春长在目。"通过逼真的描摹,花鸟画使得欣赏者生出了"竟能如此"的感叹,以至这种艺术的真实与自然的真实形成碰撞,进而形成真假如一的认知。这样,绘画欣赏者的审美感受与其原有的自然认知之间产生一定的落差或冲突,导致观赏者形成一种微妙的"陌生感"。通过形似反而得到审美的差异和陌生,正是院体花鸟画的

---

① (宋)沈括:《梦溪笔谈》,见潘运告编注:《中国历代画论选》(上),湖南美术出版社 2007 年版,第 265 页。

艺术魅力之一。

徐、黄两家相同之二在于，他们的绘画审美追求都不止于细节层面的极似如真，以极致形似为根基而达到的笔下花鸟神意自生似乎才是他们心眼所系。对于院体花鸟在形似以外的画意寄托，当时的评论者已经注意，并认为是其绘画的真正价值所在。如黄荃在蜀中所做"壁鹤图"，画鹤如生，"精彩态度更愈于生，往往致生鹤立于画侧"[①]。但欧阳炯评曰："六法之内，惟形似、气韵二者为先……荃之所作，可谓兼之。"[②]认为黄荃形似中兼有气韵，点出黄荃花鸟画的独到之处。后世人论黄家笔法，往往视之为仅得富贵形似，以至刘道醇讥曰"神而不妙"，这是他出于对画院画家惯性的歧视，而没有看到黄家花鸟在工笔极似之下内蕴的物情至理。李宗谔《黄荃竹赞序》云："工丹青、状花竹者，虽一蕊一叶必须五色具焉，而后见画之为用也。蜀人黄荃则不如是，以墨染竹，独得意于寂寞间，顾彩绘皆外物，鄙而不施。其清姿瘦节，秋色野兴，具于纨素，洒然为真。故不知墨之为圣乎，竹之为神乎！惜哉荃去世久矣，后人无继者。……敢为之赞曰：猗欤黄生，画竹有名，能状竹意，是得竹情。一毫絜笔，匪丹匪青，秋思野态，混然而成。背石枕水，苍苍数茎，森然如活，飒若有声。又诗曰：惜哉黄公不可亲，空留高价传千古。向非精赏值苏公，时人委弃如泥土。"[③]评论者对徐熙花鸟的评价也多看重、肯定其中的神韵气骨，刘道醇《宋朝名画评》认为："夫精于画者，不过薄其彩绘，以取形似，于气骨能全之乎？熙独不然必先以其墨定其枝叶蕊萼等，而后傅之以色，故其气格前就，态度弥茂，与造化之功不甚远，宜乎为天下冠也。故列神品。"[④]刘氏此论，将花鸟画区别为两个层次：彩绘形似和水墨气骨。他肯定徐熙花鸟

---

① （宋）黄休复：《益州名画录》，见潘运告编注：《中国历代画论选》（上），湖南美术出版社 2007 年版，第 178 页。

② （宋）黄休复：《益州名画录》，见潘运告编注：《中国历代画论选》（上），湖南美术出版社 2007 年版，第 178 页。

③ （宋）刘道醇：《宋朝名画评》，见潘运告编注：《中国历代画论选》（上），湖南美术出版社 2007 年版，第 210 页。

④ （宋）刘道醇：《宋朝名画评》，见潘运告编注：《中国历代画论选》（上），湖南美术出版社 2007 年版，第 209 页。

超越黄荃的地方在于,徐熙重点使用水墨黑白色来描绘自然花鸟的五颜六色,以突破视觉上形似的审美方式,来追求表现花鸟的气度格调,这才是徐熙花鸟可称神品的主要原因。

随着对花鸟画审美认识的深入,画家对徐、黄确立的"极似如真"渐渐有了更新的认识。如赵昌,花鸟画"不特取其形似,直与花传神者也"①;如易元吉,"初以工花鸟专门,及见赵昌画,乃曰:'世未乏人,要须摆脱旧习,超轶古人之所未到,则可以谓名家。'"②这种对徐、黄形似画风的反思积累到熙宁年间,时因神宗锐意变法,翰林图画院自宋初黄氏父子以来形成的稳定局面随之生变,这时,站出来扭转专师黄体花鸟画风的是崔白和吴元瑜。崔白,字子西,濠梁人,主要活动于北宋嘉祐至元丰年间,早年以民间画工为生,笔下人物花鸟深得士人赞许,王安石《纯甫出僧惠崇画要予作持》赞其"一时二子(指惠崇和崔白)皆绝艺"。神宗熙宁年间,崔白入画学,"白性疏逸,力辞以去。恩许非御前有旨,毋与其事,乃勉就焉"③。崔白一生创作颇勤奋,作品众多,仅《宣和画谱》著录画目就有 241 件,有花鸟佳作《双喜图》、《寒雀图》等传世。吴元瑜,字公器,京师人,与崔白同时稍晚,"初为吴王府直省官,换右班殿直",后出为光州兵马都监,再调官至官至毂下,任武功大夫、合州团练使。从文献看,吴元瑜大概是个中下层军官,虽身为武职,元瑜却以善画留名于史。关于吴元瑜对院体花鸟审美风格所发挥的作用,《宣和画谱》这样写道:"(吴元瑜)师崔白,能变世俗之气所谓院体者。而素为院体之人,亦因元瑜革去故态,稍稍放笔墨以出胸臆。画手之盛,追踪前辈,盖元瑜之力也。故其画特出众工之上,自成一家,以此专门,传于世者甚多,而求元瑜之笔者踵相蹑也。"④吴元瑜创作甚丰,《宣和画谱》著录其画作 189 件。

关于当时院体花鸟由黄氏父子富贵画风变异为崔白疏阔画风,《宣

① (宋)赵佶敕纂:《宣和画谱》,岳仁译注,湖南美术出版社 1999 年版,第 366 页。
② (宋)赵佶敕纂:《宣和画谱》,岳仁译注,湖南美术出版社 1999 年版,第 368 页。
③ (宋)赵佶敕纂:《宣和画谱》,岳仁译注,湖南美术出版社 1999 年版,第 371 页。
④ (宋)赵佶敕纂:《宣和画谱》,岳仁译注,湖南美术出版社 1999 年版,第 384 页。

和画谱》是这样形容的,"居宷画法,自祖宗以来,图画院为一时之标准,较艺者视黄氏体制为优劣去取,自崔白、崔悫、吴元瑜既出,其格遂大变"①。从北宋百余年花鸟画发展看,黄氏父子的风格虽受到宋代皇室的认可和欣赏,但因画院的封闭,其画风基本停止在黄荃时代,与宋代文化相互影响交流很少,因此黄氏富贵屡受当时文人如苏轼、黄庭坚、米芾批评。与五代宋初的徐、黄不同,熙宁年间的这批画家,如崔、吴等人,可视为宋型文化涵养下的第一批宋代花鸟画家。他们的绝大多数创作都发生在画院以外,如崔白,六十余岁才进入画院,吴元瑜则从未在画院体制下进行创作,故早期院体花鸟崇尚的黄氏富贵对其影响较小。不仅如此,因长期处于院外,这些花鸟画家与蓬勃发展的北宋诗文书画艺术的交流非常频繁密切,宋代文人突破成法、讲求自然、以"我意纵横"为畅达的审美意识对这些画家产生了巨大影响。如崔白《双喜图》,构图极富动感,变黄氏的描法、刻法为写法,且多以淡墨疏扫来表现鹊兔的毛发,个别细微之处有"意笔"的感觉。尤其是图中的枯木、荒草、山坡、土石,借用了水墨山水笔法来点染其中的明暗正侧,在富于立体逼真感觉的自然景物中渲染出一派草枯风急、荒凉紧张的气氛。这种气氛与图中盘飞警叫的喜鹊、回首顾盼的野兔相呼应,使人陡生惊觉,若有若无间能感觉到喜鹊、野兔所恐惧警惕的某种动物欲入画中。崔白的这幅作品侧重对情境的重点表现,注意鸟兽林木之间的气息呼应,在景物的衬托下刻画动物的情态(而非形态),且能笔出画外,使人不自觉地想象画外世界,开拓出情在景外的无限审美空间。崔白等与黄氏富贵等院体花鸟的不同,不仅表现在具体技法上对画院外绘画的吸收上,且表现出明显地对北宋文人山水画和意笔花鸟竹木画和宋代文人所崇尚的诗意野趣的融合。正因为这样,崔、吴等人的作品受到院外艺术领域的广泛欢迎。前文中提到的欧阳修对崔白的肯定、京师人"求元瑜之笔者踵相蹑也",就是这种花鸟趣尚的新变化。

以崔、吴为代表的花鸟新体之所以能革去黄氏富贵的旧院体花鸟之

---

① (宋)赵佶敕纂:《宣和画谱》,岳仁译注,湖南美术出版社 1999 年版,第 351 页。

风,从审美角度看,还存在宋人审美意识逐渐摆脱晋唐旧风影响的因素。黄氏富贵也好,徐熙野逸也好,都源于西蜀南唐的残山剩水,追究上去,多有残唐画风遗存,作品中寄寓的内蕴也多是割据小朝廷富贵偏安的醉生梦死、气骨卑弱、格局狭小,唯工密细丽差可称许。北宋立国脱胎于后周,初不过北方一大割据势力。后太祖太宗力争南北一统,雄心壮志非西蜀、南唐可比。后混一宇内,且涵养斯文,文治大兴,就文化而言,可与汉唐并称,所谓徐、黄花鸟,与文化造极之宋世极不相称。熙宁初,年逾六旬入画院的崔白,推算其绘画在仁宗时应已成名。仁宗庆历新政到神宗变法,正是北宋文化自立的时期,北宋诗文理学大家多出于此时。崔白身处于期间,时代风气及文人意趣的熏染对其花鸟绘画的影响是可以想见的。崔、吴变异旧法,放弃工笔描绘,往往"落笔运思即成,不假于绳尺,曲直方圆,皆中法度"①,与文同、苏轼画竹类似。从花鸟绘画上看,崔、吴等人虽仍注意描绘对象的形似,以"极似如真"著称,但他们的"形似"是为表现笔下花鸟的情理服务的,这与孜孜以求"形似"的黄氏是不同的,故《宣和画谱》认为崔白之画"非其好古博雅而得古人之所以思致于笔端,未必有也"。可以说,崔、吴体变是宋代文化自立在花鸟绘画方面产生影响的结果。苏轼、黄庭坚等文人画家反对形似之风,但对崔、吴等人赞誉有加②,非特为其吸收文人笔墨,亦因其有宋人重意文雅审美借崔白如宫苑涤荡旧风的功劳。

　　与神宗变法一样,崔、吴体变在后来的院体花鸟中并未得到完整的继承。为迎合徽宗赵佶的花鸟审美,院体花鸟转回黄氏富贵风格。此时的画院画家因拘于形似,重新走上刻摹黄氏工笔的道路,艺术个性和价值不足一谈。这时期的院体花鸟的代表画家只有宋徽宗赵佶。徽宗赵佶,神

---

① 　(宋)赵佶敕纂:《宣和画谱》,岳仁译注,湖南美术出版社 1999 年版,第 371 页。

② 　如苏轼《赵令晏崔白大图幅径三丈》诗云:"扶桑大茧如瓮盎,天女织绡云汉上。往来不遣风衔梭,谁能鼓臂投三丈。人间刀尺不敢裁,丹青付与濠梁崔。风蒲半折寒雁起,竹间蹙横江梅。画堂粉壁翻云幕,十里江天无处着。好卧元龙百尺楼,笑看江水拍天流。"再如黄庭坚《题李汉举墨竹》云:"如虫蚀木,偶尔成文,吾观古人绘画妙处类多如此,所以轮扁斫车,不能以教其子。近世崔白笔墨,几到古人不用心处,世人雷同赏之,但恐白未肯耳。"

宗第十一子,哲宗之弟,雅好书画,书称瘦金体,自成一家,画则以花鸟著称。赵佶传世作品较多,有题款者二十余件,但这些作品风格不一,或设色浓艳,或水墨清逸,未必都为赵佶一人所作。《铁围山丛谈》认为:"独丹青以上皇(赵佶)自擅其神逸,故凡名手多入内供奉,代御染写,是以无闻焉尔。"①那么,传世作品中哪种风格是赵佶的真正面目呢?有论者因为赵佶有"四季月季无毫发差"论、"孔雀升墩举左"论,认为赵佶观察花鸟如此精细入微,所以其必偏向工笔浓艳之黄氏画法,如《瑞鹤图》、《芙蓉锦鸡图》等"宣和体"之佳作,可谓其花鸟审美的典范。也有论者因为赵佶早在潜邸时画学吴元瑜,主持画学选拔多以古诗为题,且开题画诗先河,纳诗画于一体,所以认为更具诗意的水墨花鸟画,如《柳鸦图》卷、《池塘秋晚图》等更能代表赵佶之审美趣尚。我们认为,赵佶及其代表的"宣和体"在院体花鸟审美上有的承袭徐、黄,有的体近崔、吴,并不全然是矛盾的。这两种同中有异的花鸟审美情趣同时体现在一位画家、一个群体和一个时期,恰恰反映出院体花鸟画家在"极似如真"的表现形式上的思考和碰撞。一方面,"极似如真"是花鸟画门类的基本艺术特征,放弃它对很多花鸟画家而言等于否定了花鸟画传统,以极致的形似来表现花鸟之神态,有独特的审美价值,画家难以舍弃。但另一方面,宋人在文化自信的时代语境中,渐渐培养出不同于晋唐的尚意且喜欢表现自我的趣味,认为追求刻摹外物形似,不去体验把握图画真意是背离艺术审美的。所谓以花鸟之形显花鸟之神,无关于"我意",故文人往往反对甚至鄙弃形似之花鸟。如沈括云:"书画之妙,当以神会,难可以形器求也。"②苏轼、米芾及元之倪瓒都有类似观点。文人更愿意以花鸟为象,寄托"我"之心意,且已将这种文人审美改造的花鸟画理念付诸创作实践。这样,赵佶及"宣和体"的两宋院体花鸟就处在"极似如真"的传统与宋代文化中的"重意尚我"思潮的十字路口,其风格趋向形似和重意两种风格就不足为

① (宋)蔡絛:《铁围山丛谈》,见上海古籍出版社编:《宋元笔记小说大观》(三),上海古籍出版社2007年版,第3117页。

② (宋)沈括:《梦溪笔谈论画》,见潘运告编注:《中国历代画论选》(上),湖南美术出版社2007年版,第263页。

怪了。

尽管赵佶等人力图对两种风格同样继承流传，但讲求形似和重意尚我之间在审美意识上是背离的，在形式上也很难兼顾，因此，院体花鸟终须面对择一从之的问题。从政、宣年以后的画史文献和创作实践看，院体花鸟最终选择了与宋人文化合流，渐渐由勾线设色讲求形似走向水墨皴擦写意。如徽宗敕纂《宣和画谱》专开"墨竹"一门，《墨竹叙论》云："绘事之求形似，舍丹青朱黄铅粉则失之，是岂知画之贵乎？"①书中著录花鸟名家也多以水墨为画，如"内臣乐士宣字德臣……画花鸟尤得生意……晚年尤工水墨，缣绡数幅……殆与杜甫诗意相参。士大夫见之，莫不赏咏"②。再如主要著录南宋画家的《画继》记载："郓王，徽宗皇帝第二子也。……克肖圣艺，乃知父尧子舜，趣尚一同也。今秘阁画目，有《水墨笋竹》及《墨竹》、《蒲竹》等图。""光州防御使令穰，字大年……汀渚水鸟，有江湖意。又学东坡作小山丛竹，思致殊佳。"③这种对水墨写意的偏爱倾向贯穿南宋始终，发展到元代，终出现了一大变。徐建融《元代书画藻鉴与艺术市场》对这一大变化是这样说的：

> 综观我国古代花鸟画的发展……其间大致经历了如下五次重大的变迁：中唐边鸾写生为一变；五代"徐黄异体"为一变；两宋崔白、吴元瑜、赵佶、李迪的画院花鸟为一变；元代赵子昂、钱选、王渊、张中的墨花墨禽为一变；明清白阳、青藤、八大、八怪的水墨大写为一变。

> 其中元人一变，有它特殊的意义。盖有宋以前的三变，都不出工笔写实的范畴，画花如笑，写鸟如生，丰富的题材，千姿百态，折射了对于自然景物单纯的抒情和挚爱。明清一变，成为阔笔写意的潮流。画家对客观对象的具体感受，侧重于由物象生意所映照的人格精神，对于题材范围的适应性大大缩小了，笔墨成为唤起审美情感的主要

---

① （宋）赵佶敕纂：《宣和画谱》，岳仁译注，湖南美术出版社 1999 年版，第 396 页。
② （宋）赵佶敕纂：《宣和画谱》，岳仁译注，湖南美术出版社 1999 年版，第 390 页。
③ （宋）邓椿：《画继》，人民美术出版社 1963 年版，第 8 页。

内容。作为介于二者之间的元代墨花墨禽，不仅起到了过渡的桥梁作用，而且是在二者之间外独放异彩的艺术规范。论题材的丰富，它不及五代、两宋，但蕴含了更鲜明的主观情趣；论思想的容量，它不及明清，但显示了更实在的客观现实性。它是写实中的写意，再现中的表现，无彩中的有彩。它同时追求笔墨的表现力和对于对象的适应性，追求艺术形象形、神、意三位一体的完整属性，追求含蓄和内涵，从而开拓了花鸟画发展更广阔的天地，丰富了艺术表现的手法。①

徐建融所说的元人花鸟之变中提到的赵子昂、钱选、王渊、张中等元代花鸟画家却是锐意求新，在两宋院体花鸟有工设色画形向水墨写意转变的道路上走得更远。如赵孟頫，兼善黄氏富贵和水墨花鸟，但从其书画艺术综合来看，其个人审美旨趣更偏向于写意。其自谓："作画贵有古意，若无古意，虽工无益。今人但知用笔纤细，傅色浓艳，便自谓能手，殊不知古意既亏，百病横生，岂可观也。吾所作画，似乎简率，然识者知其近古，故以为佳。此可为知者道，不为不知者说也。"②《北窗琐语》认为他"画竹不减文与可"，正是其花鸟渐去设色而多水墨创作实践的写照。再如赵孟頫的学生王渊，《图绘宝鉴》说他"幼习丹青，赵文敏公（赵孟頫）多指教之，故所画皆师古人，无一笔院体（指南宋画院李、刘、马、夏等人）。山水师郭熙，花鸟师黄筌，人物师唐人，一一精妙，尤精于水墨花鸟竹石，当代绝艺也"③。虽然他们在有些画法技巧上继承了北宋以来院体的工笔勾勒、设色、刻形技法，但从他们的整体创作追求来看，讲求形似已不再是他们主要的审美旨趣了。即是说，极似如真的院体花鸟的时代虽有些许痕迹遗存，但它已经结束了。

纵观宋元界画及院体花鸟画的画家，他们都在"极似如真"上下足功夫。画家们仿佛以显微透视的全能之眼观察着所要描绘的对象，纤毫不

---

① 徐建融：《元代书画藻鉴与艺术市场》，上海书店出版社1999年版，第184页。

② （明）张丑：《清河书画舫》，徐德明校点，上海古籍出版社2011年版，第515页。

③ （元）夏文彦：《图绘宝鉴》，见徐娟主编：《中国历代书画艺术论著丛编》（1），中国大百科全书出版社1997年版，第541页。

差,活灵活现。为了将观察到的每一点细节描画出来,他们尝试了各种技法,并在此基础上形成了各自系统适宜的技法体系,或以笔尺为具,按比例缩放入画;或工笔细描设色,依种属纲目为工。可以说,宋元繁盛的这两种绘画在以"形似"为判断标准的绘画领域达到了艺术极致,为前朝后代所未见。二者俱求"极似",在"极似如真"中,画作消弭了四维历时的客观景物与二维平面画作之间的差异,使观者内心油然生出画中之物方为真正之真的感受。这时,本为虚假的画面因其描绘的真实反而替代了人对某些景物的客观认识,达到了假作真时真亦假的效果了。这不能不说是界画和院体花鸟画在当时受到欢迎、在后代得到赞誉和肯定的原因所在。

遗憾的是,中国绘画以形似为美的创作在以界画和院体花鸟画为代表的两宋达到巅峰,但也意味着衰亡。这种讲求形式美的绘画从根本上讲与先秦以来的儒道思想是背离的,儒家之"尽善尽美"和道家之"大象无形"早在千年前就从哲学认知的层面宣告了这种绘画审美的命运了。界画和院体花鸟画的崛起,依赖于五代两宋的帝王审美和皇家画院制度,当这些都消失的时候,界画和院体花鸟以及它们所代表的"极似如真"的绘画审美意识也随之消散在历史长河中了。

第三节 宋元绘画的"神似见意"

宋元时期,在一部分画家孜孜于界画和院体花鸟画的时候,也有另一部分画家走向了与前者相反的创作道路,这就是宋元时期的山水画。二者不仅在具体的创作实践方面差异很大,就审美而言,他们认同秉持的思维也非常不同。简言之,界画和院体花鸟画的画家是以形似求神似,即他们在创作过程中,坚持画中景物与现实中的对象在形态上的最大程度的相似。通过这种相似,画家的作品内蕴了表现对象独有的"外物之神"。在形神兼备中,欣赏者通过绘画作品感受到了移物入画的独特审美体验和巧夺造化、笔如天工的艺术魅力。在整个的创作、欣赏和评论过程中,在这种讲究"极似如真"的绘画审美中,创作者的主观情思和个人感受被尽量压缩,其本人更多地扮演着万能的无微不至的观察之眼和高超的工巧细致的描画之手。山水画则与之完全不同。在宋元山水画中,自然景物和描画对象只是画家表达抒发敏锐浓挚的审美感受和个人体验所依托的物象,所以,山水画家看到的自然景物并不是画家们所要描画的内容,文人绘画落于纸上的就形态而言是文人画家们内心中基于外物启发萌生出的"象",这个"象"虽与自然景物之间存在着形态上的相似,但更多的"物象相生"则源自画家对于自然景物的感悟,因此,神似大于形似。通过神似,文人画家得以跳出描形写貌的创作局限,获得了更多的创作自主,也能够更尽兴地把更多的主观感受表达出来,他们的文化自信中养成的"我意"也被淋漓尽致地体现出来。

一、宋元山水画的"神似"

从题材角度看,山水画不重形似,以神似妙境为上,这与其题材的先天局限有直接关系。宗炳在《画山水序》中早已指出山水绘画求形似之难:"夫昆仑山之大,瞳子之小,迫目以寸,则其形莫睹,迥以数里,则可围于寸眸。诚由去之稍阔,则其见弥小。今张绢素以远暎,则昆、阆之形,可围于方寸之内。竖划三寸,当千仞之高;横墨数尺,体百里之迥。是以观画图者,徒患类之不巧,不以制小而累其似,此自然之势。"[①]山水胜境,体大周长,重峦叠嶂,一人之眼无法穷尽观测,故山水景物虽然常见,寻幽探胜时也免不了远望近观,但实际山水体验的审美印象中多为综合复杂的身游心感,并不止于视觉印象。所以,山水画家要描画他或其他人肉眼所见实景是不可能完成的,也没有必要去这样做。况且,纸绢幅面有限,山水浩大无边,如王维所言山水绘画要以"咫尺之图,写千里之景",不同于文学抽象思维可以"笼天地于形内,挫万物于笔端",绘画不能完全"离形去智",如机械地按比例将景物缩放入画,那绘画与舆图没有区别,它将完全失去审美价值,不能被称为艺术了。同时,山水景物单就其物理形态

---

① (南朝宋)宗炳:《画山水序》,见潘运告编注:《中国历代画论选》(上),湖南美术出版社 2007 年版,第 12—13 页。

整体是静居不动的,但四季轮替、林泉流淌、云雾聚散乃至树影摇荡、朝夕明灭间,其又处于一个时时变动的动态中,与人物花木鸟兽题材等大不相同。所以,山水画之求神似,首先是因为其艺术的先天局限导致创作不能完成对题材的如实写形。如必欲写形求似,反而会离似愈远,只能得到假山假水,如儿童涂鸦,难成一门。其次,山水比德思维深刻影响着中国人的山水审美,这也促使中国山水绘画尽力去表现山水所蕴含的深刻哲理,而非单纯的山水形态。《论语·雍也》云:"知者乐水,仁者乐山。知者动,仁者静。知者乐,仁者寿。"孔子的这一观点,将山水与智乐、动静、乐寿等不同范畴的多组哲理概念联系在一起,形成比较完整的山水比德思维体系,并对后世产生深远影响。后来的儒家文人在继承孔子思想的过程中,也继承并发扬了山水比德思维。宋元理学大兴,成为当时社会上的显学,山水比德思维经大儒解读,更加深入人心,对山水画的影响极大。朱熹云:"知者达于事理而周流无滞,有似于水,故乐水。仁者安于义理而厚重不迁,有似于山,故乐山。"[①]在南宋朱熹的解读中,山水又具有了通达不滞、厚重不迁的审美内涵。在这种更倾向于发掘山水哲理的民族文化心理的影响下,山水画在宋元时期走向重于神而轻于形,成为一种发展上的必然。

　　山水画并非是宋元绘画的新创门类,早在晋代,有关山水题材的绘画创作就已初露端倪了。东晋顾恺之的人物画中多以山、水、云、石等为背景,虽然只是背景,但其描绘之笔意精细,当有画家的艺术之思蕴于其中,如《女史箴图》等。但当时绘画中的山水内容,一方面还没有从人物画中独立出来成为专门的绘画门类;另一方面,在审美和具体技法上还存在"水不容泛,人大于山"[②]的根本不足。隋唐时,山水画得到长足发展。展子虔《游春图》虽以贵族游春为题,但全画以自然山水为主要描摹对象,可视为中国画史上第一幅真正的山水画。此后,唐代画家多有山水之作,其中最杰出且影响最大的当属李思训、李昭道父子和王维。李昭道,唐代

---

　　①　(宋)朱熹:《四书章句集注》,中华书局1983年版,第90页。
　　②　(唐)张彦远:《历代名画记》,见潘运告编注:《中国历代画论选》(上),湖南美术出版社2007年版,第109页。

公认"国朝山水第一"。汤采真《画论》云:"李思训画著色山水用金碧辉映,为一家法。其子昭道变父之势,妙又过之……观其笔墨之源,皆出展子虔辈也。"①李氏父子的山水画多以青绿金碧设色,开中国北宗山水一派。张彦远《历代名画记》认为"山水之变,始于吴,成于二李"。二李山水影响颇大,《宣和画谱》云"今人所画着色山往往多宗之",宋元山水名家如郭熙、范宽、刘松年、李唐、马远、夏珪、王晋卿、王希孟、赵伯驹等人的山水画都能看出受二李山水影响的痕迹。

但在宋元人看来,他们在山水画上的创新是不如王维南宗山水的。王维与二李在山水绘画上齐名,为南宗山水领袖。值得注意的是,王维在《山水诀》中说:"夫画道之中,水墨最为上",以他为代表的一派画家将水墨皴、擦、晕、染技法引入山水画创作。水墨入山水引发的变革并不止于技法领域,它更深远的意义在于,在晋唐以来中国的山水绘画外另发现了一种新的山水之美。水墨落于纸绢,虽不过黑白二色,但浓淡浅深枯燥之间奥妙无穷。同时,使用水墨描绘山水,有助于创作者和欣赏者排除华丽设色的干扰,将更多的注意力集中在对笔触皴法、画境画意的体会感受上。因为水墨描绘能够更好地体现山水绘画"意在笔先"的妙处,能更充分地表现山水"自然之性、造化之功"的独特审美,所谓"胸次潇洒,意之所至,落笔便与庸史不同"②。董其昌《容台别集》卷四论画之南北宗云:"禅家有南北二宗,唐时始分。画之南北二宗,亦唐时分也,但其人非南北耳。北宗则李思训父子着色山水,流传而为宋之赵干、赵伯驹、伯骕以至马、夏辈。南宗则王摩诘始用渲淡,一变钩斫之法,其传为张璪、荆、关、董巨、郭忠恕、米家父子以至元之四大家;亦如六祖之后,有马驹、云门、临济儿孙之盛,而北宗微矣。"③所以,宋元山水绘画虽有取法于二李之处,但在技法形式和审美旨趣方面主

---

① (元)汤垕:《画论》,见潘运告编著:《元代书画论》,湖南美术出版社2002年版,第343页。

② (元)汤垕:《古今画鉴》,见潘运告编著:《元代书画论》,湖南美术出版社2002年版,第343页。

③ (明)董其昌:《容台别集》,见傅慧敏编著:《中国古代绘画理论解读》,上海人民美术出版社2012年版,第75页。

要还是源于王维等人的。

宋元时期,中国山水绘画在技法上发生了巨大变革,由勾线设色为主变为水墨皴法为主。这一变化的发生并非突然而至,其实质是五代宋元山水画家寻求新突破的艺术探索的外在表现,是五代宋元山水画家在对山水审美逐渐有了新知的过程中,所总结摸索出的一套更适合展现中国人山水审美意趣的完整的技法体系。无论是披麻皴、斧劈皴,还是卷云皴、钉头皴,抑或干笔焦墨等,虽然各自不同,都是服务于表现山水景物之美这一创作目的的。因此,宋元四百余年间,山水题材和水墨皴法结合,几代山水画家经过辛勤的努力,在新的创作道路上不断探索,中国绘画中最具民族审美气质的山水画艺术终臻大成。

宋元时期的山水画在水墨皴染道路上的探索,始于晚唐五代著名画师荆浩。荆浩,五代后梁画家,字浩然,号洪谷子,山西沁水人。因避战乱,常年隐居太行山。据《五代名画补遗》记载:"业儒,博通经史,善属文。偶五季多故,遂退藏不仕,乃隐于太行之洪谷,自号'洪谷子',尝画山水树石以自适。"①荆浩山水,师从张璪,但他在隋唐山水基础上大胆突破,在山水绘画审美上为宋元的变革打下了坚实基础。荆浩长期隐居潜观太行山景,发展出一套比较完整的新的山水绘画理论,集中表述在其理论著作《笔法记》上,如"六要四势二病"等。这一体系的核心在强调水墨皴染上,"笔者,虽依法则,运转变通,不质不形,如飞如动;墨者,高低晕淡,品物浅深,文采自然,似非因笔"。在这里,荆浩从绘画表现力上区别了用笔和用墨的不同。对笔的重视可以看出他对晋唐传统的继承;对墨的提倡,尤其是指出墨法在表现自然景物质感和山水之美上有笔法所不能替代的作用,则能明显看出他对山水绘画的深刻体悟。在其代表作《匡庐图》中,他以笔锋勾出轮廓后,在山石阴面使用点子皴来表现山石嶙峋高耸,庐山雄奇壮秀之气自然流露,远处山林树木则以墨擦染,不辨枝叶,这些都与唐法大不相同。

---

① (宋)刘道醇:《五代名画补遗》,见潘运告编注:《中国历代画论选》(上),湖南美术出版社2007年版,第217页。

在发展新的山水画法的同时,荆浩还在理论上否定了晋唐以来山水绘画"形似"的审美观。晋唐以来,山水绘画与其他绘画门类一样,以"形似"为美。如南朝梁萧绎《山水松石格》主张"丈尺分寸,约有常程。树石云水,俱为正形",可以看出早期山水还是强调写形的。朱景玄《唐朝名画录》评山水画家王宰"千枝万叶,交植曲屈,分布不杂",说明当时山水画工笔描画的细致,也反映了当时的林木山水绘画依然处于勾线设色讲究形似审美的阶段。故张彦远在《历代名画记》"论画六法"中说:"彦远试论之曰:古之画或能移其形似而尚其骨气,以形似之外求其画,此难可与俗人道也。今之画……夫象物必在于形似,形似须全其骨气。"①白居易《记画》总述绘画的审美标准是"画无常工,以似为工;学无常师,以真为师",下论山水,能看出强调求形似、逼真是唐人山水绘画在审美上的普遍认识。荆浩则完全打破唐人的传统认识,他在《笔法记》中大胆提出:"画者,画也。废物象而取其真。物之华,取其华。物之实,取其实,不可执华为实。若不知术,苟似可也,图真不可及也。曰,何以为似? 何以为真? 叟曰,似者,得其形遗其气,真者,气质俱盛。凡气传于华,遗于象,象之死也。"②在这篇文章中,荆浩辩证地论述了"似"与"真"的联系与区别,指出山水绘画之美不在"物象形似",而在"气质俱真",提出山水画要"废物象取其真"。"废物象"并不是要求山水画不去描绘山水景物,而是指山水画不能落入仅仅追求山水之形似的窠臼,要着重表现山水的内在神韵,这样才能画出山水的真实面目。这种看法显然已经超越晋唐时山水画单纯的形似审美观,而开始有了表现山水真意的神似审美观的意味了。因其创作实践与理论认识远超晋唐,故宋元画家多有宗法其人者。元汤垕说荆浩"为范宽辈之祖",此论不仅不为过,若从审美意识角度看,荆浩的理论甚至可以视为宋元山水画"神似出意"审美意识的起点。

---

① (唐)张彦远:《历代名画记》,俞剑华注释,上海人民美术出版社1964年版,第23页。

② (后梁)荆浩:《笔法记》,见潘运告编注:《中国历代画论选》(上),湖南美术出版社2007年版,第162页。

　　沿着荆浩开掘的新路，五代北宋的关仝、董源、巨然、李成、范宽、郭熙等人，南宋之李唐、刘松年、马远、夏圭、二赵等人，金元之王庭筠父子、赵孟頫、黄公望、吴镇、倪瓒、王蒙等人，一面在水墨皴染的具体技法上不断创新，一面在表现山水之美的探索中不断前行。考察宋元山水画的创作实践和理论文献，我们发现，宋元山水画的审美探索主要成就在于对"形似"以外的山水绘画"相似之美"的发掘和表现。换言之，他们所着力解决的是在这条极具华夏审美意识的艺术新路上，摆脱了形似束缚同时掌握了水墨皴染方便法门的山水绘画在基于"相似"思维的绘画艺术领域如何表现"相似之美"的问题。

　　既然突破了"形似"而又要遵循绘画的"相似"思维，山水画则必然走向神似。所谓神似，其概念核心仍在"相似"思维上，它所遵从的仍是绘画艺术的本质规律，即通过相似思维沟通审美主体和审美对象，唤起主体源于对象又不止于对象的审美想象。我们发现，宋元山水画家对山水画的把握从创作过程的最初（即观察自然阶段）就已经放弃对具体形态的关注，他们力图看到的是一种各色山水都自然遵循的山水本质，是一种山水之所以为美的神秘力量。他们关注和表现的并不是景物本身，而是景色之美。关于这个问题，北宋郭熙在其山水画论专著《林泉高致》中有明确的阐述。郭熙认为，山水画家在观察体验对象方面与花鸟绘画有明显不同，山水画家在观察山水景物时关注的是"山水之意"，山水绘画力图表现的也正是画家所关注的"山水之意"。他说：

　　　　学画花者，以一株花置深坑中，临其上而瞰之，则花之四面得矣。学画竹者，取一枝竹，因月夜照其影于素壁之上，则竹之真形出矣。学画山水者何以异此？盖身即山川而取之，则山水之意度见矣。真山水之川谷远望之以取其势，近看之以取其质。真山水之云气四时不同：春融，夏蓊郁，秋疏薄，冬黯淡。画见其大象而不为斩刻之形，则云气之态度活矣。真山水之烟岚四时不同，春山澹冶而如笑，夏山苍翠而如滴，秋山明净而如妆，冬山惨淡而如睡。画见其大意而不为刻画之迹，则烟岚之景象正矣。①
· · · · ·

　　郭熙是北宋院体山水之执牛耳者，他的见解可以视作北宋院体山水一派对山水审美认识的代表。在郭熙看来，山水画家与其他门类的画家一样需要反复观察对象的外在，认真深刻地体验对象的内在，但他们从对象中获得的并不是如花鸟画家所重视的物象形影认知，而是一种无法斩刻描画的"大象大意"——"山水之意"。那么，这种"大象大意"是什么呢？郭熙没有做进一步的解释，要寻找这个问题的正确答案，还需要我们回到宋元山水审美最初的阐述——荆浩《笔法记》上。《笔法记》中说"写云林山水，须明物象之源"，就是说，山水画家观察自然山水的根本目的不是得到山水形影，而是要明了"物象之源"。荆浩认为，画山水必须明白的前提——物象之源，指的不是某一处特定山水的具体形态，而是山水自然之美的存在与形成的规律，是山水之所以为美的关键，大略与其师张璪所说的"外师造化，中得心源"中的"造化"相类似。但这一"物象之源"并不是客观存在的，它隐藏在纷繁复杂、变动无常的具体山水景物中，要把握到它，首先需要长时间细致认真地观察体验山水实景，而后可以提炼感悟。从五代荆浩到北宋郭熙，乃至宋元山水各家，他们观察山水而后创作山水画，其核心就是这个"物象之源"，或者说"山水之意"。

　　如此，我们明了了山水绘画"神似"的"神"在哪里："神"就是山水画家在广泛深入观察、体验具体的山水景物后自然生出的对山水的美的本质的认知，我们或者可以称之为山水之道。具体的山水美景是这一无形的山水之道的具体显现，把握住"神"，就把握住了山水的美的本质，就把握住了山水景色本身，因为，具体景色就是山水之道演化出的"道生万物"一样的具象。山水之道演化的"万物"包括覆盖了遵循山水之道而生成的所有已经存在的、可能存在的和应该存在的山水胜景，那么，山水画家所画的即使并非是眼前的实景，甚至不是客观存在

---

　　①　（宋）郭熙、郭思：《林泉高致》，见潘运告主编：《宋人画论》，湖南美术出版社2000年版，第13页。

的自然山水,是画家头脑中的想象,他所画的也依然能够让欣赏者认为这是真的,因为这与欣赏者头脑中的山水之道是契合的。画家通过具体的创作展现了对于山水之道的严格遵循和艺术表现后,其绘画也成为山水之道的具象显化,带有一种独特的山水之美,因此也具有了审美价值了。

我们看到,荆浩以后的宋元山水画家都遵循着长期广泛深入观察、体验自然山水而后得到山水之道,而后笔下山水自然画出而无不似的创作法则。如刘道醇《宋朝名画评》记载李成的创作是这样的:"成之于画,精通造化,笔尽意在,扫千里于咫尺,写万趣于指下。峰峦重叠,间露祠墅,此为最佳。至于林木祠薄,泉流深浅,如就真景,思清格老,古无其人……评曰:李成命笔唯意所到,宗师造化、自创景物,皆合其妙。"①宗师造化、自创景物,正是荆浩《笔法记》所云明了物象之源后的画家,其心手必然生出的具体山水创作正法。只要遵循这一法则,咫尺笔墨纸砚就可在山水之道的驱使下自由描绘千里江山,突破载体形式的物理局限和客观的自然景物的局限,甚至可"自创景物",显"大象大意"于其中。与李成齐名的范宽的山水绘画也是如此,感受山水真意,绘画追求神似。《宋朝名画评》记载:"(范宽)居山水间,常危坐终日,纵目四顾以求其趣,虽雪月之际,必排徊凝览以发思虑。学李成笔,虽得精妙,尚出其下。遂对景造意,不取华饰,写山真骨,自为一家。评曰:范宽山水知名,为天下所重。真石老树,挺生笔下,求其气韵,出于物表,而又不资华饰。在古无法,创意自我,功期造化。"②文中所说的"趣"与郭熙所说的"山水之意"所指大概一致,即山水之道,神似之"神"。范宽对景造意,画的是所造之意,即在山水中体验的山水之道、物象之源,平日所观之景色是其明了造化、心取物象之源的素材片段,石涛所云"搜尽奇峰打草稿"者。不仅名家如此,不甚出名的画家也是这样。"高克明,绛州人,端愿自立,复事谦退,

---

① 　(宋)刘道醇:《宋朝名画评》,见潘运告编注:《中国历代画论选》(上),湖南美术出版社2007年版,第204页。

② 　(宋)刘道醇:《宋朝名画评》,见潘运告编注:《中国历代画论选》(上),湖南美术出版社2007年版,第204页。

尤喜幽默。多行郊野间,览山水之趣,箕坐终日,乐可知也。归则求静室以居,沉屏思虑,神游物外,景造笔下,渐为远近所称。"①由此可知,借山水画表现通过细致观察山水体验得到的山水之道是宋元山水画家的一致选择。

在北宋普遍追求表现山水之道的情况下,山水绘画应该表现蕴藏在具体山水景物中的山水之美的观点,逐渐成为宋、金、元画家和评论家的普遍认识。在著名文人画家苏轼的山水画题跋中,苏轼对山水画家的评论往往重点评点画家及其作品是否能捕捉表现山水之道。在《书蒲永升画后》一文中,他认为蒲永生与前代画家孙位在画水上取得了突出成就时说道:"唐广明中,处士孙位始出新意,画奔湍巨浪,与山石曲折,随物赋形,尽水之变,号称神逸……近岁成都人蒲永升,嗜酒放浪,性与画会,始作活水,得二孙本意。"②苏轼所说的"随物赋形,尽水之变",并不是说孙位画水形似,因为在具体的绘画作品中是不可能将自然中水的全部变化尽画于纸上的。所谓"神逸"之评,"神"言孙位明物之变,"逸"言孙位不为眼前景物常形束缚。他的意思大概是说,孙位画水能把握水之运行规律,根据水的存在状态表现其应有的形态。从孙位的具体作品看,也确实是这样。《德隅斋画品》在评论孙位《春龙起蛰图》画水绝佳时说:"笔势超轶,意气雄放,非其胸中磊落不凡,能窥神物变化,穷究百物情状,未易能也。"此言正与苏轼评论相通。同样,蒲永生画出活水,是因为他"性与画会",将自己的全部精神安放到他所要表现的对象上,所以能在"水之意"上与前辈孙位不谋而合。

这种认识也可从时人对董源作品的评价中看出。米芾本身极善水墨山水,自创"云山墨戏",以狂放随性、不拘一格在宋元山水画坛独树一帜,在北宋山水绘画批评领域也是一位杰出的代表,有评论专著《画史》

---

① (宋)刘道醇:《宋朝名画评》,见潘运告编注:《中国历代画论选》(上),湖南美术出版社2007年版,第204页。

② (宋)苏轼:《书蒲永升画后》,见王水照编选:《唐宋古文选》,凤凰出版社2012年版,第152页。

传世。他在评论前代画家时,往往爱用"天真"一词赞许他人。米氏所云之"天真",指的也是画家在深入山水自然后达到并呈现的一种"不期而成"、"不谋而合"的自然而然地对山水之道的表现。他评价南唐山水名家说:"董源平淡天真多,唐无此品,在毕宏上。近世神品,格高无与比也。峰峦出没,云雾显晦,不装巧趣,皆得天真;岚色郁苍,枝干劲挺,咸有生意;溪桥渔浦,洲渚掩映,一片江南也。"董源南宗山水对宋元山水画家影响极大,不仅狂傲的米芾对其格外喜爱,元代汤垕综论古今山水也毫不犹豫地认为:"唐画山水,至宋始备,如元(即董源)又在诸公之上。"①董源一生留意于江南山水,他耳目所及之处与关仝、李成笔下的北方关陇、齐鲁景色迥异。江南山水明媚秀丽,故董源作画往往间用披麻皴和墨笔点苔之法,山景多以柔和笔画勾勒山丘起伏的曲线,画水时留白见多,营造烟波浩渺、云山雾罩的朦胧之美。沈括《梦溪笔谈》评价道:"其用笔甚草草,近视之几不类物象,远观则景物粲然。"②结合沈括与米芾对董源的评价,可以清晰地发现,五代宋元山水画故意以水墨皴法破坏画中山水的平面扩阔,但又依照山、水、林、木、土、石的常理,来表现不同山水景物的立体质感,通过更贴近常理的形似,来唤起欣赏者在类似情境中所培养的山水体验。整个过程以直入心灵的直观体验为主要形式,创作者、作品和欣赏者共得天真,为同一山水之道所化,确实为前世后代难及。因此,董源及其弟子巨然山水画流传形成的董巨传派在南宋影响渐大,至元代中期,已成为山水之大宗。元代黄公望说:"作山水者必以董为师法,如吟诗之学杜也。"③清代王鉴也说:"画之有董、巨,如书之有钟、王,舍此则为外道。"④

---

① (元)汤垕:《画论》,见潘运告编著:《元代书画论》,湖南美术出版社 2002 年版,第 356 页。

② (宋)沈括撰,胡道静校证:《梦溪笔谈校证》(上),上海古籍出版社 1987 年版,第 565 页。

③ (元)黄公望:《论画山水》,见(清)孙岳颁等:《佩文斋书画谱(卷十六)》(《中国历代书画艺术论著丛编》第 56 册),徐娟主编,中国大百科全书出版社 1997 年版,第 476 页。

④ (清)王鉴:《染香庵跋画》,见沈子丞编:《历代论画名著汇编》,文物出版社 1982 年版,第 294 页。

作为画之一科,山水画出现于唐,但我们今天所说的那种施用水墨,皴染晕润的具有独特写意美的山水画的成熟是在宋元。纵观宋元山水绘画,对形似的超越和对神似的追求是一贯的,画家在山水写意中通过表现山水的神似,为山水画艺术确立了正确的艺术道路和具体的操作方法,也为山水画找到了其真正价值所在。在以神遇山水并表现奥秘难言的山水之美的过程中,画家的主观意志越来越重要,"意"的作用成为画家们思考的另一个重点。

二、宋元山水画的"见意"

因为突破了山水审美的形似观,山水画中的客观考量逐渐退到次要的位置,山水画创作和欣赏中能否体现画家的主观审美情思,成为画家需要考虑的重要问题。所谓山水须"见意",在表述上与山水重"神似"有先后之别,但在画家的实际创作中,二者是难以割裂的一个整体。神似必要重意见情,而重意总会出神入化。

同样评论山水名作,董逌《广川画跋》对宋初"三家山水"之李成作品的认识,不是如我们今天一般评论分辨其笔法构图,而是与苏轼、沈括、米芾等人一样,特重李成山水对山水之道、造化天机、物象之源的体验和表现。他说:

> 其绝人处不在真形,山水木石烟霞岚雾间,其天机之动,阳开阴阖,迅发警绝,世不得而知也。故曰气生于笔,遗于像,夫为画而至相忘画者,是其形之适哉!
>
> ——《书李营丘山水图》

由一艺已往,其至有合于所谓道者,此古之所谓进乎技也。观咸熙画者,执于形相,忽若忘之,世人方惊疑以为神矣,其有寓而见邪?咸熙盖稷下诸生,其于山林泉石,岩栖而谷隐,层峦叠嶂,嵌歁峍崒,盖其生而好也,积好在心,久则化之,凝念不释,殆与物忘,则磊落奇特,蟠于胸中,不得遁而藏也。它日忽见群山横于前者,累累相负而出矣,岚光霁烟,与一一而下上,慢然放乎外而不可收也。盖心术之变化,有时出则托于画以寄其放,故云烟风雨,雷霆变怪,

亦随以至。方其时忽乎忘四肢形体，则举天机而见者皆山也，故尽
其道。后世按图求之，不知其画忘也，谓其笔墨有蹊辙可随其位置
求之。彼其胸中自无一丘一壑，且望洋乡若，其谓得之，此复真画
者邪？

——《书李成画后》

从董逌的评论看，李成的山水画主要是师法荆浩，但他并不是模仿荆浩
具体的创作技法，而是依据荆浩总结的山水绘画艺术规律反复静观山
石泉林，体验山水自然与其个人天性之间的契合，捕捉内心感受到的山
水自然美景的人化品格。他观察山水自然后所沉淀和铭记的，不是如
西洋绘画写生速写的实景片段，而是所有他所喜爱和感动的美景的形
态的总和所凝结的共性。在胸中久蓄源于自然审美的山水共性的驱使
下，他的所感所画都是他曾见过的某座山林，又都不是可以一一实景对
照的某座山林，它可能是画家曾经体验并为之感动的很多不同山水景
色的主观组合，也可能是画家根据自己对自然山水审美规律的认识虚
构的想象中的山林树木。从李成的创作实践看，董逌对李成的评论可
称公允。李成师法荆浩，但他的画作与荆浩大不相同。二人都好画北
方山水，但荆浩多画崇山峻岭，而李成多以高山寒林作为自己山水画的
主体。荆浩发明了点子皴并密集使用，以此表现山石峻厚，而李成则发
明了卷云皴结合淡墨疏扫来描画山石，故其画中之山石轻灵秀俊。荆
浩画树号称"笔尖寒树瘦"，近景树木善用中锋细笔描画勾勒细高树
干，树冠多以墨点染茂密树叶，衬托树干的细长瘦高，以此画法表现树
木孤寒之气；而李成画近景树木细长瘦高与荆浩近似，但树干多有意画
树瘤节疤，以点法细致刻画树皮增加质感，枝叶杂用鹿角蟹爪画法，观
之如"有枝无叶"一般，有苍劲古旧之感。因李成出于荆浩而能依个人
山水之道自创新法，故米芾评曰："李成师荆浩，未见一笔相似。"①李成
的创新也并不仅仅是在技法和作品的最终呈现形式上求突破，他曾说

---

① （宋）米芾：《画史》，见潘运告编注：《中国历代画论选》（上），湖南美术出版社
2007年版，第289页。

"吾本儒生,虽游心艺事,然适意而已"①。《宣和画谱》也曾指出,李成的创作更多地源于他个人的内心情感,"寓兴于画,精妙初非求售,唯以自娱于其间耳。故所画山林、薮泽、平远、险易、萦带、曲折、飞流、危栈、断桥、绝涧、水石、风雨、晦明、烟云、雪雾之状,一皆吐其胸中而写之笔下。如孟郊之鸣于诗,张颠之狂于草,无适而非此也。笔力因是大进"②。这样看来,宋元山水名家表现的不仅是"神似",那毕竟还是观物为主的,画家们已经明确山水绘画要借物寓意,以富于个性的绘画来表达一种个人寄托,即画要"见意"。

　　三家山水之范宽,山水师法李成,在自创山水上较李成有过之而无不及。《宣和画谱》载:"喜画山水,始学李成,既悟,乃叹曰:'前人之法未尝不近取诸物,吾与其师于人者,未若师诸物也。吾与其师于物者,未若师诸心。'于是舍其旧习,卜居于终南、太华岩隈林麓之间,而览其云烟惨淡,风月阴霁,难状之景,默与神遇,一寄于笔端之间。则千岩万壑,恍然如行山阴道中,虽盛暑中,凛凛然使人急欲挟纩也。故天下皆称宽善与山传神,宜其与关、李并驰方驾也。"③从表述上看,范宽的感叹与唐张璪"外师造化,中得心源"类似,但仔细琢磨却发现,范宽的认识与张璪、荆浩"师造化心源"领悟"物象之源"是不同的。他将取法对象区分为三:起初从师学,再上一层从山水自然学,最终从自己心意学。在范宽的理论中,心灵体验感悟与观察自然山水不是同层级的师法对象,它是更高级的艺术之源。范宽的师法三变理论是宋元山水画家第一次明确提出画从心出、以心为师的认识。由此可以见出,这一时期山水绘画审美中主观认识的重要性正在逐渐地凸显,画家们在追求"神似"的同时,似乎意识到以山水绘画表现个人心意情思的重要,"神似见意"逐渐由天才画家不自觉的创作偶得向有意识的理论总结过渡。

---

① (宋)赵佶敕纂:《宣和画谱》,岳仁译注,湖南美术出版社1999年版,第231页。
② (宋)赵佶敕纂:《宣和画谱》,岳仁译注,湖南美术出版社1999年版,第231页。
③ (宋)赵佶敕纂:《宣和画谱》,岳仁译注,湖南美术出版社1999年版,第236页。

不仅如此,为了在创作中体现或落实"神似见意"的认识,范宽在观察体验自然山水景物时往往有惊人之举。《宋朝名画评》载:"居山水间,常危坐终日,纵目四顾以求其趣,虽雪月之际,必排徊凝览以发思虑。"①《广川画跋》云:"当中立有山水之嗜者,神凝智解,得于心者,必发于外,至解衣磅礴,正与山林泉石相遇。"②很明显,范宽与山水的交流不止于惯常画家那样止于肉眼观察,他不避严寒雪夜,有时激动地赤裸身体,更多表现为以身心彻底开放的状态与山水交流融合,其所获得的感受体验更多的是山水带给画家心灵深处的彻底的感动,以至于画家性情摇荡而形诸体外。这样的画家在宋元并非个例,元之黄公望、倪瓒等都有久游山水,以静默独处之心、心斋坐忘之法全身心体验山水自然的行为。画家本人和当时的评论家也都意识到全身心投入山水中以全部的审美心灵与山水交流,以此激发画家情性是画家山水绘画出神入化的关键所在。李日华《六研斋笔记》云:"陈郡丞尝谓余言:'黄子久终日只在荒山乱石、树木深葆中坐,意志忽忽,人不测其为何。又每往泖中通海处看急流轰浪,虽风雨骤至,水怪悲诧而不顾。'嘻!此大痴之笔所以深郁变化几与造化争神奇哉!"③黄公望的"意志忽忽"是其终日沉浸山水的结果,也是一种深奥难言的审美体验,即庄子所言的"堕肢体,黜聪明",虞世南所言的"收视反听,绝虑凝神"。在这种状态中,画家看到的是山水,而思考体悟的是山水给画家内心带来的感动,外在变化已不是画家审视的对象,技法图形更被抛开,画家内在的活泼性灵得到的感悟是画家运笔成画的对象。如恽南田说的那样:"子久神情,于散落处作生活,其笔意于不经意中作凑理,其用古也,全以己意化之。"④宋元山水画家从五代荆浩到元季黄、吴、倪、王诸人,他们与山水自然等描写对象的关系大类如此,都是与山水逐渐亲密起来直至物我

---

① (宋)刘道醇:《宋朝名画评》,见潘运告编注:《中国历代画论选》(上),湖南美术出版社 2007 年版,第 204 页。

② (宋)董逌:《广川画跋》,见于安澜编:《画品丛书》,上海人民美术出版社 1982 年版,第 308 页。

③ (明)李日华:《六研斋笔记 紫桃轩杂缀》,凤凰出版社 2010 年版,第 338 页。

④ (清)恽寿平:《南田画跋》,张曼华点校、纂注,山东画报出版社 2012 年版,第 95 页。

无间同入大化的。

　　之所以有如此变化的趋势,固然是山水画家艺术之思逐渐深入的结果,但更多的是独特的中国诗性审美渗入山水绘画后对山水画审美在本质层面的改造。宋元时期不仅山水画大兴,此时期亦是中国文人气质引领社会审美的时代。宋代科举制度改革,随之文人进入社会上层,往往兼政治中坚、文化领袖和生活楷模与一身。优裕从容的生活培养了他们善书爱画的生活情趣,其中山水画最为文人喜爱。据钟巧灵统计:"宋代有题山水画诗存世的诗人 389 人,共有题山水画诗 1434 题,约占宋代题画诗的 1/3。宋代许多著名诗人都有题山水画诗传世,其中最突出者如苏轼 36 题 54 首,居诸家之冠。"①苏轼、米芾等优秀文人艺术家更是直接投入山水绘画领域。这些文人画家对往往落入刻摹窠臼的单纯形似常常带有一种批判否定的态度。他们更重视文艺在形似的基础上对作者主观心意的表现。苏轼在《书鄢陵王主簿画折枝诗》中对形似的看法颇能代表这类文人画家的见解。他说:"论画以形似,见与儿童邻。赋诗必此诗,定非知诗人。诗画本一律,天工与清新。边鸾雀写生,赵昌花传神。何如此两幅,疏澹含精匀。谁言一点红,解寄无边春。瘦竹如幽人,幽花如处女。低昂枝上雀,摇荡花间雨。双翎决将起,众叶纷自举。可怜采花蜂,清蜜寄两股。若人富天巧,春色入毫楮。悬知君能诗,寄声求妙语。"从全诗看,苏轼否定和反对的并不是"形似"论,而是"唯形似"论。苏轼论画向来主张"诗画同一",此处亦不例外。他指出"诗画本一律",而赋诗、知诗的错误不是"似此诗",而是"必此诗";同理,绘画和论画的错误也并非是"形似",而是"必形似"。在苏轼看来,绘画审美终要求得和终要呈现的是"天工与清新","形似"如有助于表现"天工与清新",那么"形似"就是应肯定的;如绘画和论画只就"形似",唯"形似"论,必将破坏"天工清新",那么"形似"就是应被反对的。也就是说,以苏轼为代表的一些文人对绘画表现核心已经由上古晋唐的"形似"变为"天工清新"等类似对描画对象内在气质的主观感受了。

---

　　① 钟巧灵:《宋代题山水画诗研究》,扬州大学博士论文,2006 年。

就山水而言,在文人画家的山水审美观中,物我关系的最理想状态往往是融合为一境。这一境又有高下之分,其意境为最上乘。文人画家对山水审美的认识加快了山水画家深入体悟山水自然的速度,山水画家与山水自然的关系从明确的物我主客关系逐渐变为物我交融的统一关系。这种新的关系更好地激发了作为人类天性遗存的亲近自然的本能,在更深的层面中,更隐约间可见"齐物"、"逍遥"之意。从这一角度看,宋元山水的"神似见意"是山水画家以描画山水来沟通自然借以排遣解脱社会剧烈变革带给人的压力和恐惧的一种重要途径,也是当时社会借艺术以亲近自然来恢复人的本来面目的一种努力。

在这样的山水审美意识的潜移默化下,宋元山水画越来越倾向于表现作家的个人心性感受,不但形似被远远抛离,即神似也不再是画家的最终追求了。如米芾山水"不取细,意似便已"①。再如南宋李、刘、马、夏,看似风格各个不同,详细推敲能看出其风格形成的根本原因在于画家对形似、神似的有意无意的超越和向意似的靠拢。

这种趋势发展到元代,直接造就了黄、吴、倪、王元季山水四大家。《中国绘画断代史·元代绘画》在谈及宋元山水画的区别时说:

> (元代山水画)作品中的主体精神被强化了。元之前的绘画创作,多得之于画家们在游览时对山川景物的观察与感受,旨在表现丘壑之美、景物之奇,即侧重于对表现客体的精细描绘,画家的主体精神渗入得尚不充分。元画则不同,由于创作者将林壑视同家园,是情感寄托之所和精神栖息之地,画中景物与其人生已密不可分,所以体现在作品中的就不再仅仅是境象之美,同时也凝聚着画家的理念与情思,作品已是一个物与我、景与情的艺术合成。②

元代山水画较五代两宋山水画的一个重要变化是画家们在创作时更不注

---

① (宋)米芾:《画史》,见潘运告编注:《中国历代画论选》(上),湖南美术出版社2007年版,第291页。

② 杜哲森:《中国绘画断代史·元代绘画》,人民美术出版社2004年版,第76页。

重形似了,笔法渐趋简略写意,构图在简朴中寓有深意,往往以诗画同构的方式给予山水以更人性的解读。种种变化无不说明,"见意"成为画家最看重的创作关键。黄公望《写山水诀》中直言山水画法:"山水之法在乎随机应变,先记皴法不杂,布置远近相映,大概与写字一般,以熟为妙……作画只是个理字最紧要。"①随机是随什么机? 如是山水之形,那与写字一般就无从谈起了。作画最重要的理,又是什么理? 物理还是心理? 似乎可作多种解读。比起黄公望,关于"见意"的问题倪瓒说得比较透彻。他说:"仆之所谓画者,不过逸笔草草,不求形似,聊以自娱耳。"②一个"自"字道出元代山水的独特品格,无物有我,以山水写心胸,形神两忘,人以为不似而不辩,写意、见意重于形似、神似是元代山水与前代山水的最大不同。

元代吴镇在以往山水画多画山居题材外以山水画渔隐,自出机杼,且偏爱以题画诗与渔隐山水画互构同图,正是宋元山水"神似见意"的典范。在作于至元二年的《渔父图》中,在董、巨南宗山水画图上添加小舟、渔父,并题诗于图上。诗云:"西风萧萧下木叶,江上青山愁万叠。长年悠优乐竿线,蓑笠几番风雨歇。渔童鼓枻忘西东,放歌荡漾芦花风。玉壶声长曲未终,举头明月磨青铜。夜深船尾鱼拨剌,云散天空烟水阔。"这里的"江上青山愁万叠"和"云散天空烟水阔",写出了吴镇"渔隐"山水的内容,其中渔隐独居,独与天地精神往来的幽趣,与山水绘画惯见之山居之美又有不同。山居者之幽趣,往往在二三人之间,或有文人雅人对坐玄谈,或有小童健仆汲水往来,于幽居中得山林生气;而渔隐山水,往往孤舟蓑笠,独钓寒江,幽深孤峭,简括冷寂,仿佛宇宙间山水里只得这一点生机。但细细辨来,吴镇体悟的山水之意在静寂之至中反归的这一点生机,可演出无限之生机,非至精、至诚、至静、至守之身心哪里能在山水浩渺中体悟芦花荡漾、小鱼拨剌之万千细微之动,以静画动,画出沉静肃穆之美,

① (元)黄公望:《写山水诀》,见潘运告编注:《中国历代画论选》(下),湖南美术出版社2007年版,第15页。
② (元)倪瓒:《云林论画》,见潘运告编注:《中国历代画论选》(下),湖南美术出版社2007年版,第17页。

莫过于此。

五代宋元时期绘画由形似走向神似,画家借以寄托个人情怀,其后发展演变至写意、见意,非独山水画一科,起于文同、苏轼的文人花鸟画之流变也是如此,在院体花鸟外别开生面。因山水画与文人花鸟画演变相似,寄寓审美也无质的不同,此处就不再赘述了。

总的来看,极似如真与神似见意各居写实与写意,是宋元绘画审美意识的两大方面。它们虽非背道而驰,但也绝不同路。从中国绘画后来的发展看,写意在文人绘画的偏爱中占据上风,明清山水与文人花鸟勃兴,与文人对带有诗性神似写意的爱好有着直接的因果关系。

第六章
宋元服饰审美意识

　　与文学艺术本身即具有审美功能不同,衣服的产生源于人类基本的遮体、御寒需要。随着生产力的发展,衣服的材质、款式、纹样、穿着方式等在基本功能的基础上,逐渐增加了审美的功能,且出现了与之相配的各类配饰,形成复杂且完整的服饰制度文化,各民族莫不如此。在服饰审美意识的不断发展过程中,华夏服饰受儒家文化影响渐深,礼乐等级思想、中和为美的思想等在服饰中体现得极为明显。通过服饰,衣者的身份地位、文化品位、人际关系等都可从中窥出。此后历两千年沧桑,以儒家主导的华夏服饰审美意识一以贯之。在坚持统一稳定的儒家审美意识的同时,各时代的服饰又在时代政治文化的熏染中各呈风流,于宋元而言,则约略可言为雅俗与多民族意识的新变。

第一节　宋代服饰的新变与文人意识的主导性

　　与唐代相比,宋代的服装在款式与色彩等方面都发生了很大的变化,这些变化反映出了宋代人在审美品位上不同于唐人的追求。可是,对于宋代衣装的变化,研究者们往往倾向于认为宋代服饰保守,"衣服变古"。与唐代服饰华美潇洒、张扬开放的风格相对照,宋代的服饰确乎有保守之嫌。但这只是一种就服饰而言服饰的结论。事实上,中国古代的服饰在关乎个人爱憎的同时,更成为政治伦理观念的承载符号和社会等级秩序的具象表征。与此前的各个朝代相比,宋代社会的政治结构发生了重要的变化,以士大夫为基础的文官体制对宋人审美观念的塑造起到了极为重要的作用,所以,宋人在服饰方面的审美变化,自然地与当时社会的政治思想、等级意识、文化观念融合在一起,又与宋代文人士大夫集体性的美学追求有着理念上的融通。

一、文人服饰及其审美意识

科举制与文官政治的推行使宋代文人的地位获得了极大的提升。宋太祖赵匡胤陈桥兵变黄袍加身的亲身经历,使宋代的政治格局形成了防备武将而亲信文官的传统。宋代的科举制不仅使大量庶族地主出身的文人步入仕途,就连"四民"中地位极低的商人也被允许参加科举考试和出任官职。宋太祖说:"向者登科名级,多为势家所取,致塞孤寒之路,甚无谓也;今朕躬亲临试,以可否进退,尽革畴昔之弊矣。"①因此,宋代文人学而优则仕的愿望特别强烈,而科举考试的现实可行性助长并完全促成了此种愿望的实现,并在全社会形成一种引领。到宋仁宗时,蔡襄说:"今世用人,大率以文词进;大臣,文士也;近侍之臣,文士也;钱谷之司,文士也;边防大帅,文士也;天下转运使,文士也;知州郡,文士也。"②可见,宋代文官政治的全面推行是非常有力度且富于成效的。在这种社会背景下,中第士人甚至成为人们抢夺的资源。《萍洲可谈》卷一记载:"本朝贵人家选婿于科场年,择过省士人,不问阴阳吉凶及其家世,谓之榜下捉婿。……近岁富商庸俗与厚藏者嫁女,亦于榜下捉婿,厚足钱以饵士人,使之俯就,一婿至千余缗。"③这种社会现象充分地说明了及第士人的发展潜力与宋代社会对文人的期许。

政治地位提高的同时,入仕文人也获得了经济上的实际收益。宋代禄制尽管屡有变迁,但官员的俸禄基本上是趋向优厚的。宋人王栐说:"国朝待士大夫甚厚,皆前代所无。"④杜范说:"祖宗待士大夫甚厚,而绳赃吏甚严。"谢维新也曾说:"中兴百年,虽非复升平之旧人,然国朝之待

---

① (宋)李焘:《续资治通鉴长编》卷十六,中华书局 1992 年版,第 336 页。
② (宋)蔡襄:《蔡忠惠公文集》,上海古籍出版社 1996 年版,第 384 页。
③ (宋)朱彧:《萍洲可谈》,中华书局 1985 年版,第 16 页。
④ (宋)王栐:《燕翼诒谋录》,见上海古籍出版社编:《宋元笔记小说大观》(五),上海古籍出版社 2001 年版,第 4628 页。

臣甚厚,养更甚优,此士大夫一命以上,皆乐于为用,盖有以养其身而固其心。"①清人赵翼认为:"其待士大夫可谓厚矣。惟其给赐优裕,故入仕者不复以身家为虑。"②这些说法都表明,宋代的文人士大夫的生活大体上是比较优越的。

　　然而,看起来与上述政治地位与经济实力不符的是,宋代的文人士大夫十分喜好质朴的道服和野服。道服是道士身份的重要标志。道士日常穿着的服装称为常服。道士常服讲究基本的配套:头裹道巾,脚踏道鞋,身穿道袍。这是几个必备的要素。文人士大夫所穿道服与道士日常生活中所穿的常服接近,但并不配套,穿着较为随意,而且主要吸收的是道服宽袍大袖的特征。叶梦得《石林燕语》卷十所云:"近岁衣道服者,以大为美。"③在材质与修饰上,文人士大夫的道服也与道士的常服一样多以毛麻布粗制而成,不事修饰,质朴自然。北宋时期的文人士大夫盛行穿道服。在个人生活的诸多空间,他们经常穿着道服。不仅如此,道服在文人间甚至还被当作礼物相互赠送,如王禹偁就作有《谢同年黄法曹送道服》和《和送道服与喻宰》等诗。与道服相似,野服在南宋的文人士大夫中也很受推崇。罗大经在《鹤林玉露》乙编卷二《野服》中记载其制云:"余尝于赵季仁处见其服,上衣下裳:衣用黄白青皆可,直领,两带结之,缘以皂,如道服,长与膝齐。裳必用黄,中及两旁皆四幅,不相属,头带皆用一色,取黄裳之义也。别以白绢为大带,两旁以青或皂缘之。见侪辈则系带,见卑者则否。谓之野服,又谓之便服。"④这种上衣黄、白、青色,下裳黄色的便服,因其穿着随意在当时颇受士大夫们的欢迎。

　　宋代文人对道服和野服的喜爱,与其方便自如有关,朱熹曾说:"礼时为大,某尝谓衣冠本以便身,古人亦未必一一有义,又是逐时增添,名物愈繁,若要可行,须是酌古之制,去其重复,使之简易,然后可。"⑤朱熹主

---

① （宋）谢维新:《古今合璧事类备要后集》卷六,四库全书本。
② （清）赵翼:《廿二史札记校证》,王树民校证,中华书局1984年版,第534页。
③ （宋）叶梦得:《石林燕语》,侯忠义点校,中华书局1984年版,第150页。
④ （宋）罗大经:《鹤林玉露》,中华书局1983年版,第146页。
⑤ （宋）黎靖德:《朱子语类》第6册,中华书局1986年版,第2275页。

张守礼的同时,在斟酌古制的基础上,尽可能地使其简易。而野服"上衣下裳,大带方履,比之凉衫,自不为简。其所便者:但取束带足以为礼,解带可以燕居,免有羁绊缠绕之患,脱着疼痛之苦而已"①。可见,野服穿着相对简便又不失礼,它虽然比凉衫穿着复杂,但可同时满足燕居与会客的需要,省却了来回穿脱的麻烦。这一点与道服是一样的。

文人士大夫对道服和野服的推崇,赋予了道服和野服超越现实的文化意义,不愿拘束的文人在这种随意之中正好释放出自我的率真,实现了精神上的一定自由。宋代儒、道、释三教融汇,统治者重视儒教的同时,对佛道也甚为宽容。宋代文人潜心儒学的同时,对于佛道学问也很精通。儒道的互补性为宋代的文人士大夫在入世与出世之间提供了重要的精神资源。北宋道教风行,隐逸风气的盛行以及隐逸思潮的兴起,是道服盛行的社会背景和思想基础。宋代文人对白居易的"中隐"论十分欣赏。白居易的《中隐》诗写道:"大隐住朝市,小隐入丘樊。丘樊太冷落,朝市太嚣喧。不如作中隐,隐在留司官。"中隐无疑是文人在隐与仕之间最具智慧性的选择。这样,宋代文人既执着于儒家的入世思想,同时又能以道家任自然、轻去就的思想和佛家追求自我解脱的思想超然对待人生的坎坷。体现在衣装方面,文人们通过穿着自觉地划分出了"公务时间"与"私人时间",有官职的文人往往在官僚事务之外才穿道服。身着道服体现着一种闲适和随意,它超越了世俗官场事务,代表着向人的本真生活状态的转变。范仲淹《道服赞》中的"道家者流,衣裳楚楚,君子服之,逍遥是与",也着重从精神意蕴上赞扬道服超越世俗的魅力。与北宋文人对道服的情感相似,南宋文人最为看重的是野服所蕴藏的思想自由、人格独立的内涵。宋人方凤在《野服考》中说:"野服之制,始于逸民者流。大都脱去利名枷锁,开清高门户之所为。是非缋性元漠抱度,宏虚弗能也。后世学士大夫往往释恋簪缨娱情布素,若而人者蝉蜕淤泥之中,浮游尘壒之表,其可易之忽之也耶。"②他把野服视为隐士的身份符号,而鄙弃名利、

---

① (宋)朱熹:《朱子全书》,上海古籍出版社 1996 年版,第 3603 页。
② (宋)方凤:《野服考·自序》,见四库全书存目丛书编纂委员会编:《四库全书存目丛书》(子部第 170 册子部·类书类),齐鲁书社 1995 年版。

清高自赏、娱情布素是隐士们的精神表征。南宋士大夫们身着野服,意在表达向往山林、超越凡俗、淡泊高洁的情怀与志向。

从道服到野服,文人们在衣装上的自觉选择传达了宋代文人的隐逸风致和注重个人精神自由的主体意识。这与宋代文人在书画、园林等方面的审美情趣具有相通之处,即它们都重在追求一种对事物本身的超越性。从书法来看,与唐代"尚法"截然不同,宋代书法主要强调"尚意"。从绘画来看,唐代朱景玄提出的神、妙、能、逸四画品,把"神"置之首位,而宋代文人画则以"逸"为最高标准。同样,宋人之修建园林,也是为了在有限的空间中觅得自然山水之神韵、山林隐逸之自由。虽然书画、园林等与衣装相差甚远,但其审美理想是相通的。正是由于这种相通,对于衣装,宋代文人往往更认同简单朴素的道服和野服。所以,在不同的审美领域,宋代的文人们或尚"意",或尚"逸",实则都是文人精神自由的外化表现。

不过,也应该看到,宋代文人士大夫通过衣装而表达的精神自由是有限的。既为士大夫,实际上已经不得不在不自由处寻自由。北宋盛行的文人士大夫穿道服的风气,实际上与帝王的喜好是一致的。《宋史》卷四六一记载了宋太宗召见赵自然(本名王久,赐名自然)御赐道服的史实。①御赐道服体现了皇帝对道教的重视,也在一定程度上促进了道服的流行。再以后,宋真宗御赐道服,宋徽宗亲穿道服,《宣和遗事》记载了徽宗穿道服的史实:"徽宗闻言大喜,即时易了衣服,将龙衣卸却,把一领皂褙穿着,上面着一领紫道服,系一条红丝吕公绦。"②《三朝北盟会编》卷八十七引《靖康遗录》云:"上皇(宋徽宗)乘轿子,至寨门下轿,着紫道服,戴道遥巾,趋而入。"③这些都表明宋代统治者对道教的提倡与崇尚。因此,文人士大夫穿道服应该也是对皇帝的响应与顺承。只不过宋代文人以佛道的超脱精神为其精神世界的指引,并以其成熟、内敛的心态将这种自由发挥到了其可能达到的最大的极限。

总之,宋代文人主体意识及其独立人格的自觉,极大地影响了有宋一

① 参见(元)脱脱等:《宋史》,中华书局 1977 年版,第 13512 页。
② (元)无名氏:《新刊大宋宣和遗事》,中国古典文学出版社 1954 年版,第 48 页。
③ (宋)徐梦莘:《三朝北盟会编》,上海古籍出版社 2008 年版,第 647 页。

代的社会、文化的发展,这在日常服饰上也有相应的表现。宋代文人融汇儒、释、道三家思想所形成的文人心态,不仅在文人特别喜好的书画、茶艺、弈棋、园居等活动中有着强烈而鲜明的表现,而且与其日常穿着也形成了呼应,所以,宋代文人的审美意识渗透在从日常生活到各门类艺术之中,这就使得宋代文人营构的文人世界具有整体性、通透性和深刻性,这正是宋代文人的特别之处与成熟之处。

二、女性服饰与文人审美意识

宋代士人的审美与个体日常世俗生活的联系日趋密切,吟诗、填词、绘画、弹琴、弈棋、斗茶、置园、赏玩共同交织在文人的日常生活中。因而,他们对日常事物的兴趣与其寄寓在各类艺术中的整体审美理想具有一致性。由宋代文人主导的审美风尚对女性着装及其审美产生了重要的影响,因此,宋代女性服饰的审美风格与唐代形成了强烈的对比与差异。宋代的女装在服饰风格上的追求显现出与唐代极大的不同,如果说唐代人追求的是错彩镂金,那么宋代人更倾向于平淡典雅。与唐代人的服饰相比,在式样、色彩、裸露程度等方面,宋代服饰显然要质朴得多。宋代人并非不具备生产华美服饰的技能与工艺,但她们宁愿选择清新秀丽、简约雅淡的穿衣风格,正是这种自觉自愿的追求代表了宋人审美观念的根本性变化。

宋代女装的一大新变就是褙子(即背子)的流行。当时的人们无论等级高低都非常喜好这一衣着,而且男女都穿。其实,褙子在隋唐时期就已开始流行,但那时褙子的袖子是半截的,衣身也不长。到了宋代,褙子演变为长袖,衣身长度或在膝上,或过膝,或与裙长。褙子腋下开胯,衣服前后襟不缝合,而是在腋下和背后缀有带子。可是带子通常并不系,反倒在腰间以勒帛系住。虽然宋代的男女都穿褙子,但女性的穿着最能体现褙子之风韵。褙子式样虽简单,却颇能折射出宋人的审美心理。褙子随身形自然而下,比较贴身,款式中规中矩,既不裸露肌肤,也不过分突出曲线,线条自然流畅,其造型的颀长与唐代的丰肥截然相反。唐代衣裙的款式从初唐到盛唐逐渐从窄小转变为肥大。中唐以后,服式越来越肥。宋代女子日常服装大体纤巧,不像唐代那样偏爱宽博。而且,褙子衣身的加长改变了传统女装上襦下裙上短下长的外观,仅在衣服下摆露出一小截裙子,整体造型与长裙曳地的华丽不同,而转向了简便、内敛的风格。身着褙子,再加上高高的发髻,宋代妇女的形象就偏向修长端庄了。而透过并不缝合和系带的衣服缝隙隐约可看到褙子里面衣服的色彩,在视觉上形成层次的变化,庄重中又不失灵动。正是因为褙子的审美意蕴比较符合文人士大夫及理学家的眼光,朱熹在淳熙年间受命制定祭祀、冠婚服制的时候,才能选定在这些重要场合穿着褙子。《宋史·舆服志》载:"淳熙中,朱熹又定祭祀、冠婚之服,特颁行之……妇人则假髻、大衣、长裙。女子在室者冠子、背子。众妾则假紒、背子。"①

宋代女性衣装体现出的含蓄、内敛、小巧的审美观念,也可以从宋代女子缠足的社会现象中得到印证。缠足通过人为改变女性的双脚,使其符合弓、窄、小的特征。缠足之后更显女性体态的袅娜,走起路来如弱柳扶风,其柔弱之态更符合男性的眼光。宋代不少文人对之进行歌咏赏赞,苏轼的《菩萨蛮·咏足》也叹其纤妙之美:"涂香莫惜莲承步。长愁罗袜凌波去。只见舞回风。都无行处踪。偷立宫样稳。并立双趺困。纤妙说应难。须从掌上看。"②所以,宋人对女性双脚的审美与其对女性整体形态的审美是一致的。柔弱、修长、娴静、典雅的女性形象最能代表宋代文人对于女性的形象期待。

从服色来看,宋代女性服装多用淡雅柔和的色彩,流露出对淡雅、质朴、清新、自然的崇尚。这也构成了宋代服色与唐代服色的重要差异。比如在襦裙的搭配上,唐人很喜欢用对比色,崇尚浓艳、华丽的色彩风格。这种搭配富有视觉冲击力,很能吸引眼球。而宋人用色非常注重和谐,甚少使用对比色,不追求视觉冲击力,这从福州黄昇墓出土的实物上可以获得非常直观的感受。黄昇为南宋时期福州的一位宗室贵妇,去世时仅17岁。但从她的衣服色泽来看,整体上偏重于柔和的颜色,即使本该夺目的颜色也褪去了那层艳丽,而不以视觉冲击取胜。黄昇墓中还有紫灰色的

---

① （元）脱脱等:《宋史》,中华书局1977年版,第3577—3578页。

② （宋）苏轼:《菩萨蛮·咏足》,见唐圭璋编纂:《全宋词》,中华书局1999年版,第414页。

夹衫和灰色的单衣,这些颜色与黄昇的年龄并不相配,但却显示出宋代贵族妇女着装的雅致。她们不喜唐代女性因热烈的色彩对比而形成的热闹,而是偏爱那种相对素淡的色彩所带来的恬静和柔和。这反映的是宋人不以一时的浓烈取胜,而更看重要经得住琢磨与推敲。因此,柔和而不张扬,淡雅却富含韵味的鹅黄、粉红、银灰、浅绿等色彩更符合宋代女性的色彩审美需求。清代李渔曾说:"予尝读旧诗,见'飘飖血色裙拖地','红裙妒杀石榴花'等句,颇笑前人之染。若果如是,则亦艳妆村妇而已矣,乌足动雅人韵士之心哉?"①这也从侧面说明,艳俗的色彩不讨文人雅士的喜欢。

　　宋代女性着装的雅致还往往体现为她们对细节与花纹的重视。宋代女性服装比起唐代来算不上华丽,但却很注意细节的精致,绝不马虎。宋代服饰流行在服饰的对襟与边缘上镶上彩绘或印花与彩绘相结合的花边。如广袖袍,其领、襟、袖缘、下摆缘边均会设有一道边。领、袖下摆缘的边饰通常为素色或印金填彩,襟缘内的边饰大多彩绘,甚少素色。比如背心,其襟缘往往镶素边或花边,有菊花、荷花等。比如单衣,衣襟边缘印金填彩,襟缘内加缘花边一道,有彩绘、刺绣、素色等,也有的还在腋下、背中背、袖端的接缝处缀印金填彩花边一道。再如夹衣,其对襟缘边会镶一道彩绘、印金、刺绣或素色宽边,宽边两侧再镶贴印金填彩的窄边。黄昇墓出土"衣物的边缘装饰丰富多彩,有印金花纹,有刺绣花卉,还有彩绘。彩绘有绘彩勾勒和描金敷彩,图案有百花、虫蝶、卷叶、花果、鱼藻和狮子戏球等十多种"②。正是通过对细微处的精雕细刻透露出宋人对精致的追求。宋人审美情趣的高雅化,也可从其衣装的装饰性花纹中得以略窥一二。宋代文人在绘画中偏爱竹,诗文也时有歌咏。文人士大夫的这种雅好对服饰艺术产生了直接的影响。在宋代,服饰纹样中出现了梅、兰、竹、菊等符合文人审美的"君子"花卉的题材。君子花卉纹样的出现,是宋人儒雅的人格道德精神的外在辐射。

　　与唐代女性衣装的巨大差异表明,宋代妇女的着装趣味确实发生了

---

① （清）李渔:《闲情偶寄》,华夏出版社 2006 年版,第 153 页。
② 中国国家博物馆编:《文物宋元史》,中华书局 2009 年版,第 117 页。

重要的转变,这种转变实质上是其社会定位的外化。晚唐五代以来,传统的礼教制度遭到极大的破坏。重建礼教并从男性的视角规范女性的行为,成为宋代文人士大夫们十分看重的事情。通过撰写家训对家庭生活成员的言行举止进行规范,被他们认为是一个非常得力的措施。比之前代,两宋家训明显增多。宋代家训可分为帝王家训、宗室家训、士大夫家训、百姓家训等类型。其中士大夫家训最多,而且作者大多是著名的学者和儒士,如司马光、黄庭坚、范仲淹、陆游、叶梦得、朱熹、吕祖谦等。从这些家训来看,他们认为妇女最重要的品德便是柔顺。司马光提出:"为人妻者,其德有六:一曰柔顺,二曰清洁,三曰不妒,四曰俭约,五曰恭谨,六曰勤劳。"①放在第一位的就是柔顺。除了反复提倡柔顺外,司马光也在现实地树立榜样。他在为苏轼、苏辙之母程夫人所做的墓志铭中首先赞其柔顺:"呜呼!妇人柔顺足以睦其族,智能足以齐其家,斯已贤矣。"②张载的《女戒》也认为"妇道之常,顺惟厥正"③。在宋代,女性必须柔顺的观念几乎是文人士大夫们的共识。可见,从道德伦理角度对女性进行规劝,塑造符合社会规范的柔顺女性,是宋代各种女教的共同目的。宋代的文人士大夫们正是通过这种方式将男性的眼光与标准渗透进了闺阁之内的世界,而服饰则是这种主张的外化。

可是这些主张如何落实呢?显然,要使女性从思想到行为上都贯彻身为女性的柔顺自觉是最重要的。在《训子孙》一文中,司马光提出:"夫,天也;妻,地也。夫,日也;妻,月也。夫,阳也;妻,阴也。天尊而处上,地卑而处下;日无盈亏,月有圆缺;阳唱而生物,阴和而成物——故妇专以柔顺为德,不以强辩为美也。"④这就是要让女性在思想上树立起男尊女卑、自然地听从男性并且不知辩解的观念。相应地,在行为上,"男治外事,女治内事。男子昼无故,不处私室,妇人无故,不窥中门。男子夜

---

① (宋)司马光:《温公家范》,天津古籍出版社 1995 年版,第 164 页。
② (宋)司马光:《程夫人墓志铭》,见(宋)苏轼撰,李之亮笺注:《苏轼文集编年笺注》,巴蜀书社 2011 年版,第 271 页注 5。
③ (宋)张载:《张载集》,中华书局 1978 年版,第 354 页。
④ (宋)司马光:《温公家范》,天津古籍出版社 1995 年版,第 164 页。

行以烛,妇人有故出中门,必拥蔽其面。男仆非有缮修,及有大故,不入中门,入中门,妇人必避之,不可避,亦必以袖遮其面。女仆无故,不出中门,有故出中门,亦必拥蔽其面"①。结合宋代墓葬中大量出现的女子半掩门的雕刻现象,以及宋代妇女普遍戴盖头的行为可以看出,将女子约束在极为狭小的空间之中,自觉地远离各种社会事务,正是其良苦用心想要达到的目的。所以,宋代裹脚之风日渐风行,实则也是出于塑造柔顺女性的目的。

宋代文人对理想女性的塑造方面,表现出向汉代班昭《女诫》"女以弱为美"的回归。作为符合儒家传统教育的一代才女,班昭在《女诫》中对女儿的告诫共计七条,我们摘录几条来看:

卑弱第一:⋯⋯谦让恭敬,先人后己,有善莫名,有恶莫辞,忍辱含垢,常若畏惧,是谓卑弱下人也。晚寝早作,勿惮夙夜,执务私事,不辞剧易,所作必成,手迹整理,是谓执勤也。正色端操,以事夫主,清静自守,无好戏笑,洁齐酒食,以供祖宗,是谓继祭祀也。

敬慎第三:阴阳殊性,男女异行。阳以刚为德,阴以柔为用,男以强为贵,女以弱为美。故鄙谚有云:"生男如狼,犹恐其尪;生女如鼠,犹恐其虎。"然则修身莫若敬,避强莫若顺。故曰敬顺之道,妇人之大礼也。

妇行第四:女有四行,一曰妇德,二曰妇言,三曰妇容,四曰妇功。夫云妇德,不必才明绝异也;妇言,不必辩口利辞也;妇容,不必颜色美丽也;妇功,不必工巧过人也。清闲贞静,守节整齐,行己有耻,动静有法,是谓妇德。择辞而说,不道恶语,时然后言,不厌于人,是谓妇言。盥浣尘秽,服饰鲜洁,沐浴以时,身不垢辱,是谓妇容。专心纺绩,不好戏笑,洁齐酒食,以奉宾客,是谓妇功。此四者,女人之大德,而不可乏之者也。②

班昭作为母亲,在自感"性命无常"的状况下写下的《女诫》代表着汉代正统儒家对妇女的定位。她将卑弱列为第一,将敬顺之道视为女子之大礼,以

---

① （宋）司马光:《居家杂仪》,见周博琪主编:《中华藏书馆·古今图书集成》1,中国戏剧出版社2008年版,第106页。

② （南朝宋）范晔:《后汉书》第一册,（唐）李贤等注,中华书局1977年版,第722页。

妇德、妇言、妇容、妇功规范女子言行,将女子的一言一行紧密地与其在夫家所树立的形象相关联:侍奉丈夫,取得夫家上至舅姑下至叔妹的欢心,为家族争光。班昭对女性社会角色的定位,甚是符合宋代文人士大夫的心意。因此,宋代的文人士大夫在重建礼教秩序时,更愿意借鉴汉代的妇女观,这不仅表现为他们对班昭《女诫》的一再发挥,也表现为他们对汉代妇女的认同与赞赏,司马光对班昭和熹邓皇后都极力称赞。而对于唐代妇女,他们却十分不满。范祖禹在《唐鉴》中指责其"上无教化,下无廉耻"①。南宋朱熹甚至不无嘲讽地说:"唐源流出于夷狄,故闺门失礼之事,不以为异!"②《二程遗书》则说:"有夷狄之风,三纲不正,无父子、君臣、夫妇。"③因此,这就不难理解宋代妇女形象与唐代妇女形象为什么处处相对立了。

既然文人士大夫们把柔顺视为宋代女性最重要的品质,在服饰上自然也有相应的要求。司马光教育家人:"妇人固以俭约为美,不以侈丽为美也。"④袁采也要求:"妇女衣饰,惟务洁净,尤不可异众,且如十数人同处,而一人之衣饰独异,众所指目,其行坐能自安否。"⑤到了元代,郑氏家族还承其续规定妇人服饰:"诸妇服饰,毋事华靡,但务雅洁。"⑥妇人不可奇装异服,不可华艳,不可张扬,这就成为对宋代女性服装的总体要求。在这种倡导之下,宋代女性的衣装整体趋向内敛、雅致就不足为怪了。

三、"尚逸"和"重韵"的审美意识

从上文可以看到,文人所主导的审美情趣已经渗透到了整个社会氛围之中,而从衣装来看,主要的深层心理应该是"尚逸"和"重韵"。"逸"和"韵"都是宋代审美评价的关键词汇,其共同点在于:突破有限,追寻无限。宋代文人审美情趣的一个重要特点在于,在面对某个具体对象的时候,他们不是仅仅停留在对象外在的形体与状态等感性的特质上,而是更

---

① (宋)范祖禹:《唐鉴》,上海古籍出版社1981年版,第149页。
② (宋)黎靖德编:《朱子语类》,中华书局1986年版,第19页。
③ (宋)程颢、程颐:《二程遗书》,上海古籍出版社2000年版,第288页。
④ (宋)司马光:《温公家范》,天津古籍出版社1995年版,第188页。
⑤ (宋)袁采:《世范》(外四种),岳麓书社2003年版,第42页。
⑥ (宋)郑太和:《郑氏规范》,中华书局1985年版,第16页。

加强调在具体的、外在的感性特质把握的基础上寻得对象内在的神理和蕴含。这种审美心理作用在衣装上面,就是"尚逸"和"重韵"。

宋代文人吸收儒、道、释各家思想并能融会贯通,他们既看重忠君守礼,又追求个人的自由。这反映到衣装方面,他们往往在守礼的基础上追求超逸。宋代文人看重精神世界,"逸"成为他们超越凡俗、清高自许的一种存在方式。他们把"逸"贯穿到了从生活到艺术的各个环节之中。中国古人尚逸并非自宋代始,但在宋元时期"逸"的审美观念获得了关键性的发展。宋人对于"逸"无论从创作论还是鉴赏论都多有论述,内容涉及绘画、书法和诗歌等方面。绘画方面,宋代的黄休复认为:"画之逸格,最难其俦。拙规矩于方圆,鄙精研彩绘,笔简形具,得之自然,莫可楷模,出于意表,故目之曰逸格尔。"①元人倪瓒曾说:"仆之所谓画者,不过逸笔草草,不求形似,聊以自娱耳。"②这些极具代表性的说法都将绘画导向了超越形似、力主写意的路径。与绘画主张相应,宋人在书法方面也有类似见解。蔡襄认为:"古之善书者,必先楷法,渐而至于行草,亦不离乎楷正,张芝与旭,变怪不常出乎笔墨蹊径之外,神逸有余,而与羲献异矣。"③《宣和书谱》记载:"学者不究其实,往往宗之,曾不知自羲献法亡,而独得草字妙处,入规矩而放逸者,惟张旭耳。"④两种观点尽管有不同处,但都肯定了张旭草书不受礼法拘束的特点。宋人在诗的品评方面也多有从"逸"的角度进行品评的,如叶梦得在《石林诗话》中评苏轼诗:"东坡作此诗,则词格超逸,不复蹈袭前人。"⑤范晞文论诗则说:"辞妙气逸,如生马驹不为缰络所掣,读之使人飘飘然有凭虚御风之意。"⑥上述宋元人对于

① (宋)黄休复:《益州名画录》,见潘运告编注:《中国历代画论选》(上),湖南美术出版社2007年版,第170页。
② (元)倪瓒:《云林论画》,潘运告编:《元代书画论》,湖南美术出版社2002年版,第429—430页。
③ (宋)蔡襄:《论书》,见崔尔平选编:《历代书法论文选续编》,上海书画出版社1993年版,第50页。
④ (宋)赵佶敕纂:《宣和书谱》,顾逸点校,上海书画出版社1984年版,第141页。
⑤ (宋)魏庆之:《诗人玉屑》,上海古籍出版社1959年版,第384页。
⑥ (宋)范晞文:《对床夜语》,见丁福保辑:《历代诗话续编》,中华书局2006年版,第443页。

诗、书、画所论,虽然着眼的是不同种类的艺术,但在"逸"的使用上共同倾向于强调艺术的超越性。

他们对服饰的审美也贯穿着这种"尚逸"的精神。比如,宋代文人虽好穿野服、道服等宽博的服装,但对其质地却不甚讲究,多为布制。就道服而言,多以毛麻布粗制而成,有的以茶褐色布制成。文人常穿的其他服装还有褐衣、直裰和鹤氅等。褐衣就用麻布或毛布制作。直裰是背部中缝线直通到底的无襕长衣,也常用布制作。鹤氅传为用鹤羽捻线织成面料,制成衣身宽长曳地的衣着,披于身上。宋代文人代之以布,披在身上。由于宋代文人非常看重超逸的精神境界,所以,便宜朴素的道服和野服反倒比昂贵华丽的衣服更能获得他们的认同和赞美。

宋代文人服饰上的"尚逸"又与艺术上的"尚逸"有着重要的不同。宋人艺术上的"尚逸",强调的是艺术不为常法所囿,出规矩之外的洒脱。而服饰上的"尚逸"却是在守礼的基础上追求精神的自由与超尘出俗的境界。所以,宋代文人在个人风度上虽然钦慕魏晋士人,但在个人生活领域中又强调对礼制的遵循,这与他们对待艺术创作与欣赏的态度根本不同。无论书画、词曲还是诗文,宋代文人往往有意突破成法,自出机杼,更多地弘扬了重意在我的一面。

"韵"同样是一种在宋代很是风行的审美观念。"韵"在宋代的使用既包括人物品评,也涵盖了书法、绘画和诗歌等领域。黄庭坚的论韵主张颇多。他常将作品与人品联系起来进行品评,如在《题杨道孚画竹》中说:"观此竹又知其人有韵。"再如在《题蓦锁谏图》中说:"陈元达千载人也,惜乎创业作画者胸中无千载韵耳。"在山谷书论中,"韵"是其判断书法审美的关键,"虽然,笔墨各系其人,工拙要须其韵胜耳,病在此处,笔墨虽工,终不近也"[1]。黄庭坚评诗也看韵:"承惠新颂三篇,极叹用心精苦也。然诗颂要得出尘拔俗,有远韵而语平易,不知曾留意寻此等师匠楷模否。"[2]

---

① (宋)黄庭坚:《山谷论书》,见崔尔平选编:《历代书法论文选续编》,上海书画出版社 1993 年版,第 69 页。

② (宋)黄庭坚:《黄庭坚全集辑校编年》,郑永晓整理,江西人民出版社 2008 年版,第 1293 页。

黄庭坚的韵论主张与苏轼的启发有关。苏轼将韵的品评融会贯通起来，其评书法观韵："近日米芾行书、王巩小草，亦颇有高韵，虽不逮古人，亦必传于世也。"①其评诗也着眼于韵："毛滂文词雅健，有超世之韵。"②因此，范温在此基础上终将"有余意"作为韵美之极致。

男女有别、男尊女卑的性别观念，使宋代文人在对女性衣装的审美内涵上不是强调"尚逸"，而是转向了"重韵"。宋代周辉《清波杂志》记载："顷得一小说，书王黼奉敕撰《明节和文贵妃墓志》云：'妃齿莹洁如水晶，缘常饵绛丹而然。'又云：'六宫称之曰韵。'盖时以妇人有标致者为韵……然'韵'字盖亦有说，宣和间，衣曰'韵缬'，果曰'韵梅'，曲曰'韵令'。"③《宋史·梁师成传》也载："比年，都城妇女首饰、衣服之上，多以'韵'字为饰。甚至男女衣着、币帛往往织成此字。"④由此可见，女性美的重要评价准则是"韵"，而且北宋中后期"韵"作为品评标准十分流行。欧阳修赞梅尧臣的诗"譬如妖韶女，老自有余态"，这固然是在肯定梅尧臣诗之意韵，但他假借妖韶女老有余态却也说明宋人对美人的品评不仅仅看重的是相貌、形体等外在的东西，而且很是留意其韵味。这说明女性单有美丽的外表对宋代文人是不够的，他们也很注重女性的内蕴。李清照在《金石录后序》中曾叙述她与赵明诚为了心爱的收藏而节俭生活的情形，她这样写道："余性不耐，始谋食去重肉，衣去重采，首无明珠、翠羽之饰，室无涂金、刺绣之具。"⑤显然，她更重视的是精神世界的充实。因此黄庭坚认为："论人物要是韵胜为尤难得。蓄书者能以韵观之，当得仿佛。"⑥宋代的文人士大夫以儒家思想来规范女性的思想和行为，这使宋代女性从个性到着装都走向内敛，内秀而有余韵就被视为最高的女性审美标准。

---

① （宋）胡仔：《苕溪渔隐丛话后集》，人民文学出版社 1962 年版，第 241 页。
② （宋）苏轼：《东坡诗话全编笺评》，王文龙编，西南师范大学出版社 1996 年版，第 92 页。
③ （宋）周辉：《清波杂志》，见上海古籍出版社编：《宋元笔记小说大观》（五），上海古籍出版社 2001 年版，第 5082 页。
④ （宋）徐梦莘：《三朝北盟会编》，上海古籍出版社 2008 年版，第 240—241 页。
⑤ （宋）李清照：《李清照全集评注》，徐北文主编，济南出版社 1990 年版，第 213 页。
⑥ （宋）黄庭坚：《题绛本法帖》，见水赉佑编：《黄庭坚书法史料集》，上海书画出版社 1993 年版，第 36 页。

"逸"与"韵"都是宋代文人竭力提倡的审美标准,并在宋代很是风行,二者均涉及人物、书画的品评。"逸"与"韵"的相通之处在于二者都侧重于彰显主体内在的精神,但二者运行显现的方式不同。"逸"是一种对束缚的突破,显示出向外张扬的态势。而"韵"不是采取突破束缚这种激烈的方式,而是重在内在意韵自然而然地流露。"逸"与"韵"的区别也映射出宋代文人在性别意识上的自觉。宋代文人在服饰上的追求与他们在书画、诗文以及日常生活中的情趣是呼应的,也因此,由他们所主导的"逸"与"韵"的审美标准能够在服饰上推行开来。

第二节　下层民众服饰审美意识

中国古代将民众分为四类:士、农、工、商,合称"四民"。在宋代,下层民众主要包括下层士人、农民、小手工业者、工匠、小商小贩、被雇用者、妓女、伎艺之人、无业游民以及拥有一定物质财富的地主和市民。下层民众虽然人数众多,但受制于社会地位和财力物力,其着装上的自由度非常有限。因此,对于老百姓,着装常常不是个人喜好所能决定,而首先要遵守当时的衣冠制度。衣冠制度的核心是对等级的强化。显示等级、辨明身份成为中国古代服饰必须承载的功能,这一点在宋代下层民众所着服饰上更加被强化。宋初承袭的是唐制,服饰被当作标明使用者身份的标识物,等级上的尊卑通过服饰的形制与色泽一看便知,所谓"贵贱有等、衣服有别"。严格的着装限制成为等级高低的保证,再加上经济能力的制约,下层民众更看重的当然是实用和方便,客观上也形成了质朴便捷的风格。但随着社会财富分配情况的变化,新出现的拥有一定财富的地主和市民的经济实力不容小觑,他们在服饰方面则更多地表现出逐时炫富的审美心理。

一、质朴合宜

下层百姓由于受生计所迫,他们在衣装方面的选择性较小,简朴而适宜的审美意识主导着他们的服饰理念。质朴虽然是不得不如此的无奈之举,但它符合中国社会的传统观念,也是宋代理学"存天理,灭人欲"在服饰方面的要求,再加上宋代几代统治者的大力提倡,这就把这种无奈之举化为一种精神上有意的审美追求了,质朴而合宜也就成为这种背景下最值得称道的穿衣之道。

普通百姓的服饰简朴实用、贴近生活,因此,较为多见的都是些简洁的服装,搭配方面也非常简单。劳动人民通常上身穿襦衫,下身穿裤,头戴头巾,赤脚穿麻鞋。担夫、商贩、农民和渔夫等人多是这样的短小装扮。比之劳动人民,身处下层的文人、市民、商贾、官吏等阶层的人们大多穿长衫,在衫内穿有裤子。他们的衣身、衣袖都较为宽松,不必像从事体力劳动的阶层那样考虑方便劳作而刻意要追求"短小"和"紧窄"。儿童大多是短衫长裤。宋代一般妇女上身常穿袄、襦、衫、半臂、褙子等,下身束着裙子、裤,头戴帷帽。襦在下层妇女中很常见,四川大足石刻中的养鸡妇女上身穿着的就是这种窄袖短襦。王居正的《纺车图》为我们提供了更底层的妇女穿着实况。他所描绘的农妇,其衣着不仅式样简单,甚至缀满补丁,仅能蔽体而已。图中所描画的年轻劳动妇女上身穿衫,下穿长裤,裤腿有绑裹痕迹。年老的妇人上穿缺胯衫敞怀,露出内衣,右腿膝盖上一个大大的补丁,显然是磨损所致,裤脚较小方便活动。这一对贫苦妇人的穿着应该是北宋社会下层百姓当时的真实写照,其衣着主要满足蔽体、保暖等实用性和方便劳作的便利性考虑,根本顾不上追求美观。

再从色彩方面来看。平民百姓的衣装颜色普遍比较暗淡、单一,给人以质朴之感。据《燕翼诒谋录》中载:"国初仍唐旧制,有官者服皂袍,无官者白袍,庶人布袍,而紫惟施于朝服,非朝服而用紫者,有禁。"①《宋史》中也记载着当时的相关规定:"庶人、商贾、伎术、不系官伶人,只许服皂、白衣,铁、角带,不得服紫。"②从宋代流传下来的设色绘画作品可知,下层男子无论上装或下服,服色大多为衣料的本色,染色以白色和皂色居多,色彩单一,明显透露出经济、便宜的着装特色。在宋代的下层妇女中,

---

① (宋)王栐:《燕翼诒谋录》,见上海古籍出版社编:《宋元笔记小说大观》(五),上海古籍出版社 2001 年版,第 4591 页。

② (元)脱脱等:《宋史》,中华书局 1977 年版,第 3574 页。

蓝色印花布较为多见。陆游在《入蜀记》中记述："村人来卖茶、菜者甚众，其中有妇人，皆以青斑布帕首，然颇白皙，语音亦颇正。"①以青斑布作为头饰在当时农村妇女中较为普遍。南宋时嘉定及安亭镇生产的一种药斑布非常流行，此布"以布抹灰药而染青，候干，去灰药，则青白相间，有人物、花鸟、诗词各色，充衾幔之用"②。其实，这种质朴的药斑布不仅可以制作衾幔，而且也常常用作衣料。宋人画《杂剧人物图》中的戏装妇女的腰袄即是这种蓝白花布，左边那位戏装妇女的钓墩应该也是这种布。宋代妇女常在腰间系以青花布巾，这是当时的风俗。此外，她们还与男子一样喜欢在腰间围一幅腰围，其色尚鹅黄，因称之谓"腰上黄"。青、绿色向来是低等人用色，所以，《蚕织图》中的年轻妇女就穿着青绿色的上装。青色一般大都为年龄较大或乡村妇女所用，如"青裙田舍归"及"主人白发青裙袂"等诗句颇能说明这个问题。《村童闹学图》里八个村童的上装基本都是淡淡的青、绿、蓝、褐等色，只有一个是红色上装。村学先生则是白色长衫，黑色东坡巾。就目前的资料来看，平民百姓的衣装少有特别艳丽的色彩搭配。

除了样式和颜色十分单一、朴素外，普通百姓的衣装在质料、做工等方面也相对粗糙。古人的等级差异不仅表现在款式、色彩上，而且还显现在衣料的优劣和工艺上。因为衣料的优劣和做工直接影响衣服的品第，反映主人身份的高低，所以，下层百姓的服饰制作也相对粗糙、便宜。宋代时毛织物不多见，棉布也尚未普及，庶民之服多为粗制毛麻织成的褐衣，这种粗陋的褐衣正彰显了平民百姓衣装的质朴本色。

平民百姓虽然因为各种限制，只能穿着朴实无华的衣装，但在条件允许时他们也尽可能地妆扮自己。贵州下坝棺材洞出土的一套彩色蜡染加绣棉布衣裙是个例外。这套衣裙采用非常典型的少数民族蜡染工艺，以蜡染为主，并有刺绣和挑花，工艺精湛。蓝、黄、黑的主色调，配色复杂而和谐，视觉冲击力强，这说明在经济许可的前提下，宋代下层服饰仍有追

---

① （宋）陆游：《陆游选集》，朱东润编，中华书局 1962 年版，第 284 页。

② （明）王鏊：《姑苏志》（四库全书本·史部十一），第 29 页。

求相对华丽富贵的审美意识存在。尤其是那些爱美的女性,她们总能找到与自己身处环境相匹配的服饰,这在1958年河南偃师酒流沟宋墓出土的画像砖所反映的场景中有非常典型的表现。画面记载的是厨房的情景,其中的温酒厨娘梳高冠髻,上穿对襟褙子,下束长裙,垂至地面,裙上还佩有圆环形饰物。另有一位烹饪厨娘,也梳高冠髻,上穿交领衣、窄袖袄,下穿长裙,裙外系有长围腰,从其卷起的衣袖上可看到手腕上还戴有钏镯。她们都身材修长,干净利落,虽是厨娘,爱美之心却如此鲜明,在烹饪之余讲究衣着,追逐时尚的对襟,并且还有配饰,可谓烹饪与爱美两不耽搁。再如宋代的《蚕织图》,该图描绘的是从采桑养蚕到缫丝织绸的全部生产过程,反映了宋代南方下层妇女的着装。图中的妇女虽不及上述厨娘打扮得那么入时,但上身基本都穿小袖对襟褙子,或交领衣、窄袖袄,下身要么是长裙,要么是裤子。有的为了干净和方便还着长围腰。总体看,她们的衣着比较配套美观,却又兼顾了劳动的便利。

宋代民间质朴合宜的服饰意识符合宋代几朝统治者所提倡的简俭之风。《宋史·舆服志序》曰:"宋之君臣,于二帝、三王、周公、孔子之道,讲之甚明。至其规模制度,饰为声明,已足粲然,虽不能尽合古制,而于后代庶无愧焉。宋初,衮冕缀饰不用珠玉,盖存简俭之风,及为卤簿,又炽以旗帜,华以绣衣,褒以球杖,岂非循袭唐、五季之习,犹未能尽去其陋邪? 诒之子孙,殆有甚焉者矣。迄于徽宗,奉身之欲,奢荡靡极,虽欲不亡得乎? 靖康之末,累朝法物,沦没于金。中兴,掇拾散逸,参酌时宜,务从省约。凡服用锦绣,皆易以缬、以罗;旗仗用金银饰者,皆易以绘、以髹。建炎初,有事郊报,仗内拂扇当用珠饰。高宗曰:'事天贵质,若尚华丽,非禋祀本意也。'是以子孙世守其训,虽江介一隅,而华质适时,尚足为一代之法。其儒臣名物度数之学,见诸论议,又有可观者焉。今取旧史所载,着于篇,作《舆服志》。"①序中提到宋初、中兴、建炎初等几个时期,宋朝统治者都明确倡导简朴的作风,这不能不对平民百姓的衣着风格产生影响。

在朝廷的提倡之外,简朴也甚合宋代文人的着装趣味,文人们的这种

---

① （元)脱脱等:《宋史》,中华书局1977年版,第3478—3479页。

趣味也对平民百姓形成了某种示范作用。北宋文人士大夫致仕、隐居后常穿的直裰,多用粗布、蕉布缝制而成。朱彧《萍洲可谈》卷三载:"富郑公(弼)致政归西都,尝著布直裰,跨驴出郊。"①苏辙《答孔平仲惠蕉布二绝》其二:"更得双蕉缝直裰,都人浑作道人看。"由此可知,文人士大夫们崇尚的就是简单朴素的理念。直裰表面上粗糙简陋,内在理念上却赢得了文人的青睐,所以,他们在家训中基本都要训诫子孙务必简朴。

到了南宋,程朱理学所提倡的"存天理,灭人欲"更是在理论上为这种简朴的服饰观提供了强有力的支撑。张岱年曾这样诠释"人欲":"天有二义,一自然,二大公或普遍。理便是规律准则的意思。所谓天理,即自然的普遍的规律或准则。自然而普遍,则含括必然的意思。故所谓天理,亦可以说是必然的规律或准则。人欲一词,最易误会。《乐记》所谓人欲,指一人之欲,实与私欲同义。宋代道学中所谓人欲,亦即是私欲之意。在宋代道学,凡有普遍满足之可能,即不得不满足的,亦即必须满足的欲,皆不谓之人欲,而谓之天理。凡未有普遍满足之可能,非不得不然的,即不是必须满足的欲,如食而求美味,衣而求美服,不安于夫妇之道而别有所为,则是人欲。"②他精辟地指出"食而求美味,衣而求美服"就是"人欲",这属于被压制的私欲。所以,程朱理学从根本上否定了奢靡之风,而肯定质朴自然的风气。

无论是受财力物力限制,还是因劳动工作需要,宋代下层民间服饰总体是朴素的。我们无从得知他们是无奈,还是在朝廷和文人的共同提倡下有意而为之,但从史实文献看,作为社会人群大多数的他们,在群体趋同的着装习惯中已经形成了一种明确的服饰审美意识,即作为下层民众在等级制度主宰的服饰文化中,不仅要明确自己如何正确着装,而且,他们也在不断的生产生活中摸索、体会到了如何便利地着装。

二、实用便捷

下层劳动人民由于劳动生活的需要,在服饰的选择上,他们常常从实

---

① (宋)朱彧:《萍洲可谈》,中华书局2007年版,第154页。
② 张岱年:《中国哲学大纲》,中国社会科学出版社1982年版,第455页。

用出发追求便捷利落的效果,因此,短小、紧窄的衣服更符合他们的要求。不仅如此,宋代经济生活的快速发展,也使下层劳动人民在劳作时非常注重劳动的效率,衣着方面的便利就成为保证劳动效率的重要因素。

宋元时期的下层人民普遍注重便捷。首先来看其首服。古代人很注重首服,平民男子一般也不露顶,主要有笠帽、巾帕、幞头等。笠帽以农夫、渔夫使用为主。马远的《寒江独钓图》中,放在小船中的就是这种帽子。笠帽可以遮阳、挡风、避雨,所以,《清明上河图》中骑驴赶路的商贩也有戴者。笠帽用藤竹为框,用削好的竹皮附着帽框编织而成。也有用竹篾弯制成帽框,再用竹篾编织成内外两层网,将箬叶夹在这两层网之间。笠帽因材料随处可见,制作简便,在下层农民中很受欢迎。《煮盐图》、《耕获图》中都有戴笠帽的下层人民。相比笠帽,裹巾子和戴幞头更为常见。货郎、农民裹巾子的可见于《货郎图》和《耕织图》。幞头在宋代十分流行,上到皇帝下到庶人都可佩戴,如《百马图》中还有赤身戴幞头洗马的牧马人,只是不同身份、地位的人往往选择不同的款式。幞头由于已经定型不需临时裹头,所以较巾方便,这种变化也很能反映宋人求快捷的心理。

其次,下层人民的衣装也显现出突出的轻便取向。由于需要劳动,那些从事耕织渔牧的下层人民往往衣着短小,追求轻快便利。从宋代的《蚕织图》来看,其中的采桑男子和担桑叶的男子都是赤脚,穿着裤管窄小的长裤,上衣为交领、长袖,但为了干活方便,袖子基本都是卷着的。上衣也只长至膝上,腰间系带,便于活动。图中还有一人赤裸着左半边身子和一条胳膊,可能是干活出汗贪图凉快,这说明其上身所着长衣有便利穿脱的设计。类似的场景也出现在《煮盐图》中。《煮盐图》描绘了大量光着上半身正在劳动的人物。从衣服设计的合理性考虑,这类劳动者的上装一定是便于穿脱的,从中也可看出,当时的服饰文化对下层男性衣物是否完全遮盖身体并未作硬性的要求,这无疑是出于便于劳作的考虑,也与当时社会上层的服饰礼仪完全不同。同样的便于劳作而出现的易于穿脱的服饰现象,在《百马图》中又有不同的表现。图中出现在河岸边刚洗刷完马匹的放马人,一个只穿了三角状的犊鼻裤就骑上马背,另外一个身着犊鼻裤,正在岸边套穿外裤。对比两幅图来看,《煮盐图》中,通过描画不穿上衣的劳动者可以表现煮盐的辛苦,而《百马图》中洗马者单穿犊鼻裤则主要是出于避免弄湿上衣外裤的考虑。这说明洗马者是另有较完善外衣裤的,仅穿着犊鼻裤一定不是一般百姓的着装习惯,这显然是因其洗马的工作而采取的暂时性的穿着。实际上,《煮盐图》中也有为数不少的仅穿犊鼻裤的下层人物。下层劳动人民劳作时只穿犊鼻裤的场景在《闸口盘车图》中也有描绘,杨威的《耕获图》中也是如此。为了劳动的便利,《煮盐图》中也出现了其他较为简便的穿着情形,图中有的劳动者光着腿,只上身穿有半臂,有的还穿有膝裤。大量图画文献表明,犊鼻裤、短裤、短衣是当时下层体力劳动者较为普遍的劳动着装。这不能仅仅理解为是过于贫困导致的结果,而更应该是为了劳动便捷和散热、免湿等目的。总的看,宋代下层民众因较多承担体力劳动,使得他们的服装呈现出短小的趋势。因此,沈从文说:"五代宋初《江行初雪图》,宋人绘《百马图》、《货郎图》、《村医图》、《清明上河图》、《双舟图》、《巴船出峡图》、《溪山清远图》、《长江万里图》等等,画迹虽繁简不一,都可从画中发现大同小异式样的短衣。"①

　　值得一提的是,宋代大量类似的劳动服饰式样在留存文献中有较多出现,这说明为了劳动便捷而进行特意的服饰设计在宋代已经受到重视,而且是比较普遍的。如缺胯衫在宋元时的下层劳动人民中是经常穿着的。所谓缺胯衫,是指上衣侧开衩开至胯边,因其开衩故名缺胯衫。圆领缺胯衫是唐、五代、宋初时期男子的通用服饰,因其便捷,在北宋中晚期的平民阶层中依然非常流行。再如背心。与现代服饰的背心不同,宋代的背心是一种只能裹覆胸前、胸后的无袖之衣。这样的背心形制在农村流传甚广,特别是在北方地区。劳动人民为了劳作时的方便、凉快,常常把原本是内衣的背心当外衣穿着。背心不分男女均可穿着,妇女多罩在襦袄之外,如《耕织图》中穿背心的妇女。男子则可单独贴身穿着,常与短裤、麻鞋搭配,组成夏季走街串巷的标准行头。此外,如半臂的设计,两臂的袖子多至肘间止,穿着起来便于活动,所以普通妇女多爱穿着。为了劳

---

① 沈从文编著:《中国古代服饰研究》,商务印书馆 2011 年版,第 481 页。

动便捷,民间妇女用膝裤者也比较普遍。虽然当时女子下体仍以裙为主,裙内或穿有裤子,但地位低卑的劳动妇女也有不穿裙子直接穿裤者。宋王居正《纺车图》中的老妪和少妇即是这样的装束。下层男子下体多穿裤子,春秋两季穿夹裤,冬季穿棉裤,夏季或穿单裤或短裤。武士、力人、行脚僧则要着"腿绑"。总之,袖身紧窄,裤脚紧窄才方便活动,这正是下层劳动人民穿衣着装的本色。

不仅如此,在实用便捷的意识推动之下,这一时期还出现了一些有特色的衣装新品。历朝历代的平民因其身份卑贱,再加上等级制度、朝廷诏令和经济能力的限制,其衣装变化通常比较慢。但北宋以来,下层人民以驴、牛等代步的现象日益增多,人们生活方式和出行方式的变化也促进了衣装便捷观念的发展。《清明上河图》中的赶集者不乏牵牛、驾马、骑驴者。出行方式的变化要求有相应的服装与之相配,旋裙就是为出行方便应运而生的。《江邻畿杂志》中载:"妇人不服宽袴与襜,制旋裙必前后开胯以便乘驴。"[1]"据司马光记载,北宋下层社会妇女中流行的这种'前后开胯、以便乘驴'的旋裙,其后竟然逐渐向上层社会渗透。"[2]再如貉袖,宋代曾三异的《同话录》对貉袖的解释是:"近岁衣制有一种如旋袄,长不过腰,两袖仅掩肘,以最厚之帛为之,仍用夹里或其中用绵者,以紫或皂缘之,名曰貉袖。闻之起于御马院圉人,短前后襟者,坐鞍上不妨脱,著短袖者,以其便于控驭耳。古人所谓狐貉之厚,以居亵裘,长短右袂制,皆不如此。今以所谓貉袖者,袭于衣上,男女皆然。"[3]结合宋代周密在《武林旧事》中的记载:"元夕张灯……妇人皆带珠翠、闹蛾、玉梅、雪柳、菩提叶灯球,锁金合蝉,貉袖项帕,而衣多尚白,盖月下所宜也。"[4]可见,貉袖原本是为了便于乘骑,后来竟然成为妇女们日常穿着的一种服式。还有褙子。

---

① (宋)江休复:《江邻畿杂志》,见上海古籍出版社编:《宋元笔记小说大观》(一),上海古籍出版社2001年版,第578页。

② 徐飚:《两宋物质文化引论》,江苏美术出版社2007年版,第193页。

③ (宋)曾三异:《同话录》,见吴玉贵,华飞主编:《四库全书精品文存》16,团结出版社1997年版,第149页。

④ (宋)周密:《武林旧事》,见(宋)孟元老等:《东京梦华录》(外四种),古典文学出版社1957年版,第370页。

有人认为褙子在宋代男女中的普遍化与其功能合理实用、穿着随意大方有关:"形制引长直垂至足则'利身',充分表现了它的遮护作用。与此同时,或者说更重要的,则是它的'便事'特点。由于两裾离异不加缝缀,这样一来,无论是行走,还是劳作,抑或是武士驰骋鞍马、文人驱策蹇驴等等,都较一般的两裾不开衩的袍衫要便当得多。"①

宋代下层服饰趋于实用、便捷的意识是很强烈的,宋人甚至改变了有些衣装的穿着方式。从刘松年的《茗园赌市图》中我们可以看到,襦和裤的搭配出现了新变化,其中的村妇虽然上服襦,下着裤,但却是襦束于裤内的衣着方式。这种变化应该也是为了方便。此外,为了便于劳作,宋代的劳动人民还发明了"襻膊儿"。这是一种固定衣袖的工具。《百马图》中的两位铡草人都使用了这种工具。他们将衣袖卷至肘间,用绳索固定两个衣袖后挂在脖子上。朱熹衣着便事的主张可能也与宋人生活中普遍弥漫的此种风气有关。

三、逐时炫富

中国封建社会的阶级结构在宋元时发生了一个巨大的转折。在具体表现上,汉唐时极其稳固的皇权—士族统治阶层开始瓦解。在其瓦解的过程中,社会财富随着新经济形态重新进行分配。随之,一个新的财富阶层出现了,即不掌握政治权力和社会话语权但拥有一定财富的地主和市民阶层。从文化本质上看,阶级结构的变化和新阶层的出现都呼唤与之相应的上层结构的变化,尤其是新文化的出现。但宋元时期出现的新财富阶层与以往朝代的财富拥有者——贵族官员存在两个显著不同:一是他们没有获得也并不拥有与其财富相称的权力、地位,换言之他们无法在上层结构中自然生成属于自己的文化;二是他们是被传统主流儒家文化忽略的那部分,他们既不通晓诗书,也不太懂天理、人欲之别。从阶级文化上看,他们所掌握的又不足以支撑他们创造自己的文化。所以,他们在精神文化领域所能做的全部,就是追逐由高雅文人所引领的文化时尚。

---

① 蔡子谔:《中国服饰美学史》,河北美术出版社2001年版,第687页。

尽管他们粗陋的学识和笨拙的模仿常常表现为一种粗浅的炫富,但一定要知道中国的市民服饰的审美恰恰是从这里开始的。

隋唐的土地制度沿袭的是北魏孝文帝以来的均田制。唐中叶后,随着均田制的崩溃,土地的私人占有程度不断提高。到了北宋,土地私有制进一步发展,土地买卖盛行,拥有大量土地的地主并不少见。这些拥有一定财力的地主,他们在社会地位和政治权利上不如文人士子,但在财富上却日趋靠近贵族。发展到南宋,农村中贫富不均的形势更为分化,土地兼并盛行加剧了这一趋势。梁庚尧在《南宋的农村经济》中认为:"人口增加、土地兼并盛行和商业逐渐发达,是南宋经济的三个基本趋势。这三个趋势,都不始于南宋,而是继承北宋而来,只是到南宋时期,这些趋势对农村社会的影响更形显著。人口增加造成农村耕地的不足,土地兼并盛行助长农村财富的集中,而商业逐渐发达则使农家家计和市场经济的关系日深,在生活上常易受物价变动的影响。这些现象,再加上南宋赋役制度的许多弊端,促使农村贫富距离日益增大,部分富家只顾累积财富,不恤他人生活的艰难,大多数农家则因收入微薄而生活困苦,甚或难以为生,农村因而不时呈现不安。这是南宋农村社会在经济上冲突的一面。"①他还明确指出:"南宋农村中确实存有贫富不均的现象,占全国户口大多数的农村户口,大部分是贫乏农家,中产之家不多,而土地所有权集中在较中产之家犹少的富家手中。"②这就说明,经济形态的变化改变了宋元时期下层民众的组织构成。根据掌握财富的不同,农民被分为贫困的(不能等同于贫民,因为贫民还包括城市中的无产者)和富庶的(不能简单地等同于地主,我们一般意义的地主往往具有文化传统和政治背景,所谓"耕读传家",这类富庶的农民只是在物质财富上达到了富庶)两类。这种因为财富占有的多寡而出现的人群差异,改变了春秋以来中国文化中根据职业划分的社会结构。如此的政治经济的不平衡,造成了他们在服饰的追求上不同于同样无发言权的但很贫苦的百姓,当然,也不同于文人官员。

---

① 梁庚尧:《南宋的农村经济》,新星出版社 2006 年版,第 1 页。
② 梁庚尧:《南宋的农村经济》,新星出版社 2006 年版,第 267 页。

　　对于这类新出现的服饰审美现象,河南禹县白沙宋墓的相关发掘为我们提供了重要的实证。白沙宋墓是砖雕壁画墓中保存较好、结构最复杂、内容最丰富的北宋墓葬,共包括墓主赵大翁及其家属的三座墓葬。墓主人赵大翁是北宋晚期一位没有功名官职但可能经营商业的庶民地主(他在北宋哲宗元符二年去世,很可能是仁宗时生人),尽管没有功名,但其财力雄厚,墓葬采用的是仿木建筑的砖室墓,而且满布壁画,装饰富丽。墓中壁画多处绘有女性形象,有女主人、女仆、女性伎乐人等。这些不同身份、地位的女性穿着、妆饰真实地再现了北宋末期的时尚。从壁画所绘发式来看,"第一号墓壁画妇女鬓梳方额,或在额正中分发处向上挑一小尖。第二号墓壁画妇女额发则多向下梳出云尖。袁褧《枫窗小牍》卷上记汴京闺阁,崇宁间作大鬓方额,宣和以后多梳云尖巧额。袁褧所记之方额、云尖巧额,是否即如第一、二号墓所绘,尚不敢遽断,但北宋末叶汴京奢侈成风,时装愈变愈繁,京师如此,地方自当仿效京师"①。壁画反映了北宋晚期时尚变化频繁,发式不断改变,妇女们追逐新颖、时尚的事实。宋代妇女非常重视冠饰,花样不断翻新,高髻和团冠都是当时非常时髦的打扮。就壁画中的头饰来看,不少人戴有白团冠、莲花冠,冠下还插有簪饰,高髻插簪饰的形象也比较多。结合北宋著名诗人陈舜俞的记载:"今夫诸夏必取法于京师,所谓京师则何如:百奇之渊,众伪之府,异服奇器,朝新于宫廷,暮仿于市井,不几月而满天下。"②对以上考古情况和留存文献的分析证明,在北宋末期,随着社会财富的膨胀,一部分平民的服饰开始出现偏向奢华的审美风尚。这股风潮似乎起于内廷,但这与宋代皇室的着装习惯不甚相符,我们推测大概是皇室妃嫔等人的作为。但在当时的文人服饰审美意识中,这种奢华是"异服奇器",被目为不端,而推动这种服饰趋向的应该主要是赵大翁那样的庶民地主。

　　在宋代,不仅农村中的地主阶层崛起迅速,商人同样如此。唐朝时的坊市制度至宋已消失,商人开设店铺的自由度大大提高,一些新的商业街

---

　　①　宿白:《白沙宋墓》,文物出版社 2002 年版,第 99—100 页。
　　②　(宋)陈舜俞:《都官集》卷二《敦化》五,宋二十家集本。

道和场所得以出现,且与住宅区(坊里)互相交错,加之营业时间延长,这在时空方面都为交易的便利性提供了前提。宋朝统治者也对传统轻商、抑商的政策作出了鼓励性的调整,有些情况下允许商人参加科举考试和入仕。商人凭借自己的经济实力逐渐打破等级束缚,地位的提高已是一个很突出的社会现象。士人也逐渐改变了传统的评价眼光,北宋范仲淹的《四民诗》为商人道不平:"吾商则何罪? 君子耻为邻。"南宋学者陈耆卿也对"农本工商末"的观念提出质疑:"古有四民,曰士、曰农、曰工、曰商,士勤于学业,则可以取爵禄;农勤于田亩,则可以聚稼穑;工勤于技巧,则可以易衣食;商勤于贸易,则可以积财货。此四者皆百姓之本业。"①到南宋末期,黄震干脆认为:"士、农、工、商……同是一等齐民。"②一方面是因为人们对商人观念的开放性变化,另一方面也由于利润的吸引,宋代的人们对从商趋之若鹜,"从事贸易的不仅有单纯的商人,还有各级封建官府、各级官员、宗室、僧尼、举人、地主以及手工业主,甚至还有一部分农民"③。在这样的背景下,商人的社会地位得到认可,富商的地位更是显赫。

宋代城市人口激增,市民阶层内部贫富差距悬殊。许多贫困的市民为了找到生路,"(东京)早辰桥市街巷口皆有木竹匠人,谓之杂货工匠,以至杂作人夫,道士僧人,罗立会聚,候人请唤"④。这些人所有的考虑都首先要让位于养家糊口。与他们不同,一些富商大贾拥有雄厚的经济实力。真宗时的宰相王旦曾说:"国家承平岁久,兼并之家,徭役不及,坐取厚利。京城资产,百万者至多,十万而上,比比皆是。"⑤秦观也在《淮海集》卷十五《财用》上云:"本朝至和、嘉祐之间,承平百余年矣。天子以慈俭为宝,贡赋经常之外,殆无一毫取诸民,田畴邸第莫为限量,衣服器皿靡有约束,俯仰如意,豪气浸生,货贿充盈,侈心自动,于是大农富贾或从僮骑,带弓箭,以武断于乡曲,毕弋渔猎声伎之奉,拟于侯王,而一邑之财,十

---

① (宋)陈耆卿纂:《嘉定赤城志》,中国文史出版社 2008 年版,第 408 页。
② (宋)黄震:《又晓谕假手代笔榜》,见曾枣庄、刘琳主编:《全宋文》第 348 册,上海辞书出版社、安徽教育出版社 2006 年版,第 42 页。
③ 朱瑞熙:《宋代商人的社会地位及其历史作用》,《历史研究》1986 年第 2 期。
④ (宋)孟元老:《东京梦华录》(外四种),古典文学出版社 1957 年版,第 25 页。
⑤ (宋)李焘:《续资治通鉴长编》,中华书局 2008 年版,第 2956 页。

五六入于私室矣。"①"大农富贾"与那些贫困的市民差距何其之大！

虽然宋代各朝皇帝三令五申，提倡服饰不应过分华丽，应当崇尚简朴。如高宗、孝宗和宁宗都显示出"革弊当自宫禁始"的决心，宁宗嘉泰初年，为了制止奢靡之风，竟将宫中妇女的金翠首饰放之街衢放火焚烧。但实际上，宋朝的奢靡之风却屡禁不绝。《政和五礼新仪》卷首载："大观四年闰八月八日尚书省剳子朝散郎试给事中蔡薿奏，准御史台牒……闰八月一日文德殿视朝轮当，臣观辇毂之下，士庶之间，侈靡之风，曾未少革。富民墙屋，得被文绣，倡优下贱，得为后饰，殆有甚于汉儒之所太息者。雕文纂组之日新，金珠奇巧之相胜，富者既以自夸，贫者耻其不若，则人欲何由而少定哉。"②在这样的社会风气下，"服用浸侈，不惟士大夫家崇尚不已，市井闾里以华靡相胜"③。《梦粱录》卷一八《民俗》也记载："且如士农工商，诸行百户，衣巾装着，皆有等差。香铺人顶帽、披背子；质库掌事，裹巾、着皂衫、角带；街市买卖人，各有服色头巾，各可辨认是何名目人。自淳祐年来，衣冠更易，有一等后生，不体旧规，裹奇巾异服，三五为群，斗美夸丽。"④宋朝政府也曾对民间服饰屡下禁令，但并未奏效。如"禁民间服销金"，"臣庶之家，毋得采捕鹿胎制造冠子"⑤。种种史实表明，拥有经济实力的地主与市民他们在服饰文化方面的追求，完全不同于与他们同属一个阶层的贫苦劳动人民。

总之，由唐朝中期开始的社会变革到宋朝已产生较大影响，宋代的社会结构已发生了巨大的变化。具有强大经济实力的地主和商人凭借自己的经济实力，逐渐打破了等级的限制，这就使下层民众在服饰上出现了两极分化的审美态势，质朴便捷与逐时炫富并存。在中国审美史上，宋元以

① （宋）秦观撰，徐培均笺注：《淮海集笺注》，上海古籍出版社1994年版，第593页。

② （宋）蔡薿：《请立法定制以革侈靡之风奏》，见曾枣庄、刘琳主编：《全宋文》第137册，上海辞书出版社、安徽教育出版社2006年版，第21页。

③ （宋）王栐：《燕翼诒谋录》，见上海古籍出版社编：《宋元笔记小说大观》（五），上海古籍出版社2001年版，第4600页。

④ （宋）吴自牧：《梦粱录》，见（宋）孟元老等：《东京梦华录》（外四种），古典文学出版社1957年版，第281页。

⑤ （元）脱脱等：《宋史》，中华书局1977年版，第3575页。

前,参与审美活动(或留存有审美活动记载文献)的人群是极为单一的:特征鲜明、意识明确的儒家正统文人士子(包括他们的服饰审美意识裹挟的帝王们)和一些特立独行的化外之人(我们把一些释道服饰浓厚的隐逸高士也归到此类),而作为社会主要人群的民众着装却面目模糊、形象恍惚,似乎停留在遮羞、御寒的原始服饰起点,此外没什么可说。是的,我们承认上层建筑和文化阶层对服饰审美的导向和引领,也承认他们在服饰审美意识上作出的巨大贡献,但他们不是审美意识史的全部,他们的思维也不应等同于整个人类在那个时代的审美意识。如果说在诗文书画上他们还可以基本代表,但在服饰、民俗这类生活领域,下层民众的审美意识也是非常值得重视的。宋元以来市民阶层的兴起,以及文献材料方面的支撑,都使我们能够对其一探究竟,从而,下层民众的审美意识与文人贵族的审美意识一起为这一时期的服饰审美提供了全面的图景。

第三节　多民族交融共存的服饰审美意识

公元 10 世纪初,在中原还处于五代乱离之世时,在广袤的北方大地,先后崛起了契丹、女真、蒙古等多个少数民族政权。这些少数民族所建立的政权在南北纷争和胡汉对峙的情况下,先后进入中原,建立了胡汉混杂的朝代,即华夏历史中的辽、金、元。在两宋中原汉文化政权与辽、金、元北方少数民族政权共存的时代,无论是激烈而血腥的战争,还是相对和平的盟好,汉人与北方少数民族在服饰文化上都更密切地进行着碰撞与交流。因此,本节重点考量的是北方少数民族服饰与汉人传统服饰之间的互相交流、互相影响,以及由此产生的对华夏服饰审美意识的影响。对于元代服饰,则需要在中华文化与外域文化相互交流的背景下去考察元代服饰审美意识的变迁和影响。

一、辽与北宋在服饰审美中的碰撞和交流

契丹族是秦汉时东胡的一支,原居东北辽河上游潢水(今内蒙古西拉木伦河)流域,过着游牧渔猎生活。南北朝时已与中原地区建立了政

治、经济方面的联系。隋立国后对契丹主要采取"怀抚"政策。隋亡后，契丹归附唐朝，并在唐初形成部落联盟，其后有了较大发展。唐末，由于中原地区的封建割据战争，北方汉族军民为了逃避战乱，不断迁入契丹人居住的地区开荒种地。受其影响，契丹人的生产、生活方式发生了较大变化。契丹不断发展、壮大的过程受到了汉族人的生产、生活方式的影响。

《辽史》记载，涅里在担任遥辇氏联盟的第一任夷寓堇时，亲自"教耕织"。"懿祖生匀德实，始教民稼穑，善畜牧，国以殷富，是为玄祖。玄祖生撒剌的，仁民爱物，始置铁冶，教民鼓铸，是为德祖，即太祖之父也。世为契丹遥辇氏之夷离堇，执其政柄。德祖之弟述澜，先征于厥、室韦，南略易、定、奚、霫，始兴板筑，置坡邑，教民种桑麻，习织组。"①这说明，契丹人已学会了种地、炼铁、织布和建造房屋，农业、手工业均有发展，社会生产力正在逐步提高。到唐末五代时期，契丹逐渐强大起来。916年，契丹贵族耶律阿保机统一八大部落，自立为帝，称天皇王，国号大契丹，建元神册，定都临潢（今内蒙古巴林左旗南波罗城）。建国后，阿保机仍然保持了继续扩张与掠夺的势头，除了西征和对临近部族的征战，他还南下入侵中原。趁着中原混乱时期，辽一再南下掠夺，势力得到很大发展。

宋初与辽的和战影响到了宋辽关系的整个局势，形成了宋以钱物求和平的格局。宋太祖曾两次讨伐北汉被辽击败，此后派重兵扼守边境，以守为攻二十多年。太平兴国四年（979年），宋太祖再次全力出击北汉，又乘机北伐契丹，但终究在高粱河（今北京前门外至左安门一带）战役中大败。从此，宋辽战端又开。雍熙三年（986年），宋太宗大举征辽，史称"雍熙北伐"。北伐再次失败，国内阶级矛盾激化。面对外忧内患，宋太宗确立了"守内虚外"的政策，对辽政策也由进攻转为消极防御。真宗继位后，君臣继续"守内虚外"的政策，并奉为"祖宗之法"。而辽日益强盛，对宋转而采取攻势。景德元年（1004年），辽军大举南侵，宋真宗亲征，同年12月签订"澶渊之盟"。宋与契丹以白沟河为界，宋辽南北对峙局面形成，在一个世纪中基本维持着和平的局面。"澶渊之盟"虽然换来了和

---

① （元）脱脱等：《辽史》，中华书局1974年版，第24页。

平,但宋每年需输辽岁币10万两,20万匹绢。即使这样,野心十足的辽人还不满足。辽兴宗又借口在北方布防,领兵南屯边境,要求宋出让瓦桥关以南地区,宋为西夏所困,被迫答应每年再增加岁币、绢各10万。这样,北宋每年输往辽的绢共达30万匹。

在这种局面下,榷场贸易和民间贸易,为宋辽之间服饰上的交流提供了重要通道。"澶渊之盟"后,宋辽重开榷场,宋在河北雄州(今河北雄县)、霸州(今河北霸县)、安肃军(今河北徐水)、广信军(今河北徐水),辽在新城(属今河北)、朔州(今山西朔县),分别设置了榷场进行贸易。但宋辽为维护各自利益,都对贸易货物有一定限制。景德二年(1005年)三月,宋真宗下诏云:"令雄州勿得以绵绮绫帛等付榷场贸易。上虑戎心无厌,若开其端,则求市无已故也。"①这说明在当时契丹人中,选用中原布料是极普遍的,需求量极大,但契丹自身是不具备丝织工艺的,所以亟须加强与宋的服饰布料交易。而景德三年(1006年)以后,为了刺激辽朝贵族的奢侈消费,北宋又同意了缯帛进入榷场。榷场贸易虽然为宋辽各自的需求提供了方便,但因为要受宋辽双方官府的监督,且主要是考虑统治阶级的需要,所以难以满足宋辽人民日常生活的需要。辽地对宋人服饰饰品的狂热追求与北宋严格的边境物质出口管控制度之间的矛盾,推动了民间宋辽服饰贸易的兴起。其中一些从事服饰贸易的商人及其商业行为,甚至可以得到一些宋代开明官员的默许。据《宋史·李允则传》记载,李允则主持雄州榷场期间,"初,禁榷场通异物,而逻者得所易珉玉带。允则曰:'此以我无用易彼有用也,纵不治。'"②在这样的情况下,民间走私服饰布料饰品的商业行为开始出现并繁盛起来,并造成了辽宋边民的频繁越界贸易。《宋会要稿》载:"诏河东沿边州军,自今民有过北界,只是博采解斗,收买皮裘及诸般些少吃用物色,精理轻者,则依法决讫,刺面配五百里外州军,本城收管。"③从上述文献分析,辽宋和战时期,

---

① (宋)李焘:《续资治通鉴长编》,中华书局1995年版,第1325页。
② (元)脱脱等:《宋史》,中华书局1977年版,第10480页。
③ (宋)赵恒:《河东沿边民私过北界决配事诏》,见曾枣庄、刘琳主编:《全宋文》第13册,上海辞书出版社、安徽教育出版社2006年版,第34页。

两国之间服饰交流就已非常频繁,虽然宋人有时极力禁止服饰布料等物质大规模出口,但服饰走私贸易屡禁不止,这正说明了宋人服饰在辽地受欢迎的程度,也表明辽人服饰渐渐汉化的总体趋势正在形成。

上述种种无论是战争、榷场贸易乃至民间交易,都对宋辽服饰方面的审美产生了相互而直接的影响,双方在服饰方面的审美意识也均有所变化,但又较多地受到了民族、政权、正统等观念的限制。

先来看北宋对辽的影响。辽在服饰上受中原政权影响明显。最重要的影响是,辽认同和借鉴了华夏礼乐文化以服饰区分等级的观念,将服饰纳入了礼制的轨道。契丹早期服饰等级并不严格,多服皮毛,“覆之以毡”,或“戴野猪头,披野猪皮”。契丹南下后,开始仿照汉人服制制定服饰制度。他们的服饰逐渐开始具有等级区别,所谓“别上下,明等威”。进入黄河流域后,在服制问题上,辽统治者采用汉、契丹两制并行的制度:皇帝与南班汉官用汉服,太后与北班契丹臣僚用“国服”,即《辽史·仪卫志》云:“太祖帝北方,太宗制中国,紫银之鼠,罗绮之篚,麕载而至。纤丽㘞毳,被土绸木。于是定衣冠之制,北班国制,南班汉制,各从其便焉。”①从《仪卫志》的记载看,辽初贵族的服饰是杂用皮毛丝织品,且以之为美,只有汉人官员以中原汉地服饰为主,契丹贵族还是穿“国服”的。辽本居于北,向来服皮毛以御寒,此时贵族服饰喜用来自中原的丝织物说明辽人的服饰审美发生了巨大变化。随着汉地服饰审美趣味的蔓延,原本穿本民族服装的契丹贵族也逐渐在服饰上汉化了。从辽景宗乾亨年间开始,三品以上的契丹族官吏行大礼时也就穿汉服了。辽兴宗重熙元年以后,官员礼服全部改为汉服,而无国、汉之分。

如果说辽因俗而治、国服汉服并存的衣冠制度主要是出于统治的需要,那么,辽的服饰元素逐渐吸收汉服要素的事实,则说明了他们在审美上对中原服饰也存在一种认同感。辽因地处寒冷地带,所以服饰多用皮毛。但受中原影响,辽人服装的质料转而以丝绸、皮革为主。这些丝绸除来自北宋外,契丹人也已拥有自己的纺织业。而且,由于中原地区汉人纺

---

① （元）脱脱等:《宋史》,中华书局1977年版,第905页。

织技术的传入,契丹人的纺织业得以迅速发展。如真宗时出使辽的路振记载,在辽的皇都上京城(今内蒙古赤峰市巴林左旗林东镇南)和祖州(今林东镇西南)等地有皇家"绫锦院",集中了大批契丹、汉、渤海织工,专门从事丝织品的生产。在中京道的一些州县,还有专业的"蚕丝户"向政府提供蚕丝。南京析津地区"锦绣组绮,精绝天下"。辽朝丝织工艺的发达,也可从辽赠北宋皇帝的礼品中得知一二,"宋朝皇帝生日,北朝所献:刻丝花罗御样透背御衣七袭或五袭,七件紫青貂鼠翻披或银鼠鹅项鸭头纳子,涂金银装箱,金龙水晶带,银匣副之,锦缘帛皱皮靴,金玦束皂白熟皮靴鞋,细锦透背清平内制御样,合线摚机绫共三百匹"①。刻丝制品工艺复杂,庄季裕《鸡肋编》说:"妇人一衣,终岁可就。"②辽朝能织造刻丝花罗御样透背御衣七袭或五袭,这表明辽朝的丝织工艺已很发达了。同时,以高端刻丝制品为国礼,反映出辽人以丝织品为美、以刻丝制品象征的国家服饰观。结合辽代契丹人墓葬中出土的大量丝织品来看,可知契丹人对于丝织品的喜爱确是事实。从出土丝织品图案的角度来看,其上既有大雁、海冬青等带东北地域特色或辽人民族风俗的图案,也有凤鸟、喜相逢等汉族传统的象征吉祥的图案。这无疑说明,辽人不仅吸收了中原服饰审美趣味,且这种吸收与本民族服饰传统有机地融合在一起,形成了独特的既不同于契丹,也不同于华夏的辽代服饰之美。可以看到,出于对中原服饰理念的赞同,辽代统治者对中原服饰采取了较为宽松的态度,所以,辽代的服饰在保留民族色彩的同时,折射出的更多的是其审美意识的开放性。

再来看辽对北宋的影响。与辽代统治者的态度不同,宋代统治阶级始终把服饰视为意识形态的一种重要表现形式,因而屡屡颁布禁令,禁止中原宋地军民人等、士庶男女穿戴契丹人的衣冠和装饰,以防夷服变夏。宋仁宗天圣三年(1025年)诏令:"在京士庶不得衣黑褐地白花衣服并蓝、黄、紫地撮晕花样,妇女不得将白色、褐色毛段并淡褐色匹帛制造衣服。"③

① (宋)叶隆礼:《契丹国志》,齐鲁书社2000年版,第156页。
② (宋)庄绰:《鸡肋编》,中华书局1983年版,第33页。
③ (元)脱脱等:《辽史》,中华书局1977年版,第3575页。

由于白色、褐色毛段面料是辽地契丹民族服饰的特色,所以宋代统治者严格禁止类似契丹服饰的布料、花纹在宋地流行。此后,类似禁止胡服的诏令多次下发:宋徽宗大观四年(1110年)下诏:"京城内近日有衣装杂以外裔形制之人,以戴毡笠子,着战袍,系番束带之类","宜严行禁止"。① 政和七年(1117年)和宣和元年(1119年),又两次禁止百姓穿戴契丹服装,如毡笠、钓墪(妇女袜裤)之类。朝廷的三令五申,一方面说明了宋代统治阶级对辽人服饰的排斥,另一方面也侧面反映出胡服现象在中原宋地的屡禁不止,这有力地说明了宋人对契丹服饰的喜爱和追捧。但对契丹服饰的喜爱不仅局限在京士庶中,随着契丹与中原交往的密切及契丹汉化程度的加深,辽地服饰逐渐形成兼容胡汉的独特地域服饰审美风格。这种带有汉文化色彩的服饰美学,逐渐融化宋人上层对"胡服"的排斥和蔑视,开始走进北宋宫廷。徽宗时,宫中以北珠为时尚,但北珠为辽国特产。当时的河北转运使梁子美为了取悦徽宗皇帝,"倾漕计以奉上,遂以三百万缗市北珠以进"。从皇宫到民间喜好辽服、辽饰的时尚之风禁而不绝,这就说明,在徽宗时期,对契丹服饰的审美欣赏已成一定风气。但显然,统治者的服饰观不能仅仅考虑审美,其核心还包括礼义治政之道。辽人服饰盛行,引发了宋代统治者对儒家服制制度有可能遭到破坏的恐惧。所以,宣和元年(1119年)宋徽宗下诏曰:"先王之法坏,胡乱中华,遂服胡服,习尚既久,人不知耻,未之有禁,非用夏变夷之道,应敢胡服,若毡笠墪之类者,以违御笔论。"②"服胡服"由于"非用夏变夷之道",而且"胡乱中华"的教训不可不铭记,所以,喜好胡服的审美意识应该被坚决压制。

无论辽宋双方统治阶层对于服饰交流所持政策如何,不容辩驳的是,处在辽统治下的幽云地区的汉人服饰已发生了极大的胡化。幽云十六州自五代后晋时被割让给契丹,从此开始纳入了辽国的版图。幽云汉人在辽朝统治下生活了近二百年,他们在服饰上经历了一个缓慢但却逐渐向契丹靠拢的过程。路振在宋真宗大中祥符年间出使辽朝,他这样记述燕

① (宋)吴曾:《能改斋漫录》,上海古籍出版社1979年版,第383页。
② (清)徐松:《宋会要辑稿》,中华书局1957年版,第1782页。

京的衣着情况："俗皆汉服,中有胡服者,盖杂契丹、渤海妇女耳。"①由此可知,当时幽云汉人的服装还大多是中原传统服饰。至宋神宗熙宁年间沈括出使辽,所见燕蓟地区"衣冠语言皆其故俗,惟男子靴足幅巾而垂其带;女子连裳,异于中国"②。苏颂的记载也可以印证此时的汉人服饰已发生了较大的变化。他说:"敌中多掠幽蓟之人,杂居番界。皆削顶垂发以从其俗。惟巾衫稍异,以别番汉耳。"到了宋哲宗朝,苏辙再出使辽朝,据他描述幽州汉人的服饰已是"哀哉汉唐余,左衽今已半","衣服渐变存语言"。处于辽统治下的汉人逐渐"胡化"的过程说明,服饰的审美不是无关社会与政治的。宋代统治者所担心的从外在服饰的认同到内心精神的转变,已经在幽云汉人的身上现实地发生了。伴随契丹服饰的盛行,幽云汉人的主体身份认同也正在逐渐发生着异常复杂的变化。

总之,北宋与辽在服饰审美意识方面既有认同,又有抵制。辽对中原文化的向往与钦服使他们对汉民族的服饰采取了较为开放的心态,在坚守本民族服饰文化特色的同时,又不唯我独尊。北宋朝廷虽然心怀民族优越感和政治危机感极力拒斥契丹服饰,但来自契丹服饰中的合理性因素却在宋朝统治者的各种禁令下依然被吸收到中华服饰的审美观念中来了。可见,服饰的审美虽然具有强烈的审美意识形态属性,但同时也具有自身的独立性,所以契丹服饰中所蕴含的审美意识能够一定程度上摆脱政治的束缚而执拗地融入了华夏服饰的审美观念之中。

二、金与南宋在服饰审美中的对抗与交流

金与宋的关系是因战争开始的,至南宋建立,金与南宋在战和博弈中逐渐走向对峙中的相对和平。女真族的前身是隋唐时期的黑水靺鞨。唐末五代时,始称女真,为渤海国所统治。辽统一北方后,女真长期受辽控制。在与辽的不断斗争中,女真逐渐强大。政和五年(1115 年),女真首

---

① (宋)路振:《乘轺录》,见(宋)江少虞:《事实类苑》卷七七引,上海古籍出版社1981 年版,第 1011 页。

② (宋)沈括:《熙宁使契丹图抄》,见贾敬颜:《熙宁使契丹图抄疏证稿》,《文史》第二十二辑,中华书局 1984 年版,第 128 页。

领完颜阿骨打称帝,国号大金,定都上京会宁府(今黑龙江省阿城南)。宣和二年(1120 年),北宋为收复燕云十六州,与金签订"海上之盟",约定北宋与金双方联合对辽作战。宣和七年(1125 年)二月,辽亡。同年,金南下伐宋。靖康二年(1127 年),金军将宋徽宗、宋钦宗及后妃、宗室、大臣等掳掠北上,北宋灭亡。同年五月,赵构在南京应天府(今河南商丘)即帝位,是为高宗,后高宗南逃,以临安(今浙江杭州)为国都,故称南宋。从建炎四年(1130 年)开始,南宋与金之间和战情况复杂,双方交战主要有黄天荡之役、顺昌大捷、郾城大捷、采石之战、张浚北伐、韩侂胄北伐等,和议有绍兴和议、隆兴和议和嘉定和议等。绍兴和议后,南宋每年输往金绢 25 万匹、银 25 万两。隆兴和议后,南宋每年输往金绢 20 万、银 20 万两。嘉定和议后,南宋每年输往金绢 30 万匹、银 30 万两。

除通过岁币制度南宋向金输出大量服饰、布帛以外,双方通过官方的榷场贸易和民间的自由商贸也进行着频繁的服饰交流。南宋与金之间的榷场贸易始于绍兴十二年(1142 年)。绍兴和议之后,南宋在盱眙军(今江苏省盱眙县)设置榷场。但由于南宋与金时和时战,和战不定,且双方时有禁令限制某些物品的买卖,因而对榷场交易有较大影响。为了满足双方的不同需求,南宋与金之间的民间贸易也就发展起来。从服饰的角度来看,南宋的禁令中颇有一部分是禁止绢帛出境的,如"绍兴二年三月九日禁江浙之民贩米入京东及贩易缣帛者"①,但实际上,丝织品、布帛的交流是南宋与金之间在服饰方面最直接的交流。丝织品以其不可抵抗的魅力再一次征服了金朝,在南宋对金的服饰影响方面发挥了重要作用。

与辽相同,金也仿照中原的"衣冠之制"制定了自己的舆服制度。金朝服制从立国之初直至章宗明昌年间(1190—1196 年)经过多次修改才成定制,反映出他们对中原服饰礼制的深度认同。而且,金朝服制比较彻底地贯彻了"贵贱有等"的服饰观念。金朝除对皇帝、王公大臣等人的服饰有具体规定,还为士庶之人的服饰制定了"衣服通制"。因此,对于中

---

① (清)徐松辑:《宋会要辑稿》(14),刘琳、刁忠民、舒大刚、尹波等校点,上海古籍出版社 2014 年版,第 8340 页。

原服饰文化,金似乎表现出比辽的认同更为深入的积极汉化改制。如金熙宗"雅歌儒服",金海陵王"见江南衣冠文物,朝仪位著而慕之"①。天德二年(1150年)六月,金海陵王更是"诏河南民衣冠,许从其便"②。

　　但金朝的其他统治者并非都与熙宗、海陵王相类,在他们之后,金世宗反思了汉化之风,他说:"会宁乃国家兴亡之地,自海陵迁都永安,女直浸忘旧风。朕昔时尝见女直旧俗,迄今不忘。今之燕饮音乐,皆习汉风,盖以备礼也,非朕心所好。"③他告诫子孙说:"汝辈自幼惟习汉人风俗,不知女直纪实之风,至于文字语言,或不通晓,是忘本也。"④世宗担忧的是女真人自幼惟习汉人风俗,而对本民族的传统文化越来越生疏,从而危及民族独立性。所以,金朝对于南宋的汉人服饰也曾有过激烈的抵制和禁令,金世宗和金章宗都多次下令禁女真人学南人衣装,否则获罪。

　　与此同时,南宋对于女真服饰所代表的审美意识的极力扩张也感觉到了禁止的必要。孝宗时有人指出:"今来都下年来衣冠服制,习为虏俗。官民士庶浸相效习……姑以最甚者言之:紫袍紫衫必欲为红赤紫色,谓之顺圣紫。靴鞋常履必欲前尖后高,用皂草,谓之不到头。巾制则辫发低髻,为短统塌顶巾。棹篦则虽武夫力士皆插巾侧。如此等类,不一而足。岂特习以为仪略无愧色。"南宋朝廷甚至出现"身披虏服而敢执事禁庭"的情况。⑤ 南宋臣僚对于女真服饰盛行的厌恶与他们对南宋偏安一隅却无力收服北方山河的政治局势的敏感有关,所以,他们对喜服夷狄服饰的行为多有不满和指责。"临安府风俗,自十数年来,服饰乱常,习为边装……而东南之民,乃反效于异方之习而不自知,甚可痛也! 今都人静夜十百为群,吹鹧鸪,拨洋琴,使一人黑衣而舞,众人拍手和之,伤风败俗,不可不惩。"⑥这主要是从道德的层面来评价胡服盛行的社会风气。至于

①　(宋)宇文懋昭撰:《大金国志》,崔文印校证,中华书局1986年版,第187页。

②　(宋)宇文懋昭撰:《大金国志》,崔文印校证,中华书局1986年版,第186页。

③　(元)脱脱等:《金史》,中华书局1975年版,第158页。

④　(元)脱脱等:《金史》,中华书局1975年版,第159页。

⑤　(宋)袁说友:《论衣冠服制》,见(明)黄淮、杨士奇编著:《历代名臣奏议》卷120,台北学生书局1985年版,第1591页。

⑥　(清)阮元:《续资治通鉴》,岳麓书社1992年版,第940页。

金南下扩张而统治下的河北、河东、陕西、山东、河南等地的汉人,其服饰上的胡化程度更是异常明显。范成大在《揽辔录》中记载他出使金朝时的见闻,"民亦久习胡俗,态度嗜好与之俱化。男子髡顶,月辄三四髡……蓬辫如鬼,反以为便,最甚者,衣装之类,其制尽为胡矣。自过淮已北皆然,而京师尤甚。惟妇人之服不甚改而戴冠者绝少,多绾髻。贵人家即用珠珑璁冒之,谓之方髻"①。范成大所见金统治区的汉族男子,其发型、衣装均已如金制,而且,淮以北普遍如此,胡化不可谓不严重。

综观南宋与金的服饰交流,纵然他们都比较深入地吸收了彼此的服饰理念,但同时他们又都具有自觉地保留本民族服饰特色的意识。这是辽、金、元时期的民族服饰融合的一个重要特点。

三、元一统及其服饰审美中的民族交融

至元八年(1271 年),忽必烈改国号为"大元",建立大元帝国,并于1279 年灭南宋,域内混一,结束了宋、辽、金时期天下分而治之的局面,服饰上互相争夺的局面也随之终结。但蒙元统治者本身的少数民族特性、中原汉族服饰的悠久传统以及更加顺畅的东西方文化交流,都使元代的服饰审美意识呈现出了华夏有史以来最突出的民族交融的特色。

元代服制本身体现出明显的汉服与蒙古族服饰的融合。元朝作为蒙古族建立的政权,是中国历史上第一个由少数民族建立并完成全国统一实行封建统治的王朝,这就把民族服饰问题凸显得格外强烈。蒙古人与辽、金等政权一样,借鉴中原等级服制制定了自己的舆服制度。元代服制规定的礼服和公服都基本遵守汉制,以服色和图案来区分等级。但在装饰图案上有所创新,将图案的大小与服色同时搭配,等级越高则纹饰图案越大。元代的舆服制规定百官公服:"公服,制以罗,大袖,盘领,俱右衽。"②其袍服将蒙古族传统的左衽改为右衽,显然是采用了中原地区的传统习惯。中原服饰的影响更直接地表现在元代统治者对龙凤纹饰的喜

---

① (宋)范成大:《范成大笔记六种・揽辔录》,孔凡礼点校,中华书局 2002 年版,第 12 页。

② (明)宋濂等:《元史》,中华书局 1976 年版,第 1939 页。

爱上。早在蒙古汗国时期,大汗的坐椅靠背扶手已采用黄金包的龙头形状,牙帐上绣有云龙图案,就连马鞍及佩饰上也饰以黄金盘龙。元代服制除明确规定了天子冕服、皇太子冠服上所使用龙纹的数量、位置、样式外,还禁止蒙古人、怯薛诸色人等、职官等人服龙凤纹。① 在元代服制中特别能够体现蒙古族特色的是"质孙服"。元代服制规定内庭大宴时的礼服要穿着"质孙","质孙"是汉语"一色衣"的意思。即当举办宫廷大宴时,参加大宴的所有人都要穿与皇帝同一颜色的衣服,仅以质地、配饰来区分等级高低。元代舆服制中,天子"质孙"和百官"质孙"均有其制。但即使是质孙服如此富于民族特色的服饰也适当吸收了龙凤纹的装饰,比如服制规定:"服大红、绿、蓝、银褐、枣褐、金绣龙五色罗,则冠金凤顶笠","服金龙青罗,则冠金凤顶漆纱冠"②。由此可以看出,蒙元统治者对于龙凤纹饰所代表的中原传统文化不仅毫不排斥,反而欣然接受,享之如饴。龙作为一种图腾和象征,被中国历代君王所利用,他们号称"真龙天子",以凸显身份、血统的正统和正宗,蒙元统治者与辽、金的统治者所制定的舆服制都利用服饰制度强化龙凤纹饰的特殊性,以强调其统治的合法性。

元代服饰所体现出来的极为强烈的民族交融的色彩,也极其鲜明地反映在蒙元时期蒙古人钟爱的服饰材料——纳石失上。纳石失,是波斯语 Nasich 的音译,又写作"纳失失"、"纳赤思"等,意思为织金锦。纳石失在蒙元时期十分流行,更成为皇宫贵族们的最爱。元代舆服制中对天子冕服的规定可以见到纳石失,如对玉环绶和履都规定"制以纳石失"③。质孙服更是从皇帝到百官大量使用纳石失。"天子质孙,冬之服凡十有一等,服纳石失(金锦也)、怯绵里(翦茸也),则冠金锦暖帽……夏之服凡十有五等,服答纳都纳石失(缀大珠于金锦),则冠宝顶金凤钹笠。服速不都纳石失(缀小珠于金锦),则冠珠子卷云冠。服纳石失,则帽亦如之……百官质孙,冬之服凡九等,大红纳石失一……夏之服凡十有四等,

---

① 参见(明)宋濂等:《元史》,中华书局 1976 年版,第 1942 页。

② (明)宋濂等:《元史》,中华书局 1976 年版,第 1938 页。

③ (明)宋濂等:《元史》,中华书局 1976 年版,第 1931 页。

素纳石失一,聚线宝里纳石失一。"①此外,蒙古贵族在日常衣着和生活用品如被褥、椅垫儿和帷幔,乃至车、马装饰等也尽可能地使用纳石失。

据美国的考古学家劳费尔考证,纳石失属于原产地为波斯的纺织品。② 蒙古帝国最初是通过扩张性的战争以战利品的方式来获得此种纺织品,后来又强迫被征服者为其朝贡。但蒙古人在其血腥的征伐屠杀中,常常对手工艺人网开一面,而对大量西域织工的役使使蒙古帝国最终实现了纳石失的自我供应。元代政府专门设置了别失八里局、弘州人匠提举司、纳石失毛段二局、兴和路荨麻林人匠提举司和弘州、荨麻林纳石失局等专门织造机构来管理纳石失的织造生产。西域工匠所织的纳石失,尤受蒙古贵族的喜爱。"弘州、荨麻林两地有三千三百余户西域'回回'工匠在纳失失局中生产一种用金线混织成、上贴大小明珠的金绮。"③马可·波罗的相关记载可与之互相印证。他说:"由此州(指天德军)东向骑行七日,则抵契丹之地。此七日中,见有城堡不少。居民崇拜摩诃末,然亦有偶像教徒及聂思脱里派之基督教徒,以商工为业,制造金锦,其名曰纳石失(nasich)、毛里新(molisins)、纳克(naques)。并织其他种种绸绢。"④这反映的是马可·波罗从天德军(今呼和浩特东郊的白塔)至大都途经荨麻林(今河北张家口以西)所见到的景象。摩诃末即穆罕默德,"居民崇拜摩诃末"反映了西域"回回"工匠的信仰。陈垣说:"西域之名,汉已有之,其范围随时代之地理知识及政治势力而异。汉武以前,大抵自玉门、阳关以西,至今新疆省止为西域。其后西方知识渐增,推而至葱岭以西,撒马儿干,今俄领土耳其斯坦,及印度之一部,进而至波斯、大食、小亚细亚,及印度全部,亦称西域。元人著述中所谓西域,其范围亦极广漠,自唐兀(在今河西地区)、畏吾儿(在今新疆地区),历西北三藩所封地(察合台汗国在今新疆地区;钦察汗国在今苏联咸海、里海以北地区;伊儿汗

① (明)宋濂等:《元史》,中华书局1976年版,第1938页。
② [美]劳费尔:《中国伊朗编》,林筠因译,商务印书馆1964年版,第316—321页。
③ 韩儒林:《元朝史》(上),人民出版社1986年版,第396页。
④ [意]马可·波罗:《马可波罗行纪》,冯承钧译,上海书店出版社2006年版,第158页。

国在今伊朗和土耳其地区），以达于东欧皆属焉。"①由此推知,西域"回回"工匠有可能来自信仰伊斯兰教的广大的中亚、西亚甚至东欧等地区。元代是"回回"人东迁的高峰,他们的到来推进了东西方服饰文化的融合。

这种融合在元代的蒙古族服饰图案上有直接而鲜明的表现。1978年,内蒙古乌兰察布盟达尔罕茂明安联合旗（简称达茂旗）大苏吉乡明水出土了一批蒙古汗国时期的丝织品,其中特别能够表现中西融合特色的是织金锦袍、织金风帽和缂丝靴套。夏荷秀、赵丰在《达茂旗大苏吉乡明水墓地出土的丝织品》一文对出土丝织品进行了细致的考证。明水墓出土的织金锦辫线袍在右衽底襟和左下摆夹层处及两个袖口,采用的是团窠头戴王冠的人面狮身锦。"图案外形为规矩方格形,方格中是一个图案,案中有一对左右对称并置头戴王冠的带翼人面狮身像图案。人的面部表情略显儿童稚气,毫无狮子的凶猛象。两狮回首顾盼,眼睛十分传神。"带翼人面狮身图案恰好与中亚公元 10—12 世纪之间的丝织品的图案纹样相似。而"袍的双肩至袖部有一条沿着纬线方向伸展的二方连续图案带,图案的形制类似于宋代流行的四出花纹"。不仅这件织金锦辫线袍具有中西融合的风格,织锦风帽的面料图案也吸收了外域文化。其图案"主题是两只相对而立的隼形目鹰科食肉类猛禽。它们可能是鹰或是雕"。猛禽造型也与中亚 10—12 世纪之间的丝织品图案纹样是相近的。出土的"缂丝靴套的制作风格与现在看到的宋代'缂丝紫天鹿'、'缂丝紫鸾鹊'极为相似,可能与史籍中记载的'缂丝紫汤荷花'类同,是北宋早期的典型作品。因此,可以推断,这件缂丝面料来自中原地区"②。由此可知,元代的蒙古族服饰图案充分融合中西文化的特色是很突出的。这种特色也可以在楼淑琦的《元代织金锦服饰工艺及修复》一文中找到印证。文中作者介绍了一件对鹰纹织金锦大袖袍,这是当时蒙古贵族妇女所服用的最为高贵的服装。"袍面主要有两种面料,均为纳石矢之类。

---

① 陈垣:《元西域人华化考》卷一,见吴泽主编:《陈垣史学论著选》,上海人民出版社1981年版,第 175 页。

② 以上引文皆见夏荷秀、赵丰:《达茂旗大苏吉乡明水墓地出土的丝织品》,《内蒙古文物考古》1992 年第 Z1 期。

用于大袍主体的面料是对鹰纹织金锦,鹰高 38cm,胸前有一行文字,目前无法识别。其纬向循环 36cm,一幅之内有三对。而用于大袍边缘和下摆是团窠对格力芬织金锦,红色丝线为地,平金织花,以有阿拉伯文字的圆环作团窠环,内置对格力芬纹样,外有宾花,为四兽相对。后者极为罕见。"①根据作者的描述,大袖袍上饰有猛禽、四兽造型,并有阿拉伯文字的圆环做团窠环,显然异域风格是很明显的。

元代蒙古贵族服饰上一再出现的西方图案,与蒙古人对西域文化的认同有关。"正是基于农业文化的隔膜感,成吉思汗的对外征战,以西进为重点。他在亲征金国后,即把经营汉地的军政大权托付给木华黎全权处理,而他自己亲率四个儿子,动员最大兵力,转而西征花刺子模。这次对中亚、西亚及南俄的远征,用去了七年时间,作战规模也远在征金之上。蒙古帝国的分封,也具有以西方为重的倾向:中亚及西亚封给将来承继大位的第三子窝阔台及次子察哈台;西北亚和南俄凡'鞑靼人马蹄践踏之处'封给长子术赤;蒙古本土依照由末子继承财产和任家督的蒙古传统分给幼子拖雷,本土以东地方则封给他的诸弟。成吉思汗后从窝阔台汗统治后期到蒙哥汗统治初期,蒙古贵族军事、政治的重心也始终在西方。对于已占领的汉地,则以'西域法'或'蒙古法'加以治理。如圈占农田为牧场,征发民以重差役,掠良为奴。""当蒙哥汗时代,成吉思汗一系的诸亲王中,其远在俄罗斯、波斯和中亚细亚者因远离中原,不可能对中原文化生爱慕之心。其在蒙古本土者,因西域文化浸润甚久,对中原文化态度暧昧。"②这些分析是非常有见地的。蒙古人属于北方少数民族,他们熟悉契丹、女真、畏兀儿、突厥、唐兀、吐蕃等其他少数民族,在文化上也没有隔膜。从蒙古建国开始,畏兀儿人就颇受器重。蒙古文字的创制,也借鉴了畏兀儿文字。因此,蒙古人对于地处中西交通要道的畏兀儿文化更为服膺。而早在蒙古兴起初,来自波斯等地的"回回人"就进入了漠北高原,也因此,对于伊斯兰文化在中国的传播,蒙古人毫无排斥之意。"他

①　楼淑琦:《元代织金锦服饰工艺及修复》,《内蒙古文物考古》2006 年第 1 期。
②　冯天瑜、何晓明、周积明:《中华文化史》,上海人民出版社 2010 年版,第 488—489 页。

们不反对宗教信仰——怎说得上反对呢？——宁可说他们奖励宗教信仰……他们免除了各教中有学识者的各种临时赋税（'avārizāt）和差发（mu'an）的科扰；后者供公众使用的宗教基金、捐赠及他们的农民耕夫，也被蠲除赋役；谁都不可以开罪于他们，特别不得冒犯回教的伊袼木（imams），如今更是这样，因为在蒙哥可汗皇帝统治下，成吉思汗族（urugh）内几位宗王，即他的子孙，已把伊斯兰的尊号和世俗权力合而为一；他们的扈从和部曲，骑士和奴仆，许多人已把正教的光灿珍宝作为装饰，其人数不可胜计。"①志费尼的记载表明蒙古人对于伊斯兰文化持欣赏与鼓励的态度，这也应该是元代信仰伊斯兰教的西域人大量入华的重要原因。

元代服饰强烈的民族交融的色彩也表现在元末高丽服饰的盛行上。高丽很早已臣服于蒙古汗国，蒙元王朝初期已要求高丽进贡童女。大量高丽贡女进入元宫廷，使高丽服饰十分流行。元人权衡记载："京师达官贵人必得高丽女，然后为名家。高丽婉媚，善事人，至则多夺宠。自至正以来，宫中给事使令，大半为高丽女。以故四方衣服鞋帽器物，皆依高丽样子。"②任崇岳在《庚申外史笺证》中多方考证了不同文献所记录的高丽女在元末宫廷与蒙古王室贵族中的盛行风气，以及因此而萌生的对高丽服饰的热衷。

总之，元代蒙古统治者由于疆域的不断扩展，其对各种文化都保持了开放的态度，在吸收外来服饰文化的同时，又保持了本民族服饰的特色，如质孙服、辫线袍、云肩、比甲、姑姑冠等，尤其是蒙古人对西域文化、伊斯兰文化的喜爱，使蒙古服饰具有中西合璧的特点，也因而呈现多元化的面貌。这其实反映出蒙元时期各民族文化相互间的影响与交融的状况，也反映了蒙元统治者在服饰审美方面的宽容性。

---

① ［伊朗］志费尼：《世界征服者史》（上册），何高济译，商务印书馆2011年版，第14页。

② 任崇岳：《庚申外史笺证》，中州古籍出版社1991年版，第96页。

第七章

宋元日常生活审美意识

宋元时期,社会经济领域发生了巨大变化,以商品交换和城市经济为代表的新的经济形态逐渐与自给自足的小农经济形成互补式的经济结构。随着新经济的发展,社会各阶层的日常生活逐渐脱离汉唐以来的农业社会模式,在适应城乡二元结构的过程中摸索形成新的生活形态。与此同时,华夏文化南北交融,东西文化密切交流,各民族都超越了原有的本民族生活文化区域,在多民族文化融合的环境中形成了新的生活文化。由此种种变化,我们发现,宋元时人们的日常饮食起居常常表现出与前代或与其原本生活不同的审美意识。

第一节 宋元饮食审美意识

在中国人的意识中,饮食带给人们的不仅是疗饥的营养能量和味道上的苦辣酸甜,它更像是中国人体验感受世界的一种独特的方式或视角。在中国,常常是通过饮食,人们获得了美的享受。早在先秦,思想家们就试图通过对饮食的感受来描述和表达对复杂世界的看法。老子以饮食论治政说"治大国若烹小鲜",孔子以饮食论本性云"食色,性也",又云"闻《韶》三月不知肉味",《吕氏春秋》则以饮食喻局部与整体的关系,"尝一脟(脔)肉而知一镬之味,一鼎之调"。以先秦为基,中国人的饮食文化理论逐渐壮大成熟。在审美领域,饮食与审美批评在饮食文化的统摄下结合而生成独特的饮食审美理论体系,如诗文中之"以味论诗"、"滋味说"等。宋元时,经济繁荣,人们的饮食充足且多样,各地各族之间饮食文化交流频繁,华夏饮食审美传统历久而生新,由饮食生发的审美意识呈现出不同于前代的独特风貌。

一、宋元饮食的基本形态

宋元时期民族政权并立、更迭、对峙、交流的特点对这一时期的饮食状况产生了重要影响,汉人饮食、少数民族饮食以及域外饮食共同交汇出了这一时期的饮食风貌。宋朝由北而南迁的历史,辽、金、元南下中原的历程,元代大量域外人口的涌入,又使得这一时期的饮食风俗表现出动态交融的特色。这就使得这一时期的饮食生活十分丰富多彩,人们对饮食的审美追求也分外多样化。

在宋代,居于中原文化区的百姓日常饮食中的主食是稻、麦、粟、黍、豆。一般来讲,北方人的主食以麦、粟、黍为主,南方人的主食以稻米为主。资料显示,这一时期已出现花样繁多的主食饭类,如白米饭、麦饭、黍饭、粟饭等。其中,白米饭最受南方人欢迎。而在北宋时期的中原地区,尤其是东京,因运河漕运的便利和宋代粮食供应体制的原因,京师稻米的消费量相当高。据《宋史》载,太宗太平兴国六年,"汴河岁运江、淮米三百万石","至道初,汴河运米五百八十万石。大中祥符初,至七百万石"。[①] 神宗时期"发运司岁供京师米,以六百万石为额。淮南一百三十万石,江南东路九十九万一千一百石,江南西路一百二十万八千九百石,荆湖南路六十五万石,荆湖北路三十五万石,两浙路一百五十万石。通余羡岁入六百二十万石"[②]。"年额上供米六百二十万石,内四百八十五万石赴阙,一百三十五万石南京畿送纳。"[③]这说明,当时的东京居民对于稻米是非常喜欢的。稻米多产于江淮以南,北人少有食用,北宋东京汴梁大量消耗江淮稻米,说明当时北方以米为主食已比较普遍。据《枫窗小椟》、《东京梦华录》等记载,当时东京市面上还出现了口味出新的羊饭、煎鱼饭、生熟烧饭等,这说明当时北方不仅开始大规模引入南方米饭,且

---

① (元)脱脱等:《宋史》,中华书局 1977 年版,第 4251 页。

② (宋)沈括撰,胡道静校证:《梦溪笔谈校证》,上海古籍出版社 1987 年版,第 446 页。

③ (宋)张邦基:《墨庄漫录》,见上海古籍出版社编:《宋元笔记小说大观》(五),上海古籍出版社 2001 年版,第 4679 页。

已经在烹饪上自出机杼地开发新口味了。米饭北上且广受欢迎是中国饮食史上的主食变革,反映出宋代南北饮食在发达的交通基础上的互相影响。同样,在宋代,面食的种类也很丰富,"凡以面为食具者,皆为之饼,故火烧而食者,呼为烧饼,水瀹而食者,呼为汤饼,笼蒸而食者,呼为蒸饼。而馒头谓之笼饼,宜矣"①。吴自牧《梦粱录》中提到的宋代常见的荤面就有猪羊庵生面、丝鸡面、三鲜面、鱼桐皮面、盐煎面、笋泼肉面、炒鸡面、大熬面等。此外,素面、有馅的"馒头"等面食亦花样繁多。与稻米南北广泛食用一样,面食在南方也开始流行,吴自牧《梦粱录》载临安的面食店"通宵买卖,交晓不绝",可见南人食面之风颇盛。从主食习惯看,如吴自牧所言:"南渡以来,几二百余年,则水土既惯,饮食混淆,无南北之分矣。"②

不仅主食花样繁多,宋元时期的副食也很丰富,肉食、水产、果蔬、羹汤日益多样化。宋元时期的肉食,主要有家畜、家禽、野味。家畜之肉,人们偏爱羊肉。神宗时期,御厨所用羊肉每年高达434463斤4两,常支羊羔儿19只,而猪肉只有4131斤。③ 吕大防云:"饮食不贵异味,御厨止用羊肉,此皆祖宗家法所以致太平者。"④虽然上自皇室贵族、下至平民百姓都喜食羊肉,但实际上,下层百姓并不能常常尝到这等美味。南宋"吴中羊价绝高,肉一斤为钱九百",当时的打油诗说:"平江九百一斤羊,俸薄如何敢买尝。只把鱼虾充两膳,肚皮今作小池塘。"⑤当时,菜羹是两宋时期的普通饭菜,成为下层民众的常食之物。吴自牧《梦粱录》说:"盖人家每日不可缺者,柴米油盐酱醋茶。或稍丰厚者,下饭羹汤,尤不可无。虽贫下之人,亦不可免。"⑥而且,卖菜羹的饭店,"兼卖煎豆腐、煎鱼、煎鳌、

————————

① (宋)黄朝英:《靖康缃素杂记》,上海古籍出版社1986年版,第17页。

② (宋)吴自牧:《梦粱录》,见(宋)孟元老等:《东京梦华录》(外四种),古典文学出版社1957年版,第267页。

③ (清)徐松:《宋会要辑稿》,中华书局1985年版,第4506页。

④ (宋)李焘:《续资治通鉴长编》,中华书局1995年版,第11417页。

⑤ (宋)洪迈:《夷坚丁志》,何卓点校,中华书局1981年版,第683页。

⑥ (宋)吴自牧:《梦粱录》,见(宋)孟元老等:《东京梦华录》(外四种),古典文学出版社1957年版,第270页。

烧菜、煎茄子,此等店肆乃下等人求食粗饱,往而市之矣"①。宋代以前,
人们煮鱼、肉羹时,有时也会在羹中加一些蔬菜,但纯素的菜羹在宋代表
现十分突出,各种各样的素食增加了选择的多重性,也足以满足消费人群
多种口味的需要。此外,水产和果蔬方面的供应也由于运输系统的发达
而打破了南北方的地理分隔,如北宋中期,南方水产进入北方市场,鱼、
鳖、虾、蟹、蛤蜊等也逐渐受到北方人的喜欢。因此,肉食、水产、果蔬、羹
汤等副食的极大丰富,与丰富多样的主食一起呈现出了宋元饮食文化极
其繁荣的一面。

　　宋元时期,北方各族先后南下,或雄踞北方,或混一宇内。在长期的
多民族杂居生活中,北方各族的民族饮食深深地影响了此时期人们的具
体饮食行为。在宋元饮食文化结构中,少数民族的饮食则使这一时期的
饮食文化在多样性的基础上表现出粗放、豪爽的特点。女真人入居中原
之前,"以糜酿酒,以豆为酱,以半生米为饭,渍以生狗血及葱韭之属和而
食之,茎以芜荑。食器无瓢陶,无匕箸,皆以木为盆。春夏之间,止用木盆
贮,鲜粥随人多寡盛之,以长柄小木勺子数柄回环共食,下粥肉味无多品,
止以鱼、獐生,间用烧肉。冬亦冷饮,却以木楪盛饭,木碗盛羹。下饭肉味
与下粥一等。饮酒无算,只用一木勺子自上而下循环酌之。炙股烹脯,以
余肉和菜捣臼中糜,烂而进,率以为常"②。《黑鞑事略》记录蒙古人入主
中原前的饮食:"其食肉而不粒,猎而得者曰兔、曰鹿、曰野彘、曰黄鼠、曰
顽羊(其脊骨可为杓)、曰黄(其背黄,尾如扇大)、曰野马(如驴之状)、曰
河源之鱼(地冷可致)。牧而庖者,以羊为常,牛次之,非大燕会不刑马。
火燎者十之九,鼎煮者十二三。"③这都说明早期女真人和蒙古人的饮食
十分粗放、原始。相对中原汉人饮食,北方各族的饮食制作比较简单粗
糙,食物种类单调,肉食较多,常见就地取材。但随着各少数民族政权的
逐渐发展和强大,其上层饮食追求也越来越精细,呈现出向中原贵族饮食

　　① (宋)吴自牧:《梦粱录》,见(宋)孟元老等:《东京梦华录》(外四种),古典文学出
版社 1957 年版,第 268 页。
　　② (宋)徐梦莘:《三朝北盟会编》,上海古籍出版社 1987 年版,第 17 页。
　　③ (宋)彭大雅:《黑鞑事略》,许霆疏证,商务印书馆 1937 年版,第 3 页。

趋同的态势。虽然北方各族进入中原建元立国后其民族内部普通百姓的饮食文献较少，但推测与上层类似，有汉化和精细化的转变。《王氏谈录》"契丹风物"载："公言昔使契丹，戎主觞客，悉以玉杯，其精妙殆未尝见也。又言北人馈客以乳粥，亦北荒之珍。彼中有铁脚草，采取阴干，投之沸汤中，顷之，茎叶舒卷如生。"①契丹皇族饮酒用的玉杯之精妙连大宋使臣都惊异，所饮乳粥中竟有舒卷如生的铁脚草，这些饮食的细节反映出契丹人饮食的精致化倾向。而且，契丹宫廷饮食也愈益奢靡讲究。《渑水燕谈录》记载："契丹国产毗狸，形类大鼠而足短，极肥。其国以为殊味，穴地取之，以供国主之膳。自公、相下，不可得而尝。常以羊乳饲之。顷年虏使尝携至京，烹以进御。今朝臣奉使其国者皆得食之，然中国人亦不嗜其味也。"②

　　元代蒙古民族的饮食变化也基本遵循是这样的路径。随着蒙古帝国的建立，蒙古人的活动范围日益扩大，在不断南下的过程中，其饮食结构也吸收了汉族和其他民族的大量元素，早期主要以羊、牛、马等牲畜肉和奶制品为主的饮食结构被打破，粮食、果蔬的比重加大，饮食日益丰富。在《饮膳正要》"米谷品"部分，忽思慧介绍了以米、面、豆、麻为原料的多种食品，在"果品"部分介绍了 39 种水果，还在"菜品"部分介绍了 46 种蔬菜。而且，根据元代文献的记载，元代蒙古人的主食有大量面食，元代著名饮食文献《饮膳正要》中的"聚珍异馔"条记载元人常常食用的面条就有春盘面、皂羹面、山药面、挂面、经带面、羊皮面、水滑面、索面、托掌面、红丝面、翠缕面、勾面等。元代的其他面食，如馒头、烧饼、角儿、兜子、麻食等的种类也很是丰富。此外，米饭也进入了元代宫廷。《元史·铁哥传》记载说："至元十九年……内府食用圆米，铁哥奏曰：'计粳米一石，仅得圆米四斗，请至今非御用，止给常米。'"③由此可以看出，与早先蒙古人的饮食相比，宫廷中的蒙古饮食已发生了巨大变化。这一方面显示了

---

　　①　（宋）王洙：《王氏谈录》，四库丛书本。
　　②　（宋）王辟之：《渑水燕谈录》，见上海古籍出版社编：《宋元笔记小说大观》（二），上海古籍出版社 2001 年版，第 1290 页。
　　③　（明）宋濂等：《元史》，中华书局 1976 年版，第 3076 页。

蒙古人饮食文化的开放性,另一方面也说明了当时各民族饮食南北交流的积极作用。

蒙古人建立了横跨欧亚的庞大帝国,因此,他们不仅积极吸收着中原汉人饮食的某些传统,而且勇于尝试和接纳各民族的饮食文化,这非常突出地表现在他们对西域等地饮食风味的接受上。忽思慧《饮膳正要》中记载了元代宫廷食谱大量使用西域佐料的情况。[①] 不仅如此,西域传入的某些食品已被吸收成为元代宫廷中的食物,如秃秃麻失、马思答吉汤、沙乞某儿汤、炙羊腰、炙羊心等。而"果品"中也有产自西域的八旦仁和必思答。此外,蒙古人的饮食还兼容并蓄地吸收了其他民族的饮食文化,高丽特产新罗参、畏兀儿茶饭、自印度传入的西天茶饭和党项羌族的河西茶饭等,都对元代蒙古人的饮食产生了一定影响。这样,通过蒙古饮食文化的兼收并蓄,域外饮食开始进入华夏饮食文化,成为宋元饮食文化的独特组成部分。

二、宋元饮食审美意识

宋元时期是中国历史上的又一次民族文化大交流时期,南北地域文化的大幅度碰撞与交流,汉族与各少数民族的饮食传播与借鉴,以及中华民族与亚欧文化之间的相互交流与影响,这些非同寻常的历史变迁共同造就了绚烂多姿的宋元饮食文化。宋元时期的饮食种类极大丰富,各种饮食文化现象精彩迭出,孕育和推动如此繁盛的饮食文化的内在审美意识也发生了重要的变化。

(一)味外求味

中国的饮食发展到宋元,一个突出的变化是当时的饮食不再只是贫民求饱腹,富人酒肉足,而是伴随经济繁荣趋向形成一种全社会范围崇尚滋味的消闲饮食文化。宋元时期,大江南北,城市乡村都开始出现乐于宴饮、以味为美的风气。一个重要表现是,不但贵族官僚等有闲阶层在饮食

---

① 参见(元)忽思慧:《饮膳正要》,刘玉书点校,人民卫生出版社1986年版,第18—48页。

上精益求精,而且一般的平民也开始在饮食上表现出一种享受生活的态度。这种生活态度的改变使得人们在日常饮食中能够超越吃饱求生的基本需求,而生发出对于食物本身的感知、体味和享受,而内在的重要推动因素之一,即是一种好甘知味的饮食审美意识。

中国自古以来就有饮食审美传统。在中国人看来,吃饭这样简单的日常行为中蕴含着品味不尽的人生智慧,有时甚至可以看出哲学玄理。老子曾经说过"治大国如烹小鲜",用煎鱼的行为来比喻治理国家,他的这种奇异的比附带有明显的以饮食寓深意的华夏文化思维的特征。而《老子》中出现的"味"已不仅仅是与吃相连的味道了,它带有浓烈的审美色彩,这集中表现在第三十五章的"道之出口,淡乎其无味"和第六十三章的"味无味"上。在第三十五章中,老子将"道"之味与"乐与饵"相比较,说明"乐与饵"悦人口腹耳目,而"道"之味却能超越感官享受获得精神上的愉悦,这与生理感官的味道绝不相同。对于"味无味",第一个"味"字是动词,是"品味"、"体味"、"玩味"的意思,"味无味",品味的是一种"无味",一种恬淡,两个"味"字都不能等同于感官实际味道。因此,老子的"味"实际上揭示了审美与品味的某种相通性,使"味"成为了一个独立的美学范畴。① 这种思维方式深刻地影响着中国人以饮食之味来品评文艺作品的传统。我们在孔子的言论中也时常能见到有关饮食的言论,如"食色,性也",再如"三月不知肉味"之叹等。钟嵘在《诗品序》中提出:"五言居文词之要,是众作之有滋味者也……使咏之者无极,闻之者动心,是诗之至也。"②司空图在《与李生论诗书》中则追求诗歌的"韵外之致"、"味外之旨"。到了北宋,苏轼在此基础上提出"发纤秾于简古,寄至味于淡泊"。他将"至味"与"淡泊"并谈,这反映出苏轼身兼美食家与文坛领袖于一身的独特审美观。一方面,它是北宋极其繁荣的饮食文化在审美上的一种折射;另一方面,它也是中国饮食文化传统发展到宋元时的时代精神的显现。

---

① 参见宋巍:《老子美学的自然观》,《河北科技师范学院学报》2007 年第 2 期。

② (梁)钟嵘:《诗品集注》,曹旭集注,上海古籍出版社 1994 年版,第 36—39 页。

　　身兼文坛领袖和美食家的苏轼,一生写下一百多篇有关饮食的诗文作品。这些作品不仅是其饮食经历的漫谈,而且从文学以外的角度表达了他对审美的一贯态度。作为"苏门四学士"的秦观认为:"苏氏之道,最深得于性命自得之际,其次则器足以任重,识足以致远。至于议论文章,乃其与世周旋,至粗者也。"①也就是说,苏轼于诗文中,言行中,乃至一茶一饭中,所贯穿的同样都是其内心所思所想、所向所欲。从苏轼饮食审美的有关文献看,对"味"的崇尚是他饮食观的主导核心。在苏轼的文章中,华贵食材和奢靡宴饮从来都不是他欣赏和肯定的对象,他特别注意并以此自得的是其在日常饮食中挖掘或品味出常人难得之"味"。如"东坡羹",用料只不过是"菘若蔓菁、若芦菔、若荠"这些当时的日常蔬菜(没有时,也可代之以"瓜、茄"),制法亦不过清洗气蒸,但苏轼却颇喜爱赞叹其中品到的"自然天真"。在《东坡羹颂》中苏轼写道:"不用鱼肉五味,有自然之甘……甘甘尝从极处回,咸酸未必是盐梅。问师此个天真味,根上来么尘上来?"②再如"东坡肉",苏轼格外开心于自己找到了世人厌弃的猪肉之美。他在《猪肉颂》中像写菜谱一样地写道:"净洗锅,少着水,柴头罨烟焰不起。待他自熟莫催他,火候足时他自美。"③通过诗人品味到的"自熟自美"中自然流露的简约之美和诗人自己煮肉自乐自得的一派天真烂漫,"贱如土"的猪肉被凭空赋予了超越其食材本身的"味道"。这与苏轼书法坚持"我书意造本无法,点画信手烦推求"④,散文提倡的"文理自然,姿态横生"⑤是一脉相通的。

　　在宋代,苏轼所代表的追求至味的饮食审美不是孤立的,而是宋人的一种普遍心理,所谓"酸咸杂众好,中有至味永",这从宋人的某些饮食喜好中可以反映出来。宋元时,人们在饮食上的追求突出表现为精益求精,

---

　　① (宋)秦观撰,徐培均笺注:《淮海集笺注》(中),上海古籍出版社 2000 年版,第981 页。

　　② (宋)苏轼:《苏轼文集》,孔凡礼点校,中华书局 1986 年版,第 595 页。

　　③ (宋)苏轼:《苏轼文集》,孔凡礼点校,中华书局 1986 年版,第 597 页。

　　④ (宋)苏轼:《苏轼诗集合注》,(清)冯应榴辑注,黄任轲、朱怀春校点,上海古籍出版社 2001 年版,第 220 页。

　　⑤ (宋)苏轼:《苏轼文集》,孔凡礼点校,中华书局 1986 年版,第 1418 页。

出现了多部专门研究某类食材的论述,如《笋谱》、《荔枝谱》、《蟹谱》、《橘录》、《糖霜谱》等。其中关于食材制备烹饪,往往于细微处下大功夫,反映出当时人们对味道的孜孜以求和辨味知味能力的提升。如肉食,宋元各族大多偏好食羊,"世味无如羊肉,大美;且性极暖,宜人食"。但人们对于羊肉的产地与口味颇多挑剔:"河西(今陕西)羊最佳,河东羊亦好……今南方亦有数种羊,唯淮南州郡或有佳者可亚大羊。江浙羊都少味而发疾。闽、广山中出一种野羊,彼人谓之羚羊,其皮厚硬,不堪多食。"①西北地区的羊肉备受推崇,这表明宋人已经认识到了产地不同的食物原料,其味道和质量是有差别的。追求最好的舌尖味道,是他们孜孜以求的事情,但宋人对于食物之味的认识远不限于此。罗璧在《罗氏拾遗》中曾借司空图对江岭之人口味的评价,来阐发他的"美尝在酸咸外"的认识:"司空图曰:辨于味而后可以言诗,江岭之南凡资于适口者,若醯非不酸也,止于酸而已;鲊非不咸也,止于咸而已。华人以之充饥而遽辍者,知其酸咸之外醇矣,有所之尔,彼江岭之人习之而不辨也。东坡约之曰梅止于酸,盐止于咸,饮食不可无盐梅,而其美尝在酸咸外,然皆只《中庸》'人莫不饮食也,鲜能知味也'之说。"②宋人细辨各地羊肉的不同,追求味道上的细微差别,表现出追求极致味道的风尚,而这种隐藏于食材细微之处的"至味"并非纯然的五味酸咸之类,而是一种基于饮食生发的主体独特的个人审美体验。在宋元人看来,饮食之美不仅仅在于具体的味道调和和食材烹饪的外在形式,更在于超越于酸咸之外的体味。

不仅如此,宋人对于食物本味的认识也颇为深刻。沈作喆在《寓简》中记载:"古语云:'人莫不饮食也,鲜能知味也。'予虽不事口腹,然每饭必有鱼肉蔬茹,杂进食气为五味所胜,盖未尝知饭之正味也。今年寓居贫甚,久雨遂至绝粮,晨兴饥甚,念得饭足矣,不愿求鱼肉也。典衣得米,炊熟一餐,不杂他物,谷实甘香甚美,八珍何以过,欣然自笑。盖予年六十有

①　(宋)唐慎微:《重修政和经史证类备用本草》,人民卫生出版社1982年版,第382页。

②　(宋)罗璧:《罗氏拾遗》卷一《文繁省》,丛书集成本。

九,始知饭之正味,其余不知者盖多矣。"①沈作喆感慨自己年六十有九始知饭之正味,多年以来尝到的竟然仅仅是五味而已,可见,对于饮食之味,宋人对知味的理解是多重的,这里体现更多的是对返璞归真的追求与崇尚。

(二)雅俗有别

在宋代,中国社会文化出现了两种突出的趋势,一种趋势是文人士大夫阶层所代表的雅文化的繁荣,另一趋势则是市民文化的崛起。宋代文人对自我的认同、眼界的开阔以及对生活意趣的追寻,均使文人们对于饮食的期冀不同于其他人,他们的饮食观与富商权贵、市井之人的饮食观念在雅俗上的分界是明晰的,这根源于文人士大夫自觉的尚雅的审美意识,而据此他们又自觉地远离甚或抵制流俗。同时,宋元以前,限于经济和生活水平的低下,中下层人民的饮食止于饱腹,饮食文化不很发达,所谓通俗的饮食文化还不成熟。宋元时,城市兴起,经济大幅提升,城乡平民在富足的生活中逐渐发展出自己的饮食偏好,并形成了不同于贵族或文人的市井饮食文化。这种世俗饮食在当时的影响是如此的巨大,以至于部分地影响到了上层贵族的饮食行为,引起当时文人的普遍关注。从宋元起,市井饮食文化逐渐自觉,下层百姓以饮食自乐的审美趣味开始出现。

在宋代,由文人主导的雅文化流行于从日常生活到门类艺术等各领域,饮食方面也不例外。宋代的文人士大夫的日常饮食就原料而言常常是很普通的,但即使是在这种平淡的饮食中,他们也能感受到普通人所不易得之乐趣。陆游在《老学庵笔记》中记载:"嘉兴人闻人茂德,名滋,老儒也。喜留客食,然不过蔬豆而已。郡人求馆客者,多就谋之。又多蓄书,喜借人。自言作门客牙,充书籍行,开豆腐羹店。予少时与之同在敕局,为删定官。谈经义滚滚不倦,发明极多,尤邃于小学云。"②对于陆游

---

① (宋)沈作喆纂:《寓简》,中华书局1985年版,第52页。
② (宋)陆游:《老学庵笔记》,见上海古籍出版社编:《宋元笔记小说大观》(四),上海古籍出版社2001年版,第3454页。

来说,蔬豆和豆腐羹的记忆是与老儒闻人滋"喜留客食"的深情厚谊和"谈经不倦"的雅好紧密联系的,这种粗茶淡饭的待客行为显然是读书人好同道的表现,行为本身超越了具体的饮食,因此,吃些什么本身也就不重要了。曾慥在《高斋漫录》中,还记载了苏轼与钱勰借请客吃饭来开玩笑的事情。"东坡尝谓钱穆父曰:'寻常往来须称家有无,草草相聚不必过为之具。'一日,穆父折简召坡食晶饭,及至,乃设饭一盂、萝卜一碟、白汤一盏而已。盖以三白为晶也。后数日,坡复召穆父食毳饭,穆父意坡必有毛物相报。比至日晏,并不设食,穆父馁甚。坡曰:'萝卜、汤、饭俱毛也。'穆父叹曰:'子瞻可谓善戏谑者也。'"①原来当时京师俗语"无"发音类似"毛",苏轼召钱勰食"毳饭",竟是一无所有。不管是"晶饭"还是"毳饭",都带有宋元文人"打机锋"的文辞智慧游戏的意味,这显然都是文人之间才会有的闲情雅致。

重视饮食中隐藏的至味,在饮食中贯穿文人心胸旨趣,这些都使得宋元文人对于饮食之色、香、味、形的感受常常超越感官口味而进入体验饮食之美的境界层面。由此,关于饮食之美境,宋元文人创作了很多的歌咏诗文作品。醉翁欧阳修言"意不在酒,在乎山水之间",旨意深远,意韵悠长。苏轼更作有《东坡羹颂》、《猪肉颂》、《老饕赋》、《试院煎茶》、《和蒋夔寄茶》等百余篇饮食美文。以口腹明志,饮食、诗文,东坡之达观一时难分彼此。司马光诗《晚食菊羹》:"采撷授厨人,烹瀹调甘酸。毋令姜桂多,失彼真味完。"诗歌寄托可见司马君实质朴为人,平淡心境。杨万里《寒食梅粥》诗曰:"才看腊后得春饶,愁见风前作雪飘。脱蕊收将熬粥吃,落英仍好当香烧。"南宋在局促东南一隅的同时也维持了南北百年和平,南宋文人们在江南山水的熏陶中滋养出乐游雅好的品味,杨诗以花为食的文雅可以窥出一二。陆游的《食荠糁》:"荠糁芳甘妙绝伦,啜来恍若在峨岷。莼羹下豉知难敌,牛乳拌酥亦未珍。异味颇思修净供,秘方常惜授厨人。午窗自抚膨脬腹,好住烟村莫厌贫。"食荠糁所带来的满足实际

---

① (宋)曾慥:《高斋漫录》,见金沛霖主编:《四库全书子部精要》,天津古籍出版社1998年版,第770页。

上更指向了安贫乐道的精神。这些吟诵不光表现出文人们对于美味的享受,更重要的是它往往在诗文中营造一种饮食之美的意境。通过这种得于饮食之外的境界,文人趣味自然而然地显露出来,饮食饱腹疗饥以外更多更广的"滋味"被逐渐开掘出来,成为后来饮食艺术走向成熟的基底。

"各个社会等级的政治、经济地位均不相同,相应地也决定了他们在社会精神、文化生活上地位的不同。反映在饮食生活中,各个等级之间,在用料、技艺、排场、风格及基本的消费水平和总体的文化特征方面,存在着明显的差异。"①宋元时期,随着社会生活水平的普遍提高,城市经济和市民生活繁荣起来,原本处于"青黄不接"和"充饥果腹"的平民(包括普通农民和城市中下层平民)逐渐形成自己的饮食偏好,并开始发展出不同于宫廷贵族饮食和文人士子饮食的属于他们自己的平民饮食文化。前文曾指出,宋元时,上层饮食肉食多以羊肉为贵,宋宫廷"止登羊肉",元代宫廷最尊贵的宴席为"全羊席",但宋元时期的下层,以猪肉为主要肉食的势头已经出现。《东京梦华录》卷二"朱雀门外街巷"一条中载:东京"唯民间所宰猪,须从此入京,每日至晚,每群万数",以此算汴梁平民日均消耗肉猪万余头,可见民间食猪风气之盛。南宋杭州市井间猪肉也颇受百姓欢迎。《梦粱录》云:"杭城内外,肉铺不知其几,皆装饰肉案,动器新丽。每日各铺悬挂成边猪,不下十余边。如冬、年两节,各铺日卖数十边。"②这些肉铺所卖的猪肉主要供应中下层市民自行食用和买肉加工熟食的中小食肆。从苏轼《猪肉赋》言猪肉"富者不肯吃"看,当时上层人士与中下平民在饮食行为上已有较大差异。普通百姓并未因贵族文人鄙弃猪肉而放弃对猪肉的爱好,也并未选择盲目地追逐食用羊肉的风气,而是自食自乐,后来甚至影响到了大文人苏轼的饮食爱好。不仅贵族平民主要肉食各自不同,在时令水果上,宋元上下阶层差异更大,以南宋为例,据周密《武林旧事》卷九载,绍兴二十一年十月,高宗幸清河郡王第,清河郡

---

① 赵荣光:《中国饮食文化史》,上海人民出版社 2006 年版,第 75—76 页。

② (宋)吴自牧:《梦粱录》,见(宋)孟元老等:《东京梦华录》(外四种),古典文学出版社 1957 年版,第 270 页。

王臣张俊等人进奉部分瓜果绣花高饤一行八果垒：香圆、真柑、石榴、枨子、鹅梨、乳梨、榠楂、花木瓜；乐仙干果子叉袋儿一行：荔枝、圆眼、香莲、榧子、榛子、松子、银杏、梨肉、枣圈、莲子肉、林檎旋、大蒸枣；缕金香药一行：脑子花儿、甘草花儿、朱砂圆子、木香丁香、水龙脑、史君子、缩砂花儿、官桂花儿、白术人参、橄榄花儿；雕花蜜煎一行：雕花梅球儿、红消花陈刻"儿"、雕花笋、密冬瓜鱼儿、雕花红团花、木瓜大段儿陈刻"花"、雕花金橘、青梅荷叶儿、雕花姜、蜜笋花儿、雕花枨子、木瓜方花儿；砌香咸酸一行：香药木瓜、椒梅、香药藤花、砌香樱桃、紫苏奈香、砌香萱花柳儿、砌香葡萄、甘草花儿、姜丝梅、梅肉饼儿、水红姜、杂丝梅饼儿……垂手八盘子：拣蜂儿、番蒲萄、香莲事件念珠、巴榄子、大金橘、新椰子象牙板、小橄榄、榆柑子。①

　　上述干鲜果品是张俊供奉高宗宴席的具体列目，其中不仅水陆杂陈、干鲜交错，而且四季果品齐全，南北风味各异。可以看出其中部分果品经过了较烦琐的刻花加工，如"雕花梅球儿、雕花笋、密冬瓜鱼儿、雕花红团花"等，部分果品则在调制上使用了非常珍贵的香料，如"甘草花儿、朱砂圆子、木香丁香、水龙脑"等。这与《说郛》记载的南宋贵族饮食尚奢靡之风可互相印证。② 同时期普通城市平民食用的果品在孟元老《东京梦华录》卷二中是这样记载的：

　　　　又有托小盘卖干果子，乃旋炒银杏、栗子、河北鹅梨、梨条、梨干、梨肉、胶枣、枣圈、梨圈、桃圈、核桃、肉牙枣、海红嘉庆子、林檎旋乌李、李子旋樱桃、煎西京雪梨、夫梨、甘棠梨、凤栖梨、镇府浊梨、河阴石榴、河阳查子、查条、沙苑榅桲、回马字萄、西川乳糖、狮子糖、霜蜂儿、橄榄、温柑、绵枨金橘、龙眼、荔枝、召白藕、甘蔗、漉梨、林檎干、枝头干、芭蕉干、人面子、巴览子、榛子、榧子、虾具之类。诸般蜜煎香

---

　　① 参见（宋）周密《武林旧事》，见（宋）孟元老等：《东京梦华录》（外四种），古典文学出版社 1957 年版，第 491—492 页。
　　② 《说郛》载宋司膳内人撰《玉食批》云："如羊头签止取两翼，土步鱼止取两鳃，以蝤蛑为签、为馄饨、为橙瓮，止取两螯。余悉弃之地，谓非贵人食。"

药、菓子罐子、党梅、柿膏儿、香药、小元儿、小腊茶、鹏沙元之类。①
能看出来,因经济发达,城市生活水平较高,即使是普通百姓日常饮食消
费,果品种类也很丰富,加工工艺也手法多样,如梨制品,就有"河北鹅
梨、梨条、梨干、梨圈、煎西京雪梨、夫梨、甘棠梨、凤栖梨、镇府浊梨"等,
但如与张俊供奉高宗御宴所用果品比较,民间饮食还是显得单调粗糙
一些。

比起上层饮食,宋元平民的饮食不仅食材烹饪有所不及,即餐具也多
尚简朴。陆游《老学庵笔记》记载:"耀州出青瓷器,谓之越器,似以其类
余姚县秘色也。然极粗朴不佳,惟食肆以其耐久,多用之。"②尽管如此,
当时市井饮食是相当发达的,一些饭铺食肆利用肉食边角烹饪出大受市
民欢迎的美食,如"血脏、豆腐羹、螺蛳、煎豆腐、蛤蜊肉之属","更有包子
酒店,专卖灌浆馒头、薄皮春茧包子、肉包子、鱼兜杂合粉、灌大骨之类",
"又有专卖家常饭食,如撺肉羹、骨头羹、蹄子清羹、鱼辣羹、鸡羹……又
有卖菜羹饭店,兼卖煎豆腐、煎鱼、煎鲞、烧菜、煎茄子,此等店肆乃下等人
求食粗饱,往而市之矣。"③吴自牧所说的"专卖家常饭食""下等人求食
粗饱"云云,说明当时民间饮食已表现出不同于宫廷贵族和上层文人的
个性面貌了,市井饮食在熙攘热闹的坊市瓦舍中逐渐渲染出一种不拘格
套、自由洒脱的饮食风趣来。更重要的是,这种起于市井的通俗饮食之美
似乎没有被中国传统礼乐文化限制住,它没有显出依附和靠拢传统贵族
饮食的迹象,在桀骜不驯中走向自觉和自立。

(三)求新求变

宋元时期的人们在饮食上求新求变的意识也与这一时期的历史变迁
具有异常密切的关系。两宋先后与辽、金、西夏等北方民族政权并立,元
大一统后,又与域外民族形成了前所未有的交流空间。不同民族文化的

---

① (宋)孟元老等:《东京梦华录(外四种)》,古典文学出版社 1957 年版,第 17 页。
② (宋)陆游:《老学庵笔记》,见上海古籍出版社编:《宋元笔记小说大观》(四),上
海古籍出版社 2001 年版,第 3466 页。
③ (宋)吴自牧:《梦粱录》,见(宋)孟元老等:《东京梦华录》(外四种),古典文学出
版社 1957 年版,第 263—264 页。

大交融也为宋元饮食的求新求变带来了巨大的创意空间。宋元时期,食材的新变与烹饪技法的新变都植根于当时空前繁荣的民族交流的背景之中。

宋元时期的人们对于多种食物均表现出了勇于尝试、敢于求新的风尚。首先非常值得一提的是河豚。在宋代的江南地区,吃河豚是时尚。宋代的笔记中对当时人们嗜吃河豚的风气多有记载,张耒"吴人此时会客,无此鱼则非盛"①的说法在当时很有代表性。但河豚有剧毒,如果处理不当,吃的人就会有生命危险。当时的人们已经知道河豚的毒性,赵彦卫《云麓漫钞》卷五曰:"其间子最毒,能杀人,次即眼与血。"②张师正也说:"河豚鱼有大毒,肝与卵,人食之必死。每至暮春,柳花坠,此鱼大肥,江淮人以为时珍,更相赠遗。脔其肉,杂蒌蒿荻牙,瀹而为羹。或不甚熟,亦能害人,岁有被毒而死者。南人嗜之不已。"③即使如此,河豚的美味实在难以抵挡,苏东坡拼死吃河豚,叹其美味"也值一死",这就足以说明宋人在饮食上之冒险精神。

其次,宋元人爱吃野味,例如鹌鹑、枭、鸠、鸽、野鸭、黄雀、鹦鹉、孔雀等禽类,獐子、兔、獾、狸、鹿等兽类,蛇、鳄鱼等爬行类,以及蛙、龟、螺、蛤蜊等水产类动物都能成为美味,这些在文献中都有记载。"蔡京作相,大观间因贺雪赐宴于京第,庖者杀鹑子千余。"④而当时的岭南人蛇、虫、鼠、蛤蟆、蚁等无所不食,"岭南人好啖蛇,易其名曰茅鳝,草虫曰茅虾,鼠曰家鹿,虾蟆曰蛤蚧,皆常所食者。海鱼之异者,黄鱼化为鹦鹉,泡鱼大者如斗,身有刺,化为豪猪,沙鱼之斑者化为鹿"⑤。甚至"民或以鹦鹉为鲊,又以孔雀为腊"⑥。宋人还吃枭。庄绰《鸡肋编》:"南方多枭,西北绝少,龙

① (宋)张耒:《明道杂志》(丛书集成初编本),商务印书馆1959年版,第6页。
② (宋)赵彦卫:《云麓漫钞》,中华书局1996年版,第87页。
③ (宋)张师正:《倦游杂录》,见上海古籍出版社编:《宋元笔记小说大观》(一),上海古籍出版社2001年版,第750页。
④ (宋)马纯:《陶朱新录》,见吴文治主编:《宋诗话全编》(四),江苏古籍出版社1998年版,第3482页。
⑤ (宋)张师正:《倦游杂录》,见上海古籍出版社编:《宋元笔记小说大观》(一),上海古籍出版社2001年版,第729页。
⑥ (宋)范成大:《范成大笔记六种》,孔凡礼点校,中华书局2002年版,第103页。

泉人亦捕食,云可以治劳疾。汉重五日,以枭羹赐群臣,可验其无毒,然医方不云有治病之功也。"①从宋元人笔记还可得知,闽、浙人都十分嗜好吃蛙。不仅开发南方拓展了宋元人的食材来源,北方各族与中原的饮食交流也为宋元饮食带来了新的饮食文化。如前面提到的契丹贵族喜食的"毗狸"常常被辽主视为珍品赏赐出使辽国的宋人,《梦溪笔谈》、《画墁录》多有记载。元萨都剌《滦阳纳钵即事诗》"健儿掘地得黄鼠,日暮骑羊齐唱归"中提到的黄鼠,就是辽人的"毗狸"。可见,在宋元时各族人民食用野味已相当普遍。各种各样的野味极大地丰富了宋元人的饮食口味,满足了他们品尝新鲜滋味的要求。

宋元人饮食上乐求新变的心理还可从宋代开始出现的素菜之风上看出。食素在宋代已发展成为一种值得重视的风潮,并且得到了文人雅士的响应和实践,当时甚至还出现了专门的素食店。一般百姓常吃的菜羹就属于素菜。有名的"东坡羹"也是素菜,用料是"菘若蔓菁、若芦菔、若荠",还放了生米和生姜,所以,苏轼总结这道菜的特点是"不用鱼肉五味,有自然之甘"②。据宋人曾敏行《独醒杂志》记载,王安石待客的饮食中竟有菜羹:"王荆公在相位,子妇之亲萧氏子至京师,因谒公,公约之饭。翌日,萧氏子盛服而往,意谓公必盛馔。日过午,觉饥甚而不敢去。又久之,方命坐,果蔬皆不具,其人既心怪之。酒三行,初供胡饼两枚,次供猪脔数四,顷即供饭,傍置菜羹而已。萧氏子颇骄纵,不复下箸,惟啖胡饼中间少许,留其四傍。公取顾自食之,其人愧甚而退。人言公在相位,自奉类不过如此。"③王安石身在相位,竟也吃菜羹,由此可推测,菜羹在不同阶层中的食用还是比较普遍的。随着素食的流行,豆腐、菌、藻等素食主要食材在当时的饮食文化体系中的地位不断提高。豆腐的食用在宋代非常普遍,而菌、藻的烹饪在某些道观、寺庙、尼庵中已很考究。宋人赞

---

① (宋)庄绰:《鸡肋编》卷上,见上海古籍出版社编:《宋元笔记小说大观》(四),上海古籍出版社 2001 年版,第 3984—3985 页。

② (宋)苏轼:《苏轼文集》第 2 册(卷20),孔凡礼点校,中华书局 1986 年版,第 595 页。

③ (宋)曾敏行:《独醒杂志》,见上海古籍出版社编:《宋元笔记小说大观》(三),上海古籍出版社 2001 年版,第 3213 页。

宁作有《笋谱》、陈仁玉著有《菌谱》，说明宋人对于这些种类的食材的认识已较前人有了很大的进步，已经出现因专门研究而形成的系统认知。如果没有素食的大规模流行，这种对单一食材的精深研究，是不可能达到这种程度的。南宋时，文人素食之风继续扩张。文人们不仅因尚简朴而素食，在中医理论的影响下，以素食养生也成为素食流行的原因之一。陆游在《对禽有感》中曾云"养生所甚恶，旨酒及大肉"，反映出素食养生文化逐渐形成。为此，宋代还创制出许多的仿荤素菜，有假河豚、假元鱼、假蛤蜊、假野狐、假炙獐等。元代，佛教道教盛行，二教多尚苦行素食，且素食养生文化深入人心，素食风气在特定范围内形成一定的传统。元代江南地区流行的白莲教倡导断肉食菜，当时号称"白莲菜人"。元人朱丹溪作《茹淡论》，强调"蔬菜果自然冲和之味"，有补阴益体之功，而长食酒肉甘肥则有"致疾伐命之毒"。当然，并非人人都能接受素食，吕希哲曾经在《吕氏杂记》中谈到这一点："士人多就禅刹素食，人或相劝，以素食恐虚人脏腑。"[1]这说明人们对完全食素还是有顾虑的，因而可以推知，素食之风受华夏饮食传统观念的制约，其流行的范围是有限的。

　　无论是寻找新的食材食料，还是探索新的烹饪技法，抑或是开展新的饮食售卖宴饮之所，宋元人的饮食文化都表现出一种蓬勃热烈的求新求变的趣味。在广阔疆域带来的前所未有的文化交流中，以经济繁荣生活富足为底基的饮食文化正在向其从未涉足的领域大步迈进。当这种饮食文化与南北交流、雅俗互化和胡汉杂居的时代文化相融合的时候，新的饮食之美在新的饮食习惯形成的同时成为了全社会的共同认知。

三、原因探析

　　宋元时期发达繁荣的饮食文化，一方面是中华饮食文化自身不断发展、创新的结果，另一方面，也与宋元时期快速发展的商品经济、优越从容的社会生活以及时人追求享乐的人生态度具有直接而密切的关系。此

---

① （宋）吕希哲：《吕氏杂记》，中华书局1991年版，第34页。

外,交通运输、农业的发展和各民族之间的互相交流都为饮食的丰富提供了基本保证。

宋元时期发达的城市经济带动了饮食业的发展繁荣。宋代的商业没有了坊市制度的限制,营业时间又大大延长,繁华的商业街大量涌现,这些都对饮食业的兴盛具有重要促进作用。两宋都城开封和临安的饮食业在当时已异常发达,酒楼、分茶、食摊沿街铺开,时有小食贩穿行而过。开封在当时已经形成了繁华的饮食中心,这通过蔡絛的记载可以从侧面管窥一二:"天下蚊蚋,都城独马行街无蚊蚋。马行街者,都城之夜市酒楼极繁盛处也。蚊蚋恶油,而马行人物嘈杂,灯火照天,每至四鼓罢,故永绝蚊蚋。"①蔡絛的这段话表明,马行街作为"夜市酒楼极繁盛处",这里人声鼎沸,热闹非凡,夜如白昼,连蚊子都能吓跑。而《东京梦华录》记载的开封有名的州桥夜市,从朱雀门到龙津桥的街道上布满了各种各样的饮食店铺,售卖各种吃食,春夏秋冬各有千秋。"夜市直至三更近,才五更又复开张。如要闹去处,通晓不绝"②。即使举办宴会同时为大量人群提供餐饮也毫无问题。据孟元老记载:"凡民间吉凶筵会,椅桌陈设,器皿合盘,酒檐动使之类,自有茶酒司管赁。吃食下酒,自有厨司。以至托盘下请书、安排坐次、尊前执事、歌说劝酒,谓之'白席人',总谓之'四司人'。欲就园馆亭榭寺院游赏命客之类,举意便办,亦各有地分,承揽排备,自有则例,亦不敢过越取钱。虽百十分,厅馆整肃,主人只出钱而已,不用费力。"③据此可知,开封当时承办宴会的能力已非常强大,而且十分专业、便利。各种便利的饮食条件使得"市井经纪之家,往往只于市店旋置饮食,不置家蔬"④。具有各地民族特色的饮食也进入开封,不少餐馆专营"胡食"、"北食"、"南食"和"川味"。同样,南宋临安的商业与饮食

---

① (宋)蔡絛:《铁围山丛谈》,见上海古籍出版社编:《宋元笔记小说大观》(三),上海古籍出版社 2001 年版,第 3088 页。

② (宋)孟元老,伊永文笺注:《东京梦华录笺注》,中华书局 2006 年版,第 312—313 页。

③ (宋)孟元老,伊永文笺注:《东京梦华录笺注》,中华书局 2006 年版,第 417—418 页。

④ (宋)孟元老,伊永文笺注:《东京梦华录笺注》,中华书局 2006 年版,第 314 页。

业也特别繁荣,与开封相比有过之而无不及。"杭城大街,买卖昼夜不绝,夜交三、四鼓,游人始稀。五鼓钟鸣,卖早市者又开店矣"①,而且"自大街及街坊巷,大小铺席,连门俱是,即无虚空之屋"②。并且临安已经出现了各类食品集中交易的专业市场:花市、米市、肉市、菜市、鲜鱼行、鱼行、南猪行、北猪行、布行、蟹行、花团、青果团、柑子团、鳖团等。

宋元时期经济的高度发达、市场的空前繁荣以及社会生活的相对稳定,也使得人们更加能够体验生活的各种乐趣,饮食之趣自然也在其中。北宋初期,太祖、太宗都身体力行地提倡节俭之风,可是到了北宋后期,随着社会经济的繁荣,宫廷奢侈之风渐盛,饮食上也是如此。《续资治通鉴长编》记载,神宗在统治末期沉溺于宴饮享乐,往往"一宴游之费十余万";宋徽宗在饮食上更是不知节制,尽情享受。上好下从,两宋时期的不少权贵的生活都以侈靡为尚,司马光说:"宗戚贵臣之家,第宅园圃,服食器用,往往穷天下之珍怪,极一时之鲜明。惟意所致,无复分限。以豪华相尚,以俭陋相訾。愈厌而好新,月异而岁殊。"③司马光所反映的社会风气在两宋一直禁而不绝,这种崇尚华靡、追求享乐的做法随处可见。宋真宗时的宰相吕蒙正喜食鸡舌汤,每朝必用。"蔡京作相,大观间因贺雪赐宴于京第,庖者杀鹌子千余。""韩玉汝丞相喜事口腹,每食必殚极精侈,性嗜鸽。"这些权贵们不光喜欢新奇的口味,他们对烹饪技艺的要求也是极其严格的。"段文昌丞相尤精馔事,第中庖所榜曰炼珍堂,在涂号行珍馆。家有老婢,掌修脔之法,指授女仆。老婢名膳祖,四十年阅百婢,独九者可嗣法。"④四十年中只选出九名婢女,可见其标准之高,也可见丞相口味之刁钻。《旸谷漫录》中曾记载,一知府请了一位京都厨娘,她置

---

① (宋)吴自牧:《梦粱录》,见(宋)孟元老等:《东京梦华录》(外四种),古典文学出版社 1957 年版,第 242 页。

② (宋)吴自牧:《梦粱录》,见(宋)孟元老等:《东京梦华录》(外四种),古典文学出版社 1957 年版,第 241 页。

③ (宋)司马光:《上仁宗论理财三事乞簺总计使》,见(宋)赵汝愚:《宋名臣奏议》,上海古籍出版社 1999 年版,第 1094 页。

④ (宋)陶谷:《清异录》,见上海古籍出版社编:《宋元笔记小说大观》(一),上海古籍出版社 2001 年版,第 128 页。

办"羊头签五分,合用羊头十个","葱韭五楪,合用葱五斤"。五斤葱"取条心之似韭黄者,以淡酒酰浸渍,余弃置了不惜"。羊头"留脸肉,余悉掷之地。众问其故,厨娘曰:此皆非贵人所食矣。众为拾顿他所,厨娘笑曰:若辈真狗子也"①。这位京都厨娘的言行可以在更普遍的意义上反映出京都富贵之家的饮食面貌,的确,不可谓不奢靡。至于蒙元帝国的缔造者蒙古人,他们秉持的是及时行乐的人生理念,因而在饮食上更是奢华无度。元代宫廷中频繁铺张的宴饮几乎就是元代统治者的日常生活。元人有言:"国朝大事,曰征伐、曰蒐狩、曰宴飨,三者而已,虽矢庙谟、定国论,亦在于樽俎餍饮之际。"②蒙古人之喜欢宴会由此可见一斑。志费尼在《世界征服者史》中说蒙哥即位时宴饮狂欢举行了一个星期,"他们极尽种种欢乐地盛宴和狂欢了整整一个礼拜……饮料和食物的日耗量是,三千车的忽迷思和酒,三百头马或牛,以及三千只羊"③。可以说,较前代而言,宋元饮食更加精致繁盛,贵族饮食尤其浮华奢靡,人们在对美味的追逐中形成了自己时代的饮食追求。

这种成就的形成既是宋元人自己饮食追求的结果,也与其对前代饮食文化的继承和发扬密不可分。与唐人相比,宋人的心思细腻,善于挖掘,这在饮食上也常常流露出来。同样是面食,宋人使其品种更加丰富,如馒头、包子、面条、馄饨等的制作非常普遍。"宋人主食烹饪的最大成就,是把前代积累的东西提高到一个崭新的境界,达到了前所未有的高度。"④对于菜品也是如此,精致的素菜和仿荤素菜都是宋代人的贡献。从调味品来看,糖的使用也在宋元时期有了重要变化。宋代以前没有冰糖,只有砂糖,宋人把砂糖加工成冰糖,即宋元时的"糖霜"。黄庭坚还写有《答梓州雍熙长老寄糖霜》一诗。非常值得一提的还有烹调方法。宋代的烹调方式在传统的蒸、煮、炖等方法上出现了炒的方法。中原地区很

①　(宋)廖莹中:《江行杂录》,中华书局 1985 年版,第 6 页。
②　(元)王恽:《大元故关西军储大使吕公神道碑铭》,见李修生主编:《全元文》(六),江苏古籍出版社 1999 年版,第 497 页。
③　[伊朗]志费尼:《世界征服者史》(下),商务印书馆 2004 年版,第 636—637 页。
④　王赛时、齐子忠:《中华千年饮食》,中国文史出版社 2002 年版,第 22 页。

早已进入农业社会,有稳定的燃料来源,能保证烹饪火力,不需考虑节省燃料的问题;同时,中原无论是金属冶炼还是铸造加工,科技水平都远远超过北方草原,即使是普通的贫民也可以轻易获得锅灶炉具,这使得他们更加愿意使用隔火烹饪的方法。再加上中原农业发达,小麦稻谷较早成为人们的主食来源,无论是整粒食用还是磨碎食用,将之制成或稀或稠的羹汤或蒸熟食用都是十分方便的。因此,中原多用蒸、煮、炖的方法。宋时市场上开始出现了炒制的菜肴,如炒兔、生炒肺、炒蛤蜊、炒蟹、旋炒银杏等。用炒的方法烹制食物比用蒸、煮、炖的方法显然快得多,这是适应当时市场客流量巨大的一种方法。但炒对于火候的把握要求较高,这也说明宋代的饮食文化已达到了很高的水平。

宋元饮食业的兴旺与当时的农业发展和交通发达也有重要关系。宋代统治者十分重视农业生产的发展,采取了不少促进农业发展的措施。宋太祖在宋初曾反复下劝农之诏,鼓励农民及时耕作,还鼓励农民积极垦荒增加粮食产量。宋太宗晓谕岭南地方官员积极在岭南推广豆、黍、粟、大麦、荞麦等农作物。官府不仅提供种子,而且在试种阶段还免除赋税。他还鼓励江北种稻。种子在农业生产中的地位非同一般,因此,宋真宗非常重视选种,大中祥符五年(1012 年),他派使臣引进了抗旱能力强而生长周期短的占城稻,并在江南地区大力推广。经过历代农民多年的辛勤耕作,宋代的农业达到前所未有的繁荣。多余的农产品常常会被卖掉,"地主自家消费不尽的粮食,在利润的吸引下,就运输到市场供给销售"①。宋代蔬菜的种植面积也大大增加,种类繁多。开封的蔬菜种植园都在近郊,十分便利。同时,开封、临安的水运交通都十分发达,这也为各种物品的交流提供了重要的保障。元朝统治者也很重视农业的发展,农业生产在元朝时得到了恢复和发展,边疆地区得到了不同程度的开发。元朝的交通运输业更是空前发达,元朝统治者通过新开部分河道使大运河沟通南北的重要功能重新得以实现,从杭州到大都的水上航道彻底打通。同时,元代统治者广设驿站,开辟海上航线,陆路、海上

① 梁庚尧:《南宋的农村经济》,新星出版社 2006 年版,第 179 页。

对外贸易也都极其发达,这些都为元代开放的饮食观提供了无限的可能性。

宋元时期,民族之间的交流密切而频繁,这也是宋元饮食文化发达、繁荣不可忽视的原因。在多民族饮食文化的交流过程中,中华饮食日益丰富多彩。前文较多地提到了中原饮食的影响,实则北方草原民族的饮食习惯对于中原烹饪的影响也是非常深刻的。在食材上,对于牛羊等肉食的偏爱、对奶制品的吸收借鉴都可见出这种影响。烹饪技法上也有重要影响。北方草原民族在漫长的游牧生活中,发展出比较完备的使用食材直接与火焰接触的方法,如烧和烤,由此赋予食材以特殊的风味。并且,在这一烹饪过程中,烹饪加工与宴饮食用常常是同步一体的,与中原烹饪与饮食分离的情况大不相同。随着南北一统,北方草原民族的饮食影响逐渐成为华夏饮食的有机组成部分,宋元饮食也因吸收了北方草原饮食文化而具备了求得更多新变的动力。元代饮食由于融合了蒙古、汉地、西域等地的饮食原料和调味品,所以感觉异彩纷呈,更能体现出多民族交流的特色。

总之,在前代饮食文化的基础上,宋元时期的饮食又向前大大拓展了,并取得了光辉灿烂的成就。原料更为丰富,烹饪技艺更为成熟,人们也更懂得享受饮食之快乐。文人士大夫们对于饮食趣味的关注重点已转向味外求味的境界,市民阶层的饮食也在城市经济文化的推动下形成了市井特色,弥漫在社会生活中的自上而下的享乐之风更促使时人在滋味上求新求变。而农业种植、城市经济、交通运输以及民族交流等方面所提供的各种条件共同造就了宋、辽、金、元时期饮食文化的繁荣。

第二节　宋元生活方式中的审美意识

人类巨大的实践能力使得自身的生活方式日益丰富绚烂。居家礼仪、人生礼仪和岁时节日是人类生活方式中的基本组成成分。宋、辽、金、元时期,各民族间的交流与融合的深度与广度都史无前例,居家礼仪、人生礼仪和岁时节日之间的互相渗透已在所难免,但各民族在相互影响、借鉴的同时又都保持着本民族的自我特色。居家礼仪、人生礼仪和岁时节日等生活方式中的审美意识往往与各民族的历史文化的积淀、与社会生活的联系非常紧密,在根源上具有密切的功利目的,因此,美善结合、亦善亦美是生活方式中的根本意识。

一、居家礼仪:井然有序

由于长久以来儒家礼乐文化的影响,严谨系统的居家礼仪成为中国人家庭生活中的重要内容,也是宋元社会文化非常重要的组成部分。然而,唐末五代长期战乱对传统宗法礼制造成了严重冲击与破坏,中原文化崇尚的礼治到了宋初面临着非常严峻的状况。与此同时,宋元社会经济昌盛所带来的社会风气的变化、不同民族文明之间的相互碰撞,也不断冲击和影响着重建礼俗过程中的宋元家庭生活的礼仪习俗的最终面貌。在这种情况下,以文人士大夫为代表的重整礼教的社会力量出于维护自身利益的需求发起了重建宗族制度和撰写家族规范的活动,这一行为对宋元社会及后世均产生了重要而长远的影响,并且使得宋、辽、金、元时期的居家礼仪逐渐形成了鲜明的尚礼风尚。

对于广义的稳定社会结构而言,井然有序的社会秩序首先体现在家庭伦理生活中。出于对稳定社会秩序的追求,中国在漫长的历史中构建了异常发达的家族文化,并在此基础上形成了人—家—国三位一体的家族礼仪文化。早在商周时,《尚书》、《诗经》、《周易》、《左传》、《孝经》大量典籍中就有专门的训子女、规夫妻、治家事的篇章,如《尚书·召诰》、《易·家人》等。两汉时期,约束家庭成员言行的礼制著作出现,居家日常礼仪开始走向系统化和规范化,家教、家训、家学、家戒、门法、门风、家声等基本居家礼仪概念出现,据《史记》等史传记载,家约类文书已有家庭制定和执行。[①] 尤其值得注意的是,西汉刘向编撰《列女传》,班昭恐家族女子"不闻妇礼""取耻宗族"作《女诫》,开始专门作文规范女子言

---

① 参见《史记·货殖列传》和《汉书·陆贾传》。

行,荀爽、蔡邕等从作于后,这些著作对后世居家礼仪产生了很大影响。魏晋隋唐,世家门阀盛行,因此,家族文化和居家礼仪在前代基础上有了飞跃式发展,颜之推作《颜氏家训》,号称"古今家训之祖","全书皆本之孝弟,推以事君上,处朋党之间,其归要不悖于'六经',故旧史皆入之儒学"。

残唐五代,中原板荡百年,礼仪残破,无存失传者多。宋代崇文治,儒学大盛,故成为中国历史上特重家法、族规的一个时代,这非常鲜明地体现在宋代家训的繁荣上,仅元人所做《宋史》即录家规家训十一部。从家训编订的繁荣局面看,宋元人在重整礼仪的过程中重新制定了带有鲜明时代特色的家族家庭行为规范并得以在全社会推行。从相关史料文献看,宋元人在共同遵守执行家规家训中形成了一整套新的家礼家俗,进而在被规范的居家日常行为中形成了新的生活美学。

这其中,遵守井然秩序而形成的伦理规范美,在宋元居家礼俗中表现得极为鲜明。在《居家正本》中,陆九韶强调:"愚谓人之爱子,但当教之以孝弟忠信,所读之书先须六经、《论》、《孟》,通晓大义,明父母君臣夫妇昆弟朋友之节,知正心修身齐家治国平天下之道,以事父母,以和兄弟,以睦族党,以交朋友。"①他认为,教子的首要任务是使其知晓孝、悌、忠、信,在父母、君臣、夫妇、兄弟、朋友所构成的秩序之网中找到自己的合适位置。由于每个人都首先生活在由父母、夫妇、兄弟所构成的家庭秩序中,因此处理好与这些亲人之间的关系自然被认为是极其重要的。"凡为子者必孝其亲,为妻者必敬其夫,为兄者必爱其弟,为弟者必恭其兄。"②在传统的家庭生活中,长幼有序的观念是十分突出的,父母与子孙之间、兄弟之间都要遵守此种秩序。这尤其体现在中国传统社会对孝道的提倡上。宋代社会对于孝道的认识与践行有了很大推进,反映了宋人对于长幼有序观念的重视。司马光在《家范》中开篇就引《孝经》为榜样:"夫孝,

———————————

① (清)黄宗羲:《宋元学案》卷五十七,陈金生、梁运华点校,中华书局1986年版,第1863页。

② (元)郑太和:《郑氏规范》,见《丛书集成初编》0975册,商务印书馆1937年版,第2页。

天之经也,地之义也,民之行也。天地之经而民是则之。"①司马光把孝作为人的基本伦理要求,表明他是以儒家的慈孝观作为家庭伦理的首要原则的,这也是宋元家训的普遍认识。即使是夫妻关系也要让位于孝,故司马光《居家杂仪》引《礼记》云"子甚宜其妻,父母不悦,出;子不宜其妻,父母曰:是善事我,子行夫妇之礼焉"②。可见,宋元居家生活的核心是事上以孝,尽力遵从父母之意之命的。这一原则的形成其来有因。事实上,居家之美和家规家范的基础都在于实现稳定的家庭生活期望,而稳定的居家日常生活需要事先约定一个共同尊重的生活意志。在中国,这一意志常常体现为对父母家长的顺从。因此,司马光在《居家杂仪》中说:"家有严君焉,其下安敢直行而自恣不顾?必当咨禀而行,号令出于一人,家政始可得而治矣。"③"号令出于一人"能够使庞大家族的众多成员的复杂行为归于整齐划一,父母权威则可以化解家庭成员思想行为统一过程中的冲突和抵抗。同时,突出家长的一家之主的权威,强调家庭成员秩序重在各归其位,这必然要求其他家庭成员的顺从。也就是说,家庭成员都在家规家礼和父母权威的约束中放弃了一部分属于个人的自由和个性,这一代价换来的是互相克制、忍让后所营造的和谐的家居环境。对于长期处于家庭家族生活中的普通人而言,这无疑会极大地提升和改善其生活感受,生活于其中的家庭成员将获得一种踏实简约的心灵体验,一个简单化的超稳定的家庭机制就这样建构起来了。

宋元家训强调家庭秩序的观念还延展到了家庭以外的家族活动及有关家族活动的条法之中。规范、系统的家族活动使得沉淀于内心的居家礼仪显于外,并通过同一家族不同家庭的共同活动将居家礼仪与社会行为规范连接成一体。如元代浦阳郑氏家法规定:"每日击鼓二十四声,家

---

① （唐）李隆基注:《孝经注疏》,（宋）邢昺疏,金良年整理,上海古籍出版社2009年版,第28—29页。
② 王文锦译解:《礼记译解》,中华书局2001年版,第371—372页。
③ （宋）司马光:《居家杂仪》,见《四库全书》第880册,上海古籍出版社1987年版,第50页。

众俱兴;四声,咸盟漱;八声,入有序堂。家长中坐,男女分坐左右,令未冠子弟朗诵男女训戒之辞。"①不仅日常家居如此,有些家族更借助家祠的神秘严肃的祖先祭拜仪式来加强家人—家庭—家族—社会的礼仪联系,形成由内而外的辐射和反向的由外而内的舆论约束。有些家族每天早晚都会率领子弟到祠堂请安致礼,这就在日常生活的规范中强化了家族内部的秩序,使祠堂的效力得到了充分发挥。而族谱是宋代民间家族组织得以确立的根本。根据族谱、族人之间的远近、亲疏的秩序自然分外分明。因为采用的是"小宗之法",宗族之间虽有亲疏之分,但由于出自同宗,同族人有着共同的根基,因此又被紧紧地团结在一起。族规则起到重要的规范作用,是统治族人的重要手段。族规赋予族长掌管全族的权力,长幼、尊卑、等级的秩序俨然暗含其中。

与中原居家礼仪强调家庭秩序相似,蒙古家庭也以男子为中心,男女分工明确。成吉思汗认为,称职的妻子应该为丈夫赢得声望。他说:"妻子贤惠,安家之宝。"又说:"男人不能像太阳般地到处普照着人们。妇女在其丈夫出去打猎或作战时,应当把家里安排得井井有条,若有使者或客人来家时,就能看到一切有条有理,她做了好的饭菜,并准备了客人所需要的一切东西。这样的妇女自然为丈夫造成了好名声,提高了他的声望,而她的丈夫在社会上就会像高山般地耸立起来。人们根据妻子的美德来认识丈夫的美德。"②可见,蒙古族妇女虽然在家庭和社会生活中的地位高于一般汉族女子,但在服从男性、辅助丈夫这些根本的意识方面实际与中原妇女是一样的。蒙古人对家庭秩序的重视还可以从他们的多妻制中反映出来。根据生活条件,蒙古男子可以娶多个妻子,正妻在家庭生活中的地位高于其他妻子。"每一位妻子都有自己的幕帐和自己的一家人。丈夫每天轮流与一位妻子喝、吃和就寝,第二天再轮到另一位。然而,他却有一位正妻,丈夫与她同居的时间要比他人更为经常一些。虽然她们数目众多,但在她们之间不会有任何争风吃醋的

① (元)郑太和:《郑氏规范》,见《丛书集成初编》0975 册,商务印书馆 1938 年版。
② [波斯]拉施特主编:《史集》第 1 卷第 2 分册,余大钧、周建奇译,商务印书馆 2009 年版,第 390 页。

现象。"①正妻的地位是不容动摇的，从日常生活到财产继承都是如此。扎营时正妻的帐幕排列在最右边，地位最低的妻子只能排在最左边。在决定家庭事务方面，正妻有高于其他妻子的发言权。正妻所生幼子往往继承家庭的大部分财产，并赡养父母。而且，这些妻子之间的顺序也不能因地位高低在称呼上有所改变。

如果说宋元家训中确立的是一套理想的生活方式，那么，只有个人的言行举止各从规矩才能保证这一套理想的生活方式的真正实现。进退有礼作为个人行为准则也是居家礼仪中的重要观念和内容。宋元家训从男女社会角色的不同定位出发，对男性与女性都提出了具体而细致的行为要求，举止合宜、进退有礼是贯穿其中的基本要求。比如司马光的《家范》从卷二至卷十，一共列出了从祖、父母到妾、乳母等18种家庭成员的不同身份属性，并按照身份为每个人量身制定了具体的行为规范。比之《家范》，《居家杂仪》虽简略，但核心思想与《家范》并无不同。在各个家庭成员的行为规范中，宋元家训对于子事父母和妇事舅姑的行为规定得格外具体详细，处处强调行为的周到有礼。《温公家范》写道："鸡初鸣而起，左右佩服，以适父母之所。及所，下气怡声，问衣燠寒，疾痛苛痒，而敬抑搔之。出入则或先或后，而敬扶持之。进盥，少者奉盘。长者奉水，请沃盥，卒，受巾。问所欲而敬进之，柔色以温之。父母之命，勿逆勿怠。若饮之食之，虽不嗜，必尝而待；加之衣服，虽不欲，必服而饰。"②这不仅要求要把父母和舅姑的日常生活起居照顾得无微不至，而且要对父母礼敬有加，态度、脸色、声调都要谦卑有礼。除了日常服侍外，诸如对待父母的要求、父母生病等事情，都要有礼有节。进退有礼不仅是对子媳待父母公婆的要求，晚辈对尊长都要如此。"凡卑幼于尊长，晨亦省问，夜亦安置。坐而尊长过之则起，出遇尊长于途则下马。不见尊长经再宿以上则再拜，五宿以上则四拜。贺冬至正旦六拜，朔望四拜。凡拜数或尊长临时减而

---

① ［意］《柏朗嘉宾蒙古行纪 鲁布鲁克东行纪》，耿昇、何高济译，中华书局2013年版，第38页。

② （宋）司马光：《温公家范》，王宗志注，天津古籍出版社1995年版，第63页。

止之,则从尊长之命"。"若卑幼自远方至见尊长,遇尊长三人以上同处者,先共再拜,叙寒暄、问起居讫,又曰再拜而止"①。从日常的起居礼节到节日拜见以及远见尊长,晚辈都要遵守一系列的礼制要求,若不能如此则为失礼。

宋元家训对于女儿行为规范的教育颇为重视。司马光把女儿视为家庭和家族的代表,日后嫁入夫家,既要安身立命,还要为自己的家族争光,从这个角度出发,他对女儿的行为规范也提出了具体的要求。因女性教育主要是服务于"治内事"的目的,为此,"六岁教之数与方名,男子始习书字,女子始习女工之小者。七岁男女不同席,不共食,始诵《孝经》《论语》,虽女子亦宜诵之……八岁……女子不出中门。九岁……女子亦为之讲解《论语》《孝经》及《列女传》《女戒》之类,略晓大意。十岁……女子则教以婉娩听从及女工之大者。未冠笄者,质明而起,总角靧面以见尊长,为供养祭祀,则左执酒食。若既冠笄,则皆责以成人之礼,不得复言童幼矣"②。司马光对女儿的这些行为教育在朱熹的《家礼·居家杂礼》中基本都被接受下来。知礼义才能守礼法,这是对女儿教育的出发点。

宋元家训在居家礼仪中强调家庭秩序、讲究进退有礼,根本目的是为了建立符合儒家礼法规范的家庭秩序,反映了他们对于"礼"的崇尚。中国古代社会崇尚礼治,家庭礼仪自古以来就是中国传统道德教育的一个重要方面。儒家的礼治学说因其在社会生活的各个领域都贯穿着上下、尊卑的等级观念,所以有助于建设一个井然有序的社会。到了宋代,司马光已认识到:"礼之为物大矣! 用之于身,则动静有法而百行备焉;用之于家,则内外有别而九族睦焉;用之于乡,则长幼有伦而俗化美焉;用之于国,则君臣有叙而政治成焉;用之于天下,则诸侯顺服而纪纲正焉;岂直几席之上、户庭之间得之而不乱哉!"③由此论可知,宋元居家特重礼俗与当时文人士大夫试图通过崇文复礼来达到平天下的政治理想之间有因果关

---

① 徐梓编注:《家训——父祖的叮咛》,中央民族大学出版社 1996 年版,第 27 页。
② 徐梓编注:《家训——父祖的叮咛》,中央民族大学出版社 1996 年版,第 27—28 页。
③ (宋)司马光:《资治通鉴》,中华书局 1956 年版,第 375—376 页。

系。礼作用于个人、国家、天下分别有不同的效果,但在根本上是一致的,即礼有助于建立一种统一的秩序。这正是宋儒崇尚礼治的重要原因。只有个人首先遵守上下尊卑的有序模式,建立在其上的家庭、社会和国家才能长治久安。二程认为:"人者,位乎天地之间,立乎万物之上,天地与吾同体,万物与吾同气,尊卑分类,不设而彰。圣人循此,制为冠、昏、丧、祭、朝、聘、射、飨之礼,以行君臣、父子、兄弟、夫妇、朋友之义。其形而下者,具于饮食器服之用;其形而上者,极于无声无臭之微;众人勉之,贤人行之,圣人由之。故所以行其身与其家与其国与其天下,礼治则治,礼乱则乱,礼存则存,礼亡则亡。上自古始,下逮五季,质文不同,罔不由是。"① 礼总是关乎伦理与政治,这正是历代统治者重视礼的原因所在。"礼治则治,礼乱则乱,礼存则存,礼亡则亡"这就是历史的教训。所以,居家礼仪中的有礼有序的审美意识从根本上符合封建礼制的根本利益,是美善的结合。

宋元时期,由于辽金元政权的建立与南下,契丹、女真与蒙古等北方少数民族生活方式的影响也不容小觑,所以,不同民族之间的居家礼俗的冲突与融合也是存在的。在蒙古族和其他民族风俗的影响下,元代统治下的汉族聚居区的传统家庭秩序出现裂变。妇女受到的限制开始松弛,其在家庭中的地位也有所提高。以元末人孔齐的记载来看,如浙西"有妇女自理生计,直欲与夫相抗,谓之私。乃各设掌事之人,不相统属。以致登堂入室,渐为不美之事。或其夫与亲戚乡邻往复馈之,而妻亦如之,谓之梯己问信。以致出游赴宴,渐为淫荡之风。至如母子亦然。浙东间或若是者,盖有之也"②。由此看来,有些浙西、浙东妇女在主事能力、活动范围和交际处事等方面已获得了较大的自由,以至孔齐认为"今浙间妇女虽有夫在,亦如无夫,有子亦如无子,非理处事,习以成风"③,这种对于传统家庭礼仪的违背几乎让孔齐这样的人无法忍受。元代妇女地位的提升,也可以从汉族地区寡妇再嫁的情况得知一二。"妇人夫亡守节者

---

① (宋)程颢、程颐,王孝鱼点校:《二程集》,中华书局1981年版,第668页。
② (元)孔齐:《至正直记》(丛书集成初编),中华书局1991年版,第48页。
③ (元)孔齐:《至正直记》(丛书集成初编),中华书局1991年版,第48页。

甚少,改嫁者历历有之,至齐缞之泪未干,花烛之筵复盛"①。为此,元代规定朝廷命妇不得改嫁:"妇人因得夫、子得封郡县之号,即与庶民妻室不同。既受朝命之后,夫、子不幸亡殁,不许本妇再醮,立为定式。如不遵式,即将所受宣敕追夺,断罪离异。"②妇女再嫁现象的频出和朝廷禁止改嫁的诏文,一方面说明北方各族较开放的礼俗对中原儒家礼俗的渗透和影响,另一方面也表明蒙元政权上层逐步接受了儒家礼俗的规定,双方处在一种互相影响的状况之中。

元代北方民族文化对中原居家礼制传统的渗透瓦解,还体现在上下尊卑、男女之别的混乱上。蒙古民族进入中原时,尚处于奴隶制与封建制混杂文化状态,一方面他们视奴隶为个人私有财产,在民族文化层面而言,奴隶主是抗拒和抵制社会力量干预其对奴隶的管控的;另一方面,对于蒙古大汗来说,泛奴隶主制度使得其统御下的绝大多数文武臣工都存在"大汗奴仆"的身份属性,实际上,相当多的蒙古贵族是由奴隶中崛起的,如成吉思汗麾下的四名将领就号称大汗的"朵儿边·那孩思"(猎犬),其中者勒蔑即成吉思汗的奴仆。正是在这种不同于中原的主仆文化的影响下,在宋代士大夫眼中不可逾越的主仆等级关系,在元代却发生了戏剧性的变化。元代民间对待家仆削弱了上下尊卑的等级观念而趋向亲情化。根据孔齐在《仆主之分》中记载的浙中富家的主仆情状,"吾见近日人家,有仆子及己子相戏,慢骂喜怒必相敌,父母见之亦不呵禁,则曰小儿无知耳";"又见人家之女幼,而命仆厮抱而出游……至于长而嫁人,其仆于外必谈及女之疾病、好恶、嬉戏之类,盖其幼而见之也"。③ 孔齐认为主仆之子相互嬉戏等行为使仆长大后会有"无主之心",他对这种扰乱上下等级的行为不仅是担忧,更多的是批判。在他的记载中,当时就连内外有别的家庭规范也被打破。"浙西富家,多以母妻之党中表子弟,使之

---

① 陈高华等点校:《元典章》卷 18《户部四·官民婚》,中华书局、天津古籍出版社 2011 年版,第 642 页。

② 《元典章》卷 18《户部四·官民婚》,陈高华等点校,中华书局、天津古籍出版社 2011 年版,第 642 页。

③ (元)孔齐:《至正直记》(丛书集成初编),中华书局 1991 年版,第 73 页。

入室混淆。"①"乡中大家皆用刀镊者入内院,虽妇人、女子,咸令其梳剃。"②由此可知,元代的某些汉族家庭在传统家庭礼制方面已经与宋代士大夫的主张相去甚远了。

总之,由于宋、辽、金、元时期社会生活的剧烈震荡,这一时期的居家生活中的礼仪也始终处于不断的调整之中。这反映的正是这一时期人们意识层面的不断变化。其中,宋代士大夫在礼崩乐坏的基础上重建家礼的尚礼意识对后世产生了重要影响。辽、金、元的统治者在不断汉化的过程中也逐渐接受了中原文化传统的礼治思想,"礼"犹如一张巨网力图覆盖所有阶层,力图将所有人都纳入其恒定的秩序之中。但契丹、女真和蒙古等北方民族极具原始生命力的基于家庭分工而形成的更为简单质朴的夫妻关系和家庭观念也对礼法为上的中原传统家庭礼仪带来了一定冲击。从而,宋、辽、金、元时期有关是否守礼的意识层面的冲突和不同领域最终的守礼逾礼的结果共同融入了居家礼仪的审美意识中,并影响着此后人们的家庭生活。

二、人生礼仪:实用功利

在人的生命历程中,生育、婚姻与丧葬是特别富有生命意味的几个重大事件,因此,有关生育、婚姻与丧葬的人生礼仪受到格外的重视。自古以来,人类围绕这几个生命的节点展开了各种形式多样、意蕴深厚的礼仪活动,也形成了众多的风俗。宋、辽、金、元时期,各民族关于生育、婚姻与丧葬的风俗礼仪众多,各具特色,也存在互相影响的情况,但由于生育、婚姻与丧葬与每个人的现世生活密切相关,关系到人之为人的人伦根本,宋、辽、金、元自然也沿袭了前代的风俗礼仪。虽然民俗的演进往往是缓慢的,但代际更替却能极大地推动它的发展。宋、辽、金、元时期,政权的更迭、经济的昌盛、多民族的密切交流既为人生风俗礼仪的新变提供了现实的土壤,也为人们观念和思想的改变提供了重要契机。这一时期无论

---

① (元)孔齐:《至正直记》(丛书集成初编),中华书局1991年版,第32页。

② (元)孔齐:《至正直记》(丛书集成初编),中华书局1991年版,第81页。

是诞生礼、婚礼还是丧葬习俗都带有强烈的实用功利色彩。

生育事关种族繁衍、家族兴旺,尽管宋元时期不同民族、不同地区的生育习俗不同,但从"生"的意识出发对新生命的礼赞上却是完全一致的。宋代的汉族居民这方面的礼节颇多,从新生儿出生到一周岁在三朝(三天)、三腊(七天为一腊)、满月、百、周、晬都有不同的庆贺风俗。这些习俗除了期冀孩子健康,还有就是对其未来人生的美好祝福。契丹人和女真人也都把新生命的降临视为头等大事。契丹人很重视生育习俗。妇女临产,先拜太阳。皇后生育更受重视。要"建无量寿道场,逐日行香,礼拜一月"。还要"预先造团白毡帐四十九座,内一座最大,径围七十二尺"。临产时"于道场内先烧香,望日番拜八拜,便入最大者帐内"。每帐各用角羊一口,生育时令人用力扭羊角,其声俱发,代皇后忍痛之声。用过的羊"差人放牧,不得宰杀,直至自毙"①。女真人也是如此。宋人文惟简在《虏廷事实·过盏》中说:"金国上至朝廷,下至州郡,皆有过盏之礼。如宰臣百官生日及民间娶妇生子。若迎接天使趋奉州官之类,则以酒果为具,及有币帛金银鞍马珍玩等诸物以相赠遗,主人乃捧其酒于宾以相赞祝祈恳,名曰过盏。如此,结恩释怨;不如是者,为不知礼。"②皇室生子还要大赦天下。为了好养育,宋金都有给孩子起贱名的习俗。女真人也有这种习惯,给孩子取名狗儿、猪儿、猪狗、羊蹄、猪粪等,这种不同民族间不约而同的命名文化表现出某种文化趋同的融合前提。

虽然各民族在生育礼俗中都表现出崇拜生命的共同特征,但男女有别、偏好男孩的观念也都是相当突出的,两宋时期表现得尤其明显。有趣的是,对男性子嗣的偏好在局部发生了反转。宋代人口与资源分配的矛盾日趋激化,"福建地狭人稠,无以赡养,生子多不举"。"浙东衢、严之间,田野之民每忧口众为累,及其生子,率多不举"。鄂州、岳州"民生子,计产授口,有余则杀之"。③但被杀的女孩为多。"世人生女,往往多致沦

---

① (清)杨复吉:《辽史拾遗补》卷四引《燕北录》,商务印书馆1936年版,第97页。

② (宋)文惟简:《虏廷事实》,见车吉心总主编:《中华野史·辽夏金元卷》,泰山出版社2000年版,第341页。

③ 参见《宋史·食货志上一·农田》《宋会要辑稿·刑法二》、范致明《岳阳风土记》。

没"，如福建"若女则不待三，往往临蓐以器贮水，才产即溺之，谓之洗儿"。梅尧臣也有诗《戏寄师厚生女》云："生男众所喜，生女众所丑。"世人所以不愿生女，乃是因为传统的传宗接代观念使然。两宋时期经济发达，人们在家庭财产的分配上也分外在意，不为口众所累的认识逐渐抬头，即袁采所说"多子固为人之患"①，这与以前多子多福的观念已颇为不同。契丹、女真与蒙古，在生男与生女的仪式上也均有分别。如契丹，"若生儿时，方产了，戎主着红衣服，于前帐内动番乐，与近上契丹臣僚饮酒，皇后即服调酥杏油半盏；如生女时，戎主着皂衣，动汉乐，与近上汉儿臣僚饮酒，皇后即服黑豆汤调盐三分"②。仪式的分别其实也是男孩、女孩地位的分别。受实际利益的诱惑，宋元时期的社会风气也时有变化。如果生女孩能够改变家庭经济处境，那么生育女孩就会被欢迎，摒弃女孩的风俗就会有所改变。如北宋时，都城汴京的中下户对女孩较福建路一带就更加用心，"京都中下之户不重生男，每生女，则爱护如捧璧擎珠。甫长成，则随其资质教以艺业，用备士大夫采拾娱侍，名目不一，有所谓身边人、本事人、供过人、针线人、堂前人、剧杂人、拆洗人、琴童、棋童、厨娘，等级截乎不紊。就中厨娘最为下色，然非极富贵家不可用"③。汴梁因城市服务业发达，有技能的女性从事特定服务业较男性有优势，能够较容易地获得工作，赚取薪酬。这时，女孩等于未来的女性从业者，她们是今后家庭经济状况改变和提升的重要寄托。类似生育文化在元代仍有存在，"（元末）浙西风俗之薄者，莫甚于以女质于人，年满归，又质而之他，或至再三，然后嫁。其俗之弊，以为不若是，则众诮之曰无人要者。盖多质则得物多也，苏杭尤盛"④。强烈的功利色彩主宰着此时此地的生育文化，生女为美事在一些地方成为新的生育风俗。这其中生育中的男女偏好的变化显示出世俗利益正在对长久以来儒家生育思想发起挑战，局部地区

---

① （宋）袁采撰：《袁氏世范》（丛书集成本），商务印书馆1937年版，第15页。

② （宋）文惟简：《虏廷事实》，见车吉心总主编：《中华野史·辽夏金元卷》，泰山出版社2000年版，第341页。

③ （宋）洪巽：《旸谷漫录》，见（明）陶宗仪等编：《说郛三种》，上海古籍出版社1988年版，第1073页。

④ （元）孔齐：《至正直记》（丛书集成初编），中华书局1991年版，第37页。

的偏好生女之风表明,儒家文人制订的生育礼俗在宋元时出现并存在着被迫妥协的一面,所谓"从俗从权"者也。

在人生礼仪中,婚姻风俗及其礼仪占据着重要的地位。唐代以前人们对于婚姻看重的是门阀,经过五代十国的战乱之后,宋代"婚姻不问阀阅"①,新的婚姻观念与习俗随之形成。在宋代,人们择偶的重大变化之一是以进士为上选。司马光说:"国家用人之法,非进士及第者不得美官。"②进士前途大多光明,因而成为人们追逐的佳偶。达官富豪争相榜下择婿,成为宋代婚配的特色。"本朝贵人家选婿于科场年,择过省士人,不问阴阳吉凶及其家世,谓之'榜下捉婿'。""近岁,富商庸俗与厚藏者嫁女,亦于榜下捉婿。"③虽然从功利角度看,这种风气与秦汉晋唐世家联姻实质上并无不同,但择婿择偶习俗中普通文人地位的提升则反映了宋人崇文的社会风气。宋人择偶的又一变化是对钱财物质的看重与看轻的较量。蔡襄说:"婚娶何谓? 欲以传嗣,岂为财也。观今之俗,娶其妻,不顾门户,直求资财。"④司马光也指出:"今世俗之贪鄙者,将娶妇,先问资装之厚薄;将嫁女,先问聘财之多少。"⑤宋代嫁娶看重钱财的风气十分夸张,有些人甚至不惜一切地利用婚姻来谋取钱财。不惜嫁僧道、入赘者大有人在,甚至还有新科进士趁机卖婚,以至于丁骘在《请禁绝登科进士论财娶妻》中上奏:"近年进士登科,娶妻论财,全乖礼义。衣冠之家随所厚薄,则遣媒妁往返,甚于乞丐,小不如意,弃而之它。市井驵侩出捐千金,则贸贸而来,安以就之。"这些进士的行为影响十分恶劣:"名挂仕版,身披命服,不顾廉耻,自为得计,玷辱恩命,亏损名节,莫甚于此。"⑥但有宋以来这一风气甚为猖獗。为了钱财,不仅出身寒门的进士们如此疯狂,

① (宋)郑樵撰:《通志》,中华书局1987年版,第439页。
② (宋)司马光:《贡院乞逐路取人状》,见(宋)司马光:《温国司马文正公集》卷三十(四部丛刊初编缩本),第262页。
③ (宋)朱彧:《萍州可谈》,见上海古籍出版社编:《宋元笔记小说大观》(二),上海古籍出版社2001年版,第2306—2307页。
④ (宋)蔡襄:《端明集》,见(清)永瑢等编:《四库全书荟要》集部第二十六册,台北世界书局1985年版,第747页。
⑤ (宋)司马光:《司马氏书仪》卷三《婚仪上》,同治七年江苏书局本。
⑥ (宋)吕祖谦:《宋文鉴》卷六一,见文渊阁《四库全书》本,第1350册,第649页。

就连宗室之家也肯放下门第俯身屈就。与前代相比,宋代商业极其发达,商人的地位相应提升,拥有强大经济实力的富豪往往愿意与权势之家联姻,因为"宗室袒免婿,与三班奉职"①。商人娶宗室之女,可以借机谋得仕途出路,有的人家"因缘得至显官者甚众",这就导致"宗室以女卖婚民间"②的事实层出不穷。宋仁宗天圣八年(1030年)下诏说:"宗室嫁女,择士族之有行义者,敢以财冒为婚,御史台、街司察举之。"③然而,宗室与商人的通婚所达成的富且贵的现实却更具诱惑力,所以,一直禁而不绝。值得注意的是,宋人婚配看重资财现象中有两个倾向很突出,一是社会舆论的大力批判与实际婚配文化中的渐趋风行之间的矛盾愈演愈烈,另一个是南北婚配中资财影响南胜于北。其中,不同民族间的婚配文化对此影响很大。南宋与金对峙时,北人婚配受资财因素影响趋弱,这与女真习俗的影响不无关系。按《松漠纪闻》载:"金国旧俗,多指腹为昏姻,既长,虽贵贱殊隔,亦不可渝。"④婚姻礼俗向来被认为是民族文化中较稳固的部分,但宋元时汉人与北方民族之间婚俗文化的混杂影响却是较明显的,尤其是这还关涉到儒家功利观与社会风潮之间的矛盾,这种复杂局面在中国婚姻文化史是比较少见的。

宋元婚俗中除重视婚配对象、社会地位和资财身家的倾向外,中原文化中已被废弃的收继婚随北方各族重新进入中原也成为当时婚俗文化的新现象。收继婚是指女子在丈夫去世后,由丈夫的亲属收娶为妻的一种婚姻形式。收继婚由来已久,但中原汉文化较早已放弃这一做法,而尚处在民族文化初期的北方各族还保有此俗。"早在汉代及汉代以后乌孙、乌桓、鲜卑、突厥等北方游牧民族已风行收继婚制。蒙古兴起后,和它临近的女真、党项、畏兀儿等族也有这种习俗。因此,在当时蒙古人的观念中,这是顺理成章的。"⑤《元史》记其制曰:"父死则妻其从母,兄弟死则

① (清)徐松辑:《宋会要辑稿》,中华书局1957年版,第104页。
② (元)脱脱等:《宋史》,中华书局1977年版,第8757页。
③ (宋)李焘:《续资治通鉴长编》,中华书局1995年版,第2537页。
④ (宋)洪皓:《松漠纪闻》,见上海古籍出版社编:《宋元笔记小说大观》(三),上海古籍出版社2001年版,第2797页。
⑤ 游彪等:《中国民俗史·宋辽金元卷》,人民出版社2008年版,第554页。

收其妻。"①《金志·婚姻》也记载:"父死则妻其母,兄死则妻其嫂,叔伯死则侄亦如之。故无论贵贱,人有数妻。"②由此可知,收继婚不仅在同辈中存在,如弟收兄嫂或兄娶弟媳,而且也可以隔辈收继,如子收庶母、侄收婶母。收继婚的实质在于它保证了本家族财产的稳定性,不会因为寡妇再嫁使财产流向外族。蒙元统治者对于收继婚的认可在观念上根深蒂固,所以在元朝建立后也并没有取消这一婚制,直到元末仍然盛行不衰。元代统一之后,收继婚的婚姻习俗也对元统治下的汉族下层居民有所影响。元代婚俗规定各民族各随其俗,汉族居民本不应存在这种已被认为是乱伦的婚姻形式,但元政府多次就汉地颁布禁止收继婚的法令,如至顺元年(1330 年)的禁令:"诸人非其本俗,敢有弟收其嫂、子收庶母者,坐罪。"③这说明收继婚在汉地社会中是存在的。收继婚竟然能在儒家文化浸润已久的汉地社会中有所抬头,究其实,应该也是实用功利主义的观念在作祟。

　　实际灵活地处理礼俗难题不仅表现在婚俗上,宋人在不少丧葬礼俗中也非常注重实际便利,带有较强的实用主义的味道,这与儒家文人试图将儒家文化转换为实际可行的社会规范有关。按照传统礼法,亲属去世后有不少禁忌,如不饮酒、不食肉等,魏晋时人常有举哀数年茹素不断的记载。但宋元时,民间丧事常常大肆置办酒席以飨来者,这其实是背离春秋以来儒家礼教的。但宋时出于从俗的考虑,虽文人士大夫亦不得不在重建礼仪中允许这种做法。司马光云:"初丧未敛,亲宾则赍馔酒往劳之,主人亦自备酒馔,相与饮啜,醉饱连日,及葬亦如之。"④欧阳修解释说:"闽俗重凶事,其奉浮图,会宾客,以尽力丰侈为孝,否则深自愧恨,为乡里羞。而奸民、游手、无赖子,幸而贪饮食,利钱财,来者无限极,往往至数百千人。至有亲亡,秘不举哭,必破产办具而后敢发丧者。"⑤原来拼尽

---

① (明)宋濂等:《元史》,中华书局 1976 年版,第 4288 页。
② (宋)宇文懋昭撰:《大金国志》,崔文印校证,中华书局 1986 年版,第 554 页。
③ (明)宋濂等:《元史》,中华书局 1976 年版,第 767 页。
④ (宋)司马光:《司马氏书仪》卷六《丧仪二》,同治七年江苏书局本。
⑤ 《欧阳修全集》,李逸安点校,中华书局 2001 年版,第 521 页。

全力图的是孝之名,否则就要被笑话。在中国礼教史上,两宋常常被认为是礼俗极严的时代,但要看到宋儒知礼的同时民间礼俗中从权从俗的思维是贯穿其中的。

宋人关于出丧的一些礼俗也显示出浓重的功利味道。宋人有出殡哭丧的习俗,但为了顾全面子和显示孝顺,有时还要雇人哭丧。"家人之寡者,当其送终,即假倩媪妇使服其服,同哭诸途,声甚凄惋,仍时时自言曰:'非预我事。'"①因为哭丧最引人重视,所以人们要大张旗鼓。宋代还流行做道场,有人评价说:"资冥福、作佛事既已成为社会上的普遍现象……不论花费多少资财,通过何种方式超度拜忏,丧家的目的是相通的,表达的心态是相同的。借助为死者超度诵经积累公德,希望其能顺利升入天堂,来生过上幸福生活。实际上,即以此作为自己后世的模板。可见,人们对待生活的态度变得更加现实,更加积极,从被动地靠死者福荫转向积极地追求,这是宋人重利观念的一种体现。"②与做道场相比,看风水也许更能揭示宋人的这种心理。"既择年月日时,又择山水形势,以为子孙贫富贵贱、贤愚寿夭。尽系于此。"③将风水宝地与后世子孙命运相关联,不得不说是抓住了中国人集体意识的枢纽,所以,风水说也就具有了无限的生命力。尽管宋代的士大夫们反对看风水,但驱动人们购买风水宝地的内在动力十分强大,所以,看风水在宋代的发展是空前的。宋人也很重视请人作墓志铭,这也显示了宋人便利从权的礼俗观念。

宋代火葬的流行也是时人注重实际的表现。在宋代按照礼法人死应当土葬,但宋代火葬习俗流行甚广。毕仲游说河东路的情况是:"其俗勤于养生,怠于送死。非士大夫之家,中户以下,亲戚丧亡,即焚其尸,纳之缸中,寄放僧寺与墓户之家,类不举葬。盖虽上户,亦有不葬而焚之者。"④采取火葬的多为中户以下,那么可以推知,火葬丧礼的流行应该与

---

① (宋)王得臣:《麈史》(丛书集成初编本),商务印书馆 1937 年版,第 52 页。
② 漆侠主编:《辽宋西夏金代通史·宗教风俗卷》,人民出版社 2010 年版,第 294 页。
③ (宋)司马光:《司马氏书仪》卷七《丧仪三》,同治七年江苏书局本。
④ 吴相湘主编:《历代名臣奏议》卷 116《风俗》,台北学生书局 1985 年版,第 1559 页。

亡者家庭有限的经济能力有关。宋代人多地少的矛盾突出,"惜地不葬"是有可能的。而"吴越之俗,葬送费广,必积累而后办。至于贫下之家,送终之具,唯务从简,是以从来率以火化为便"①,因为火葬较之土葬节约,所以,贫下之家迫不得已而为之。但也有上户选择火葬,这说明也不仅仅是花费不起的原因,主要是人们的观念已经发生变化。所以火葬也是两宋屡禁不止的又一个习俗。无论是丰奢举丧还是节约下葬,做法和意识与中国的丧葬传统都是不尽相同的,宋元中原汉地丧葬文化的种种变化都可以看出功利思维在其中的巨大作用。可以说,随着市民阶层的崛起,纯粹的儒家礼仪已不可能继续维持,不但如此,"喻于利"的礼俗正在越来越多地进入百姓的日常生活,讲究实用,功利办事的意识越来越明显了。

从目前的文献看,宋元时丧葬习俗实用功利化并不止于汉人,元代蒙古族的丧葬习俗也同样包含着实用功利的因素。加宾尼对于蒙古民间习俗的记载是这样的:"当他死去以后,如果他是一个不很重要的人物,他就被秘密地埋葬在他们认为是合适的空地上。埋葬时,同时埋入他的一顶帐幕,使死者坐在帐幕中央,在他面前放一张桌子,桌上放一盘肉和一杯马乳。此外,还埋入一匹母马和它的小马、一匹具备马笼头和马鞍的马。另外,他们杀一匹马,吃了它的肉以后,在马皮里面塞满了稻草,把它捆在两根或四根柱子上;因此,在另一个世界里,他可以有一顶帐幕以供居住,有一匹母马供他以马奶,他有可能繁殖他的马匹,并且有马匹可供乘骑。"②显然,蒙古人也相信人的生命并没有到此结束,而是在另一个世界里生存。所以,归根到底,人类是以活着的自我的需求去揣度他人的。丧葬习俗为的是延续死者生前的基本生活模式,也同时可以为活着的人带来一定的益处:"当任何人死亡时,他们高声痛哭,表示哀悼,以后死者家属可以免于纳税,直至年底。"而对于统治者来说,首先考虑的依然是个人的安全:"如果任何人在一个成人死亡时在场,他在一年以内不得进

---

① (元)脱脱等:《宋史》,中华书局 1977 年版,第 2976 页。
② [英]道森编:《出使蒙古记》,吕浦汉译,中国社会科学出版社 1983 年版,第 13—14 页。

入蒙哥汗的帐幕；如果死亡的是一个小孩，他在一个月内不得进入蒙哥汗的帐幕。"①这种禁忌也是相当功利的，它把统治者的利益放在第一位，其余都要服从这一点。

元代蒙古人烧饭祭祀的礼俗也很能代表他们的心理。烧饭祭祀是所有蒙古人都采取的祭祀方式，包括蒙古的帝王贵族。一般人主要是焚烧酒食和生活用品进行祭奠，蒙古皇帝则可以烧马、羊等来祭祀。在蒙古人的祭祀活动中，巫觋扮演着很重要的角色，他们能够沟通人与鬼神之间的关系。蒙古人信奉萨满教。他们相信万物有灵，灵魂不死，认为火能够净化一切不洁之物。通过巫觋来完成的烧饭仪式，使酒食、衣物、马匹等变成无形之物供彼世的亲人继续生活。这也是一种寓意十分明显的功利性的祭奠仪式。宋元时丧葬习俗趋向实用功利，这期间各民族之间的互相作用影响是很难分辨的。宋元时期丧葬礼俗的新变化是汉人礼俗变得功利以后影响了北方民族，还是北方民族少受礼教影响丧事带有更多的生存考量导致汉人习俗发生了变化？从现有文献看，这个问题的答案还很模糊。能够明确的是，无论是生育礼俗，还是婚丧礼俗，宋元时期南北各族都在向同样的方向变化着。如果要简单概括这个变化方向的话，我们可以说当时的礼俗都在用各种方式背离儒家礼仪的烦琐呆板。这种背离是无意识和无组织的，但其中流露和散发的却是共同的尚实用、讲功利的市民意识。如果以此为起点考察明清相关领域的文化流变，以俗代雅的趋势是显而易见的。

三、岁时节日：顺天守时与神人以和

岁时节日是人类日常生活的重要组成部分。中国古代的劳动人民在长期的生产生活中对各种自然现象逐步地摸索、认识和总结，岁时节日就是在这个过程中逐渐产生和发展起来的。古代的岁时节日，一方面，它凝聚着古人的智慧，意味着经验、知识和技能的传授；另一方面，它也蕴含着丰富的审美意味，意味着日常生活的调整、休憩、轻松与平衡。宋元

---

① ［英］道森编：《出使蒙古记》，吕浦汉译，中国社会科学出版社 1983 年版，第 123 页。

时期伴随经济的繁荣、社会物质文化的日趋发达,人们的精神生活也更加丰富。体现到岁时节日上,这一时期的节日风情也极度的绚烂多姿:具有悠久历史文化的中原节日与民族色彩浓郁的辽、金、元节日交相呼应。

每一个特定的节日总是来源于这一民族的历史生活,不同的节日与庆仪背后往往蕴藏着民族生活的差异。宋、辽、金、元时期,宋朝节日所表现的文化与其悠久的农业文明紧密地关联在一起,辽、金、元的节日文化却是在北方少数民族长期的游牧生活中孕育而来的,因此,异彩纷呈的多民族节日文化折射出来的恰恰是不同民族集体的审美意识,它们积淀在每一个属于自己民族节日的风俗与礼仪过程中,展现出独属于自己民族的审美情调。

(一)中原节日顺天守时的审美意识

中国的农业文明由来已久,悠久的农业文明是中华文明的重要组成部分。我国古代以农立国,中原地区很早就进入了农业社会,农业在人类的社会生活中占据着极其重要的地位。作为生活在中原地区的广大人民,他们在大约一万年前已经能够进行谷物栽培。大约在 8000 年前,黄河流域和长江流域陆续出现了专门的农业工具。在距今四五千年前,大约夏商时期,我国的原始农业已进入相对较快的发展期,中国的农业文明真正开始确立。

农业的精耕细作要求对气象和农时的精确把握,我国历法中特有的"二十四节气"体现了中国农业文明的巨大成就。二十四节气的节令观形成于春秋战国时期,完善于秦汉时期。它准确地反映了太阳运行的位置,直接对气候的冷暖变化给予科学的描述和总结,因而对我国的农业生产产生了长远而至关重要的影响。从此,根据二十四节气及时合理地安排农业生产,更加科学地进行农事活动成为中国农业的普遍行为,并且对农业为主的中国社会和华夏文化中的节庆产生了重大影响。

在继承前代岁时节日传统的基础上,宋人的很多节日都与农事有关,常常在节庆狂欢中也不忘农桑。元旦是宋朝重要的官定节日之一,举国欢庆,十分隆重。宋朝时的元旦,又称正旦、元日、旦日,俗称年节、新年,即我们现在的春节,指的是农历正月初一这一天。在这一天前后,民间形成不同日期开展的庆祝活动,形成了一个完整的"过年"节日群,如祭祖,拜年,穿新衣,燃放爆竹,饮屠苏酒,吃年馎饦,贵家富女出游并到饭店饮宴,等等。人们以狂欢的形式表达对过去一年圆满结束的庆祝和对新的一年的美好期盼。《说文解字》释年:"年,谷熟也。"也就是说,元旦节庆和过年节日群是古老农业的一种集中庆祝习俗。因此,我们看到,宋人的元旦活动中农业生产留存的文化痕迹相当浓重。在元旦,朝廷举办"朝会"时,皇帝首先代替天下苍生烧香向上天祈求"百谷",祈求来年风调雨顺、五谷丰登。然后,才接受使臣与大臣的朝贺。不仅元旦及过年如此,宋代的不少节日也都具有这样的特点,如宋代的上元节(元宵节)也极其热闹,也是普天同庆。百姓们还迎紫姑神,预卜当年蚕桑。中和节(二月一日)百官要进献农书,来显示朝廷对农业生产的重视。"民间尚以青囊盛百谷、瓜果子种,互相遗送,为献生子"①,人们希望以此礼俗来祝福彼此未来的收成都好。

顺天守时的意识是中国农业社会在漫长的生产实践中培养而成的一种思维方式,而农业生产中人力不可控因素中对农业影响最大的是天时气候,所以,在中国的节庆文化中首要的是敬天。宋代统治者每年至少举行三次祭天仪式:"宋之祀天者凡四:孟春祈谷,孟夏大雩,皆于圜丘,或别立坛。季秋大飨明堂,惟冬至之郊,则三岁一举,合祭天地焉。"②每年春、夏、秋三季的祭天仪式是固定的,春天祈求五谷丰登,夏天祈雨,秋天祭告感谢上苍。皇家祭礼中特别重视祭天之礼,其一方面在昭告天下其身为天子的崇高地位;另一方面,也通过君民一体的方式来祭天敬天、顺承天意表达万民对风调雨顺的期望。二者都是从有利于统治稳固的目的出发的。不光统治者有此等意识,敬天可以说是深入人心的一种认识。南宋咸淳八年(1272 年),黄震在抚州任上于正旦之日"演敬天之说"。黄震认为"日月星辰、风雷雨露皆是天",五谷的生长、人类的孕育都要依

---

① (宋)吴自牧:《梦粱录》,见(宋)孟元老等:《东京梦华录》(外四种),古典文学出版社 1957 年版,第 143 页。

② (元)脱脱等:《宋史》,中华书局 1977 年版,第 2456 页。

靠它。因此,人要敬畏天。他还认为朝廷、父母、自身也是天。黄震在正
旦演说的目的是多重的,维护社会稳定,维持社会秩序,感恩天神,委婉劝
农都是他想要达到的效果。可知"顺天"既与实际的农业生产密切联系,
更与统治者的实际利益直接相连。宋朝的皇帝们也会假借天意设立节日
以巩固统治。宋真宗因为掩盖"澶渊之盟"的耻辱而编造天书下降的谎
言,陆续设立了天庆节、天祯节(避宋仁宗讳后改为天祺节)、天贶节、
先天节和降圣节。后来,宋徽宗也曾模仿这种行为。在虎视眈眈的少
数民族政权的威慑下,两宋统治者为了证明自己的正统地位不得不借
助了天威。

　　"守时"是中国古代农业社会逐渐形成的信念,农业生产具有强烈的
季节性,春种、夏耘、秋收、冬藏不容更易,根据节令按时安排生产事宜是
丰收的重要保证,所以,不误农时就显得特别重要。宋朝的统治者非常重
视农业生产,岁时节日如立春,劝农的意味就非常明显。北宋时期,据孟
元老记载:"立春前一日,开封府进春牛入禁中鞭春。开封、祥符,置春牛
于府前。至日绝早,府僚打春,如方州仪。府前百姓卖小春牛,往往花装
栏坐,上列百戏人物,春幡雪柳各相献遗。春日宰执亲王百官皆赐金银幡
胜,入贺讫,戴归私第。"①南宋时期,"临安府进春牛于禁庭。立春前一
日,以镇鼓锣吹妓乐迎春牛,往府衙前迎春馆内。至日侵晨,郡守率僚佐
以彩仗鞭春,如方州仪。太史局例于禁中殿陛下,奏律管吹灰,应阳春之
象。街市以花装栏,坐乘小春牛及春幡、春胜,各相献遗于贵家宅舍,示丰
稔之兆。宰臣以下,皆赐金银幡胜,悬于幞头上,入朝称贺"②。可见,两
宋立春风俗基本相同,立春前一日迎春牛,春牛等要送入皇宫。用彩杖击
打春牛,即劝农耕作之意,表达了对不误农时抓紧春耕的重视。有趣的
是,这种带有戏仿色彩的节日活动,让平时严肃的高高在上的官员们进行
虚拟的农耕使得节日本身具有了某种"广场狂欢"式的娱乐性。与之相
类的是,按惯例两宋地方官在春耕时都要举行"劝农"仪式。立春时,地

---

① (宋)孟元老撰,伊永文笺注:《东京梦华录笺注》,中华书局2006年版,第534页。
② (宋)吴自牧:《梦粱录》,见(宋)孟元老等:《东京梦华录》(外四种),古典文学出
版社1957年版,第140页。

方上通常由州县地方长官鞭打春牛,"州县官更执鞭击之,以示劝农之意"。需要注意的是,中国的封建社会发展到了宋元,经济的繁荣、宗教的盛行使各个节日普遍呈现出了狂欢化、综合化的倾向,有的节日甚至把农事、祭祖和宗教信仰结合到了一起。如七月十五是道家的中元节,是地官赦罪的日子,民间百姓亦在此日借机告慰祖先收成大好,衣食有余:"中元前一日,则卖练叶,享祀时铺衬桌面,又卖麻谷窠儿,亦是系在桌子脚上,乃告祖先秋成之意,又卖鸡冠花,谓之'洗手花'。十五日供养祖先素食"①。中国人讲究祭祖,因此对于祖先的祭祀也常常要告之农事收成。有的节日则把农事和宗教信仰结合在一起,如腊日(十二月初八日)本为佛教纪念佛祖成佛得道之日,民间蚕农"腊日,取蚕种笼挂桑中,任霜露雨雪飘冻,至立春日收,谓之天浴。盖蛾子生,有实有妄,妄者经寒冻后不复生,唯实者生蚕,则强健有收成也"②。由此可以看出,中原节日中顺天守时的意识逐渐融入了宗教信仰等其他意识。

(二)北方少数民族神人以和的节日意识

"每一个民族都有自己的岁时节日,它的形成和发展都经历了一个漫长的历史文化积淀的过程,蕴含人类的原始信仰和人生期盼,表现出一定时代人们的心理特征、审美情趣和价值观念。"③契丹、女真与蒙古族的岁时节日也是如此,他们的岁时节日与他们的生活方式相适应,总体上都沿袭着北方游牧民族的传统习俗,常常表现为灵魂、鬼神、自然崇拜与宗教信仰的相互交叉。同时,契丹、女真与蒙古族各自建立的少数民族政权都曾南下中原,本民族的传统习俗受到了汉族传统习俗的重大影响,元代蒙古族除了受到汉族习俗的影响外,还受到了西域、中亚地区"回回"习俗的影响,这样,契丹、女真与蒙古族的传统习俗已经发生了较大变化。即使如此,他们的传统习俗中那些根深蒂固的东西依然在发挥着重要的作用,那就是这些民族的古老信念——神人以和的意识,即相信神和人通

---

① (宋)孟元老撰,伊永文笺注:《东京梦华录笺注》,中华书局2006年版,第795页。

② (宋)陈元靓:《岁时广记》(丛书集成初编本),商务印书馆1937年版,第427页。

③ 游彪、尚衍斌、吴晓亮等:《中国民俗史》(宋辽金元卷),人民出版社2008年版,第357页。

过某种交流而能协调共处。

　　契丹、女真与蒙古族都属于北方游牧民族,他们在早期生活中共同信奉的是萨满教。"萨满教曾经在北亚、北美、北欧的寒温带、寒带广泛流行过"①,也是中国北方少数民族中盛行的一种原始宗教,在契丹、女真与蒙古等族的社会风俗中占据着重要地位。萨满教的基本观念是相信万物都有神,灵魂不死,兼容了祖先崇拜、图腾崇拜和自然崇拜等多方面的内容。"萨满,通古斯(中国鄂温克族的古代称呼,笔者注)语,其词根'Sar'为'知道'、'知晓',其含义按萨满史诗《乌布西奔妈妈》中解译为'晓彻'之意,即最能通达、知晓神意者。"②这是对萨满最恰切的解释。萨满教及萨满之所以被北方各族普遍崇拜,最重要的原因就在于它们被北方各族认为其可以沟通人与鬼神祖先等超自然存在之间的联系,因而在民族生活中具有崇高的地位。因此,北方各族的民族节日往往与萨满宗教活动密切关联。在辽朝最隆重的木叶山祭祀天地的仪式中,"太巫以酒酹牲","三致辞,每致辞,皇帝、皇后一拜,在位者一拜","太巫奠酹讫,皇帝、皇后再拜,在位者皆再拜"。③ 在皇帝举行瑟瑟仪祈雨时,"巫以酒醴、黍稗荐植柳"。其余,皇帝丧葬、再生仪都需要巫师的参与。上述活动涉及契丹人对于天地、祈雨、丧葬和孝道的理解,在这些无法知晓结果的重要事务中,巫师都扮演着重要的角色,他们在与神灵的沟通过程中所起的作用被认为是至关重要的,而且十分灵验。

　　与契丹人一样,女真人认为"巫者能道神语",蒙古人在生活中也十分信赖巫师,部落生活中的大事,如婚嫁、生育、丧葬、出征、打猎都要请萨满举行一定的仪式。占卜吉凶、预测未来等活动,也都要由萨满来完成。蒙古建国以前,草原各部"没有领袖,没有法律,而只有巫术和占卜,这些地区的人,对于巫术和占卜是极为重视的"④。蒙古统治者对于萨满巫师

---

　　① 王洪刚、王海冬、张安巡:《追太阳——萨满教与中国北方民族文化精神起源论》,民族出版社 2011 年版,第 7 页。
　　② 王洪刚、王海冬、张安巡:《追太阳——萨满教与中国北方民族文化精神起源论》,民族出版社 2011 年版,第 6 页。
　　③ (元)脱脱等:《辽史》,中华书局 1977 年版,第 834 页。
　　④ [英]道森编:《出使蒙古记》,吕浦汉译,中国社会科学出版社 1983 年版,第 140 页。

一直是很看重的,"蒙古人尚无知识文化的时候,他们自古以来就相信这些萨满的话;即使如今,蒙古宗王依然听从他们的嘱咐和祝祷,倘若他们要干某件事,非得这些法师表示同意,否则他们不作出决定"①。成吉思汗兴起之初,曾经得到巫师阔阔出预言的帮助。蒙哥汗也"酷信巫觋卜筮之术,凡行事必谨叩之,殆无虚日,终不自厌也"②。因此,萨满巫师在蒙元统治时期的作用是非常突出的。可见,对萨满巫师的依赖是辽、金、元的共同特点。

契丹、女真与蒙古族虽然在岁时节日的设立上都受到了中原传统节日的影响,但在具体的活动仪式上却保留了很多本民族的特色,在这其中,萨满依然具有重要的意义。以辽十分看重的正旦来看,在《辽史·礼志六》中记载,契丹本民族的习俗是这样的:"正旦,国俗以糯饭和白羊髓为饼,丸之若拳,每帐赐四十九枚。戊夜,各于帐内窗中掷丸于外,数偶,动乐,饮宴。数奇,令巫十有二人鸣铃,执箭,绕帐歌呼。帐内爆盐垆中,烧地拍鼠,谓之'惊鬼',居七日乃出。"③可见,契丹人在正旦时的习俗与中原的差异还是很大的。尤其是当把糯米和白羊髓揉成的团抛掷到窗外遇奇数时,本应是欢乐的饮宴突然变成了"惊鬼"的活动。"鸣铃,执箭,绕帐歌呼"都是典型的萨满教活动仪式,目的在于驱除鬼魂,祈求平安。按照契丹习俗,在岁除(即除夕)时也必须要由萨满来祈福,"巫及大巫以次赞祝火神"。萨满巫师在祈福、驱鬼、祭祀活动中的作用也就被非常突出地表露出来了。

在元代的岁时节日中,萨满也因其所具备的与神灵沟通的资格而使节日活动仪式具有更重要的意义。岁末的元代宫廷会举行一系列消灾、迎福的活动,在这些活动仪式中,萨满巫师的沟通能力决定了仪式的有效性。"每岁十二月十六日以后,选日,用白黑羊毛线,帝后及太子,自顶至手足,皆用羊毛线缠系之,坐于寝殿。蒙古巫觋念咒语,奉银槽贮火,置米

① [波斯]志费尼:《世界征服者史》,何高济译,内蒙古人民出版社 1981 年版,第65 页。

② (明)宋濂等:《元史》,中华书局 1976 年版,第 54 页。

③ (元)脱脱等:《辽史》,中华书局 1977 年版,第 877 页。

糠于其中,沃以酥油,以其烟熏帝之身,断所系毛线,纳诸槽内。又以红帛长数寸,帝手裂碎之,唾之者三,并投火中。即解所服衣帽付巫觋,谓之脱旧灾、迎新福云"。与之相似的每年十二月下旬的脱灾活动"射草狗"也需要巫师参与其中,"选达官世家之贵重者交射之。射至糜烂,以羊酒祭之。祭毕,帝后及太子嫔妃并射者,各解所服衣,俾蒙古巫觋祝赞之。祝赞毕,遂以与之,名曰脱灾,国俗谓之射草狗"。① 这些都表明萨满教信仰在蒙古人宫廷生活中的重要性,各种仪式都仰仗萨满与神的沟通。随着忽必烈推行汉法,以及其他宗教对于元统治者的影响,萨满教的信仰虽然有所削弱,但它在祭祀仪式中的重要性并未减退,这也是因为人们对于萨满与鬼神沟通能力的信任。

北方游牧民族中对于萨满教的普遍信仰,是这些民族岁时节日审美意识形成的根基。萨满教教义思想与北方草原游牧民族游牧为主的生活方式相符,萨满教相信万物有灵,认为天地、日月、风雨、雷电、山川、树木等都有神灵主宰,这实际是把自然界看作一个有思想、有意识的生命实体,人与自然、天地万物共存于世,因此,人类的行为不是为所欲为,而要请示周遭的神灵,这样,通过男女萨满进行的人与鬼神之间的沟通就极其重要了。萨满既可以上天,又可以入地,凭借气化神功与鬼神沟通,成为鬼神与人的中介,帮助人们完成各种祈祝意愿。而岁时节日以其固定的时间和固定的活动不断强化着这种联系,神与人之间能够和谐共处的信念也得以不断巩固。

在不同的生产生活中,中原汉民族和北方各族分别形成了各自的节庆审美意识,中原大抵讲求顺天应时,北方游牧民族则崇尚神人以和。但在南北民族杂居、文化频繁交流的时代文化环境中,南北各民族节庆民俗也出现互相吸收的情况。如契丹女真民族节日中原本没有庆祝最高统治者的"圣节",进入中原后,渐趋汉化的辽金贵族也开始祝贺皇帝太后的生辰,"圣节"成为南北各族节庆文化中的交集。这种庆贺统治者生日的礼节辽人称为"再生仪",其俗兼具本民族与汉民族内容,皇帝要"释服、

---

① (明)宋濂等:《元史》,中华书局 1976 年版,第 1925 页。

跣。以童子从,三过岐木之下。每过,产医妪致词,拂拭帝躬。童子过岐
木七,皇帝卧木侧,叟击箙曰:'生男矣。'太巫幪皇帝首,兴,群臣称贺,再
拜"①。这部分节庆仪式明显是契丹民族生育习俗中萨满文化的留存,推
测在契丹民族早期应不是帝王的专属节庆仪式,在进入中原后被异化为
皇家礼仪。同时,皇帝生辰礼庆还包括儒家制定的中原皇家礼仪,"臣
僚、国使班齐,皇帝升殿坐。臣僚、使副入,合班称贺,合班出,皆如皇太后
生辰仪。中书令、北大王奏诸道进奉表目。教坊起居,七拜。臣僚东西门
入,合班再拜。赞进酒,班首上殿进酒。宣徽使宣答,群臣谢宣谕,分班。
奏乐,皇帝卒饮,合班。班首下殿,分班出。皆如正旦之仪。"②这种原有
节庆礼俗的变化表明,契丹人进入中原后胡汉节庆礼俗开始走向融合。
金代皇家"圣节"礼仪的情况与此相类似。女真人原本没有历法,不存在
生日庆典的文化概念。南下进入中原后,受辽金习俗影响,"酋长坐朝,
皆自择佳辰"。金太宗天会二年,立天清节,为皇帝庆祝生辰,此后,金代
皇帝开始普遍设立"圣节"。不仅帝胄贵族节庆开始胡汉融合,辽、金、元
时期,普通百姓也开始普遍庆祝正旦、元宵、寒食、中元、端午等汉人节日。
从一般规律看,此时期北方汉人的节庆礼俗方面也应熏染着北方各族的
民族文化而发生了相应的变迁。如"放偷"之节,洪皓《松漠纪闻》载:
"(金国)唯正月十六日则纵偷一日以为戏……自契丹以来皆然,今燕亦
如此。"③据刘浦江考证,"放偷"节俗起于契丹,辽金时北方盛行,不仅契
丹女真百姓如此,北方燕地汉人也有"放偷"之俗。应该讲,汉人节俗胡
化应不止于此,但限于文献记载的限制,只能从一些侧面推测这一现象的
普遍发生。《辽史》记载辽代进入中原的契丹人"岁时田牧平莽间。边防
纠户,生生之资,仰给畜牧。绩毛饮踵,以为衣食。各安旧风,纽习劳事,
不见纷华异物而迁"④。契丹是统治民族,其保持旧风,那么与之共处的

---

① (元)脱脱等:《辽史》,中华书局 1977 年版,第 878—879 页。

② (元)脱脱等:《辽史》,中华书局 1977 年版,第 875 页。

③ (宋)洪皓:《松漠纪闻》,见上海古籍出版社编:《宋元笔记小说大观》(三),上海
古籍出版社 2001 年版,第 2798 页。

④ (元)脱脱等:《辽史》,中华书局 1977 年版,第 377 页。

汉人的移风易俗是可想而知的。

总的来看,宋元时期中原汉民族与北方各族在节庆习俗上各有沿袭,其中蕴含着本民族长久以来的文化传统,但在共同生活的民族融合大潮中,节庆习俗之间也发生了互相渗透的现象,但因节庆习俗往往与本民族文化传统中相对稳固的信仰相联系,审美意识层面彻底认同异族的节庆习俗的迹象并不明显或相对隐约。但我们还是看到,随着辽、金、元政权进入中原后汉化现象的突出,宋元以后留居汉地的契丹、女真、党项、蒙古各族的节庆礼俗也更多地汉化和农业化了,这种变迁在明清时表现得比较显著,其中反映出的北方各族节庆审美意识的汉化是不言而喻的。

第八章
宋元陶瓷中的审美意识

　　宋元时期,随着封建经济走向高度繁荣,在汉唐陶瓷深厚积淀的基础上,中国陶瓷艺术迎来又一发展高峰。① 需要注意的是,宋元陶瓷的发展并未循着经漫长积蓄成就高峰而走向衰亡的一般规律流变、演进,而是在前、中、后的不同阶段中都取得了不凡的成就,如龙门叠浪,诸峰对峙,转出转精,又如碧水出闸,九流分溪,蔚然大观。按时间先后考察的话,我们可以看到,宋元陶瓷前期既有北方柴窑烧制出的“滋润细媚”的“雨过天晴”瓷,亦有南方吴越继承唐之越窑工艺烧制出的更精美的“秘色瓷”。此两种瓷器美轮美奂,后人皆有“不能及”之叹。中期时,汝、钧、官、哥、定等五大名窑与磁州窑、耀州窑、龙泉窑、吉州窑、建窑等窑系分据南北,各展所长,佳作迭出,成陶瓷史上难得的盛况。后期至元代虽有少衰,但如青花器、釉里红、分水画胎等于中期极高妙成就中另辟蹊径,自有一种趣味生出,下启明清陶瓷,有开一代新风的气概,不可小觑。正因宋元陶瓷之洋洋大观,吴仁敬在《中国陶瓷史》一书中论曰:“总揽宋世一代瓷业而观之,其色彩之变化,形样之精巧,产量之众多,质品之进步,实属迈越前代,为吾国瓷器之特出时期也。”②

　　宋元陶瓷的辉煌一方面表现在规模和数量上远超前代,仅以瓷窑遗址的考古发现为例论之,新中国成立以来陶瓷考古发现,有古瓷窑的 170

---

　　① 考察宋元陶瓷发展史,对时间上下限的认定本书认为应上起五代十国后期,下至元代,包括后周时的名窑——柴窑和吴越时期的秘色瓷,旁及辽金陶瓷。之所以对上限作如此的处理,主要考虑到陶瓷审美与瓷窑的承传及瓷器的流布直接相关,不能简单地照搬历史朝代分期。

　　② 吴仁敬:《中国陶瓷史》,北京图书馆出版社 1998 年版,第 33 页。

个县中,发现宋代瓷窑的达 130 个县,占总数的 75%。不仅如此,数以百计的窑口因地域和风格的不同,形成了汝窑、官窑、钧窑、定窑、磁州窑、耀州窑、龙泉窑、景德镇窑等不同窑系,在广泛的大规模烧制中又呈现出重镇各主一方的态势。因供给充足且产品精致,宋元时在官用—民用、陈设—日用等领域实现了陶瓷器物的真正普及,从礼器、祭器到食器、水具、盛器、陈设器,乃至瓷砚水注、瓷枕粉盒等日用器,陶瓷在宋元社会中可说是无处不在。远至漠北,南及流沙,海内域外,处处可见陶瓷的流布应用。另一方面,在宋元陶瓷烧制活动繁多且兴盛的四百余年间,陶瓷的辉煌还表现为制瓷工艺取得极大进步,新材料、新工艺、新产品等层出不穷。随着社会生活对陶瓷的需求,各大窑口、窑系在市场竞争中极力追求工艺的革新,大量新工艺被发明并推广。在空前的大规模陶瓷生产中,无数优秀的陶瓷匠人一边揣摩改造前代优秀的陶瓷工艺(如绞胎、彩釉等得到全面的继承和发展),一边结合实际努力创新,实现了陶瓷器物在审美与功用上的更进一步。总的来说,宋元陶瓷生产的蓬勃发展与陶瓷应用的全面普及为陶瓷工艺革新提出了要求,与此呼应的是新材料、新工艺、新产品的不断出现和应用,这一切无疑是宋元陶瓷审美出现新变化的现实基础。

新材料、新工艺与新产品和陶瓷生产、使用的普及是陶瓷审美意识发生变化的促因和结果。与纯粹书画艺术不同,陶瓷审美意识与陶瓷生产技术革新是紧密相关且互为因果的。因此,讨论陶瓷审美意识的话,需要对宋元陶瓷技术变革做个简单的梳理。如从制陶烧瓷工艺流程去把握宋元陶瓷的技术革新的话,我们发现,宋元陶瓷匠人几乎在陶瓷烧制工艺的所有重要步骤中都取得了突破性的革新。从原料上看,宋元时期烧瓷所用瓷土中的氧化铝(AL_2O_3)及碱金属氧化物较汉唐时更高,北方的汝窑等使用高铝质黏土掺和熔剂性原料制胎和南方的龙泉窑等以瓷石掺和紫金土制胎都是前代未有之举。对瓷土料的碾磨、淘洗和沉淀也有所变化,有时使用二次淘洗沉淀工艺使之更加细腻。从制胎上看,宋元陶瓷胎体刻花、划花、印花、堆贴工艺更趋精细复杂,北方各大窑口在胎体上普遍使用化妆土工艺,并发展出利用化妆土与胎体色彩之间差异的剔(填)

花和彩绘技巧。在造型上,特重实用便利,如宋之玉壶春瓶、辽之鸡冠壶、元之青花大罐等,无不如此。从纹饰上看,缠枝、折枝、散点、开光、团花等规律图案较前代大大丰富精细,缂丝纹和婴戏图案的引入显示出浓厚的市民趣味。从彩绘上看,磁州窑将唐长沙窑的釉上彩发扬光大,为后来的五彩瓷奠定了基础,釉下彩则北方磁州窑与南方吉州窑各擅胜场;元代青花瓷和釉里红瓷横空出世,成就一代名器,影响深远。从釉色上看,包括天青、粉青、梅子青和影青的青釉色取代白釉成为陶瓷的主要釉色,石灰碱釉的应用实现了厚釉罩胎,尤其值得一提的是,巧妙利用了窑变、开片(裂纹釉)和结晶釉等制瓷的偶发缺憾,创制了新的釉色加工工艺,变缺陷为新美。在烧制上,馒头炉逐渐改为龙窑,同时各大窑系普遍使用"火照",更好地掌握烧制温度。此外,煤烧窑、双燃烧室和复烧法的应用,大大提高了陶瓷生产效率,为宋元陶瓷的大规模普及作出了贡献。一言以蔽之,量大用广、新法频出是宋元陶瓷的真实写照。

空前繁荣的大规模陶瓷生产和天文数字级的实际陶瓷制品产量,为更多陶瓷美器的出现提供了坚实的制造土壤,文气充盈同时市井繁盛的宋元社会为这一时期的陶瓷审美飞跃提供了文化和思想上的准备。天时、地利、人和俱备,陶瓷审美走向辉煌的大时代亦到来了。如《中国陶瓷史》在评价宋代陶瓷时指出的:

> 宋代制瓷工艺在我国陶瓷史上的最大贡献是为陶瓷美学开辟了一个新的境界。钧瓷的海棠红、玫瑰紫,灿如晚霞,变化如行云流水的窑变色釉;汝窑汁水莹润如堆脂的质感;景德镇青白瓷的色质如玉;龙泉青瓷翠绿晶润的梅子青更是青瓷釉色之美的极致。还有哥窑满布断纹,那有意制作的缺陷美、瑕疵美;黑瓷似乎除黑而外无可为力,但宋人烧出了油滴、兔毫、鹧鸪斑、玳瑁那样的结晶釉和乳浊釉。磁州窑的白釉釉下黑花器则又是另一种境界。釉下黑花器继承了唐代长沙窑青釉釉下彩的传统,直接为元代白瓷釉下青花器的出现提供了榜样。定瓷的图案工整严谨的印花,耀瓷的犀利潇洒的刻花都是只知有那窑白瓷与越窑"千峰翠色"、"秘色"、"如冰似玉"的

唐和五代人所不及见、不及知和不可想象的新的仪态和风范。①

在把玩观赏留存的宋元陶瓷精品的时候,所有人都会由衷地赞同前面《中国陶瓷史》对宋代陶瓷的评价——宋代制瓷工艺的革新为"(中国)陶瓷美学开辟了新境界"。但包含在制胎、造型、装饰、彩绘、釉色、烧制等不同工艺中的种种宋元陶瓷新工艺是遵循着哪些美的标准而被琢磨出来的呢? 巧匠和新工艺合力烧制出的那些令人惊叹的绝美陶瓷传达着怎样的趣味呢? 宋元陶瓷之美与这四百年审美风潮之间又是如何互相作用的呢? 所有的这些问题都在指向一个问题:宋元一代陶瓷匠人以怎样的审美意识造就了这样一种难得的陶瓷胜景,宋元陶瓷中所深蕴和想要传达的是什么呢?

第一节 巧夺天机、妙法自然

在我国漫长的工艺美术史中,作为工艺美术之大宗的陶瓷烧制,历史悠久,底蕴深厚,向为中国工艺审美之风标。早在五六千年前的新石器时期,我国就出现了制陶活动,且已制出原始瓷器。② 可以说,制陶是上古时期国人掌握的较早的重要的"造物"技术。所以,一方面,制陶烧瓷与打造石器、骨器等生产活动共同成为中国造物思维形成的实践基础;另一方面,制陶烧瓷也遵循着中国的造物思维不断地发展演变着。因此,要在时间的维度真正明了宋元陶瓷审美意识,首先需要我们回到历史当中去构建宋元陶瓷工匠和宋元陶瓷工艺继承并坚持的古老中国的造物思想。而后,站在宋元人认同的造物传统立场上去观察认识宋元人的陶瓷造物思维,如此方可从源到流去全面地认识宋元陶瓷审美意识。

---

① 中国硅酸盐学会编:《中国陶瓷史》,文物出版社 1982 年版,第 229—231 页。

② 参见中国硅酸盐学会编:《中国陶瓷史》,文物出版社 1982 年版,第 2 页。亦有学者认为中国的陶瓷起源应更早,他们认为桂林甑皮岩遗址出土的距今 12000 年的素面夹砂陶片是目前中国发现最早的陶器,这一时期处于新旧石器时代交替之间。(吴瑞、吴隽、邓泽群、李家治:《广西桂林甑皮岩遗址陶器的科学研究》,《中国陶瓷工业》2005 年第 4 期)

一、"巧夺天机、妙法自然"思维的历史流变

所谓"造物",又称"制器"、"创物"。《说文解字》云"造,就也","物,万物也","器,皿也"。按《说文》的解释,人所做的,制造自然原本没有的器物即造物制器,其中自然包括陶瓷。对于刚刚脱离原始蒙昧的古人来说,制造器物并非简单地改善生存条件或提高生活质量,而是关系到种群繁衍乃至文明存续的关键大事。更好的器物带来的不仅是工具,而是更高的生产力,或者说是更高的改造自然以实现人的目的、体现人的价值的能力。造物乃新创,蕴含和彰显着人的创新与探索。哲人以为人们可借此以小见大尝臠知鼎,通过造物探知感悟至高大道。故《周易·系辞上》云:

> 《易》有圣人之道四焉:以言者尚其辞,以动者尚其变,以制器者尚其象,以卜筮者尚其占。是以君子将有为也,将有行也,问焉而以言,其受命也如响。无有远近幽深,遂知来物。非天下之至精,其孰能与于此。参伍以变,错综其数。通其变,遂成天下之文;极其数,遂定天下之象。非天下之至变,其孰能与于此。《易》无思也,无为也,寂然不动,感而遂通天下之故。非天下之至神,其孰能与于此。夫《易》,圣人之所以极深而研几也。唯深也,故能通天下之志;唯几也,故能成天下之务;唯神也,故不疾而速,不行而至。子曰:"《易》有圣人之道四焉"者,此之谓也。

> 是故形而上者谓之道,形而下者谓之器。化而裁之谓之变,推而行之谓之通,举而错之天下之民谓之事业。是故夫象,圣人有以见天下之赜,而拟诸其形容,象其物宜,是故谓之象。圣人有以见天下之动,而观其会通,以行其典礼,系辞焉以断其吉凶,是故谓之爻。极天下之赜者存乎卦,鼓天下之动者存乎辞,化而裁之存乎变,推而行之存乎通,神而明之存乎其人,默而成之,不言而信,存乎德行。①

如《周易》所言,在中国的传统思维中,造物制器的目的并不仅仅在

---

① 周振甫译注:《周易译注》,中华书局 1991 年版,第 245、250 页。

于使用,更重要的是通过制器去揣摩世界运行的基本规律。《周易》中认为:器象与言辞、动变、卜占异体而同质,是圣人用于体道的四种法门之一。制器的目的在于尚象,是圣人之道,因此不能流于实用,而要"极数而定天下之象",进而成就"天下之务"。我们认为,在中国人的制器造物思维中,"器"是连接自然与人的纽带,是人们观察自然后模仿创成,是人自我认知和掌握自然的结果。在制器中,人们揣摩着自然的普遍规律,通过制器感受自然与人本身,力求达到人与自然的和谐统一。以"制器尚象"、"器下道上"论,制器的意义可谓大矣。

自《周易》起,散见于各家著述的造物制器之言,均将造物制器与形而上的哲学思考联系在一起,或因上下相类而譬喻,或因彼此同理而佐证。《周礼·冬官·考工记》云:"知者创物,巧者述之,守之世,谓之工。百工之事,皆圣人之作也。烁金以为刃,凝土以为器,作车以行陆,作舟以行水,此皆圣人之所作也。天有时,地有气,材有美,工有巧,合此四者,然后可以为良。"[1]在《考工记》的这段文字中,古人进一步明确了造物制器与人的关系,指出"知者创物",认为造物思维中包含并体现着人之"智",即人的主观思维。但人智创造出的是停留于设计构思阶段的观念想法,器物的创生还需要人之"巧"(即能够实现设计构思的制造能力)方可完成。作物之人因其"智",亦因其"巧"而成圣。《考工记》将造物制器与"圣人之作"联系起来,初步建构了人以造物来表达展示智慧及思想的基本造物逻辑,形成了比较完整的造物制器思维。造物之缘起在于观物体道,由道而及物。人在造物中不断发现自我的灵智,形成对道的更深的认识。这样形成的道—物—人—智—道的循环,在主客间、物我间不断地螺旋上升,由此及彼地进行着人与道的交流融合。

在关注造物之人的同时,《考工记》也认识到了生产力与科技的局限。前面已经提到,不同于诗文舞咏等纯粹文艺形式,包括陶瓷在内的工艺美术受科技等客观因素影响较大。在生产力尚不发达的春秋战国时期,工匠尚不能完全把控工艺的整个流程,也不具有从科学原理的角度认

---

[1]　闻人军译注:《考工记译注》,上海古籍出版社 1993 年版,第 117 页。

识制造生产的能力。所以，他们并不一定能确定实现预设的造物构思，其生产和产品受原料天然属性和自然环境的影响较后来更加直接强烈，因而，所造之物具有一定的偶然性和随机性。如何处理造物活动中自然因素与人的制造活动的关系，成为早期造物思维中关注的重点。因此，《考工记》指出造物存在四个关键要素，其中，完全属于人力所能及的只有"巧工"，另外的天、地、材三者均属于客观自然范畴。限于改造自然能力的局限，中国人在此时初步形成了顺物自然的思维。这种思维承认造物活动中自然因素的影响，承认人力的局限和制造中的随机和偶然，但不主张改造和对抗这种自然影响，而是强调顺应自然物性，变影响为助力，达到人工与自然物性的合流，进而利用这股合力更好地造物制器。由此，中国造物思维渐渐形成对极致的造物境界的判断标准，即通过工巧达到造物与天时、地气、美材的完美统一；当四者彻底地统一而难分彼此的时候，人工制造与天然生成也就无法区分，达到了"巧夺天工"的境界，此即《周易》提到的"极于数"的"制器"。当器物的工艺达到"巧夺天工"的层次时，器物之美体现的是一种合于自然的人工之美。这种美自然中本不存在，也不是自然生成的，但它所遵循的是自然的美的规律，与自然融合无碍，宛如一体同生。比起自然本身，这种合于自然的人工造物在审美上更为集中、更加强烈，更能激发欣赏者的审美体验。从这个角度上看，人工造物之美又具有超越自然美之处。在人工合于自然但又超越自然中，造物的工艺过程和造成的器物都被赋予了奇异的矛盾张力，人、物、天（自然）在静谧的和谐中而呈现动态平衡，形成了独特的只属于造物者的审美体验。

梳理历史上的造物文献可以发现，源于原始的造物崇拜逐渐转化为造物体道的思维，这成为中国人认识世界、体察自我的途径之一。进而，制器造物之美被认为是人工与天然的有机统一。首先，造物是人力与自然的接触和融合，人之所以能够造物是因为人能够随物知性，不伤纯朴，能够达到"天工"的"巧"才是造物制器的极致。其次，人能造物在于人们能够认识、遵循无形而无不在的"物理"。"物理"并非是人造出来的，而是原本普遍存在于自然但在造物中被人发现认识进而掌握的。再次，人造器物真正价值不是形状体貌,而是其内蕴的"物理"。"物理"与"圣人之道"有上下之分但本质是相通的,体察物理是感悟圣人之道的途径之一。对于造化、自然的认知思维,中国哲学中主要的观点是儒家的天人合一和道家的道法自然,所谓体道合天者也。因此,造物审美的根本在于通过造物来感悟大道,造物所寄托(或具有的)的"造化大道"并非浅显于外,而一定是深蕴或沉淀于表象之下的。器物内蕴的"造化大道"需要细心体悟方可把握,因此中国古代的造物讲求的是含蓄浑融,而非华丽璀璨。

宋元时期,上述造物思维仍然被视为是工艺领域应遵循的根本法则。不仅在工艺领域如此,由此延伸的观物、赏物、用物等领域,这种强调妙手人工展示自然本性、以物体道的思维也被普遍认可,且被宋元有识之士作了更具时代特色的阐发。程颐云:"形而上为道,形而下为器,须著如此说,器亦道,道亦器,但得道在,不系今与后,己与人。"①与之相比,李公麟论道器关系更显细致全面。他在《考古图序言》中说:"圣人制器尚象,载道垂戒,寓不传之妙于器用之间,以遗后人,使宏识之士,即器以求象,即象以求意,心悟目击命物之旨,晓礼乐法而不说之秘。"②很明显,李公麟的"制器尚象"理论直接源于《周易》,但李氏之论引入"心意"说,带有宋代儒学讲究心性的痕迹。由探礼求法导向"不说之谜",显出了几分将《周易》的"制器尚象"思维与道家"大巧因自然以成器"思维相融合的倾向。其中,以"不传之妙"来形容器物之道又带有几分禅宗佛学的玄理。实际上,宋元工艺美术的指导思想直承儒家造物制器思维,但对道家"大巧不工"、"不伤自然纯朴之性"和禅宗"不立文字"反对刻意追求外在形式的观点也是极为认可的。因此,苏轼在《书李伯时山庄图后》中提出"道艺说"。"不留于一物,故其神与万物交,其智与百工通。虽然,有道有艺,有道而不艺,则物虽形于心,不形于手。"③又云:"知者创物,能者述焉,非一人而成也。君子之于学,百工之于技,自三代历汉至唐而备矣。

① (宋)程颢、程颐:《二程集》,王孝鱼点校,中华书局1981年版,第4页。
② (宋)翟耆年:《籀史》卷上《李伯时考古图五卷》,《守山阁丛书》本。
③ (宋)苏轼:《苏轼文集》第5册,中华书局1986年版,第2211页。

故诗至于杜子美,文至于韩退之,书至于颜鲁公,画至于吴道子,而古今之变,天下之能事毕矣。道子画人物,如以灯取影,逆来顺往,旁见侧出,横斜平直,各相乘除,得自然之数,不差毫末。出新意于法度之中,寄妙理于豪放之外,所谓游刃余地,运斤成风。盖古今一人而已。"①苏轼此论道出宋元人造物的普遍认识:道者,天机也,艺者,人工也,必须道艺相济,方可成就佳瓷美器。二者缺一必相损,道差则器俗,艺下则器丑,此必然也。

总结宋元人对造物之美的论述,与先秦的造物思维有继承也有发扬,宋元人认可器物中蕴含着至理大道,也肯定超越窠臼的形式创新。同时,因文气浓郁的社会环境,对静穆素朴的美格外看重,宋元"百工之技"往往强调内蕴意趣,更加重视对造物之美内在的发掘,更倾向于剥除繁杂的雕饰而回归对美的本质的展示和发现,更强调人工对玄奥自然所蕴含的天机的表现。他们承认"手艺"、"法度",但关注和表现的重点是在这之上的"心道"和"妙理",是作品中"无迹可求"的暗合自然的神韵。造物之工果能巧夺天机、妙法自然,则可视为工艺之巅峰极致。苏轼之论虽发言于画,但指论极广,其中论及"百工"的观点可以看作宋元文人对陶瓷等工艺美学的真知灼见。如从宋元陶瓷实际情况看,上述造物理论既是对宋元陶瓷审美意识的理论总结,又是对宋元陶瓷制作实践的理论指导。

二、"天机"与"人工"

考察留存的宋元陶瓷实物和有关宋元陶瓷的文献,我们发现宋元陶瓷中流露出的陶瓷审美意识与上述宋元人的工艺美论是高度一致的。在宋元陶瓷中,开片、窑变和绞胎、分水画法等工艺的广泛运用,正可印证宋元人在陶瓷上追求"天机"与"人工"的合而为一,即力求呈现自然而然的同时又超越自然本身的审美意识。开片,指陶瓷烧制过程中出现的釉面开裂。在陶瓷入窑烧制中,胚体与釉面膨胀不完全同步,因烧制加热导致釉面开裂。有时,胚体因自身重量或形制出现胚体变型,亦有可能形成开片。在宋元以前的陶瓷烧制中,开片一般被视为制陶的失败,瓷器开片往

---

① (宋)苏轼:《苏轼文集》第5册,中华书局1986年版,第2210—2211页。

往被认为是瑕疵品或残缺品,多被毁弃。但在宋元时,陶瓷的这种瑕疵和残缺引发了人们的美感体验,开片被视为是一种独特的美的表现,开片特征甚至成为某些名窑的风格象征,以至后世评价、鉴定和赏玩宋元陶瓷,往往以开片作为重要指标,认为这是宋元陶瓷审美风格的集中体现。如明代曹昭的《格古要论》中就曾多次提到宋元陶瓷的开片。他说:(柴窑)"有细纹",(汝窑)"宋时烧者,淡青色,有蟹爪纹者真",(官窑)"有蟹爪纹",(董窑)"细纹多",(象窑)"有蟹爪纹"等。[①] 明代张应文的《清秘藏》对宋元陶瓷的"开片"格外关注。他说:"汝窑余尝见之其色卵白,汁水莹厚如堆脂,然汁中棕眼隐起,若蟹爪,底有芝麻花细小挣钉者,乃真也,较官窑质制尤滋润。"论及官窑说:"官窑品格与哥窑大约相同,其色俱以粉青色为上,淡白色次之,油灰色最下。纹取冰裂、鳝血为上,梅花片墨纹次之,细碎纹最下。"[②]从文献中可以知道,明清陶瓷大家赏鉴宋元瓷器对开片是极其重视的,分品论格,多有心得,这与宋元名窑瓷器呈现出的独特开片之美是分不开的。陶瓷大家认为釉面开片裂纹具有一种特殊的美感,它随物赋形,刀笔难描,纹路自然,常常能使人联想到自然事物,故被赏鉴者目为"鱼子"、"牛毛"、"冰裂"、"蟹爪"等。美丽的开片因天然形成,同一窑次出品,也绝无雷同。在开片的蜿蜒曲折中,瓷器被赋予了一种仿佛岁月淘洗后卓尔不群的超脱品格。因此,原本偶然出现的烧制瑕疵成为特殊的陶瓷美的表现,受到人们的认可和欣赏。

宋元人对开片瓷的喜欢也在促使陶瓷工匠去有目的地琢磨人为制造开片的工艺。《饮流斋说瓷》云:"瓷之开片其原因有二:一曰人为之开片,一曰自然之开片。人为之开片,多属浆胎,当入窑烧时,已定使之开片,或开大,或开小,配合药料烧之,则出窑时成开片形,一如人意之所欲出,是等开片,形似龟坼开在肧胎者也。"又云:"人为开片始于宋代哥窑,

---

① (明)董昭:《格古要论·古窑器论》,见熊寥:《中国陶瓷古籍集成》(注释本),江西科学技术出版社 2000 年版,第 72 页。

② (明)张应文:《清秘藏》,见黄宾虹、邓实编:《美术丛书》初集第八辑,浙江人民美术出版社 2013 年版,第 197—198 页。

其后因递仿之。"①实践证明,增加釉料中氧化钾(K_2O)、氧化钠(Na_2O)的含量,即增加长石的含量,或减少釉料中二氧化硅(SiO_2)的含量,或以三氧化二硼代替部分二氧化硅,都可以增大釉的膨胀系数,提高开片概率。尽管当时工匠不能从化学成分角度认识和使用釉料,但经过不断地努力和试验,最晚在北宋,陶瓷工匠已经掌握人工开片的基本工艺,甚至可以在一定程度上实现开片形状、大小、纹理和色泽的人为控制等。掌握了开片工艺后,工匠们又进一步对已经开好的釉裂进行人工加工,创造出原本不存在的开片图案,进一步提高开片工艺水平,丰富了开片陶瓷的形式与内容。如哥窑有名的"金丝铁线",有学者认为瓷器釉面黑色的"铁线纹"为工匠使用草木灰擦浸后先期入窑烧制出的开片,下面的"金丝纹"则是"铁线纹"形成的釉质继续开裂后形成的细小裂纹日久氧化而成。二者一黄一黑,相映成趣,在开片的纹理美之外又生出特别的由青釉黄黑纹组成的色彩图案。故宫博物院珍藏的"哥窑青釉葵瓣口盘"就是宋代哥窑"金丝铁线"开片瓷的代表。该盘"高 4.1 厘米,口径 20.2 厘米,足径 7.5 厘米。盘呈六瓣葵花式,浅腹,坦底。腹壁向里凸出 6 道棱线,圈足亦随腹壁起伏变化。通体施青灰色釉,釉面开细碎片纹。圈足露胎处呈黑褐色"②。仔细观察这件瓷器可以看到在瓷盘釉面上散布着黑色裂纹,其下又有黄色裂纹,纹路清晰,散布均匀,纵横交错中显出某种自然韵律,与瓷盘的葵瓣造型之间形成一种既协调呼应又冲突割裂的审美张力。纵观宋元各窑瓷器,开片不仅已经普及,且形制各不相同。明代文震亨《长物志》云:"官、哥、汝窑,以粉青色为上,淡白次之,油灰最下。纹取冰裂、鳝血、铁足为上,梅花片、黑纹次之,细碎纹最下。官窑隐纹如蟹爪,哥窑隐纹如鱼子。"③不同窑口开片差异明显,且同一窑口开片的具体形制比较统一,观赏者能根据开片辨识窑口,说明随着开片的流行,宋元陶瓷开片已经由偶然随机的烧制发展为有意的创作,带有明显的匠人审

① 许之衡:《饮流斋说瓷》,上海古籍出版社 1993 年版,第 10 页。
② 故宫博物院编:《故宫陶瓷馆》(上编),紫禁城出版社 2008 年版,第 179 页。
③ 熊寥:《中国陶瓷古籍集成》(注释本),江西科学技术出版社 2000 年版,第 66 页。

美意识在其中。这种因釉面开裂形成的开片纹路图案不同于手工纹饰，无论多么高明的匠人也无法画出，即使是有经验的开片工匠也无法实现准确预计。可以说，这种极精巧的纹路是精巧人工与自然天机结合的产物，是极致工艺的产物，但成就其美感的却是人对自然之美的追慕。

与"开片"相类的，还有宋元陶瓷中出现的"窑变"之美。所谓窑变，实质上是瓷器在烧制中出现的一种釉液的理化变化。这类陶瓷因窑变往往会在烧成的釉质层上形成特殊的色斑。一些偶然突变的釉质色斑或呈现特殊的色彩，或形成特殊的图纹，与按部就班循法烧成的瓷器纹饰大不相同。许之衡《饮流斋说瓷》云："窑变者，乃烧窑时火候不匀，偶然釉汁变色之故，大抵欲作深红之色非一般颜料所能造，必参以他种颜料，而火候深浅之处红色失而他色露，变成种种形状不等，颇为特异，因之踵作，盖本偶然者，后逐成为故然矣。"①许氏所言的"火候不匀"、"偶然变色"、"盖本偶然"道出了窑变瓷在产生之初的最大特征，这种特殊的窑变本非人意运思所造，而是工匠偶得之物。有慧眼观出其中特异之美，致使工匠将错就错，踵武前作，成就陶瓷审美之窑变一品。窑变瓷不仅出现于宋元，且南北各窑风行，但在具体表现上，南北窑变颇有不同。以外在之形式与内蕴之风致论，北方的钧窑和南方的建窑可称南北窑变之典型。

钧窑的高峰期出现在宋金时期，钧窑本以青瓷著称，釉多带蓝，通体釉色呈天蓝或天青色。但在陶瓷史上，钧窑的突出成就是烧制出了带有不规律釉面花斑的"窑变瓷"，其特点是在通体天蓝色中，散布着红色或紫色的斑块，号称"入窑一色，出窑万彩"。钧瓷"窑变"的主要原因在于该窑系使用了铜氧化物作为着色剂，在还原焰中铜氧化物烧制形成铜红釉斑，与胚体上施的蓝色乳光釉形成鲜明的色彩对比。在天青或天蓝的底色中，这些形状不定的红色釉斑，没有规律地随机出现，显得随性率意。有时因釉面开裂，铜红釉斑流入裂纹中还会形成"泪痕纹"、"兔丝纹"和"蚯蚓走泥纹"，另有一番朴拙趣味。有趣的是，由于无法精炼提纯，施釉

① 许之衡：《饮流斋说瓷》，上海古籍出版社1993年版，第9页。

时添加的铜红釉料经常混杂其他金属氧化物,导致窑变釉斑发紫或红紫交融,形成近乎玫瑰或海棠的自然花朵色,这种窑变釉斑故被称为"玫瑰紫"或"海棠红"。一般来说,同一釉料胚体在同一窑炉一批烧制,窑变现象也各不相同。同一件窑变瓷器上的不同窑变釉斑,也绝不会出现完全重复。窑变釉斑就像树叶的支脉、蝶翅的花纹,各个相似但绝不雷同,仿佛五光十色的大自然赐予,借陶瓷工匠的手呈现于世。

　　与北方钧瓷窑变相映成趣的是南方建窑的黑瓷窑变现象。宋元以前,黑瓷并不被人重视,自北宋,黑瓷方成为士人瞩目之瓷,这一变化与中国人饮茶、斗茶文化的兴起密切相关。北宋时饮茶流行点茶法,用沸水冲调茶膏,这样调制的茶汤表面多带有白色浮沫,宋人称之为"汤花"。因宋人偏爱饮茶,各地茶叶各称己长,为分高下,斗茶盛行。上至庙堂,下至市井,点茶茗战,处处可见。宋徽宗《大观茶论》云:"缙绅之士,韦布之流,沐浴膏泽,熏陶德化,盛以雅尚相推,从事茗饮,故近岁以来,采择之精,制作之工,品第之胜,烹点之妙,莫不盛造其极。"①宋人斗茶主要是斗"点茶",茶粉调制的茶膏经沸水冲泡,在茶汤表面泛起白色的汤花,如云似雾,宋人美誉为"飞雪浮乳"。斗茶时,双方以汤花咬盏情况与水痕出现时间为评判标准。哪方的茶先出现水痕,哪方便输了"一水"。因汤花发白,黑色的茶盏,相较其他颜色,无疑比较容易判别斗茶输赢。蔡襄《茶盏》记载:"茶色白宜黑盏,建安所造者绀黑,纹如兔毫,其坯微厚,熁之久热难冷,最为要用。出他处者,或薄,或色紫,不及也。其青白盏,斗试家自不用。"②因此,斗茶文化引发宋代黑釉茶具兴起,并带动了宋元黑瓷的繁荣。但在中国传统的色彩审美文化中,黑色并不为人所喜,它常常引发的是人们对庄肃黯晦的联想,《释名·释彩帛》曰:"黑,晦也。如晦冥时色也。"因此,黑瓷茶具虽便于斗茶,但就其颜色本格而言,却与中国人的色彩审美心理,与讲求清韵的饮茶文化,都不甚贴合。因此,擅烧黑

---

①　(宋)赵佶:《大观茶论》,见(明)陶宗仪等编:《说郛三种》,上海古籍出版社1988年版,第4252页。
②　(宋)蔡襄:《蔡忠惠集》卷三〇,见曾枣壮、刘琳主编:《全宋文》第二十四册,巴蜀书社1988年版,第201页。

瓷茶具的建窑工匠为增加黑瓷茶具的美感,在本无过多修饰加工空间的黑瓷烧制上,通过巧妙运用窑变烧造出有名的"建盏"。建盏的特殊之处在于,其表面釉液在烧制中出现的因釉液中铁氧化物富集冷却而析出不同形状的结晶,由此在成器釉质层中形成各种美丽的斑纹,如"兔毫纹"(细长如兔毛样闪银光的条纹)、"油滴釉"(有金属光泽的小圆斑)、"玳瑁釉"(不规则的黄褐色斑块,建窑少见,吉州窑多见)等。在赏玩茶盏的宋元人看来,黑瓷茶盏上的窑变结晶花纹使原本色调沉闷单一的黑釉显得灵动轻发,结晶体反光形成的银色或黄色,与茶汤的白色汤花、黄色汤色相应成趣,时隐时现变动无常的光泽引发的"兔毫"、"鹧鸪"、"玳瑁"的联想,为黑瓷带来某种野趣,与出尘的饮茶品茗的趣味正合文人雅士的心意,故宋人对黑釉茶具多有品题。宋初陶穀《清异录》云:"闽中造盏,花纹鹧鸪斑点,试茶家珍之。"①苏轼《送南屏谦师》:"道人绕出南屏山,来试点茶三昧手,勿惊午盏兔毛斑,打出春瓮鹅儿酒。"②北宋徽宗为品茶大家,手著《大观茶论》论茶盏云:"盏色贵青黑,玉毫条达者为上。"③一经帝王品题,建窑、吉州窑等窑系出产的黑瓷茶盏立刻更受重视。黑釉醇厚,窑变斑纹爽丽,成为宋元时期人们品评茶具的主要标准。有趣的是,饮茶本为闲适疏散,斗茶者却别求激扬跌宕。斗茶者本为白沫黑盏对比鲜明,黑陶茶盏侧身斗茶而兴起,后黑盏之兔毫、油滴纹反为世人所尚,黑白浓淡工巧自然间复归萧散简远,形成了饮茶与烧瓷之间的审美回环。

在宋元时期,陶瓷工匠巧妙利用天然物性造就美器的工艺还不止开片和窑变,承袭自唐代绞胎工艺、诞生于元代的分水技法等都有这类特色。绞胎始于唐代,大兴于宋,是宋、金、元时期北方地区许多窑口经常使用的一种工艺手法,这种装饰技法可能是借鉴于当时漆器的犀皮工艺。

① 熊寥:《中国陶瓷古籍集成》(注释本),江西科学技术出版社2000年版,第19页。
② (宋)苏轼:《送南屏谦师》,见赵方任辑注:《唐宋茶诗辑注》,中国致公出版社2001年版,第282页。
③ (宋)赵佶:《大观茶论》,见(明)陶宗仪等编:《说郛三种》,上海古籍出版社1988年版,第4254页。

它是以两色或多色绞泥成型,或用两种颜色的胎泥绞出不同的纹理贴塑在器物上,再施釉烧成,胎体一改纯色面目,呈现出多彩的抽象装饰纹理。绞胎形成的纹理抽象玄奥,带有一种浑然天成的美感,与显得静穆的素胎相比,更富于变化动态的感觉。绞胎中抽象变化的纹理与陶瓷制胎中人工刻画堆贴印等制胎技法形成的纹理不同的是,绞胎烧制难度较大,绞胎纹理的结果具有一定的不可控和不可预知的属性,因此烧制成功的绞胎较惯常烧瓷又多出几分天机流转、天工自然的韵味。

"分水技法是传统青花瓷绘制中不可或缺的重要步骤。用青花料在瓷器坯胎上勾勒纹饰后,在纹饰的轮廓线内,以含不同分量青花料的浓淡料水,分出深浅不同的色调,这一过程谓之'分水'或'混水'。"①分水技法明显借鉴了宋元水墨画的艺术灵感,审美上也与水墨画一样,追求在微妙浓淡点染中的随心应手,与传统陶瓷绘饰工笔细描大不相同。因料水画胎后还要入窑高温烧制,釉料的流淌,液态向固态的转化,高温下青花料水的色彩变化都是工匠无法准确干预的。这些烧制中的未知变化与分水的随意性结合在一起,形成了与前代陶瓷绘饰完全不同的美学风格。从陶瓷史发展看,元青花中分水技法影响极大,明清陶瓷审美讲求意趣偏向书画审美的风气即导源于此。

需要我们注意的是,无论是制胎阶段的绞胎,绘饰阶段的分水,还是烧釉阶段的开片和窑变,宋元陶瓷工匠们都尝试利用烧制的偶然和不确定来捕捉表现全新的陶瓷之美。这种技法导致瓷器无法准确预先设计,只能大致估计,瓷器最终形成的具体形式也无法固定,常常出现随机变化,这样反而使陶瓷烧制跳出死板的规则和僵硬的模式,摆脱了"成法"的束缚。开片、窑变、绞胎和分水等技法带来的既是陌生化的审美新变,又是器物表现出的工匠可触摸到的玄奥天机之美。开片、窑变、绞胎和分水等工艺的变化发生在分子层面,都是复杂难言的物理化学变化所致,当时的工匠是无法精准控制变化后果的位置、形状和大小的。优美的开片、窑变、绞胎和分水是模糊控制工艺的随机结果,釉色变化的复杂理化反应

① 董亮:《试析根据分水技法鉴识青花瓷》,《文物世界》2008 年第 2 期。

决定了匠人不可能预见，也不能在过程中进行精准干预。但恰恰是这种人的"无能为力"造就了宋元陶瓷的独特魅力，即人工精巧之外还有人力不能强为之处，承认并欣赏这一点，恰恰脱离了机械地、僵硬地表现陶瓷之美的道路，而上合天机地捕捉到了自然大美，如老子所云"大巧因自然以成器"也。这种人工与自然结合形成的"大巧大美"，即使人们精心调配也不能再现的瓷器之美，正是先秦以来"顺物随性"的制器造物思维的体现，也是宋人"付物自然，虽拙而巧"①思维在陶瓷审美中的贯彻。如格林诺夫在《形式与功能》中说的那样："这里没有关于比例的死板的规则，没有关于形式的僵硬的模式……征服了我们眼睛（的美）是所有各部分组合得那么贴切，那么和谐，细节服从于局部，局部服从于整体。适合性法则是一切结构物的基本的自然法则。"②

一方面，宋元陶瓷审美意识超越了成法和形式的束缚，注意顺应物性，应时自然，成为独特的"这一个"，并因此渐渐到达纯粹人工难为难及之境。如许之衡所言："独至于瓷，虽亦由人工，而火候之浅深，釉胎之粗细，则兼藉天时與地力，而人巧乃可施焉。"③另一方面，宋元陶瓷中的人工之美是如此的自然，仿佛自然为之，但不能因为其中有人力不能为之处而忽视否定其中人的主观作用。陶瓷之美虽有"天成"之意，但亦须有"妙手"方可偶得。开片、窑变、绞胎、分水等技法造就的陶瓷艺术审美的至臻完美是宋元陶瓷工艺继承前人后再进一步的结果，是"绚烂之极乃造平淡"，亦是庄子所云之"技进乎道"也。总之，宋元陶瓷的妙手天然之美体现了人可以通过主观努力来感悟、表现源于自然感知的美，其中的可控和不可知的巧妙结合，形成不同于全人工或纯自然的独特美感，这与宋元时期的诗词书画"重法"、"意造"之美互相呼应，不同艺术之间由触类旁通而异曲同工，形成了难以言表的宋元审美意识。

---

　① 清代魏源《老子本义》引苏辙注："巧而不拙，其巧必劳。付物自然，虽拙而巧。"见陈志坚主编：《诸子集成》第二册，北京燕山出版社 2008 年版，第 326 页。
　② ［美］格林诺夫：《形式与功能》，见汪坦、陈志华主编：《现代西方建筑美学文选》，清华大学出版社 2013 年版，第 2—3 页。
　③ 许之衡：《饮流斋说瓷》，上海古籍出版社 1993 年版，第 1 页。

第二节　用饰合宜、得心应手

清代朱琰《陶说》认为,"夫陶之为器,切于日用"。的确,陶瓷器物尽管在其历史发展中部分演变为陈设器,也陆续出现了陶瓷雕塑、陶瓷绘画等纯粹的艺术品,但它的主流一直都是日用器物。无论如何把陶瓷与书画等艺术联系看待,我们依然明白,陶瓷审美与纯粹的文艺审美之间有相通之处,但它们又不完全相同。我们不能将文艺审美思维简单地套用在陶瓷审美上。要知道,从诞生之日起,陶瓷首先是满足人们物质需求的生活器具,其次才是满足人们精神需要的手工艺术,宋元时代也概莫能外。

宋元时期,随着科技生产力的提高,手工业经济在社会经济结构中所占的比例越来越大。更重要的是,此时繁华的城市生活逐渐成为人们追慕和渴望的对象,如饮酒、品茶等休闲活动不再是贵族官僚阶层的专利,普通市民也开始参与其中。因此,陶瓷酒具、茶具、盛器、寝具、玩具等进入更广泛的社会领域。新增的陶瓷制品消费者和使用者与前代贵族官僚不同,他们大多是新兴市民和富农,他们更关注器物的实用价值和使用便利。这些人也许并不能在文献记载中留存他们的趣味所在,但通过对宋元陶瓷器物的形制设计的分析,我们依然能够看到从陶瓷器物本身具有的功用美生发出的"用饰合宜、得心应手"的审美意识。

一、"用饰合宜、得心应手"思维的历史流变

在产品或工具的使用过程中,人们自然会产生对产品或工具的基本判断。这类判断一般是使用的便利性和经济性。方便好用和成本低廉是人们的一般期望,所谓"用力甚寡而见功多"也。因为人们对产品或工具所怀有的朴素期望,早在先秦时,中国人就已经形成了注重实用反对虚饰的思想,这方面的代表是墨家,其有关"物用"的论述主要见于《墨子·辞过》中:

> 子墨子曰:"古之民,未知为宫室时,就陵阜而居,穴而处,下润湿伤民。故圣王作,为宫室。为宫室之法,曰:室高足以辟润湿,边足

以围风寒,上足以待雪霜雨露,宫墙之高,足以别男女之礼。谨此则止。凡费财劳力不加利者,不为也。

故圣人之为衣服,适身体,和肌肤,而足矣,非荣耳目而观愚民也。当是之时,坚车良马,不知贵也;刻镂文采,不知喜也。何则?其所道之然。

古之民未知为舟车时,重任不移,远道不至。故圣王作,为舟车,以便民之事。其为舟车也,全固轻利,可以任重致远。其为用财少而为利多,是以民乐而利之,法令不急而行,民不劳而上足用,故民归之"。①

墨子认为,器物的主要价值体现在其使用功能上,体现在满足人们的生产生活需求上。在满足使用的基础上,器物应尽量追求便宜适用,所谓"适"者、"合"者,"用财少而为利多"者也。墨子的物用论是反对在实用和适用以外对器物进行增饰的。单为满足观赏的"刻镂文采"有可能背离或削弱器物的实用功能,应是人们制器造物"所不为"者。墨子的物用论中已经注意到了当器物实用、适用时可能产生的审美愉悦,即上面所说的"乐为之道"。关于这一点,庄子阐述得更为详尽。他在《养生主》一篇中以"庖丁解牛"为例,描述了人使用工具的表现和感受,他说:

庖丁为文惠君解牛,手之所触,肩之所倚,足之所履,膝之所踦,砉然响然,奏刀騞然,莫不中音;合于桑林之舞,乃中经首之会。文惠君曰:"嘻,善哉!技盖至此乎?"

庖丁释刀对曰:"臣之所好者道也,进乎技矣。始臣之解牛之时,所见无非全牛者。三年之后,未尝见全牛也。方今之时,臣以神遇而不以目视,官知止而神欲行。依乎天理,批大郤导大窾因其固然,技经肯綮之未尝微碍,而况大軱乎!"②

庄子举例本在譬喻"道"、"技"之事,但在这里,我们能够清晰地感觉到人在得心应手时所体验到的优美。这种美在本质和体验上与歌舞审美

---

① 王焕镳撰:《墨子集诂》,世纪出版集团、上海古籍出版社 2005 年版,第 538—541、549、558—559 页。

② 陈鼓应注译:《庄子今注今译》,中华书局 1983 年版,第 95—96 页。

是相通的。人们在使用工具器物时,当工具器物的适用体验与人的工作高度契合的时候,人与工具器物之间的接触仿佛并不是手脚等肢体,而是超越肉体感官的"神",人能体验到的也并非是工作的对象,而是万物同一的"道"。通过以刀解牛,庖丁感受到了玄奥难言的体道之美。这种美不仅包含着"道"之美,而且包含着工具使用过程中的功能之美。

人与器物之间的审美源于器物功用,但终归要落实到人本身上。杭间在《中国工艺美学思想史》中说道:"造物作为人类生存能力的延续,从本质上来说,是人工具的关系,是人类以技术在和自然相处中,如何把握自己的问题。"①综合墨子与庄子的论述,我们可以大致了解早期中国的功用美论。在先秦时期,器物之美不仅表现在形制、纹饰、材质上,更存在于它本身的功能价值和适用体验中,存在于在人们使用器物与客观自然顺畅和谐交流的过程中,存在于人在实用、适用中所感受的得心应手的满足与喜悦中。这种适用之美无形难言,但在人与器物的互动中表现为高妙的人器之间恰到好处的工艺设计,表现为因尊重客观规律,人感受到的造物用物的和谐圆满。通过造物,人们更好地实现自我的目的,物因成就人的目的而具有价值。同时,人因此成为"能够制造工具的动物",在造物、用物中发现了存在的本质。这样,人与器物间因功用而联系在一起,功用的适宜与否成为人们美的判断标准之一。正如苏格拉底所说的:"任何一件东西如果它能很好地实现它在功能方面的目的,它就同时是善的又是美的,否则它就是同时是恶的又是丑的。"②

先秦功用美学对后世的影响很大。在儒家"绘事后素"美学思想和道家"自然素朴"美学思想的影响下,中国的功用美学代代传承,又带有新变。西汉刘安在《淮南子·齐俗训》中云:"治国之道,上无苛令,官无烦治,士无伪行,工无淫巧,其事经而不扰,其器完而不饰。"③东汉王符

① 杭间:《中国工艺美学思想史》,北岳文艺出版社1994年版,第8—9页。
② [希腊]苏格拉底:《克赛诺封(回忆录)》,见北京大学哲学系美学教研室编:《西方美学家论美和美感》,商务印书馆1985年版,第19页。
③ 刘文典撰:《淮南鸿烈集解》,冯逸、乔华点校,中华书局1989年版,第374页。

云："百工者,以致用为本,以巧饰为末。"①到了宋元时,对于器物功用的重视和强调,仍是当时器物设计思维的主流。同时,受宋元文人审美趣味和理学思想的影响,宋元器物在功用审美上较前代更趋内敛,以"格物"思维看待功用之美,将使用功能和使用价值与器物内蕴之"理"联系在一起,即朱熹所言,凡"器之理"皆"无形无影","虽未有物而已有物之理"②。朱熹所说的"器之理",虽然无法从有形之处揣摩把握,但通过对宋元人有关器物的散论可以推测,此种器理不关涉器物的形式、雕饰,而是深蕴在器物的使用之中。当一般的器物仅仅满足能够使用的时候,有些器物得到精心设计,在设计中尊重天时、地气、物性等客观因素,在工艺与功能上高度统一,实现了功用上的最大限度的方便如意。当达到这种境界时,人在使用器物时毫无滞窒之感,如行云流水,在得心应手间使人忍不住把玩欣赏,在使用或把玩的过程中获得基于合理和便利的心理满足感,器物功用之美自然呈现。

宋元哲学论器注重"实用、适用"的思想,对宋元时期造物制器影响很大,并且通过儒家文人的论器文章形成了宋元器物美学。欧阳修曾在《古瓦砚》一文中说:"砖瓦贱微物,得厕笔墨间。于物用有宜,不计丑与妍。金非不为宝,玉岂不为坚。用之以发墨,不及瓦砾顽。乃知物虽贱,当用价难攀。岂惟瓦砾尔,用人从古难!"③欧阳修提出的"物用有宜"观点正是宋元陶瓷高度繁荣中功用美学的集中写照。对于"物需适用"的观点,北宋王安石也极为认可,且将之提高到器物本质的高度。他在《上人书》中说:"要之以适用为本,以刻镂绘画为之容而已。不适用,非所以为器也。"④上述宋人之感发的也完全符合宋元人之陶瓷审美意识。杯可盛水,炉可焚香者,看似寻常日用,其中得心应手却不易得,其所深蕴的美

① (汉)王符著,(清)汪继培笺,彭铎校正:《潜夫论笺校正》,中华书局 1985 年版,第 15 页。

② (宋)朱熹撰:《朱子全书》,朱杰人、严佐之、刘永翔主编,上海古籍出版社、安徽教育出版社 2002 年版,第 3185、2146 页。

③ (宋)欧阳修:《欧阳修全集》,李逸安点,中华书局 2001 年版,第 741 页。

④ (宋)王安石撰:《临川先生文集》,中华书局 1959 年版,第 811 页。

不仅是胎釉形饰之美轮美奂,亦包含这些器物的随手称心之功用设计。

二、"适用"与"合宜"

方李莉认为:"中国陶瓷的每一次品种、造型和纹饰等方面的创新与审美变化,与其说是因为技术的改革造成的,还不如说是当时的审美导向所左右的。"①的确,一个时代的器物永远是这个时代造物思想的具象和产物,宋元陶瓷也不例外。观察宋元陶瓷器物,人们能够看到功用审美意识的影响痕迹随处可见,其中比较典型的是宋之各式壶瓶(如执壶、玉壶春瓶和梅瓶),辽、金、元之各式系壶(如鸡冠壶、皮囊壶)等。

陶瓷执壶在两宋特别流行,青白瓷均有烧制,造型特点是:敞口、溜肩、鼓腹、长曲流、长执柄、平底或圈足,一般用于盛倒酒水。装水时多用于点茶。装酒的执壶又称"注子",往往与注碗配套使用,注碗内有热水,注子坐在注碗上,起到温酒的作用。宋孟元老《东京梦华录》卷四"会仙酒楼"条中记载:"凡酒店中不问何人,止两人对坐饮酒,亦须用注碗一副。"②执壶的设计有明显的功用思维。首先,壶口多为敞口,有喇叭口、直口、撇口、盘口等细微区别,但总的特点是开口较壶颈大,与较细的壶颈连接呈不同曲度的圆弧形。这样设计的目的在于,较大的开口方便倒入液体,较细的壶颈便于导流,倒出液体时不会因壶腹液体的大量涌出产生喷流。一般的执壶往往配置与壶口贴合的壶盖,不同壶口壶盖也相应不同。撇口壶配扁平圆盖,中有花钮,边沿有系孔,与执柄系孔呼应,壶盖可通过系绳与执柄连接,防止脱落和丢失。直口壶配圆形穹顶盖,与直口贴合紧密,盖上有便于捏拿的动物堆塑钮,方便使用。相较隋唐执壶造型,此时期执壶的执柄变化不大,基本还是云状造型或半如意造型,柄细长上挑,这样的造型设计主要是考虑人手执壶的便利。宋元执壶的壶流与执柄不仅与隋唐不同,即宋元的前后期也有较大变化。前期壶流短粗,锐角

---

① 方李莉:《艺术人类学视野下的新艺术史观——以中国陶瓷史的研究为例》,《民族艺术》2013年第3期。

② (宋)孟元老撰,伊永文笺注:《东京梦华录笺注》,中华书局2006年版,第420—421页。

弯折,与细长的执柄不很协调,液体从壶流中容易洒出。后期壶流逐渐变得细长挑高,自流底向流口收缩,与细长执柄分居壶颈两侧,呈现秀颀对称造型,抵消了饱满的壶腹给人的粗笨之感,使执壶整体表现出轻灵秀拔之美。此外,壶流的变化也是为了满足使用的需要,点茶时,为激发茶膏充汤时的白沫,需要水流急而细,壶流变得细长,流口收缩,都是服务于此的。赵佶《大观茶论》记述:"注汤害利,独瓶之口嘴而已。嘴之口差大而宛直,则注汤力紧而不散。嘴之末欲圆小而峻削,则用汤有节而不滴沥。盖汤力紧则发速有节,不滴沥则茶面不破。"[①]壶腹多为瓜棱形,增加了壶腹的应力和筋力,应是为防止烧制时发生形变而设计,早期多球状鼓腹,后期逐渐上下拉长,变为圆筒状鼓腹,与细长的执柄和壶流形成统一美感。壶腹的变化不仅在于审美的协调统一,圆筒状壶腹既可以多装酒水,提升容量,又可以均匀受热,达到温酒的目的,在功用上较球状壶腹更加方便。值得一提的是,此时辽、金、元统治地域还流行一种葫芦形壶腹的执壶,有的有盖,壶流较短,壶腹中间的凹陷处可以系带。这种特殊执壶的出现,应是模仿游牧民族原本随身携带的葫芦水具。这种执壶的材质由自然植物变为人工陶瓷,且其上多有釉色雕饰,给人一种"戏仿"的陌生美感,也是此时陶瓷审美的有趣之处。

玉壶春瓶造型源自唐时净水瓶,但定型于宋,基本形制为撇口、细颈、垂腹、圈足,青白黑花瓷都有烧制,但青白瓷居多,以素色为主。许之衡《饮流斋说瓷》载:"玉壶春口颇侈,项短腹大,足稍肥,亦雅制也。天青、积红者尤居多数。此式大半官窑,甚少客货,而官窑又大半纯色釉也。"[②]玉壶春瓶造型一般为圆形,特殊的也有八棱形,整体造型追求柔媚弧线美,撇口与细颈、细颈与圆形垂腹各自形成的美妙弧线组合成"S"形线条,左右均匀对称,带有一种女性理想的形体美。尽管宋元陶瓷工匠并不掌握黄金分隔比例,但测量留存的玉壶春瓶,我们发现玉壶春瓶的中心与瓶体黄金分割点基本重合,瓶颈长度与瓶高也基本是黄金比例,垂腹上中

---

① (宋)赵佶:《大观茶论》,见(明)陶宗仪等编:《说郛三种》,上海古籍出版社1988年版,第4254页。

② 许之衡:《饮流斋说瓷》,上海古籍出版社1993年版,第34页。

下直径同样是黄金分割比例。尽管学界对玉壶春瓶的功能有花瓶和酒具的不同观点,但从绘画和壁画中(如伦敦大英图书馆藏《诗选集》第 40 页插图"庭园宴席",广胜寺水神庙壁画、陕西浦城元至元六年墓葬壁画等)看,宋元时期的玉壶春瓶应主要是宴饮时用于盛酒、分酒。因此,玉壶春瓶的独特形制的产生原因便清晰了。该型瓶的撇口便于倾倒,细颈方便拿握,垂腹既是为了更多地储存酒水,也便于瓶体保持稳定的中心。我们认为,这样的器形特点和比例设计并非工匠有意表现女性美,其主要原因在于玉壶春瓶的功能设计。关于这一判断,还可从其他文明的水具设计多有与玉壶春瓶形制类似的现象来印证。大英博物馆藏中亚出土的波斯萨珊王朝镀金银壶和陕西扶风法门寺地宫出土的叙利亚制玻璃瓶,都是细颈、圈足、垂圆腹。在纹饰上,宋元玉壶春瓶一般追求素雅隐约,瓶身一般不做突出贴塑和堆塑,以纯青白釉为主,有的玉壶春瓶瓶身上有暗纹刻花或印花图案,多为规律的重复纹,以开片为特征的窑口如汝窑会饰以开片。元代玉壶春瓶开始以青花或釉里红釉下彩为纹饰,也有在瓶身描绘民间故事图案的。目前看,瓶身的纹饰一个根本原则是最大程度地保持瓶体表面的光滑细腻,主要的原因是在满足瓶体修饰美的基础上方便斟酒使用,也有瓶体光洁利于清洗的考虑在其中。

与玉壶春瓶一样,梅瓶也是宋元瓷瓶的经典款式之一,南北各窑均有烧制,使用广泛。宋元时期,梅瓶主要用于储酒,常用于宋代"经筵",故又名"经瓶"。因宋元时期普遍使用经瓶储酒,经瓶甚至成为酒的量词之一。宋赵令畤《侯鲭录》记载:"陶人之为器,有酒经焉。晋安人盛酒似瓦壶之制,小颈,环口,修腹,受一斗,可以盛酒。凡馈人牲,兼云以酒器,书云就一经或五经焉。他境人有游于是邦,不达其义,闻五经至,束带迎于门,乃知是酒五瓶为五经焉。"①许之衡《饮流斋说瓷》则载:"梅瓶口细而项短,肩极宽博,至胫稍狭折,于足则微丰,口径之小,仅与梅之瘦骨相称,故名梅瓶也。宋瓶雅好作此式,元、明暨清初历代皆有斯制,红色者仿均

---

① (宋)赵令畤:《侯鲭录》,中华书局 2002 年版,第 96 页。

为最多,豆青、天青、茄紫、豇豆红等诸色均有之。"①因为主要用于储酒,所以梅瓶的形制都围绕这一功能进行设计,梅瓶小口,主要在于防止杂物进入且减少酒液挥发,同时避免酒水洒出;短颈能够最大限度地增加瓶体空间,增加储酒容量;丰肩除有增加储酒量的功能外,还与狭瘦的下腹形成可供托举的着力点,便于搬运;瘦底和圈足便于捆扎,有的辽金梅瓶还在瓶腹中下部刻有凸凹弦纹,都是为了增加捆绑的摩擦力,使骡马驮运或人们搬运时结绳紧固。根据张家口市宣化县发掘的辽天庆六年(1116年)张世卿墓壁画分析,梅瓶的使用已经配备专用木几,几上有圆形开口,梅瓶可插入开口,保持稳定。河南省禹县白沙镇宋代墓群一号墓砖雕绘画中有表现墓主人夫妇饮宴生活实景的画面。其中,男女主人分坐方桌两侧,桌上摆设有注子、带托盏杯等酒具,桌下有木质方形底座,上面置放一支梅瓶。从瓶身高度看,这个梅瓶应是插入底座开口卡放,因此露出部分的瓶身较低。② 南宋金元时期,大口宽底梅瓶出现。梅瓶的瓶腹下端接地部分底径变大,与瓶腹的之间形成弧度较小的内凹弧线,瓶肩径也相应加大,瓶子造型整体趋向饱满圆润,这与宋辽时的类细长鸡腿形有所不同。这一变化我们推测应是为了降低瓶体中心,以便于直接置地摆放,防止倾倒而设计。山西稷山马村金代墓葬砖雕中描绘的宽底梅瓶,直接置放在地上,也证实了我们的推测。从宋代有关梅瓶的诗文、绘画、雕塑分析,宋元时期的梅瓶属于生活使用瓷器中的酒具,也有个别时候用于插花,但并没有明清时期用于观察陈设的功能。因此,这时的梅瓶瓶身纹饰更多具有生活气息,有规律的缠枝折枝纹、比较粗犷的雕花刻画动物纹、带有情节的故事画等是梅瓶的主要纹饰,与比较素淡的玉壶春瓶是不同的。

---

① 许之衡:《饮流斋说瓷》,上海古籍出版社1993年版,第34页。

② 笔者注:这种为易碎陶瓷器物配置木质托子以防止器物倾覆在宋元陶瓷使用中并非偶然。审安老人的《茶具图赞》将十二种茶具称之为"十二先生",各有赞文。其中专有"盏托"一篇云:"危而不持,颠而不扶,则吾斯之未能信,以其弭执热之患,无坳堂之覆,故宜辅以宝文,而亲近君子。"宋徽宗《文会图》,传徽宗《十八学士图》,传宋人《春宴图》中,多绘有漆器茶托,与陶瓷茶盏配套使用,也应是为了防止茶盏跌落破损,这与早期瘦高梅瓶多配木质托架异曲同工。可见,此时陶瓷审美中的适合功用思维已经比较普遍。

　　宋元时期，为了满足使用需求出现的瓷器还有辽金元统治区常见的鸡腿壶、皮囊壶等。自耶律阿保机建立契丹政权，北方次第崛起的辽金元政权与中原宋政权虽时战时和，但在经济文化上，各政权间的交流却很密切，南北各方往往"互市不绝"。在长期繁荣的边境贸易中，大量瓷器流入北方，烧制陶瓷的工艺也随之进入北方政权所辖领域。在辽金元陶瓷中，占据主流的是对中原陶瓷的仿制品，如辽代白瓷对北宋定窑的仿制，金代陶瓷对景德镇影青釉的仿制等。这类瓷器的形制与风格上多类宋瓷，无须赘言。值得注意的是，辽、金、元陶瓷中有一类仿制本族游牧生活水具的陶瓷水具，中原少见，十分特殊，其典型为鸡腿壶（瓶）和皮囊壶。鸡腿壶（瓶），一般认为是辽人创制，形制与梅瓶类似，都是小口，细颈，倒梯形长腹，有的刻有弦纹，因形似鸡腿而得名。这种瓷壶的形制主要是为了满足契丹民族迁徙游牧生活需求，小口细颈防止泼溅和尘污，细长光滑壶体可以直接插入马匹两侧的皮囊，也便于捆扎由奴隶背负携行。以鸡腿壶（瓶）为代表的这类北方民族日用瓷器的主要形制特征都与方便携带有直接关系。不仅鸡腿壶（瓶）如此，辽金元地多见的凤首壶、鸡冠壶、皮囊壶、系带罐等也多有这种情况。这类瓷器的共同特点是小口（有的配系盖）、圆腹、器形以扁形或细长柱形为主，多带有对称的系耳（双系或四系居多），系耳兼有提梁或把手的功能等，多为游牧民族水具材质革新后的产物。所以，一些游牧民族早期水具形制特点也因此被转移到这类陶瓷器物上，使这种新的陶瓷水具适应游牧生活。如鸡冠壶壶体中间的凹陷设计，明显是原来皮质系带水囊装水后皮囊变形的模仿。皮质水囊在携带时皮囊会随背负者的身体和动作产生变形，可以使水囊更贴合背负者的身形。瓷壶质地坚硬，如照搬中原壶瓶形制，很可能造成生活的不便。因此，鸡冠壶直接模仿甚至照搬了皮质水囊的器形特点，更加贴合背负者身体，同时壶体重心下移，这样的形制既方便背负，又增加了水壶放置的稳定性，大大便利了游牧使用。如果说，上述民族风格瓷器器用审美还不明显的话，那么辽、金、元皮囊壶的皮囊纹饰表现出来的适用美则更加明显。皮囊壶的壶体边缘使用泥条堆塑或用刻花工艺模仿皮革接缝针脚纹，实际上无用并不能增加壶体的紧固性。但因原有皮质、木质水具都带有接缝紧固的捆扎,皮囊壶在仿制时以纹饰的形式模仿了这种形式,原来的实用、适用已经成为纯粹的纹饰审美了。

宋元陶瓷讲究实用、适用的理念,首先来源于匠人满足使用需要的实践,随着不断的重复而成为体察人之社会活动规律的思维产物。但在更深层面的审美意识中,宋元陶瓷在设计和制造上强调服从实际生活的便利,也是宋元美学崇尚"意造"和"辞达"意识的体现和产物。因为"意造无法",所以陶瓷匠人们更能摆脱陶瓷审美传统的束缚,尝试从实际出发去创制新的作品或产品。原本没有的瓷器因为便利好用广受好评并迅速被接受和传播,如执壶、玉壶春瓶、梅瓶等合用而引人欣赏,渐渐因欣赏喜欢,"合用"升华为"合宜",从而形成了新的陶瓷之美。明清时出现的实用器转向陈设器的现象,其审美接受的基础于此关联甚深。

宋元时期,陶瓷的制造工艺与社会应用范围远超前代,陶瓷之美也愈发鲜明夺目。一方面,宋元陶瓷在制胎施釉等方面极尽工巧,复归自然大美;另一方面,在器形纹饰等方面,宋元陶瓷工匠运思至深,在器物使用功能上追求合乎心意的得心应手,使人不由自主把玩欣赏,由此生发出独特的实用之美,与纯粹的修饰美一起将陶瓷的审美体验延伸扩展为人器合一的综合应用之美。

结　语

　　在分门别类地考察了宋元审美意识在各领域的具体面貌后,当我们跳出艺术门类、地域差异等具体因素的局限,将宋元四百年的审美意识的变迁作为一个整体而加以研究和审视的时候,我们可以看到更多只属于这一时代的趣味、风韵、格调和境界,看到隐藏在繁荣的审美艺术成就之下的宋元审美的"庐山真面目"——宋元审美意识的总体特点及其历史地位与影响。

　　宋元四百年间在审美意识上所发生的一切无疑是独特而复杂的。如我们在本书的"绪论"中所说的那样,宋元审美意识是处在如此复杂的南北、雅俗和多民族意识交织杂糅的文化中。在这一时代的每一个领域,在我们能看到的每一个角落,统治文化上的、政治制度上的、社会构成上的、行为模式上的,甚至衣食住行、言谈举止上的审美意识,都发生了前所未有的变革和创新,都挣脱了前代传统的笼罩而蓬勃生出新意。词曲在汉唐以来的乐府格律中吸收歌谣、胡曲翻作新声,文赋沿中唐古文脉络平实自许,书画于谨严法度中自出机杼、代有革新,衣食礼仪等也在饱暖之外俗雅自赏,不同阶层、不同地域、不同民族都浓墨重彩地在审美意识史上书写刻画了他们自己的痕迹。与此同时,不同阶层、不同地域、不同民族又都被汹涌的时代审美浪潮裹挟着,彼此之间不停地碰撞交流、互相影响,并在奔涌前行的历史大潮中走向融通整合。

　　尽管宋元时期不同社会领域和艺术门类所表现出的审美意识各有不同的表征、宗源和发展趋势,其中的雅俗趣味、南北风格和民族属性的具体作用也往往不同,有时彼此之间的风格、趣味甚至有矛盾或相互背离抵触之处。但是,从一个时代的整体看,仍可发现宋元审美意识总体上不约而同地呈现出一些共同的特点。概言之,宋元审美意识可以说既是宽容开放的,又是重意在我的。

　　所谓宽容开放,指的是宋元审美意识的整体发展在互相尊重的理性文化环境中形成的较大尺度的"无物不可为美"的共同理念。汉代儒家美学的绝对权威、六朝门第身份的限制、隋唐政治文化的干预,审美传统中长久以来所形成的诸多界限和干扰,在宋元时期的审美意识中都不同程度地被突破了。纵观辽、宋、金、元各朝,人们对审美的外延设置地极为宽广。正是在这一时期,以往被认为是下里巴人的,或被看作是夷狄陋俗的许多艺术,都走向了更广阔的社会领域,并逐渐成熟,成为中华审美意识的有机组成部分。比如话本、杂剧,比如胡服习俗、南方饮食,再比如多讲哲理的理学诗,不但没像魏晋玄言诗那样被斥为"淡乎寡味",反而被发掘出独特的趣味,形成有别于唐的理趣。文人书画中的"意造"、"墨法"也多是前人书画"多以为怪"之处,宋元反在此处成就审美之大境界,所谓"以神韵超轶,体备众法,又能万会浑融,不落笔墨畦径,故非人所企及,此诚艺林飞仙,迥出尘埃之外者也"①,宋元审美之特出者多类于此。

　　值得注意的是,宋元时期文人对审美的引领和导向,更多是以主张他所认可的而非禁毁他所反对的这样的宽容心态来完成的。无论是宋人的"有意",还是元人的"无意",当时人们在审美上的不同主张,更多地是以"修德则远人来服"的形式来获得他人的认可,这与此前隋唐审美附于党争,此后明清多以禁毁等形式强力完成审美整合的情况大不相同。北宋时,刚刚成熟的填词创作出现婉约、豪放的风格论争。独主豪放、身兼诗文大家和政坛风云人物的苏轼在论及婉约词的代表人物柳永时,颇不以为然,时有褒贬之意,甚者戒门下弟子休学。② 在《与鲜于子骏书》中苏轼

---

　　① 按此句引文见清代王时敏《西庐画跋》评黄公望语:"子久画……盖以神韵超轶,体备众法,又能万会浑融,不落笔墨畦径,故非人所企及,此诚艺林飞仙,迥出尘埃之外者也。"(见俞丰译注:《王时敏画论译注》,荣宝斋出版社2012年版,第123页)
　　② 黄升《唐宋诸贤绝妙词选》卷二苏轼《永遇乐》词末载:"秦少游自会稽入京。见东坡。坡曰:'久别当作文甚胜。都下盛唱公"山抹微云"之词。'秦逊谢。坡遽曰:'不意别后,公却学柳七作词。'秦答曰:'某虽无识,亦不至是。先生之言,无乃过乎?'坡云:'销魂当此际','非柳词句法乎?'秦惭服。"

自云:"近却颇作小词,虽无柳七郎风味,亦自是一家。"①尽管如此,在门下幕士以为苏词与柳词各擅胜场,柳词颇有可取之处时,苏轼只是"为之绝倒",柳永本人及其词风追慕者始终未见遭受党同伐异的文艺批判。类似的事情,书法领域也曾发生。分属师生的苏轼和黄庭坚,各嘲对方"树梢挂蛇"和"石压蛤蟆",末以"二公大笑,以为深中其病"作结。互有抵触,甚至往往矛盾背离的审美差异,在宋人那里多被视作艺术领域内部的问题,不及于人身世事,这反映出宋人艺术可以同时容纳极多样的艺术风格和宋代文人艺术家极开放的审美情怀。类似的情况在关涉到民族国家层面时也往往如此,如宋金对峙,但金代文学恰恰通过宇文虚中等宋人"借才异代"兴起。元灭南宋,身为南人遗民和宗室之后的赵孟頫北上大都,掀起元代书法新的高潮。关汉卿身处倡优之间,笔下多批判蒙元暗怀汉室的文字,却历金元两朝一生安然,终老于江南。凡此种种历代少见的齐放争鸣,显示出宋元时期审美意识流变的根本特征之一,即宽容开放的审美意识是贯穿这一时代始终的。

　　宋元审美意识之所以如此宽容开放,既有当时社会文化有意宽松、主观推动的原因,也有社会文化管制疏散、客观促成的一面,前者主要在宋,后者多在辽、金、元。北宋初建时,统治者鉴于晚唐五代百余年藩镇割据对封建统治和社会生活的巨大破坏,而采取了佑文抑武的统治政策,伴随这一政策出现了庞大的文官士大夫团体。在君王与文官的权力博弈中,宋代统治者为维护统治,基于"异论相搅"的思维主动向士大夫阶层让出了一部分舆论权力,这在客观上使得宋代的文人具有了更多的舆论自由,使得宋代文人文化自信和社会责任感大大提高。宋代文人深刻地懂得:他们所拥有的优待和权力都源于他们所掌握的文化,文化发展繁荣能为他们带来更多的权力和更高的地位。深谙"文质彬彬之道"的文人明白,文化想要发展,一元僵化是要不得的,多样多元甚至允许"异端"存在是必要的。我们看到,宋代哲学繁荣,旧学、新学、关学、洛学、蜀学等不同主

---

① (宋)苏轼:《与鲜于子骏书》,《苏轼文集》卷五十三,中华书局 1986 年版,第1560 页。

张并存,与之相对的,在散文领域有石介的"以怪为美"、欧阳修的"简而有法"、周敦颐的"文以载道",理学家之文与文学家之文分别主张文统源流。至金文多学苏,元代则理学家之文发扬光大。设使宋代散文一统于欧、苏或程、朱,宋、金、元散文面目不可想象。宋元散文之繁荣恰在宋元散文审美宽容开放之意识。

与宋不同,辽、金、元统治时期,审美的宽容开放与统治者文化管制疏松有直接关系。以元代为例,蒙元统治者入主中原建立政权时,其民族文化尚处于萌芽状态。因为没有厚重文化传统需要继承,蒙元统治者从维护统治和个人喜好的角度出发,广泛吸收各族文化,采取"大一统"的文化政策。此大一统并非各家思想统于一个学派、一种思想,而是允许百家争鸣,四方文化荟萃一堂,"混一宇内",将前所未见之思想文化统统纳入元之治辖。因此,元代近百年,儒、释、道、藏传佛教、也里可温(基督教)、答失蛮(伊斯兰教)等不同宗教汇集并存,社会文化在多样性上达到了前所未有的繁荣。思想上的百家争鸣在促进文化繁荣的同时,也导致蒙元统治者始终没有建立起一个有效管控的文化环境,因此原本被主流文化压制的各种边缘文化都获得了更多的生存发展空间。如一些民间叙事歌舞,在南宋被理学家视为"淫祀",严厉禁绝。在元代却受到天性爱好歌舞的蒙古统治者的格外青睐,由此造就了一代元曲的辉煌。这也许并非元人有意为之,但因其无意的宽松造就了自由的文化环境,反而促成了元代审美的大活跃、大开放。

在宽容开放的同时,宋元审美意识的变化还突出表现为对"重意在我"的普遍重视和遵循。宋元审美的重意,在此我们指的是,此时期的审美意识表现出更明显地对审美内蕴的自我表达和体验的肯定强调。这一倾向的出现与贯穿于宋元时期的儒学演进有密不可分的关系。必须看到,宋元审美意识之所以可以呈现普遍的宽容开放,是因为此一时期的哲学思想中也暗暗蓄藏着重在自我表达和个性彰显的"重意在我"。正是因为有稳固的"重意在我"的意识如筋骨般内在支撑着审美意识的变化,宋元审美才能生发出有自信的"宽容开放"。从宋元时期审美实践的具体情况来看,宋元审美意识中普遍存在的宽容开放,并不是指此时的审美是杂乱无章的和无秩序的,是原本占据中国审美统治地位的儒学失语失位后的"杂草丛生"。恰恰相反,宋元时期审美意识的宽容开放是在儒学为主的哲学大发展的基础上得以实现的。

宋元时期,儒学完成了由思想学说向体系完备的哲学的转变,成为当时及其后文人士大夫文化自信(同时也包括他们的审美自信)的重要支柱。① 同时通过更扎实地润物无声地传道教化,儒学成为指导社会各阶层具体生活的思想指针,从而进入到日常生活风俗层面,在社会审美方面发挥着深远而强大的影响。如葛兆光在《中国思想史》中所言:"在国家权力笼罩的空间中,一种伦理道德同一性被逐渐建构起来,一种普遍被认同的思想世界开始形成,并终于奠定了中国人的日常生活世界。"② 因为有此思想上的自信,宋元时期仍然占据思想文化统治地位的儒家文人才能在"异论相搅"的审美意识领域长久地坚持着宽容开放的态度。既然如此,那么,是怎样的儒家哲学支撑着儒家文人士大夫的审美自信? 又是什么样的儒家美学广泛深入地影响着此时的审美活动和审美意识呢? 我们认为,宋元儒学家因性理、天人等问题的思辨所引发的对人的重视,尤其是对人的心性的关注的思维,对宋元审美意识的影响是最为普遍深远的,此即我们所说的宋元审美普遍遵循的"重意在我"意识。

费正清在《中国:传统与变迁》中认为,宋元儒学复兴的原因之一是"中国在外族侵略下产生的'内转'"③。在我们的理解中,费氏所说的

---

① 关于宋元儒学的贡献和意义,韩钟文在《中国儒学史·宋元卷》的"导论"中是这样说的:"在中国儒学史上,宋元儒学进入了上承先秦儒学、汉唐儒学,下启明清儒学的新阶段。宋元儒学在外来印度佛教文化与本土道教文化的挑战下,创造性地阐释了儒学经典,不仅使传统儒学以心性义理为核心的伦理道德、价值理想建构在形上学本体论之上,复活了先秦儒家的形上智慧,为人们解决生命价值问题、存在意义问题、道德完善与人格增进的问题开启了新的思路,而且对先秦儒家、汉唐儒家的外王之学作了新的发展,通过几代大儒的实践、失败、再实践,怀抱希望进入到具体的历史进程中去实现儒家的政治理想、社会理想,在政治的价值、制度的意义、规范的创立和政制的改革方面提供和积累了丰富的经验,成为中华民族近千年来'人心政俗之变'的新起点。"(韩钟文:《中国儒学史·宋元卷》,广东教育出版社1998年版,第1页)

② 葛兆光:《中国思想史》第二卷,复旦大学出版社2005年版,第278页。

③ 参见[美]费正清:《中国:传统与变迁》,张沛、张源、顾思兼译,吉林出版集团有限责任公司2013年版,第129页。

"内转"意在指出,宋元(包括晚唐的一部分)时期儒学思考的重点问题,从外在经典的解读转向了内在的性理辨析。这一儒学的变革方向,其中既包括由外而内的变化,也包括由物到人的转移。宋代,文人士子在科举仕宦生涯中积极地参与到社会生活的方方面面,他们与生活之间的关系并非是晋唐文人带有浓厚诗性的体验式涉入,而是以民生的管理者身份走进现实生活本身。在复杂的世俗生活中,一部分人摆脱经典的束缚,逐渐开始思考人的存在本身的意义,由此通过对自我的省视逐渐进入到对天人关系、天理人欲等关键问题的思考中。可以看到,人及人之性理成为理学、气学等学派的重点关注对象。程颐在《二程遗书》中说:"盖上天之载,无声无臭,其体则谓之易,其理则谓之道,其用则谓之神,其命于人则谓之性,率性则谓之道,修道则谓之教。孟子去其中又发挥出浩然之气,可谓尽矣。"①在儒学思维中,新的天人关系通过人性构建起来,天理即道,道用于人为"性",人性于天理中演化而出的逻辑自然确立,把握人性可由此及彼地上体天理大道。自此,在儒家思想中,人不再是被约束、教化的对象,他成为儒道的一部分(或者说是一种表现形式)。体察、审视、思考人本身,成为儒学思辨的重要内容。至南宋朱熹时,对人的心性的阐述进一步强化了人的重要性,格外重视"尽己"、"推己"之辨。他说:"亦只推己以及物。推得去,则物我贯通,自有个生生无穷底意思,便有'天地变化,草木蕃'气象。天地只是这样道理。若推不去,物我隔绝,欲利于己,不利于人;欲己之富,欲人之贫;欲己之寿,欲人之夭。似这气象,全然闭塞隔绝了,便似'天地闭,贤人隐'。"对于人的关注超越了以往将人视为天人体系中的一元的认识,通过"推己"可以"及物","推己及物"为"大贤以上圣人之事"。② 通过以上理论可知,以观照、体察"己"来思考自然之理,天地万物之事的思维方式,在宋代已经成为理学一派的共识了。

　　作为宋元哲学显学的理学,对人的关注和对内在的开掘对宋元审美

---

① （宋）程颐、程颢:《二程遗书》,中华书局1981年版,第4页。
② （宋）黎靖德编:《朱子语类》,中华书局1986年版,第690—691页。

意识的影响是十分明显的。在宋元审美意识中,另辟蹊径和张扬个性的倾向比较普遍,对个人趣味的坚持,也常常促成独特审美风格的形成。这种对个性的凸显不同于汉唐审美的豪情张扬的外化,它强调的是对自身内在理念的开掘、表现和坚持。宋元审美的"重意在我"从小的角度看表现为具体作家审美风格的独树一帜,如前文提到的苏轼在北宋婉约词风行之时独倡豪放;再大一些的表现为此时期审美现象对固定模式(成法)的突破,如宋元书画对墨法的重视,对"写意"的凸显等;更大范围的"重意在我"则表现为创造全新的审美形式,表达前所未有的审美趣味,开发从未涉足的艺术领域,如话本、杂剧等新文体的繁荣。宋元时南戏、杂剧勃兴,将文学叙事与舞台表演结合,舞蹈、演唱、戏法、杂技等多种艺术综合呈现,追求完全不同于传统"中正平和"、"含蓄蕴藉"的浓烈的"蛤蜊蒜酪"之美。纵观宋元审美意识,求新求变,不随于流俗的意识普遍存在的背后是宋元哲学肯定人的价值,强调性理思辨的思潮。

从中国审美意识史的整体发展看,宋元时期是中国审美意识发展史上承前启后的关键时期。宋元审美意识既是中古审美意识的总结,又是近古审美意识的开端。钱穆在《理学与艺术》中论及宋代的地位时认为"宋以前,大体可称为古代中国,宋以后,乃为后代中国","就宋代而言之,政治经济、社会人生,较之前代莫不有变"。① 在审美意识方面,宋元时期的诗词、散文、戏剧、书法、绘画、服饰、民俗艺术,都在承继前人的基础上发生了巨大转变,如历史学"唐宋分期论"提出"唐型文化"和"宋型文化"的区别一样,我们可以说,宋元时期的审美意识在继承宋前审美传统的同时,也结束了宋前审美传统。在历史继续前行的过程中,宋元审美意识又因对明清乃至以后审美意识的深远影响,使其成为明清审美的直接源头。

其中尤其值得重视的是,通过宋元时期的文学、艺术、民俗、礼仪等具体审美活动的研究,我们发现宋元审美意识展示了中国审美意识进入市民社会后顺应时势后所发生的新的转变。在宋元时期,尽管尚不能说是

① 钱穆:《理学与艺术》,《宋史研究集》第 7 辑,台湾书局 1974 年版,第 2 页。

城市居民决定了审美,但因文艺的集聚和示范效应,主要生活在城市中的城市居民,作为宋元审美的先锋和主将,他们倡导和引领的审美意识无疑不同于秦汉至唐的依附于农业社会的审美意识,他们正在进行并初步完成了中国审美意识"进入城市"的变化阶段。在宋元文人及各阶层人士的共同努力探索中,脱胎于前代但更适应新社会环境的审美意识逐渐明晰起来。宋元以后,城市经济、市民阶层、文化消费等对审美意识的影响越来越大,不甚符合这一社会新变的部分汉唐审美意识渐渐退化为符号性的存在,宋元审美意识被明清文人视为更为合理的宗法对象。可以说,宋元审美意识在四百年间的变化基本确立了城市—乡村二元体制中中国审美意识的发展方向,为明清审美意识的进一步发展提供了足够多的可资借鉴的财富。王国维论宋代的金石学曾云:"汉唐元明时人之于古器物,绝不能有宋人之兴味,故宋人于金石书画之学乃陵跨百代。"①王国维所说的"宋人之兴味",其意近于宋元审美意识,所云"金石书画陵跨百代"则不止于金石书画,遍览明清审美的方方面面,宋元审美意识之深远影响和巨大作用都是清晰可辨的。

　　王国维在《宋代之金石学》中说过:"天水一朝人智之活动与文化之多方面,前之汉唐,后之元明,皆所不逮也。近世学术,多发端于宋人。"②审美意识亦概莫能外。所谓变汉唐而开明清,处于这一文化转折中的宋元审美意识,或附丽于诗词文赋,或潜蕴于书法绘画,或深伏于饮食衣饰,亦以其完全不同于前代的面貌品格尽其所能地宣告着中国审美的旧时代的总结和新时代的发端。

---

　　①　王国维:《静庵文集续编·宋代之金石学》,《王国维遗书》第5册,上海古籍书店1983年版,第75页。
　　②　王国维:《静庵文集续编·宋代之金石学》,《王国维遗书》第5册,上海古籍书店1983年版,第70页。

参 考 文 献

（以姓氏拼音为序）

B

北京大学哲学系美学教研室编：《西方美学家论美和美感》，商务印书馆 1985
  年版。

［意］《柏朗嘉宾蒙古行纪　鲁布鲁克东行纪》，耿昇、何高济译，中华书局 2013
  年版。

（清）卞永誉纂：《式古堂书画汇考》（鉴古书社本）。

C

（宋）晁补之：《鸡肋集》（四部丛刊本）。

（宋）陈淳：《北溪陈先生全集》，光绪辛巳年新镌本种香别业藏本。

崔尔平选编：《历代书法论文选续编》，上海书画出版社 1993 年版。

陈高华：《元代画家史料》，上海人民美术出版社 1980 年版。

陈高华等点校：《元典章》，中华书局、天津古籍出版社 2011 年版。

陈鼓应注译：《庄子今注今译》，中华书局 1983 年版。

（宋）程颢、程颐：《二程集》，王孝鱼点校，中华书局 1981 年版。

（宋）程颢、程颐：《二程遗书》，上海古籍出版社 2000 年版。

车吉心总主编：《中华野史·辽夏金元卷》，泰山出版社 2000 年版。

陈良运主编：《中国历代词学论著选》，百花洲文艺出版社 1998 年版。

（宋）陈耆卿纂：《嘉定赤城志》，中国文史出版社 2008 年版。

陈绶祥：《中国绘画断代史·隋唐绘画》，人民美术出版社 2004 年版。

陈淞贤：《中国传统陶瓷艺术研究》，中国美术学院出版社 2001 年版。

（宋）陈舜俞：《都官集》（四库全书本）。

（宋）蔡襄：《蔡忠惠公文集》（四库全书本）。

陈寅恪：《隋唐制度渊源略论稿》，中华书局 1977 年版。

陈寅恪：《金明馆丛稿初编》，上海古籍出版社 1980 年版。

陈寅恪:《金明馆丛稿二编》,上海古籍出版社 1980 年版。

陈寅恪:《唐代政治史述论稿》,上海古籍出版社 1982 年版。

蔡子谔:《中国服饰美学史》,河北美术出版社 2001 年版。

陈志坚主编:《诸子集成》,北京燕山出版社 2008 年版。

D

《道藏》,文物出版社、上海书店、天津古籍出版社 1988 年版。

(宋)邓椿:《画继》,人民美术出版社 1963 年版。

[英]道森编:《出使蒙古记》,吕浦汉译,中国社会科学出版社 1983 年版。

杜哲森:《中国绘画断代史·元代绘画》,人民美术出版社 2004 年版。

丁福保编:《清诗话》,中华书局 1963 年版。

F

(宋)范成大:《范成大笔记六种》,孔凡礼点校,中华书局 2002 年版。

(宋)范成大:《范成大诗选》,周汝昌编,人民文学出版社 1959 年版。

(元)方回:《古今考·续考》,中华书局 1980 年版。

(元)方回:《桐江续集》(四库全书本)。

傅慧敏编著:《中国古代绘画理论解读》,上海人民美术出版社 2012 年版。

傅乐成:《唐型文化和宋型文化:汉唐史论集》,台湾联经出版事业公司 1977
　年版。

冯青:《朱子语类学归》,江西人民出版社 2011 年版。

房日晰:《宋词比较研究》,安徽大学出版社 2010 年版。

冯天瑜、何晓明、周积明:《中华文化史》,上海人民出版社 2010 年版。

冯友兰:《冯友兰集》,群言出版社 1993 年版。

[伊朗]志费尼:《世界征服者史》,何高济译,商务印书馆 2011 年版。

(宋)范祖禹:《唐鉴》,上海古籍出版社 1981 年版。

G

葛承雍:《中国书法与传统文化》,中国广播电视出版社 1992 年版。

故宫博物院编:《故宫陶瓷馆》,紫禁城出版社 2008 年版。

中国硅酸盐学会编:《中国陶瓷史》,文物出版社 1982 年版。

古清杨、冯丽、任平君主编:《四库精华之集部》,远方出版社 2005 年版。

郭绍虞编选:《清诗话续编》,富寿荪校点,上海古籍出版社 1983 年版。

郭预衡:《中国散文史》,上海古籍出版社 1999 年版。

葛兆光:《中国思想史》,复旦大学出版社 2005 年版。

H

（魏）何晏注，（宋）邢昺疏：《论语注疏》，朱汉民整理，张岂之审定，北京大学出版社 2000 年版。

黄宾虹、邓实编：《美术丛书》，浙江人民美术出版社 2013 年版。

（宋）黄朝英：《靖康缃素杂记》，上海古籍出版社 1986 年版。

华东师范大学古典文学研究室编：《词学研究论文集》（1949—1979 年），上海古籍出版社 1982 年版。

［日］弘法大师原撰：《文镜秘府论校注》，王利器校注，中国社会科学出版社 1983 年版。

（明）黄淮、杨士奇等编著：《历代名臣奏议》（重印永乐本），学生书局 1985 年版。

黄晖撰：《论衡校释》，中华书局 1990 年版。

黄畿注：《皇极经世书》，中州古籍出版社 1993 年版。

杭间：《中国工艺美学思想史》，北岳文艺出版社 1994 年版。

（元）郝经：《郝文忠公陵川文集》，山西人民出版社 2006 年版。

［美］H.J.德伯里：《人文地理——文化、社会与空间》，王民等译，北京师范大学出版社 1988 年版。

（清）黄宗羲：《宋元学案》，全祖望补修，陈金生、梁运华点校，中华书局 1986 年版。

（宋）洪迈：《夷坚丁志》，何卓点校，中华书局 1981 年版。

韩儒林：《元朝史》，人民出版社 1986 年版。

（元）忽思慧：《饮膳正要》，刘玉书点校，人民卫生出版社 1986 年版。

（宋）黄庭坚：《黄庭坚全集》，刘琳、李勇先、王蓉贵校点，四川大学出版社 2001 年版。

（宋）黄庭坚：《黄庭坚全集辑校编年》，郑永晓整理，江西人民出版社 2008 年版。

黄惇选注：《董其昌书法论注》，江苏美术出版社 1993 年版。

（清）何文焕辑：《历代诗话》，中华书局 1981 年版。

（宋）胡仔：《苕溪渔隐丛话后集》，人民文学出版社 1962 年版。

（元）胡祗遹：《胡祗遹集》，吉林文史出版社 2008 年版。

J

金沛霖主编：《四库全书子部精要》，天津古籍出版社 1998 年版。

（明）金圣叹：《金圣叹全集》，江苏古籍出版社 1985 年版。

（宋）江少虞：《事实类苑》，上海古籍出版社 1981 年版。

蒋述卓等：《宋代文艺理论集成》，中国社会科学出版社 2000 年版。

姜义华、张荣华编校:《康有为全集》,中国人民大学出版社 2007 年版。

K

(元)孔齐:《至正直记》(丛书集成初编),中华书局 1991 年版。

(清)况周颐:《蕙风词话》,人民文学出版社 1960 年版。

L

(宋)罗璧:《罗氏拾遗》(丛书集成本)。

廖奔:《宋元戏曲文物与民俗》,文化艺术出版社 1989 年版。

(宋)罗大经:《鹤林玉露》,中华书局 1997 年版。

[美]劳费尔:《中国伊朗编》,林筠因译,商务印书馆 1964 年版。

卢辅圣主编:《中国书画全书》,上海书画出版社 1993 年版。

梁庚尧:《南宋的农村经济》,新星出版社 2006 年版。

(宋)黎靖德编:《朱子语类》,王星贤点校,中华书局 1986 年版。

兰吉富主编:《禅宗全书》,文殊出版社 1988 年版。

刘俊文主编:《日本学者研究中国史论著选译》第一卷,黄约瑟译,中华书局 1992
年版。

(唐)李隆基注,(宋)邢昺疏:《孝经注疏》,金良年整理,上海古籍出版社 2009
年版。

梁启超:《饮冰室诗话》,周岚、常弘编,时代文艺出版社 1998 年版。

(宋)李清照:《李清照全集评注》,徐北文主编,济南出版社 1990 年版。

(宋)李清照:《重辑李清照集》,黄墨谷辑校,中华书局 2009 年版。

(明)李日华:《六研斋笔记　紫桃轩杂缀》,凤凰出版社 2010 年版。

[波斯]拉施特主编:《史集》,余大钧、周建奇译,商务印书馆 2009 年版。

(宋)李焘:《续资治通鉴长编》,中华书局 1995 年版。

(金)刘祁:《归潜志》卷六,中华书局 1983 年版。

刘文典撰:《淮南鸿烈集解》,冯逸、乔华点校,中华书局 1989 年版。

(后晋)刘昫等:《后唐书》,中华书局 2007 年版。

(清)刘熙载:《艺概》,上海古籍出版社 1978 年版。

李修生主编:《全元文》,江苏古籍出版社 1999 年版。

(宋)吕希哲:《吕氏杂记》,中华书局 1991 年版。

(清)李渔:《闲情偶寄》,华夏出版社 2006 年版。

梁披:《中国书法大辞典》,香港书谱出版社 1984 年版。

(宋)陆游:《老学庵笔记》,中华书局 1997 年版。

(宋)陆游:《陆游选集》,朱东润选注,中华书局上海编辑所 1962 年版。

（宋）陆游：《剑南诗稿校注》，钱仲联校注，上海古籍出版社 1985 年版。

罗月霞主编：《宋濂全集》，浙江古籍出版社 1999 年版。

龙榆生：《龙榆生词学论文集》，上海古籍出版社 1997 年版。

（宋）廖莹中：《江行杂录》，中华书局 1985 年版。

李知宴：《中国古代陶瓷》，商务印书馆 1998 年版。

M

莫道才：《骈文通论》，齐鲁书社 2010 年版。

（宋）马端临：《文献通考》，中华书局 2011 年版。

［意］马可·波罗：《马可波罗行纪》，冯承钧译，上海书店出版社 2006 年版。

（宋）孟元老等：《东京梦华录》（外四种），古典文学出版社 1957 年版。

（宋）孟元老：《东京梦华录笺注》，伊永文笺注，中华书局 2006 年版。

缪钺：《诗词散论》，上海古籍出版社 1982 年版。

O

（宋）欧阳修：《欧阳修全集》，李逸安点校，中华书局 2001 年版。

P

潘伯鹰：《中国书法简论》（增订本），上海人民出版社 1981 年版。

（宋）彭大雅：《黑鞑事略》（丛书集成本），许霆疏证，商务印书馆 1937 年版。

彭适凡：《中国南方古代印纹陶》，文物出版社 1987 年版。

潘天寿：《中国绘画史》，团结出版社 2005 年版。

潘运告主编：《宋人画论》，熊志庭、刘成淮、金五德译注，湖南美术出版社 2000
年版。

潘运告编著：《元代书画论》，湖南美术出版社 2002 年版。

潘运告编注：《中国历代画论选》，湖南美术出版社 2007 年版。

Q

（宋）秦观：《淮海集笺注》，徐培均笺注，上海古籍出版社 1994 年版。

钱穆：《钱宾四先生全集》，台北联经出版社 1998 年版。

［日］青木正儿：《中国近世戏曲史》，中华书局 2010 年版。

钱南扬：《戏文概论》，中华书局 2009 年版。

漆侠主编：《辽宋西夏金代通史·宗教风俗卷》，人民出版社 2010 年版。

乔志强：《中国古代书法理论解读》，上海人民美术出版社 2012 年版。

钱锺书：《钱锺书集》，三联书店 2001 年版。

R

任崇岳：《庚申外史笺证》，中州古籍出版社 1991 年版。

任道斌编校：《赵孟頫文集》，上海书画出版社 2010 年版。

(清)毕沅：《续资治通鉴》，岳麓书社 1992 年版。

S

宿白：《白沙宋墓》，文物出版社 2002 年版。

沈从文编著：《中国古代服饰研究》，商务印书馆 2011 年版。

上海古籍出版社编：《宋元笔记小说大观》，上海古籍出版社 2001 年版。

上海古籍出版社编：《明代笔记小说大观》，上海古籍出版社 2005 年版。

上海古籍出版社编：《饮食起居编》，上海古籍出版社 1993 年版。

上海书画出版社、华东师范大学古籍整理研究室选编：《历代书法论文选》，上海
　书画出版社 1979 年版。

(宋)沈括：《梦溪笔谈校证》，胡道静校证，上海古籍出版社 1987 年版。

沈子丞编：《历代论画名著汇编》，文物出版社 1982 年版。

四库全书存目丛书编纂委员会编：《四库全书存目丛书》，齐鲁书社 1995 年版。

(明)宋濂：《宋文宪公全集》(四部备要本)。

(明)宋濂等：《元史》，中华书局 1976 年版。

水赉佑编：《黄庭坚书法史料集》，上海书画出版社 1993 年版。

(宋)司马光：《温国司马文正公集》(四部丛刊初编缩本)。

(宋)司马光：《司马氏书仪》(江苏书局本)。

(宋)司马光：《资治通鉴》，中华书局 1956 年版。

(宋)司马光：《温公家范》，王宗志注，天津古籍出版社 1995 年版。

(汉)司马迁：《史记》，中华书局 1997 年版。

宋平生等著译：《历代茶经酒经论选译》，中国青年出版社 1998 年版。

(宋)苏轼：《苏轼文集》，孔凡礼点校，中华书局 1986 年版。

(宋)苏轼：《东坡诗话全编笺评》，王文龙编，西南师范大学出版社 1996 年版。

(宋)苏轼：《苏轼诗集合注》，(清)冯应榴辑注，黄任轲、朱怀春校点，上海古籍出
　版社 2001 年版。

(宋)苏轼：《苏轼文集编年笺注》，李之亮笺注，巴蜀书社 2011 年版。

隋树森编：《全元散曲》，中华书局 1964 年版。

(宋)苏洵撰，曾枣庄、金成礼笺注：《嘉祐集笺注》，上海古籍出版社 1993 年版。

山西师范大学戏曲文物研究所：《中华戏曲》(三)，山西人民出版社 1987 年版。

(宋)苏辙：《苏辙集》，陈宏天、高秀芳点校，中华书局 1990 年版。

（宋）沈作喆纂：《寓简》，中华书局 1985 年版。

T

唐圭璋编：《词话丛编》，中华书局 1986 年版。

唐圭璋编纂：《全宋词》，中华书局 1999 年版。

（宋）唐慎微：《重修政和经史证类备用本草》，人民卫生出版社 1982 年版。

（元）脱脱等：《辽史》，中华书局 1974 年版。

（元）脱脱等：《金史》，中华书局 1975 年版。

（元）脱脱等：《宋史》，中华书局 1977 年版。

（元）陶宗仪：《南村辍耕录》，中华书局 1959 年版。

（明）陶宗仪等编：《说郛三种》，上海古籍出版社 1988 年版。

（元）陶宗仪：《书史会要》，上海书店出版社 1984 年版。

W

（宋）王安石撰：《王荆公文集笺注》，李之亮笺注，巴蜀书社 2005 年版。

（明）王鏊：《姑苏志》（四库全书本）。

（魏）王弼注，楼宇烈校释：《老子道德经注校释》，中华书局 2008 年版。

王重民辑：《敦煌曲子词集》，商务印书馆 1950 年版。

翁长森、蒋国榜编：《金陵丛书》，力行书局 1970 年版。

（汉）王符著，（清）汪继培笺，彭铎校正：《潜夫论笺校正》，中华书局 1985 年版。

（清）王夫之：《宋论》，中华书局 1964 年版。

王国维：《宋元戏曲史疏证》，马美信疏证，复旦大学出版社 2004 年版。

王焕镳撰：《墨子集诂》，世纪出版集团、上海古籍出版社 2005 年版。

王洪刚、王海冬、张安巡：《追太阳——萨满教与中国北方民族文化精神起源论》，民族出版社 2011 年版。

王季思主编：《全元戏曲》，人民文学出版社 1999 年版。

（明）吴宽：《家藏集》（四库全书本）。

（元）无名氏：《新刊大宋宣和遗事》，中国古典文学出版社 1954 年版。

（宋）王溥：《唐会要》，中华书局 1955 年版。

（宋）魏庆之：《诗人玉屑》，上海古籍出版社 1959 年版。

闻人军译注：《考工记译注》，上海古籍出版社 1993 年版。

吴仁敬：《中国陶瓷史》，北京图书馆出版社 1998 年版。

（金）王若虚：《滹南遗老集》，中华书局 1985 年版。

王赛时、齐子忠：《中华千年饮食》，中国文史出版社 2002 年版。

王水照：《当代名家学术思想文库·王水照卷》，万卷出版公司 2011 年版。

王水照编:《历代文话》,复旦大学出版社 2011 年版。

王水照编选:《唐宋古文选》,凤凰出版社 2012 年版。

汪坦、陈志华主编:《现代西方建筑美学文选》,清华大学出版社 2013 年版。

王文锦译解:《礼记译解》,中华书局 2001 年版。

吴文治主编:《宋诗话全编》,江苏古籍出版社 1998 年版。

吴玉贵、华飞主编:《四库全书精品文存》,团结出版社 1997 年版。

(清)王原祁等纂辑:《佩文斋书画谱》第五册,孙霞整理,文物出版社 2013 年版。

王云五主编:《丛书集成初编》,商务印书馆 1938 年版。

(宋)王洙:《王氏谈录》(四库丛书本)。

(宋)吴曾:《能改斋漫录》,上海古籍出版社 1979 年版。

吴泽主编:《陈垣史学论著选》,上海人民出版社 1981 年版。

X

徐飚:《两宋物质文化引论》,江苏美术出版社 2007 年版。

徐建融:《元代书画藻鉴与艺术市场》,上海书店出版社 1999 年版。

徐娟主编:《中国历代书画艺术论著丛编》,中国大百科全书出版社 1997 年版。

熊寥:《中国陶瓷古籍集成》(注释本),江西科学技术出版社 2000 年版。

(宋)徐梦莘:《三朝北盟会编》,上海古籍出版社 2008 年版。

(清)徐松辑:《宋会要辑稿》,中华书局 1957 年版。

(清)徐松辑:《宋会要辑稿》,刘琳、刁忠民、舒大刚、尹波等校点,上海古籍出版社 2014 年版。

(明)徐师曾:《文体明辨序说》,罗根泽点校,人民文学出版社 1962 年版。

(明)徐渭:《南词叙录注释》,李复波、熊澄宇注释,中国戏剧出版社 1989 年版。

(宋)谢维新:《古今合璧事类备要后集》(四库全书本)。

徐元浩撰:《国语集解》,王树民、沈长云点校,中华书局 2002 年版。

许之衡:《饮流斋说瓷》,上海古籍出版社 1993 年版。

Y

(宋)严羽:《沧浪诗话》,中华书局 1985 年版。

于安澜编:《画品丛书》,上海人民美术出版社 1982 年版。

杨伯峻译注:《孟子译注》,中华书局 1960 年版。

游彪、尚衍斌、吴晓亮等:《中国民俗史·宋辽金元卷》,人民出版社 2008 年版。

(宋)袁采撰:《袁氏世范》(丛书集成本),商务印书馆 1937 年版。

(宋)袁采:《世范》(外四种),岳麓书社 2003 年版。

(清)杨复吉:《辽史拾遗补》,商务印书馆 1936 年版。

杨海明:《唐宋词史》,天津古籍出版社 1998 年版。

(元)虞集:《道园学古录》,(四部丛刊本)。

余剑华编:《中国画论类编》,人民美术出版社 2004 年版。

袁冀:《元史论丛》,联经出版事业公司 1978 年版。

(宋)叶隆礼:《契丹国志》,齐鲁书社 2000 年版。

(清)袁枚:《小仓山房诗文集》,上海古籍出版社 1988 年版。

(宋)轶名:《宣和书谱》,顾逸点校,上海书画出版社 1984 年版。

(宋)叶梦得:《石林燕语》,侯忠义点校,中华书局 1984 年版。

杨念群:《"感觉主义"的谱系:新史学十年的反思之旅》,北京大学出版社 2012
年版。

(清)永瑢、纪昀等编纂:《四库全书》,上海古籍出版社 1987 年版。

(清)永瑢等编:《四库全书荟要》,世界书局 1985 年版。

(清)恽寿平:《南田画跋》,张曼华点校、纂注,山东画报出版社 2012 年版。

(宋)宇文懋昭:《大金国志》,中华书局 1986 年版。

Z

周博琪主编:《中华藏书馆·古今图书集成》,中国戏剧出版社 2008 年版。

(明)张丑:《清河书画舫》,徐德明校点,上海古籍出版社 2011 年版。

(宋)庄绰:《鸡肋编》,中华书局 1983 年版。

张岱年:《中国哲学大纲》,中国社会科学出版社 1982 年版。

赵方任辑注:《唐宋茶诗辑注》,中国致公出版社 2001 年版。

中国国家博物馆编:《文物宋元史》,中华书局 2009 年版。

中国戏曲研究院编:《中国古典戏曲论著集成》,中国戏剧出版社 1959 年版。

张惠民编:《宋代词学资料汇编》,汕头大学出版社 1993 年版。

(宋)赵佶敕纂:《宣和画谱》,岳仁译注,湖南美术出版社 1999 年版。

(清)张金吾:《金文最》,中华书局 1990 年版。

(宋)赵令畤:《侯鲭录》,中华书局 2002 年版。

(元)赵孟頫:《赵文敏公松雪斋全集》,康熙五十二年刊本。

(元)赵孟頫:《赵孟頫集》,任道斌校点,浙江古籍出版社 1986 年版。

(元)赵孟頫:《松雪斋集》,中华书店 1991 年版。

(明)臧懋循:《元曲选》,中华书局 1958 年版。

(元)赵汸:《东山存稿》(四库全书本)。

(宋)郑樵撰:《通志》,中华书局 1987 年版。

(宋)郑樵:《通志》,浙江古籍出版社 2008 年版。

赵荣光:《中国饮食文化史》,上海人民出版社 2006 年版。

（宋）赵汝愚编：《宋朝诸臣奏议》，上海古籍出版社 1999 年版。

赵山林：《历代咏剧诗歌选注》，书目文献出版社 1988 年版。

（清）张思岩、宗橚辑：《词林纪事》，成都古籍书店 1982 年版。

（宋）周敦颐：《周濂溪集》，商务印书馆 1936 年版。

（宋）郑太和：《郑氏规范》，中华书局 1985 年版。

郑威编著：《董其昌年谱》，上海书画出版社 1989 年版。

（宋）朱熹：《晦庵先生朱文公集》（四部丛刊本）。

（宋）朱熹：《四书章句集注》，中华书局 1983 年版。

（宋）朱熹：《朱熹集》，郭齐、尹波点校，四川教育出版社 1996 年版。

（宋）朱熹：《朱子全书》，上海古籍出版社 1996 年版。

（清）赵翼：《陔馀丛考》，商务印书馆 1957 年版。

（清）赵翼：《廿二史札记校证》，王树民校证，中华书局 1984 年版。

（清）赵翼：《瓯北诗话》，霍松林、胡主佑点校，人民文学出版社 1987 年版。

（宋）朱彧：《萍洲可谈》，中华书局 1985 年版。

（宋）张耒：《明道杂志》（丛书集成初编本），商务印书馆 1959 年版。

（元）张养浩：《归田类稿》（四库全书本）。

（宋）赵彦卫：《云麓漫钞》，中华书局 1996 年版。

（唐）张彦远：《历代名画记》，俞剑华注释，上海人民美术出版社 1964 年版。

张月中主编：《元曲通融》，山西古籍出版社 1999 年版。

（宋）张载：《张载集》，中华书局 1978 年版。

（宋）曾巩撰：《曾巩集》，陈杏珍、晁继周点校，中华书局 1984 年版。

周振甫译注：《周易译注》，中华书局 1991 年版。

曾枣庄、刘琳主编：《全宋文》，上海辞书出版社、安徽教育出版社 2006 年版。

张璋等编纂：《历代词话》，大象出版社 2002 年版。

（梁）钟嵘，曹旭集注：《诗品集注》，上海古籍出版社 1994 年版。

邹同庆、王宗堂：《苏轼词编年校注》，中华书局 2002 年版。

索 引

X

后　记

　　《宋元审美意识史》即将付梓，再度校阅这 30 万字的文稿，五年间撰写之种种情状亦不觉见于目前。2011 年，蒙华东师范大学朱志荣先生不弃，邀我夫妇共撰《中国审美意识通史》之宋元部分。长者厚爱，抬重如此，我二人虽才疏学浅亦不敢辞，遂附骥尾，勉力而行。

　　我二人与志荣先生的相识是在 2006 年。这一年，我的妻子董惠芳女士考入志荣先生门下攻读博士学位。此后四年从学，朱志荣先生鸿学睿思、笃学明道的学者品格，深深地影响了包括我妻子在内的门下弟子。我虽未直接受教，但间接熏染也受益匪浅。因此，对于我们来说，参与朱志荣先生的《中国审美意识通史》的撰写，既是一次继续学习，又是一个自我提高的过程。

　　撰写任务之初，志荣先生即多次强调，中国审美意识不限于历代文论文献，在文学艺术作品中、具体艺术活动中，乃至实际器物中，都内蕴着前人的审美意识。只有全面地深入其中，从实际出发，详加分析提炼，方可归本还原，揭橥当时审美意识的真容实貌。这样的理念如想真正贯彻到具体的撰写中是非常辛苦的，它要求撰写者不仅要搜集阅读大量的古代文论具体文献，且要同时翻检更多的古代诗文、演剧、书画、笔记等文本，更要从留存的文物文献和考古成果中去追踪古人的衣食住行，从小至一碗一瓶，大如一城一国的器物痕迹中去还原中国人的审美意识变迁。具体到我们负责的宋元审美意识史，因宋元审美意识时间跨度大，涉及地域广，又处在南北政权分立、各民族杂居文化交流密切、雅俗审美转化的复杂环境中，需要考虑和关注的对象和内容尤其多。因此，这样的写法，极大地考验着撰写者的脑力和体力，工作难度之高、工作量之大是可以想见的。

在具体撰写中,我和董惠芳女士按各自的兴趣分工撰写。我承担了第二、第三、第四、第五、第八章和结语部分,董惠芳承担了绪论、第一、第六、第七章及最后的统稿工作。在撰写中,坚持朱志荣先生争取各章努力达到 CSSCI 论文的标准,几年中次第完成。尽管写得很辛苦,但这本书带给我们更多的是撰写的喜悦。宋元四百年,是中国封建文化极繁荣的四百年,佳文宏篇,妙境逸韵,迭出无穷。徜徉于宋元璀璨之审美文化间,循迹按踪,时有捡获,不胜欣喜。有时自觉把握到古人妙处,隔千年时空窥见其心眼所在,那种于心戚戚的融合体验难以言表。因着撰写的需要,我们阅读了此前未曾留意的宋元文献,沉浸其中,察古而知今,因旧而得新,所谓"学而思"之乐,不足与人道也。此时搁笔完稿之际,怅然爽然,百味杂陈。

身入宝山,必不空回。五年间,本书的部分内容次第发表于《内蒙古社会科学》、《中南民族大学学报》、《山东社会科学》、《中国美学研究》等国内核心期刊。各位编辑对文章的认可,激励我们继续前行,谢谢你们。

在撰写的几年间,我们与《中国审美意识通史》其他几卷的作者亦因书结缘,定题统稿,商榷砥砺,往来无间。"君子以文会友,以友辅仁",王怀义、李修建、朱媛、朱忠元、杨明刚诸君博学敦厚,治学谨严,有此嘉友,诚为幸事。

临篇停笔,又有几分惶恐惴惴。宋元审美意识的研究体大而难精,我们学浅而欲言深,必有"遗珠"之憾。但所以不避浅陋,意在"抛砖",果有同好大贤撰玉指正,不胜荣幸之至。

宋 巍

2016 年 4 月

策划编辑:方国根
责任编辑:段海宝
封面设计:石笑梦
版式设计:顾杰珍

图书在版编目(CIP)数据

中国审美意识通史. 宋元卷/朱志荣 主编;宋巍,董惠芳 著. —北京:
　人民出版社,2017.8
ISBN 978－7－01－017809－7

Ⅰ.①中… Ⅱ.①朱…②宋…③董… Ⅲ.①审美意识-美学史-中国-
　宋元时期 Ⅳ.①B83－092

中国版本图书馆 CIP 数据核字(2017)第 141374 号

中国审美意识通史

ZHONGGUO SHENMEI YISHI TONGSHI

（宋元卷）

朱志荣　主编　宋巍　董惠芳　著

人民出版社 出版发行
(100706 北京市东城区隆福寺街 99 号)

北京中科印刷有限公司印刷　新华书店经销

2017 年 8 月第 1 版　2017 年 8 月北京第 1 次印刷
开本:710 毫米×1000 毫米 1/16　印张:25
字数:370 千字

ISBN 978－7－01－017809－7　定价:104.00 元

邮购地址 100706　北京市东城区隆福寺街 99 号
人民东方图书销售中心　电话 (010)65250042　65289539